1일 1페이지,
세상에서 가장 짧은
심리 수업
365

1일 1페이지, 세상에서 가장 짧은 심리 수업 365

정여울 지음

위즈덤하우스

365일, 심리학과 함께하는 기쁨
_자기혐오와 싸우는 당신을 위한 365가지 힐링 액션

"나는 나에게 일어난 일들이 아니다. 내가 되고자 선택한 것이다."
_칼 구스타프 융

어쩐지 오랫동안 가슴을 울리는 질문들이 있다. "작가님은 도대체 어떻게 스트레스를 푸세요?" "우울할 땐 어떻게 하시나요?" "선생님은 트라우마를 어떻게 치유하셨나요?" "저에게도 정말 스스로를 치유할 힘이 있을까요?" "제겐 그런 엄청난 내면의 잠재력이 없는 것 같아요." "일이 전혀 풀리지 않을 때나 아이디어가 떠오르지 않을 때는 어떻게 하세요?" 심리학 강연을 할 때마다 이런 질문을 많이 받는다. 이 책은 그 목마른 질문들에 대한 대답이다. 너무 많은 아픔으로 지친 사람들에게 이 책을 선물하고 싶다. 이 책은 내가 나를 치유하기 위해 도움받았던 모든 내적 자산이자 회복탄력성을 위한 보물창고다. 무인도에 있다 해도, 내 모든 책을 다 잃어버린다 해도, 결코 잊을 수 없는 마음 돌봄의 기록이다. 또한 아무리 위급한 상황에서도 나를 구할 수 있었던, 마음속의 위로 테라피다. 이 책은 스트레스를 풀어나간 보살핌의 기록이자, 내 트라우마를 위로해준 모든 것들의 모음집이다.

차가운 이론이 아니라 뜨거운 실천으로 삶을 바꾸는 심리학. 내가 꿈꾸는 심리학의 이상은 바로 그것이다. 내게 심리학은 어려운 학문이 아니라 '지금 이곳에서 내 삶을 바꾸는 치유의 액션'이다. 그리하여 이 책에서 나는 불안과 우울의 늪에 자주 빠질 수밖에 없는 우리 현대인을 위한 365가지 힐링 액션(healing action)을 소개한다. 이 책은 '내 삶을 바꾼 심리학, 책, 일상, 사람, 영화, 그림, 대화'라는 7가지 테마로 365일간의 대장정을 떠난다. 월요일에는 상처 입은 내가 결코 부끄러운 존재가 아니라는 것을 가르쳐준 심리학 이야기, 화요일에는 나에게 끝없는 용기와 힘을 주는 책 이야기, 수요일에는 일상 곳곳에서 마음의 상처를 치유하는 힘을 발견하는 이야기, 목요일에는 사람 때문에 상처받지만 결국 사람으로 치유되는 우리의 이야기, 금요일에는 우리를 전혀 다른 타인의 삶 속으로 데려감으로써 자신의 삶을 돌아보는 거울이 되어주는 영화 이야기, 토요일에는 예술의 향기를 통해 고단한 마음을 토닥여주는 그림 이야기, 일요일에는 대화를 통해 트라우마와 스트레스를 이겨낸 사람들의 이야기를 담아 보았다. 이런 과정을 통해 매일매일 평범한 일상 속에서도 찬란한 치유의 기적이 일어날 수 있음을 보여주고 싶었다.

심리학을 공부하며 나는 깨달았다. 심리학은 심리학 전문서적에만 숨어 있는 것이 아니라는 것을. 일상, 사람, 그림, 음악, 춤, 그 모든 것에 심리적 치유의 힘은 스며 있다. 심리학은 인간의 아픔을 치료하는 모든 힘의 다른 이름이다. 나를 치유하는 회복탄력성, 나를 더 나은 존재로 만드는 내적 자원을 풍요롭게 해주는 그 모든 것들이 심리학의 콘텐츠가 될 수 있다.

이 책은 내가 심리학에 빠져 있던 지난 15년간, 트라우마에 시달리지 않기 위해 분투하며 개발한 자기 치유의 테라피다. 그러니까 내가 어쩔 수 없이 당하게 된 1차 트라우마는 막을 수 없었지만, 2차, 3차 트라우마로 나를 망치지 않기 위해 평생 개발해온 '상처를 치유하는 내적 자원'의 목록들이다. 그 끈질긴 '2차 트라우마 가로막기 대작전' 덕분에 나는 상처가 올 때마다 그 상처와 당당하게 대화하는 버릇이 생겼다. 상처를 피하기만 하는 것은 아무 도움이 되지 않기 때문이다. 상처가 내 마음의 면역체계를 공격해올 때마다 나는 묻는다. '상처야, 너는 나를 어디까지 망가뜨릴 셈이니.' 그러면 놀랍게도 내 안의 '셀프(Self:내면의 자기)'라는 녀석이 용감하게 고개를 들어 이렇게 말한다. '무슨 소리야! 난 하나도 망가지지 않았어! 잠시 쉬어가는 것뿐이야. 잠시 전열을 정비하고, 곧바로 싸우러 나갈 테야. 각오해. 난 나의 상처보다 강한 존재야. 난 항상 상처를 이겨내왔어. 한 번도 포기한 적 없어. 내 상처를 이겨내고 끝내 내가 원하는 삶을 살고 싶다는 그 희망을, 단 한 번도 포기한 적 없어. 그러니, 이번에도 내가 이길 거야.'

천만다행이다. 우리 모두에게는 이런 셀프, 즉 눈에 보이는 우리의 에고(Ego:사회적 자아)보다 훨씬 강인하고 지혜로운 '또 하나의 나'가 존재하기 때문이다. 에고는 늘 타인에게 보여주는 모습이기에 연기와 변신에 능하지만, 대신 타인의 시선을 지나치게 의식하여 허영과 체면치레에 과도하게 에너지를 낭비하기도 한다. 반면 셀프는 무소의 뿔처럼 혼자서 가는 용기를 지닌 우리 안의 또 다른 현자다. 셀프의 힘을 키워 에고의 변덕에 저항하는 것, 셀프의 풍요로움으로 에고의 탐욕을 저지하는 것, 그리하여 에고와 셀프가 행복하게 대화하는 더 아름답고 눈부신 자기 자신의 모습을 만나는 것. 그것이 이 책의 궁극적인 목표다.

이 책의 한 문장 한 문장을 쓸 때마다 나는 마음속에 반딧불을 하나씩 켜는 느낌이었다. 이 책을 쓰며 이 365개의 힐링 액션, 365개의 치유의 몸짓을 담은 마음의 반딧불이 우리의 마음이 가장 어두워진 순간, 찬란하게 밤하늘 위로 날아오르는 장면이 떠올랐다. 당신의 마음이 가장 어두울 때 당신을 환하게 밝혀줄 내면의 반딧불. 이 책은 바로 그런 순간을 꿈꾸며 만들어졌다. 당신의 마음이 무겁고 참담하게 가라앉을 때, 내가 켜놓은 이 글쓰기의 반딧불을 기억해주기를. 나는 당신을 향해 항상 따스한 치유의 반딧불을 쏘아 올릴 것이니.

겨울이 지나는 길목에서
푸르른 하늘을 그리워하며, 정여울

이 책에 담긴 365가지 주제는 다음의 분야들로 나뉩니다.

월요일 – 심리학의 조언

위대한 심리학자들이 탐구하고 연구한 주요 이론과 키워드, 적용 원리의 조언을 통해 내면의 상처를 올바로 이해하고 치유하는 법을 배울 수 있습니다.

화요일 – 독서의 깨달음

동화책에서 고전문학까지 다양한 책에 담긴 따뜻한 위로와 깨달음의 메시지를 통해 나를 바로세우고 세상을 향해 나아가는 용기를 얻을 수 있습니다.

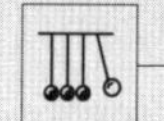

수요일 – 일상의 토닥임

일상에서 마주하는 아프고 고통스러운 순간, 혹은 작지만 소중한 위로의 순간들을 통해 서로의 마음을 토닥이고 감싸주는 온기를 느낄 수 있습니다.

목요일 – 사람의 반짝임

문학작품 속 등장인물부터 우연히 만난 낯선 이방인들까지, 사람 때문에 상처받지만 결국 사람으로 치유되는 우리의 이야기를 발견할 수 있습니다.

금요일 – 영화의 속삭임

감동과 희열, 사랑과 상실, 회복의 다채로운 미장센을 선보이는 영화들을 통해 타인의 삶에 공감하고 자신의 삶을 돌아보는 시간을 가질 수 있습니다.

토요일 – 그림의 손길

고통을 예술로 승화시킨 위대한 예술가들과 그들의 아름다운 작품을 통해 고단한 마음을 어루만지고 희망을 불어넣는 예술의 힘을 만날 수 있습니다.

일요일 – 대화의 향기

엄마와 딸, 손님과 직원, 선생님과 학생 등 다양한 사이의 대화를 통해 때로는 사랑을, 때로는 상처를 주고받는 관계의 소중함을 이해할 수 있습니다.

인간은 사랑받는다는 사실을 확신할 때 가장 용감하다.

How bold one gets when one is sure of being loved.

– 지그문트 프로이트

001 MON 심리학의 조언 어젯밤 꿈과 함께 나와의 대화 시작하기

가끔 꿈에서 내가 '남자'로 나올 때가 있다. 화들짝 놀라기도 하지만, 뭔가 신기하고 흥미진진한 느낌이 들기도 한다. 꿈속의 남자는 현실의 나보다 훨씬 대담하고, 도발적이고, 결단력 있는데다가, 키가 크고 위엄이 넘친다. 융 심리학자라면 이런 모습을 '자기 안의 아니무스(여성 속에 내재한 무의식의 남성성)'라고 분석할 것이다. 융은 남성 안의 여성성을 '아니마'로, 여성 안의 남성성을 '아니무스'로 표현하면서, 인간은 궁극적으로 양성성을 모두 갖추었을 때 더욱 완전해질 수 있다고 생각했다. 꿈은 이렇듯 내 안의 무의식적 결핍을 드러내고, 때로는 내가 의식적 차원에서 무시하고 있는 것들을 일깨워주기도 한다.

꿈속에서 나는 남자로 변신한 모습이 마음에 든다. 어쩌면 여성으로서 차별이나 불평등을 겪었던 순간에 '내가 남자라면 이런 설움을 겪고 있을까' 하는 울분을 느꼈을 것이고, 그 감정들이 무의식에 쌓여서 '꿈속의 남자'라는 또 다른 자기 이미지를 만들었을지도 모른다. 내 안의 또 다른 나, 꿈속의 남자는 나에게 '더 용감해지라'고, '더 과감해지라'고 충동질한다. 나다움을 창조하기 위한 어떤 싸움도 피하지 말라고, 방해하는 모든 장애물과 싸울 용기가 내 안에 있다고 충동질한다. 무의식이 의식을 향해 뭔가 간절한 메시지를 보내는 것 같다. 현실 속의 내가 소심하고 우유부단하게 느껴질 때 꿈속의 나는 내 결핍을 보상하기 위해, 더 나은 나를 만들기 위해 '또 하나의 내 모습'을 이미지로 만들어 보여주는 것이 아닐까.

수많은 꿈 분석과 상담을 통해 인간의 무의식이 의식을 향해 보내는 '꿈'이라는 메시지를 해독하는 것. 그것은 꿈을 '무의식의 조력자'로 바라보는 융 심리학의 토대 위에서 진행된다. 우리는 흔히 길몽과 흉몽, 악몽과 예지몽 등의 단어를 쓰면서 꿈을 분류하고 차별하기도 하지만, 융 심리학에서는 좋은 꿈과 나쁜 꿈을 굳이 가르지 않는다. 악몽은 '나쁜 일이 일어날 것이다'라는 흉조가 아니라 '내가 삶에서 뭔가를 놓치고 있다'는 것을 알려주는 신호다. 무의식은 일종의 멘토이자 구원투수로서 우리의 의식을 향해 끊임없이 간절한 메시지를 보내고 있다. 매일 밤, 너무도 간절하게, 당신이 놓쳐버린 무의식의 열망을 기억해달라고. 당신이 바쁘다는 이유로, 현실에 적응해야 한다는 이유로 놓쳐버린 그 모든 생각과 감정을 되찾아야 한다고.

- 융 심리학은 누구나 심리학적으로 양성성을 갖추었음을 강조한다. 여성 안에 남성이 깃들어 있고, 남성 안에 여성이 깃들어 있다. 우리는 아니무스와 아니마를 동시에 필요로 한다. 조화로운 삶을 추구하는 사람들은 '남성성과 여성성'을 동시에 추구하는 삶, 풍요로운 양성성을 실현하는 쪽으로 나아간다.

002 TUE

독서의 깨달음

자신의 역사를 스스로 쓸 수 있는 힘

만약 교육의 힘이 아니었더라면 나는 어떤 모습이었을까. 생각만 해도 아찔해진다. 삶을 지배하는 수많은 가치와 관계들이 있겠지만, 교육만큼 커다란 힘을 발휘하는 것이 있을까. 물론 여기서 말하는 교육은 단지 학교교육에 그치는 것이 아니라 가정교육은 물론 스스로 만들어가는 평생교육 및 자기교육의 프로그램까지 모두 포함하는 것이다. 우리가 지인들을 통해, 친구들을 통해, 심지어 스쳐 가는 사람들을 통해 무의식적으로 배우는 것들이 모두 교육의 일부다.

《배움의 발견》의 저자 타라 웨스트오버는 17세가 되도록 학교에 다닌 적이 없었다. 심지어 출생신고도 되어 있지 않았다. 아버지의 신념 때문이었다. 아버지는 딸이 문명화된 세상에서 살기를 바라지 않았지만, 딸은 아버지가 만들어낸 문명 바깥의 세계를 벗어나 자기만의 세계를 향해 힘차게 노 저어 간다. 언제 세상이 멸망할지 모른다는 공포에 사로잡힌 모르몬교 근본주의자 아버지의 세계관이 어린 타라의 인생을 지배했지만, 타라는 독학으로 명문대에 입학하고, 새로운 세상을 향한 배움의 길을 끝없이 정진한다. 자신의 집에서 일어난 은밀한 학대, 출생신고도 하지 않고 병이 나도 병원에 데려가지 않는 아버지의 모습 모두가 폭력의 일종이라는 것을 알게 된 타라는 이제 더 이상 아버지의 딸로 살 수 없는 자신을 발견한다.

타라의 순수한 영혼이 만들어낸 아름다운 문장은 케임브리지대학교 교수를 감동시킨다. "내가 케임브리지에서 가르친 30년 동안 읽어본 가장 훌륭한 에세이 중 하나입니다." 타라는 늘 모욕당할 준비는 되어 있었지만, 칭찬을 들을 준비는 되어 있지 않았다. 모욕당할 준비를 하고 살아갈 정도로 자존감이 약했던 타라는 자신에게 그 누구도 빼앗아갈 수 없는 빛나는 재능이 있음을 서서히 알아가게 된다. "학생은 가짜 사금파리가 아니에요. 순금이에요." 나를 진정으로 이해해주는 '타인'과의 만남은 우리의 내면 깊숙이 잠자고 있던 진짜 자아를 눈뜨게 한다. 타라는 교육을 통해 성공의 기회를 잡으려 한 것이 아니라, '진짜 나 자신이 되는 길'을 찾은 것이다. 우리는 혼자서는 자신의 재능이나 숨은 열망을 발견하지 못한다. 나를 진심으로 이해하고, 존중하고, 내 안에 반짝이는 숨은 잠재력을 알아주는 사람을 만나는 것이 진정한 교육의 힘이다.

- 17세가 되도록 제대로 된 교육을 받지 못했던 타라는 대학에 들어간 오빠의 권유와 지지로 공부를 시작해, 모르몬교 재단이 운영하는 브리검영대학교에 입학한다. 이후 스타인버그 교수의 격려로 장학금을 받으면서 케임브리지대학교에서 석사를 마칠 수 있었다.

003 | WED 일상의 토닥임 | 사랑하는 사람에게 받은 상처 돌보기

오래전 나는 꿈속에서 부모님으로부터 도망쳐서 아무도 나를 찾을 수 없는 곳에서 행복하게 사는 내 모습을 본 적이 있다. 나라 이름도 알 수 없는 가상의 유토피아 같은 공간이었는데, 꿈속에서도 너무 행복한 나머지 절대로 깨고 싶지 않았다. 그 꿈을 꾸고 난 뒤 나는 부모님으로부터 도망치고 싶어 하는 나의 무의식, 나의 숨은 진심을 깨달았다. 이 문제를 해결해야 내가 진정으로 독립할 수 있다는 생각이 들었다. 의식적으로는 부모님을 '사랑한다'라고 생각하지만, 내 무의식에서는 '사랑해야 한다'라는 의무감에 짓눌려 있음을 깨달은 것이다.

지금은 부모님과의 불화로 인해 고통받던 나와 '거리'를 두고 있다. 이 거리감을 획득하기 위해 얼마나 많은 노력을 했는지, 돌이켜보면 또다시 아픔이 덮쳐오기에 되도록 떠올리지 않으려 애쓴다. '부모님을 사랑하는 마음'과 '부모님이 나에게 준 상처'를 분리하는 것은 모든 자식에게 어려운 일이다. 어떻게 하면 '사랑하는 마음'과 '상처받은 마음'을 분리할 수 있을까. 내가 선택한 방법은 '몸은 멀어지되 마음은 가까워지기'라는 길이다. 부모님과 직접 부딪히면 십중팔구 싸우거나 우울해지기 마련이므로, 자식의 도리는 다 하되 접촉의 시간은 줄여야 했다. 경조사를 챙기거나 용돈을 드리는 일은 철저히 하면서도 부모님과 직접 만나는 시간은 줄였다. 그렇게 하니 처음으로 부모님을 생각하는 내 마음에 '빈 공간'이 생겼다. 엄마의 자잘한 걱정거리를 다 들어주느라 만신창이가 되어 있는 나를 돌볼 시간이 생겼다. 모든 것을 걱정하고, 모든 것을 두려워하는 엄마의 성격을 받아줄 준비가 되어 있지 않은 나, '너무도 엄마와 닮지 않은 나'를 발견했다. 내 무의식의 진심은 '엄마와 다른 삶'을 살 준비가 되어 있었다. 엄마를 사랑하지만, 엄마와 결별해야 했다. 걱정과 조심과 회한의 삶 대신, 도전과 열정과 이성의 삶을 택하고 싶었다.

이렇듯 '몸은 멀어지지만 마음은 가까워지기'라는 전법을 택하니, 놀랍게도 부모님이 변하기 시작했다. 아버지는 내가 전화만 걸어주어도 진심으로 기뻐하시고, 어머니 쪽에서는 나에 대한 감정적 의존도가 낮아졌다. 엄마는 내가 책을 냈다는 사실을 내가 아니라 신문을 통해 확인하기도 한다. 그래도 섭섭해하시지 않는다. "네가 행복하니까, 엄마도 행복하다." 이런 문자메시지로 딸을 눈물짓게 하신다. 때로는 우리를 괴롭히는 모든 사랑하는 이에게 이렇게 속삭일 용기가 필요하다. "사랑해, 하지만 우리 잠시 떨어져 있자." 사랑하지만 완전히 하나일 수 없는 우리, 사랑하지만 반드시 떨어져 있어야만 하는 우리를, 이제는 모두가 받아들이고 있다.

004 THU

사람의 반짝임

살아갈 힘을 주는 것들

작가 마야 안젤루(Maya Angelou, 1928~2014)는 내게 생의 밑바닥에서 비로소 타오르는 용기의 힘을 가르쳐준 사람이다. 그녀는《엄마, 나 그리고 엄마》라는 책에서 10대 시절 단 한 번의 실수로 임신을 한 일, 남자친구에게 납치된 뒤 심한 구타를 당해 죽음 직전까지 갔던 일을 고백한다. 간신히 살아난 뒤에도 좀처럼 마음을 잡지 못한 그녀는 심한 우울과 불안을 느끼고는 다짜고짜 근처의 정신병원으로 가서 자신을 진찰해 달라고 했다. 지금 나를 진찰해주지 않으면 자신이 무슨 일을 저지를지 모른다고. 간신히 의사를 배정받아 그를 맞닥뜨리는 순간 마야는 '저 사람에게는 내 이야기를 할 수 없겠구나'라는 좌절감을 느꼈다. 백인 남성이고 의사이며 부자임에 분명한 그가 흑인 여성이고 싱글맘이며 한 번도 제대로 된 행복을 느껴본 적이 없는 자신을 결코 이해할 수 없을 것만 같았기에.

마야는 학창 시절 은사에게 찾아가 고백했다. 도저히 못 견디겠다고, 이렇게는 살 수 없다고. 그러자 그녀에게 성악을 가르쳤던 은사는 마야에게 종이와 펜을 쥐여주며 '네가 할 수 없는 것'이 아니라 '네가 할 수 있는 것'에 대해 써보라고 이야기한다. 처음에는 싫다고 도리질하던 그녀가 드디어 테이블에 앉아 글을 쓰기 시작한다. "나는 들을 수 있다. 나는 말할 수 있다. 나에게는 아들이 있다. 나에게는 오빠가 있다. 나는 춤을 출 수 있다. 나는 노래를 부를 수 있다. 나는 요리를 할 수 있다. 나는 글을 읽을 수 있다. 나는 글을 쓸 수 있다."

이 짧은 글이 마야의 진정한 데뷔작이었다. 바로 이것이다. 누군가에게 살아갈 힘을 주는 것들은 이렇게 단순하면서도 직접적이다. 엄마가 있다는 것, 오빠가 있다는 것, 춤을 출 수 있다는 것, 글을 쓸 수 있다는 것. 다른 모든 길이 막혀 있지만 오직 글을 쓸 수 있다는 것만으로 마야는 힘을 낸다. 그리고 작가로서 새로 태어난다. 인종차별이 심했던 당시 사회에서 가난한 흑인 여성 싱글맘으로 살아가는 고통스러운 현실을 뛰어넘어, 용감하게 글을 쓰는 사람으로 다시 태어난다.

나 역시 그랬다. 글을 쓸 수 있는 사람으로 새로 태어난다는 것은 글을 쓰는 동안에는 어떤 외부의 자극에도 흔들리지 않는 용기를 얻는다는 것이다. 글을 쓴다는 것은 나의 꿈을 표현하고, 타인의 꿈과 나의 꿈이 이어지기를 소망하는 내 간절함을 표현하는 아름다운 비상구가 되었다. 글을 쓰는 동안만은 온갖 고통 속에서도 결코 부서지지 않을 수 있었다. 그럼에도 불구하고 글을 쓸 수 있다는 것, 그것 하나만으로도 나는 완전히 자유롭다. 눈부시게 충만하다.

005 FRI 영화의 속삭임 지워도 지워도 지워지지 않는 무의식

실연의 아픔으로부터 도망치고 싶은 사람들이 있다. 아무리 기억해도, 아무리 그리워해도, 그 사람은 다시 돌아오지 않기에. 영화 〈이터널 선샤인〉에서 이별의 아픔 때문에 모든 일상이 멈추어버린 듯한 조엘과 클레멘타인은 마침내 결심한다. 당신과의 사랑과 이별이 남긴 기억이 나를 너무 무겁게 짓누르니, 그 기억 자체를 삭제하기로. 클레멘타인이 먼저 결심한다. 아픈 기억을 삭제해주는 회사, 그러니까 과학의 도움을 받기로. 클레멘타인은 조엘과 연관된 모든 기억을 삭제하는 데 성공하고, 심지어 그 회사의 직원 패트릭과 새로운 만남을 시작했다. 이 소식에 너무 큰 충격을 받은 조엘은 마치 보복이라도 하듯 자신도 클레멘타인에 대한 모든 기억을 삭제하기로 한다. 당신이 나를 잊었다면, 나도 당신을 내 마음 속에서 영원히 지워버릴 거야. 하지만 말처럼 쉽지가 않다. 기술적으로는 가능해도 마음으로는 용서가 되지 않는다. 당신은 어떻게 나를 완전히 잊을 수 있지? 어떻게 벌써부터 새로운 사람과 연애를 시작할 수 있지? 조엘은 해결되지 않은 수많은 질문을 가슴에 안은 채 기억 삭제 프로그램에 참여하고, 사랑하는 이의 기억을 영원히 마음속에서 추방하기를 꿈꾼다. 하지만 그들은 '정보로서의 기억'은 지웠지만, '또 다시 그 사람에게 이끌리는 자신'을 발견한다. 기억은 잊었지만, 그 사람을 사랑하는 내 마음은 지워지지 않은 것이다.

영화의 마지막 장면에서 조엘이 다시 한번 떠나가는 클레멘타인을 불러세울 때, 나는 그의 얼굴에서 반짝이는 사랑의 섬광을 보았다. 조엘은 이제 더 이상 소심하고 지루하고 단조로운 사람이 아니다. 그는 기억의 삭제라는 무시무시한 체험을 통해서 예전보다 더욱 깊고 지혜로우며 강인한 존재로 변모했다. 그는 과거와 전혀 달라지지 않은 클레멘타인과 다시 한번 사랑에 빠지더라도 예전처럼 답답하고 소심하게 사랑에 임하지 않을 것만 같다.

클레멘타인의 클레멘타인다움이, 조엘이 사랑했던 그녀다움이 어떤 상황에서도 다시 조엘을 사랑에 빠지게 만드는 것이다. 그러니까 몇 번이라도 좋다. 아무리 이별하고 또 이별할지라도, 그녀가 또 한 번 조엘을 상처 입히고 또 한 번 그녀 때문에 삶이 망가지더라도, 조엘은 살아 있는 한 다시 사랑을 시작할 것이다. 그는 아모르 파티, 운명을 향한 진정한 사랑을 온몸으로 이해한 자이므로. 기억의 트라우마를 넘어 기억의 아우라 자체를 사랑하는 사람이므로. 의식에서는 서로를 잊었지만 무의식에서는 결코 서로를 잊지 못한 연인들의 멈출 수 없는 사랑의 노래, 그것이 내게는 〈이터널 선샤인〉이다. 몇 번이라도 좋다. 아무리 고통스러운 이별의 말들로 서로의 가슴을 할퀼지라도, 우리가 살아 있는 한, 우리는 또다시 서로를 사랑하고야 말 것이다.

006 SAT  그림의 손길 벼랑 끝에 선 연인의 입맞춤

세계에서 가장 사랑받는 키스신을 꼽는다면 언제나 다섯 손가락 안에 뽑힐 만한 이 숨 막히는 걸작은 열정의 클라이맥스에 다다른 연인들의 애절한 사랑을 표현한다. 몽환적이면서도 처절한 느낌을 주는 이 경이로운 입맞춤의 광경은 압도적인 스케일로 관람객을 더욱 강렬하게 흡입한다. 처음 오스트리아 벨베데레 미술관에서 이 작품을 보았을 때 바닥에 털썩 주저앉고 싶은 기분을 간신히 참아야 했다. 사진도 찍을 수 없고 삼엄한 경호의 기운이 감도는 그림이었기에 작품 주변에는 긴장감이 가득했지만, 누구나 이 그림 앞에서는 될 수 있는 한 오래 서 있고 싶어 했다. 이 그림 하나를 보기 위해 빈을 방문해도 아깝지 않을 정도로, 클림트의 〈키스〉(1908~1909)는 기대를 뛰어넘는 스펙터클로 관람객을 사로잡는다.

지상에서의 마지막 키스의 희열을 영원히 간직하려는지 여인의 꿈꾸는 듯한 표정은 신비로운 슬픔을 자아낸다. 이 순간의 무한한 열광을 위해 아낌없이, 거의 광기에 가까운 낭비의 정신으로 금빛 물감이 흩뿌려진 화면을 오랫동안 응시하면, 황금의 도가니에 푹 빠져 익사할 것만 같은 두 남녀의 안타까운 사랑이 더욱 실감나게 펼쳐진다. 벼랑 끝에 무릎을 꿇고 서 있는 듯한 아슬아슬한 포즈는 연인의 사랑이 순탄치 않았음을, 이 장면 뒤에는 더욱 비극적인 결과가 기다릴 것만 같은 슬픈 예감을 자아낸다. 하지만 이 비극적인 사랑에 어떤 후회도 없어 보이는 그녀의 해맑은 환희의 표정은, 저절로 '사랑한다면 이들처럼'이라는 문구를 떠올리게 만든다. 신부의 머리 장식처럼 화사한 꽃을 꽂고 있는 여인의 머리 주변에는 마치 광배처럼 찬란한 빛이 뿜어져 나온다. 이 순간이 생의 마지막일지라도 그 어떤 후회도 없는 듯한 두 사람의 몸짓에는 단호한 비장미마저 서려 있다.

사랑에 빠진 사람들은 세상 모든 것이 이전과는 달라 보이는 키스, 자신을 둘러싼 모든 것이 마법에 걸린 듯 환상적으로 보이는 그런 키스를 꿈꾼다. 키스는 이해할 수 없는 타자의 존재를 온몸으로 받아들이는 몸짓이다. 그것이 돌이킬 수 없는 비극을 향한 첫 발자국일지라도. 달콤한 휴식이 아닌 끊임없는 고통을 향한 입장권일지라도. 사랑에 빠진 사람만이 느낄 수 있는 키스에 깃든 불멸의 아름다움은 영원히 마르지 않는 예술적 영감의 보물창고다. 누군가 당신에게 아무 말 없이 키스한다면, 그는 당신의 귀가 아니라 당신의 영혼에 말을 걸고 싶어 하는 것이다. 클림트의 〈키스〉는 '필멸의 인간'이 '불멸의 사랑'을 꿈꾸는 순간의 눈부신 아름다움을 연주해낸다.

007 SUN 대화의 향기 그것만은 잃어버리지 말 것을

"어린 시절에 반려견을 잃었어요. 저 때문이었어요. 제가 잘 보살폈어야 하는데, 잠깐 산책하면서 딴 곳을 보는 사이에 강아지가 길가에 떨어진 생선을 주워 먹었어요. 그 조그만 강아지가 장염에 걸려서, 그 어떤 약도 듣지 않았어요. 여동생처럼 아꼈는데, 제 가장 친한 친구였는데. 저 때문에 죽었어요." 나의 글쓰기 수업에서 이런 글을 보내온 수강생이 있었다. 나는 그에게 이런 편지를 보내주었다.

"반려견에 대한 상실감이 절절히 느껴지는 아주 가슴 아픈 글이었어요. 그런데 그 이후 '나의 삶이 달라졌다'는 부분이 특히 좋았습니다. 상실 이후 더 나은 사람이 되기 위해 노력하신 거잖아요. 상실을 통해 더 내적으로 성장하고 치유될 수 있는 것이야말로 우리가 상실을 통해 배울 수 있는 것이 아닐까 싶습니다."

그는 그땐 너무 어렸기 때문에 상처는 더욱 컸고, '나 때문에 내가 가장 사랑하는 존재가 죽었다'는 죄책감에 너무 힘들었다고 한다. '어린 나이에 너무 힘들었지', '그땐 너무 어렸어'라는 말에는 우리가 필요로 했던 보살핌을 충분히 받지 못한 기억이 도사리고 있다. 그때 나를 위로해주는 사람이 있었다면, 그때 나를 도와주는 사람이 있었다면, 그토록 무서움에 떨지 않았을 텐데. 이런 안타까움이 '어린 나이에'라는 표현에는 묻어 있다. 하지만 이제 바로 우리 자신, 그때 '너무 어린 나'보다는 훨씬 더 의젓하게 성장한 우리 자신이 있다. 우리 자신이 손을 내밀어야 한다. 그때 어린 날의 나에게로 돌아가 말해주자. 먼 훗날 너는 이 시기를 견뎌내고 더 나은 사람이 될 수 있을 거라고. 나를 지킬 수 있는 아름다운 무기를 벼리는 일, 그것이 나에게는 인문학을 공부하고 예술을 사랑하고 글을 쓰는 길이었다.

'그땐 너무 어렸으니까' 나를 보살피지 못했던 나, '어린 나이에' 너무 슬픈 일들을 많이 겪었던 나에게 다시 돌아가 말해주자. 그 시기를 견뎌내면, 너는 반드시 더 아름다운 날과 만날 수 있을 거라고. 너는 반드시 사랑하는 것들을 지킬 힘을 가질 수 있을 거라고. 내가 사랑하는 것들을 지킬 힘을 기르는 것이 성장의 소중한 동력이다. 그때 반려견을 지키지 못한 자신을 자책하며 힘들어했던 소녀는 이제 훌륭한 어른으로 성장하여 자신의 반려견을 너무도 살뜰하게 잘 보살피는 어른으로 성장했다. 우리는 이렇게 어른이 된다. 내 안의 내면아이와 대화하고 그리하여 그때 보살피지 못했던 나를 끝내 더 큰 사랑으로 보살필 수 있는 힘이 '지금의 나', 더 강인한 성인자아에게는 생겼다. 우리는 자신을 지킬 수 있는 어른으로 매일매일 성장하고 있다.

008 MON  심리학의 조언 콤플렉스를 드러낼수록 강해진다면

낯선 장소에서 강연을 시작할 때면 필연적으로 긴장감이 감돈다. 처음 보는 청중 앞에서 내 생각을 펼쳐놓는다는 것은 진땀 나는 일이다. 청중도 긴장한다. '과연 기대한 것만큼 좋은 강의를 해줄까' 하는 의심 반, '좋은 강연을 해주지 않을까' 하는 설렘 반. 어떻게 하면 서로의 긴장감을 풀어낼 수 있을까 고민하다가 '망가지기 전법'을 구사하기 시작했다. '차라리 내 약점을 보여주기' 전법이다.

강한 모습을 보여줄 자신이 없기에, 약한 모습을 있는 그대로 자백하는 정직함이 사람들을 편안하게 해주지 않을까 하는 기대감이었다. 내가 옛날에 얼마나 무지했는지, 중요한 순간에 어떤 치명적인 실수를 저질렀는지, 내 지긋지긋한 콤플렉스는 무엇인지를 이야기하기 시작하자, '과연 얼마나 잘하는지 보자'라는 표정으로 팔짱을 끼고 있던 분들도 어느새 수더분한 하회탈처럼 미소 짓기 시작했다.

약점을 드러낼수록 더 강해질 수 있다면, 우리는 타인 앞에서 얼마든지 자신의 약점을 드러낼 수 있지 않을까. 우리가 약점을 툭 털어놓을수록 우리 자신의 콤플렉스로부터 진정으로 자유로울 수 있다. 우리가 강해지기 위해, 아니 강해 보이기 위해 자신을 숨기면 숨길수록 진정한 자신의 마음으로부터 더 멀어진다. 행복한 사람들의 특징은 바로 '자신의 취약점을 있는 그대로 드러내는 것'이다. 출신콤플렉스, 외모콤플렉스, 학벌콤플렉스 등 인간을 괴롭히는 많은 결점을 없는 척하는 것이 아니라, 그런 콤플렉스조차 '온전히 내 것'임을 받아들이는 사람들, 즉 자신에게 정직한 사람들이 행복할 가능성이 훨씬 크다는 것이다.

'취약성'을 드러내는 순간 우리는 오히려 강인해질 수 있다.《마음가면》의 저자 브레네 브라운은 자신의 장점 때문이 아니라 숨기고 있었던 약점 때문에 오히려 더 주변 사람들에게 진심 어린 사랑을 받을 수 있었음을 고백한다. 더 멋진 나로 보이기 위해 가장하지 않고, 있는 그대로의 내 모습을 정직하게 보여줄 때마다, 사람들은 나에게 한 발짝 더 가까이 다가온다. 있는 그대로의 나를 때로는 가엾게, 때로는 어여삐 여기며 오늘도 콤플렉스 덩어리인 나를 다독이며 한 걸음 한 걸음 나아간다. 나는 결점투성이다. 내 인생은 콤플렉스의 박물관이다. 하지만 내 최고의 장점은 내 결핍으로부터, 내 단점으로부터 도망치지 않는 것이다.

009

TUE

독서의 깨달음

꿈이 나에게 보내는 메시지를 해독하다

몸이 보내는 질병이나 피로의 신호 그리고 꿈이 보내는 무의식의 신호를 무시하지 않는다면 우리는 자신의 잠재력과 부정적인 기억까지도 궁극적인 친구로 만들어 나 자신의 조력자로 만들 수 있다. 고혜경의 《꿈이 나에게 건네는 말》에서 저자는 꿈이 언제나 꿈을 꾸는 사람의 건강과 성장을 도와주는 역할을 한다고 말한다. 꿈은 거대한 힌트의 보물창고이며, 무한한 잠재력과 기억의 보물창고이기도 하다.

저자는 또 다른 책 《나의 꿈 사용법》에서 꿈의 역할을 백설공주 이야기에 나오는 '거울'의 역할에 빗대어 설명한다. 동화에서 거울은 '세상에서 누가 가장 아름답냐'는 물음에 '백설공주가 가장 아름답다'며 진실을 들려준다. 그것이 결코 왕비가 원하는 답이 아님에도 불구하고. 저자는 꿈이란 인간 존재의 근원인 영혼의 진실을 반영하는 것으로, 의식에 아첨하여 기분 좋게 만드는 것이 목표가 아니기에 때로는 들여다보고 싶지 않은 진실을 보여주기도 하고 기대치 않은 정보를 알려주기도 하여 잔잔한 마음을 휘젓는다고 설명한다.

왕비는 '진실'이 아니라 '듣기 좋은 말'을 원한다. 이 세상에서 자신이 제일 예쁘다는 말. 백설공주는 결코 자신보다 아름답지 않다는 말. 그러나 거울은 속일 수가 없다. 오직 진실만을 말해야 하는 것, 그것이 거울의 본성인 것이다. 무의식이 바로 그런 역할을 한다. 거울이 왕비에게 진실만을 말하듯 꿈도 우리가 꼭 알아야 하지만 외면하고 있는 진실을 이야기해주고 있는 것이다. 마음을 비추는 거울, 바로 그것이 꿈이다.

탈무드는 꿈에 대해 이렇게 표현한다고 한다. "신이 매일 밤 우리에게 연애편지를 보내주는데, 우리는 봉투도 뜯지 않은 채 버리고 만다." 신이 인간에 대한 사랑을 표현하는 방식, 신이 인간에게 보내는 간절한 연애편지, 그것이 바로 꿈이 아닐까. 꿈은 무의식이 의식을 향해 보내는 편지이며, 그 모든 무의식의 메시지가 '너 자신의 마음 깊은 곳을 잘 들여다보라'는 초대장이다. 무의식은 매일밤 꿈을 통해 우리의 의식을 향한 구원의 메시지를 보내고 있다. 당신이 '미처 살지 못한 삶(the unlived life)'을 꼭 살아내야 한다고. 꿈은 내게 이렇게 속삭인다. 너에겐 더욱 뜨겁게 열정과 자유를 추구할 권리가 있다고. 어떤 상황에서도 주눅들지 말라고. 더 많은 사람을 후회없이 사랑하고 보살피라고.

010 WED 일상의 토닥임 노을 지는 하늘을 바라볼 권리

언젠가는 노을에 대한 글을 꼭 써보리라 다짐했다. 다짐을 한 지 10년이 넘었는데, 이제야 도전을 해본다. 노을에 대한 글을 쓰는 건 유난히 어렵다. 너무 좋아하는 대상인데 그것이 '언어'로 이루어진 것이 아닌 경우, 글을 쓰는 것이 더욱 어려워진다. 음악에 대한 글을 쓰는 것도, 미술에 대한 글을 쓰는 것도, 자연에 대한 글을 쓰는 것도, 그래서 어렵다. 언어가 아닌 것을 언어로 표현해야 하는 어려움이 나를 성장시키기도 한다. 노을을 바라볼 여유가 있다는 것, 노을을 함께 바라보며 아무 말 하지 않아도 좋은 사람이 있다는 것. 그것만으로도 우리 삶은 '참 아름답다'고 칭찬받을 만하지 않을까.

생텍쥐페리의 어린 왕자처럼, 노을 지는 모습이 너무 슬프도록 아름다워서 그 작은 행성에서 무려 의자를 42번이나 옮기며 하루에 42번 해가 지는 모습을 볼 수 있다면. 어린 왕자만큼이나 나는 저물녘의 노을을 미치도록 사랑한다. 그러나 지구는 너무 커서 내가 의자를 옮긴다고 해서 노을을 하루에 몇 번씩 볼 수는 없다. 그러니 매일 부지런히 노을의 시간에 맞추어 하늘바라기를 해야 하는데, 자꾸만 그 시간을 놓친다. 바쁘다는 핑계로, 내가 있는 곳에는 노을이 잘 보이지 않는다는 핑계로, 노을이 물드는 시간을 자꾸만 놓친다. 그 놓침의 빈도만큼 내 삶이 더욱 각박해지는 것 같아 아쉽다. 게다가 노을 지는 모습을 바라보며 아무 말 하지 않아도 좋을 사람을 찾는 일은 더욱 어려워진다. 아름다운 노을을 바라볼 수 있는 장소가 마땅치 않을 때도 많다. 어쩌다 한번 우연히 노을을 바라본 날은 말할 수 없이 행복하다. 노을을 보았다는 이유만으로, 복권이라도 당첨된 듯 환호하게 된다.

며칠 전 작업실 옥상에 올라가 하염없이 해가 지는 모습을 바라보았다. 도시 한복판에서도 이렇듯 새빨갛게 노을 지는 하늘을 바라볼 수 있구나. 노을을 바라보고 있으면, 내 안의 무언가가 너무도 슬프게 사라져가는 느낌과 내 안의 무언가가 꿈틀거리며 다시 시작되는 느낌이 동시에 든다. 하루에 한 번, 아니 일주일에 한 번만이라도 우리가 '노을바라기'를 할 수 있다면. 노을 지는 풍경은 내 마음 가장 깊은 곳의 무언가를 건드린다. 다 잊은 줄로만 알았던 열정, 다 버린 줄로만 알았던 슬픔, 이제는 내 것이 아니라 믿었던 희망까지도.

이제야 알겠다. 그토록 오랫동안 노을을 바라보는 삶을 예찬한 이유를. 아름다운 풍경은 마음을 비춰주는 위대한 거울이라는 것을. 노을 지는 풍경에 내 마음을 비춰보는 그 몇 분의 시간만으로, 삶은 더욱 찬란해진다는 것을.

011 THU  사람의 반짝임 '내 집'에서 치유의 에너지를 얻다

20대에는 모네의 그림에 별 감흥을 느끼지 못했다. 그림 속에서 오밀조밀한 인간의 이야기를 발견하길 좋아했던 내게는 모네의 그림이 지나치게 고요하고 차분해 보였다. 고흐의 격정이나 클림트의 현란함, 신윤복의 다정함과 아기자기함이 좋았던 시절이라 모네의 명상적인 고요함이 좀처럼 눈에 들어오지 않았다. 모네는 자신이 그리려는 대상과 멀리 떨어져 있었다. 그 거리감이나 관조적인 느낌이 못내 아쉬웠다. 그런데 나이가 들수록 점점 모네가 좋아진다.

몇 년 전 파리의 마르모탕 모네 박물관에서 〈수련〉 연작이 마치 오케스트라처럼 장엄하게 울려 퍼지는 것을 느꼈다. 그림을 음악처럼 들을 수 있구나. 이런 생각이 들자 모네의 그림이 지금까지와는 전혀 다르게 보이기 시작했다. 화가 모네의 속삭임뿐 아니라 그림 속의 수련, 정원의 꽃과 나무, 여인이나 아이들이 각자 낮은 목소리의 '허밍'으로 자연의 본래 소리를 들려주는 느낌이었다. 마침 은발의 노부부가 기다란 의자에 서로 등을 기대고 앉아 모네의 속삭임을 한동안 듣고 있는 것을 보니 더욱 가슴이 뭉클해졌다.

그때부터 지베르니 앓이가 시작되었다. 모네가 만년을 보내면서 〈수련〉 연작을 그려냈다는 이유로 마을 전체가 소담스러운 관광지가 되어버린 곳. 그가 정원을 가꾸고 연못을 바라보고 매일 그림을 그리며 세월을 보낸 아름다운 마을이 바로 지베르니였다. 마을 전체를 거대한 아틀리에로 삼은 모네의 꿈과 만나보고 싶었다. 지베르니에 가면 모네에 대한 내 서먹함과 두려움을 극복할 수 있지 않을까.

마침내 찾아간 모네의 정원은 하나의 완결된 우주와 같았다. 더할 것도 뺄 것도 없는 완벽한 소우주 같은 느낌. 이곳에서라면 더는 바깥세상을 궁금해하지 않아도 되겠구나 싶은 안도감. 그런 기이한 평화로움과 충족감이 모네의 정원을 가득 물들이고 있었다. 모네의 정원을 걸으며 그동안 좀처럼 느끼지 못했던 모네의 매력을 발견할 수 있었다. 이곳에 있으면 '무언가 새로운 것'을 찾아 세상을 헤맬 필요가 없겠다는 깨달음이 밀려왔다.

우리는 평생 더 나은 직장, 더 나은 집을 찾아다니고, 마침내 평생 정착하고 싶은 장소를 발견하더라도 '이보다 더 나은 곳은 없을까' 하는 의심으로 많은 기회를 잃고 만다. 하지만 모네는 의심하지 않았다. 지베르니에 영원한 안식처인 정원을 만든 후에는 그 어떤 바깥 풍경에도 일희일비하지 않았다. 화가는 마음속에서 영원히 빛나는 존재의 중심을 찾은 것이다.

012 FRI 영화의 속삭임 내 안의 잠재력을 깨우는 뮤즈

영화 〈어디 갔어, 버나뎃(Where'd You Go, Bernadette)〉은 행복을 느끼는 능력이 감퇴하는 현상을 '디스카운팅 메커니즘(discounting mechanism)'으로 설명한다. 다이아몬드 목걸이를 선물 받은 날은 뛸 듯이 기쁘지만, 며칠 지나면 뇌는 그 목걸이에 더 이상 놀라움도 행복도 느끼지 않게 된다는 것이다. 기쁨이나 설렘을 느끼는 빈도가 너무 쉽게 줄어들고, 반대로 위험을 감지하는 기능이 커지면, 행복을 느낄 수 있는 힘은 점점 감퇴하게 된다. 뇌는 생존을 위해 '지금의 행복'보다는 '미래의 위험'을 감지하는 데 더 큰 에너지를 쏟게 되는데, 그러다 보면 생존을 더 중요시하여 기쁨이나 설렘 같은 소중한 감정에 둔감해진다. 영화의 주인공 버나뎃이 바로 그런 사람이다. 남극으로 떠나는 가족여행 한 번 준비하는데도 너무 많은 잠재적 위험 요소를 고려하며 온갖 물건을 사들이고, 여행을 떠나기도 전에 이미 지쳐버리는 사람. 행복할 수 있는 기회가 눈앞에 널려 있는데도, 자꾸만 과거의 상처나 미래의 불안만을 생각하다가 수면 중에도 공황 발작을 일으키는 사람.

버나뎃은 원래 뛰어난 재능을 인정받은 건축가였지만, 자신의 야심작이자 건축상까지 받았던 건물을 돈 많은 부동산업자가 사들여 폭파시켜버린 엄청난 사건으로 인한 트라우마에서 벗어나지 못한다. 이후 네 번의 유산을 거치며 몸과 마음에 더 큰 상처를 입게 된다. 남편은 그녀가 숨겨둔 수많은 약병을 바라보며 망연자실하고, 어떻게든 아내의 우울을 치유하기 위해 상담사를 고용하지만 상담사는 버나뎃에게 더 큰 상처를 주고 만다. "극심한 불안장애와 지나친 자신감을 갖고 계시네요." 엄마는 단지 예민하고 우울한 상태일 뿐, 절대 병자가 아니라는 것을 아는 것은 오직 딸뿐이다. 아내가 실종되자 자살을 의심하는 아빠와 달리, 딸은 전혀 걱정하지 않는다. "엄마가 나 없는 세상을 선택할 리 없어요."

버나뎃은 딸과의 약속을 지키기 위해 떠난 남극이라는 머나먼 장소에서 비로소 자신의 잃어버린 꿈을 발견한다. 새롭게 건설하는 남극기지를 건축하는 일을 따낸 것이다. 샤워도 스트레칭도 할 수 없는 공간에서 살아야 해도 버나뎃은 아랑곳하지 않는다. 새로운 창조적 활동을 할 수 있다는 것만으로, 가장 사랑하는 일을 되찾았다는 것만으로 비로소 행복할 수 있는 능력을 되찾은 것이다. 우울한 기분을 치유하는 최고의 힘은 바로 자기 안의 억눌린 잠재력을 쓰는 것, 창조적 일을 해내는 것이다. 경력이 단절되었다는 이유로, 도대체 나의 꿈이 무엇인지 잊어버렸다는 생각 때문에 괴로운 이들에게 이 영화를 보여주고 싶다.

013 SAT

그림의 손길

너와 나만으로 충분하다

이 세상에 '너와 나만으로 충분하다'는 느낌을 주는 그림이 있다. 그 '너'는 꼭 사람이 아니어도 좋다. 악기 연주에 완전히 몰입하는 사람, 책에 흠뻑 빠져 있는 사람, 캔버스 위에 그림을 그리는 사람. 이런 사람들의 얼굴은 주변의 온갖 자극으로부터 자유로워진다. 오직 대상과 나, 그 하나의 관계만으로 충만한 시간. 김홍도의 〈월화취생〉(연도미상) 또한 그런 완전한 충일감을 표현한다. 생황을 손안에 쥔 채 이 악기가 너무도 소중한 나머지 주변의 다른 것들은 전혀 없는 것처럼 느껴지는 순간. 악사의 얼굴은 기쁨으로 가득 차 현실의 어떤 고통도 다 잊을 수 있을 것만 같다.

서당에서 공부하던 아이들의 모습을 그린 해학적인 모습이나 춤을 추는 사람들의 흥겨운 모습을 그린 김홍도와는 전혀 다른 차원의 그림이다. 흥성스러운 저잣거리의 모습이 아닌, 혼자 있을 때만 느낄 수 있는 희열, 자신의 은밀한 기쁨을 누구의 눈치도 보지 않고 마음껏 누리는 사람의 오롯한 세계를 그려내고 있다. 근대적인 의미의 '개인'은 아니겠지만 시문을 짓거나 악기를 연주하며 혼자 있어도 결코 외롭거나 심심하지 않았던 옛 선비들의 완벽한 고독의 세계를 영롱하게 그려내었다.

이것은 단원 김홍도 자신의 자화상이 아닐까 싶다. 귀족이나 왕의 초상화를 주문 받고 원치 않는 그림을 그려야 하는 순간의 김홍도가 아닌, 풍속화를 그릴 때 민중의 희로애락을 생생하게 담아내는 적극적인 모습의 김홍도가 아닌, '아무도 나를 바라보지 않을 때의 나'를 그려낸 것이 아닐까. 돗자리의 역할을 충분히 해내는 큼지막한 파초 위에 동그마니 앉아 생황을 불고 있는 사내의 얼굴에는 희열이 가득하다. 아무렇게나 흐트러진 머리카락, 격식을 벗어던진 옷차림에서 얼큰한 취기가 느껴진다. 두루마리 족자, 벼루, 먹, 붓 그리고 생황. 그것만으로도 이 세상은 충분히 아름답다는 듯, 그림 속 인물은 완벽한 행복감에 몸을 떨고 있다. 늘 남들이 부탁한 그림만 그리다가, 아무도 부탁하지 않은 그림, 오직 자기 자신의 자화상 같은 그림을 그릴 때 비로소 혼자가 된 자신과 만났을 김홍도의 외로움을 상상하게 된다.

"월당의 생황소리 용울음보다 처절하네(月堂凄切勝龍吟)"라는 시가 '노래에 달린 날개'처럼 이 그림을 더욱 강렬한 흥취로 승화시키고 있다. 그 흥취에는 '즐거움'만 담긴 것은 아니다. 이 그림을 통해 나는 자신이 원하는 세상을 끝내 보고 가지 못한 예술가의 구슬픈 울음소리를 함께 듣는다.

014 SUN 대화의 향기 더 깊이 모든 것을 사랑하라

내가 가진 모든 언어가 사라져버린 느낌이 들 때가 있다. 당황하고 불안하고 우울할 때, 내가 배우고 읽고 써온 모든 언어가 낯설어진다. 그 많은 책을 읽고 그 많은 글을 썼는데도, 아직도 머릿속이 하얘지고 아무것도 쓸 수 없을 것 같은 느낌에 사로잡힌다. 다행히 나에게는 그럴 때 뜬금없이 전화해도 마치 엄청나게 중요한 전화인 것처럼 받아주는 선배가 있다. 내가 정말 존경하는 작가님이기도 하다. 그야말로 뜬금없이 전화해서 선배의 안부를 묻는 척하면서 불평을 늘어놓았다. "아무리 붙들고 있어도 글이 잘 써지지 않아요." 선배는 대수롭지 않다는 듯이 이렇게 받아쳤다. "너는 잘 안 써지는 정도지? 나는 이제 전혀, 전혀 안 써져." 너무 어이가 없어 너털웃음이 나왔다. 선배는 내 마음을 편하게 해주기 위해 자기를 형편없이 망가뜨리는 것을 주저하지 않는다. 아무리 씩씩하고 강인한 작가라도, 글이 전혀 안 써지는 상황이 즐거울 수 있겠는가. 그런데 그 어려운 상황을 시트콤으로 만들어버리고, 넌 좀 쉬어도 된다고, 좀 놀아도 된다고 위로해준다. 나는 깔깔 웃으며 비로소 '나'로 돌아왔다. 작가들의 무서운 적, 라이터스 블록(writer's block, 글이 전혀 써지지 않는 상황)이라는 것은 이렇게 치유되기도 한다.

재빨리 무언가를 해치우고 싶을 때일수록, 세상을 느리고 꼼꼼히 바라보는 연습을 게을리하지 않아야 한다. 헤르만 헤세는 예술 작품을 제대로 감상하는 비법으로 '누워서, 천천히, 조바심을 갖지 않고 바라보기'를 처방한다. 서양 사람들은 너무 바쁜 나머지 아라비안나이트처럼 끝없이 섬세한 묘사 자체가 감동을 자아내는 이야기의 진가를 제대로 느끼지 못한다는 것이다. 생각해보니 우리의 판소리도 제대로 완창을 하면 세 시간을 훌쩍 넘기는 작품이 얼마나 많은가. 완창 판소리를 제대로 감상해본 사람, 오페라나 연극을 단 1분도 놓치지 않고 깊이 감상할 줄 아는 사람은 진정 인생을 즐길 줄 아는 사람이고, 그야말로 인생의 디테일을 꼭꼭 씹어먹는 법을 알고 있는 지혜로운 사람이 아닐까.

문명의 편리를 가성비 최고의 효율성으로 섭취하느라, 우리는 하늘을 바라보는 법, 따스한 차 한 모금을 천천히 향유하는 법, 우리 곁을 스쳐 가는 아름다움의 옷깃을 잠시라도 잡아볼 권리를 잊지는 않았는지. 오늘 밤에도 별이 바람에 스치는 소리를 들을 줄 알았던 시인 윤동주의 마음에 가까이 다가가기 위해, 우리 주변의 작은 존재들의 속삭임에 좀 더 세심하게 귀를 기울여보자. 그 아름다움이 우리를 그저 스쳐 지나가지 않도록. 삶의 아름다운 정수를 마음껏 향유할 수 있도록.

015

MON

심리학의 조언

투사를 철회하는 순간, 진실과 만나다

한 출판사 사장님의 깊은 고민을 들었다. 몇 년 동안 애지중지하던 직원이 아무런 상의도 없이 하루 만에 회사를 그만뒀다는 것이다. 불과 몇 달 전에 '사장님은 저의 영원한 멘토시고 정신적 지주세요'라는 구구절절한 편지를 보냈던 직원이 어떻게 상의 한마디 없이 사직서를 내고 다음 날 다른 곳으로 출근할 수 있는지 모르겠다고. 순간 그 직원에게 사장님은 일종의 '밝은 그림자, 하얀 그림자'일 수 있겠구나 하는 생각이 퍼뜩 들었다. 《지킬 박사와 하이드》의 지킬 박사처럼 내 마음의 어둠을 반영하는 인물만이 그림자는 아니다. 내 마음의 밝은 그림자, 그러니까 나의 동경과 부러움의 대상이 되는 롤모델이야말로 '하얀 그림자(white shadow)'다. 자신에게 가장 부족한 것을 가진 사람에게 나의 밝은 그림자를 투사하는 것이다.

예컨대 스타를 향한 과도한 팬덤이 하얀 그림자의 대표적 사례다. 나에게 부족한 재능, 나에게 결핍된 무언가를 가지고 있는 사람에게 온갖 희망과 기대를 담아 열광적인 환호를 보내는 것. 그러다가 상대가 아주 작은 실수만 해도 금세 '안티팬'으로 돌변하여 악성 댓글을 남기거나, 그가 사랑하는 연인이나 지인을 향해 무시무시한 악성루머를 퍼뜨리는 행위 또한 '하얀 그림자'에 과도하게 자신의 열망을 투사한 결과다. 동경은 쉽게 질투로 변색되고, 아주 작은 실수만으로도 '엄청난 존경'이 '돌이킬 수 없는 실망'으로 변질된다. 상대를 열정적으로 동경할수록 그에게 한순간 실망해버릴 가능성은 커진다. 심리학에서는 이를 '투사의 철회'라고 부른다. 그 사람을 향한 무조건적인 호감과 동경의 콩깍지가 벗겨져버리는 것, 상대에 대한 낭만적 환상을 걷어내고 그의 실체를 객관적으로 바라보게 되는 것이다.

누군가의 멘토나 롤모델이 된다는 것은 자신을 존경하는 사람에게 알게 모르게 '부담'을 주는 것이기도 하다. '꼭 저 사람처럼 되어야 해', '저 사람처럼 할 수 없다면 나는 실패하거나 낙오되는 것이 아닐까' 하는 두려움. 이것이 하얀 그림자다. 롤모델을 사랑하되 그에게 너무 많은 것을 바라지 않는 것이 '하얀 그림자'로부터 우리 자신을 독립시키는 길이다. 그림자를 방치하면 결코 우리는 그림자로부터 해방될 수 없다. 좀처럼 마음대로 가려지지 않는 나 자신의 그림자, 즉 상처와 콤플렉스에 말을 걸고 때로는 말없이 소통하고 구슬리면서 더 깊고 넓게 세상 속에서 어울릴 수 있는 길을 모색하게 된다. 그림자와 대면한다는 것은 평생 성장의 통과 의례를 멈추지 않겠다는 다짐이다.

016

TUE

독서의 깨달음

상처야말로 아름다운 소통의 시작

참혹한 상처를 다루는 이야기들은 결코 무력하지 않다. 오히려 비극의 주인공이 이겨낸 빼아픈 트라우마를 함께 체험함으로써 우리가 저마다 겪고 있는 자기만의 상처를 극복하는 데 도움을 얻는다. 내 삶을 주제로 한 에세이를 쓰면서 나는 어쩔 수 없이 상처를 표현해야만 쓸 수 있는 글이 있다는 것을 배웠다. 내 상처가 더 이상 나를 찌르지 않고 타인의 상처에 공감할 수 있는 소중한 무기가 될 수 있다고 느끼는 순간, 나는 글쓰기를 시작한다. 그러면서 상처가 지닌 뜻밖의 가능성에 주목하게 되었다.

최근에는《헝거》(록산 게이),《하틀랜드》(세라 스마시),《배움의 발견》(타라 웨스트오버)을 읽으면서 커다란 영감을 얻었다.《헝거》는 어린 시절 첫사랑으로부터 당한 끔찍한 성폭력의 상처를 딛고 마침내 뛰어난 작가가 된 록산 게이의 이야기다.《하틀랜드》는 세계에서 가장 부유한 나라 미국에서 태어나 대대로 '시골 백인 빈곤층'으로 살아오며 온 힘을 다해 자신의 삶을 개척한 작가의 이야기이며,《배움의 발견》은 아버지의 신념 때문에 출생신고조차 하지 않고 제도 교육은 물론 병원 치료도 받아본 적이 없는 소녀가 '배움'과 '글쓰기'를 통해 새로운 주체로 탄생하는 과정을 그린 이야기다. 이 책들의 공통점은 삶을 파괴하는 끔찍한 트라우마로부터 스스로 자신을 구한 사람들의 이야기라는 점이다. 이런 이야기들은 나에게 영감을 주고 용기를 주며, 나 또한 나만의 이야기를 새로 시작할 수 있다는 희망을 준다.

내 상처는 반드시 나와 닮은 타인의 상처와 연결될 수 있다는 것. 당신의 아픔을 내가 이해할 수 있으리라는 믿음. 내 글을 통해 '이 세상에 나와 비슷한 사람, 나와 똑같은 상처를 앓고 극복하고 견뎌내고 있는 사람이 있다'라고 깨닫는 독자들이 존재한다는 것이야말로 내 글쓰기의 희망이다. 당신의 아픈 마음을 따스하게 어루만지는 그 순간을 위하여 나는 오늘도 쓴다. 내 상처와 꼭 닮은 상처를 지닌 당신과 나는 내 글을 통해 연결될 것이고, 언젠가 눈부신 친구가 될 수 있음을 알기에.

록산 게이의《헝거》를 읽으면서 여러 번 책을 덮어야 했다. 끔찍한 성폭행의 트라우마로부터 조금씩 치유되어가는 작가의 끈질긴 투쟁이 너무 가혹하게 느껴졌기에. 작가는 소녀시절의 자신이 너무 작고 무력하게 느껴져서 차라리 폭식을 통해 몸을 커다랗게 만들어 강하고 위협적인 존재로 보이고 싶었다고 한다. 하지만 정작 작가를 구해준 것은 음식이 아니라 글쓰기였다. 그녀의 반짝이는 지성과 위트로 가득한 글쓰기, 상처를 피하지 않고 똑바로 직시하는 글쓰기, 가해자를 정확히 조준한 용감한 글쓰기가 그녀 자신뿐 아니라 독자를 구원하고 있었다. 그녀는 글쓰기를 통해 상처 입은 피해자에서 강력한 검투사로 거듭나고 있다.

017 WED 일상의 토닥임 스트레스가 창조성을 자극한다

"창조적인 글을 쓰려면 어떻게 해야 하나요?" 글쓰기 수업을 할 때마다 가장 많이 받는 질문이다. 끊임없이 책을 읽고, 닮고 싶은 작가들의 글을 낭독하거나 필사하는 것도 도움이 되지만, 창조적인 글쓰기에서 가장 실질적으로 도움이 되는 자극제는 바로 '마감의 압박'이다. 마감의 압박과 스트레스는 분명 창조성 개발에 도움이 된다. 물론 원고 마감은 엄청난 스트레스를 동반하는 고통이지만, 막연히 '언젠가는 좋은 글을 쓰겠지'라고 생각하는 것보다는 확실한 자극제가 되어준다.

'글을 정말 쓰고 싶은데, 책상에 앉으면 잠이 쏟아지거나 자꾸 딴짓을 하게 된다'고 고민을 털어놓는 분들에게, 나는 '누군가에게 원고 마감을 독촉하도록 부탁해보라'라고 권한다. 믿을 만한 사람이 내 글을 기다리고 있다는 사실만으로도, 혼자만의 글쓰기에서는 느낄 수 없었던 새로운 긴장감이 감돌게 된다. 독자를 실망시켜서는 안 된다는 중압감, 지난번보다 더 잘 써야 한다는 엄청난 중압감조차 글쓰기의 창조성에 도움이 된다. 나는 신간을 낼 때마다 그런 압박감에 시달린다. 이전 책보다 조금이라도 더 좋은 책을 써야 한다는 압박감이 마치 낭떠러지에서 새끼를 떠미는 어미 새처럼 내 등짝을 세차게 밀어내는 것 같다. 이 고통에는 짜릿한 쾌감도 공존한다. 나는 분명 더 나아질 수 있다는 믿음, 앞으로 더 나아가야 한다는 희망이 창조적인 글쓰기를 향한 열망을 자극하는 것이다.

극심한 스트레스는 창조에 방해가 되지만, 적당한 스트레스는 창조적 삶에 도움을 준다. 예컨대 '하루에 10시간씩 글쓰기를 하자'라는 무리한 계획은 몸과 마음에 심각한 스트레스를 초래하지만, '하루에 1페이지씩 내가 정말 좋아하는 글을 써보자'라는 소박하면서도 실천 가능성 있는 목표는 최소한의 스트레스로 최대한의 창조성을 자극할 수 있다. 인간은 놀이와 휴식, 긴장과 이완, 열정과 평온의 균형을 필요로 한다. 어느 정도의 스트레스가 자신에게 적당한 자극을 주는지 실험해보자. 나는 하루에 5페이지 이상의 글을 쓰면 심각한 스트레스를 느낀다. 2~3페이지 정도가 적당한 휴식과 놀이를 겸할 수 있는 분량이다. 일주일에 하루 정도는 '글을 써야 한다'는 강박관념을 놓아버리고 싶은데, 아직은 그 경지까지 이르지 못했다. 저마다 나에게 가장 알맞은 스트레스는 어느 정도인지, 또는 언제 어느 공간에서 스트레스가 급증하거나 급감하는지 알아두자. 나 자신에 대한 최고의 지식, 그것은 '내가 어떤 곳에서 가장 자유롭게 창조성을 끌어낼 수 있는가'를 알아내는 것이다.

018 THU 사람의 반짝임 사과할 줄 아는 사람이 더 아름답다

복잡하고, 위험하고, 그럼에도 불구하고 아름다운 이 세상에서 '어른이 된다는 것'은 무엇일까. 무럭무럭 자라나는 조카들을 보면서 '무언가 조금이라도 배울 점이 있는 어른이 된다는 것'이 얼마나 어려운 일인지를 새삼 깨달았다. 부모가 있을 때는 당연히 부모에게 모든 것을 맡기지만, 나 혼자 조카와 함께 있을 때 아이를 따끔하게 가르쳐야 하는 순간이 있다. 그 순간 정말 등허리에 땀이 흐른다. 혹시나 상처받지 않을까, 내 말을 곡해하지 않을까, 이모를 무서워하지 않을까, 부모의 가르침에 방해가 되는 것은 아닐까. 그 짧은 시간 별의별 상념들이 떠오르는 것이다.

몇 년 전 조카가 인라인 스케이트를 타다가 다른 여자아이와 부딪힌 적이 있다. 조카도 아팠지만 여자아이가 훨씬 많이 아파 보였다. 소녀가 엉엉 울자 바라보고 있던 내 마음도 아팠다. 미안하고 두려워서 도망가려 하는 조카의 손을 붙들고 함께 사과하러 가자고 말했다. 싫다고, 무섭다고, 자기도 울 듯한 얼굴이 된 조카를 잘 달랬다. 사과를 해야만 너는 더 나은 사람이 될 수 있다고. 잘못한 상황에서 피하기만 한다면 결코 좋은 어른이 될 수 없다고. 이모가 옆에 있어줄 테니 걱정하지 말라고. 사과하는 사람이 훨씬 멋있는 거라고. 별의별 이유를 다 끌어모아 아이의 맘을 돌리려 애썼다.

조카는 다른 문장은 잘 안 들리고 '이모가 함께 있어준다'라는 것에 용기를 얻은 것 같았다. 조카의 손을 꼭 잡고, 아주 조심스럽게, 울고 있는 여자아이에게 다가갔다. 여자아이는 부모의 품에 안겨 놀이터가 떠나가라 울고 있었다. 내가 먼저 사과를 하고, 아이가 사과하고 싶어 한다고 전해주자 부모들의 굳은 표정이 풀어지기 시작했다. "미안해, 내가 일부러 그런 게 아니야. 정말 미안해."

소녀의 울음소리가 잦아들기 시작했다. 많이 다친 거 아니냐며 함께 병원에 가자고 하니, 그 정도는 아니고 살짝 부딪힌 건데 아이가 많이 놀라서 그렇다고 부모가 우리를 안심시켜주었다. 그 순간 내 등에도 식은땀이 났다. 아이가 많이 다쳤을까 봐 걱정하는 마음, 다행히 부모가 상냥한 사람들이라 우리의 사과를 받아주었다는 사실이 고마웠다. 부모와 이야기를 나누다가 아이의 울음이 완전히 잦아드는 것을 보고 돌아오는 길에 조카와 이야기를 나누었다. "현서야, 사과하길 잘했지?" "네." "사과를 안 했으면 네 마음이 계속 무거웠을 거야. 그리고 사과받지 못했다면 저 소녀는 억울하고 아픈 마음 때문에 더 오래오래 울어야 했을 거야. 앞으로도 네가 잘못한 것이 있을 때는 되도록 빨리 사과하는 것이 가장 좋은 길이야."

019 FRI 영화의 속삭임 내 상처를 건드리는 뜻밖의 영화, <프린세스 다이어리>

영화를 보다가 아주 평범한 장면에서 눈물이 쏟아질 때가 있다. 이 경우 마음이 아프기도 하지만 당황스럽기도 하다. 알고 보면 바로 그곳이 나의 콤플렉스나 상처가 숨어 있던 자리가 아닐까 싶다. 굳이 날 울리려고 한 장면이 아닌데, 나의 콤플렉스가 엉뚱하게 자극돼 트라우마가 폭발하는 것이다. 앤 해서웨이 주연의 영화 〈프린세스 다이어리〉에서 할머니 클라리스가 손녀 미아를 바라보며 안쓰러운 표정을 짓는 장면이 그렇다. 클라리스는 처음 손녀를 찾았을 때 '제노비아 왕국의 후계자'를 애타게 찾는 심정이 더욱 컸다. 처음 보는 손녀가 반갑기보다는 걱정스러운 마음이 앞섰다. 과연 저 철없는 아이가 자신이 평생을 바쳐 지켜낸 소중한 왕국의 통치자가 될 수 있을까.

클라리스는 평생 한 번도 일탈을 해본 적 없는 모범적인 삶의 주인공이었다. 그런데 손녀가 사교계 데뷔 무대에서 큰 실수를 하고 어깨가 축 늘어진 모습을 보이자 처음으로 일탈을 꿈꾼다. '다음 후계자'가 아니라 '우리 가여운 손녀'라는 느낌이 들었기 때문이 아닐까. 할머니는 손녀에게 '오늘은 그냥 놀아버릴까'라고 제안한다. 천하의 모범생이자 완벽주의자였던 할머니는 일정을 모두 취소하고, 경호원도 모두 떼어놓고, 손녀와 단둘이 낡은 60년대식 머스탱을 타고 소풍을 나간다.

그 장면에서 이상하게 눈물이 펑펑 쏟아졌다. 왜 이러는 걸까, 생각해보니 나는 나에게 그런 말을 해줄 사람을 오랫동안 기다리고 있었던 것 같다. 나 역시 나에게 그런 말을 할 줄 몰랐다. 오늘은 그냥 놀아버릴까. 아무 걱정 없이 모든 일정을 취소하고 그냥 놀아버리자. 나는 남몰래 기다려 왔던 것이다. 저렇게 따스한 눈빛을 지닌 할머니나 어머니, 또는 나를 아무런 조건 없이 사랑하는 누군가가 다정하게 '아무 걱정하지 말고, 모든 두려움을 떨쳐버리고, 그냥 놀아버리자'라고 손을 내미는 순간을. 이런 순간을 무의식에서 간절히 꿈꾸었지만 감히 말하지 못한 것이다. 그곳이 나의 콤플렉스가 거주하는 자리였다. 내 마음 깊은 곳에서는 간절히 휴식과 놀이를 꿈꾸었지만, 나의 강력한 초자아가 '넌 놀면 안 돼, 쉬지 않고 열심히 해내야만 해'라고 끊임없이 억압한 것이다.

영화를 본 뒤 스스로에게 말을 걸어보았다. "아무 걱정하지 말고, 오늘은 그냥 확 놀아버리자. 제대로 놀 줄 모르는 내 가여운 내면아이야, 때론 실컷 놀아도 아무런 나쁜 일도 일어나지 않는단다." 이렇게 내 오랜 콤플렉스와 기쁘게 작별하고 있다.

020 SAT  그림의 손길 '나'로부터 탈출하는 웃음의 힘

보자마자 폭소를 터뜨리게 되는 그림이 있다. 프란스 할스의 〈행복한 술꾼〉(1630)이다. 그림에서 술 냄새가 확 끼쳐오는 것 같은 느낌, 이 사람 때문에 화면이 흔들리는 것 같은 느낌, 그림만 보고 있어도 멀쩡했던 내가 점점 취기가 오르는 듯한 느낌이 좋았다. 프란스 할스의 다른 그림들도 이렇게 '취한 사람'이 많이 나오는데, 그는 가벼운 도취와 나른한 취기 속에서 인간의 숙명적인 본질이 나온다는 사실을 알았던 게 아닐까.

오른손으로는 손사래를 치면서 왼손에는 화이트와인이 반쯤 담긴 잔을 들고 있는 그의 표정은 도취와 환희 그 자체다. 한 손에 술잔을 들고 불콰한 얼굴에 흐뭇한 미소가 만연한 술꾼의 모습이 익살맞다. 미래에 대한 아무런 걱정도, 과거에 대한 어떤 미련도 없어 보이는 그의 해맑은 도취는 보는 사람의 얼굴에 미소가 피어오르게 만든다. 앞에 있는 사람과 자연스럽게 취중 대화를 하는 듯한 '행복한 주정뱅이'의 모습은 짧은 시간 안에 모델들을 편안하게 해주고 자연스러운 모습을 단기간에 포착해야 했을 화가의 민첩함과 융통성을 상상하게 만든다. 술 취한 사람들의 그림이 유난히 많은 프란스 할스의 작품 세계는 특별한 스토리보다 '순간에 휘발되는 미소'에 온 힘을 집중한다. 프란스 할스는 우여곡절 많은 인생에서 '빛나는 시간'은 바로 이런 시간, '시시껄렁해 보이지만 아주 작은 미소로 세상이 잠시나마 환해지는' 바로 그 시간 속에 있음을 알았던 것이 아닐까.

슬픔은 자신의 내부로 끝없이 파고드는 감정의 중력이다. 슬픔과 어울리는 단어들은 '깊이', '빠져든다', '아래로', '헤어나올 수 없다' 같은 무거운 느낌을 준다. 슬픔은 주체를 스스로 만든 감정의 감옥에 가둔다. 그리하여 슬픔에 빠진 사람들 곁에는 거대한 장벽이 느껴진다. 슬픔에 빠졌을 때 우리는 우리 자신을 너무 가까이서 바라보게 된다. 슬픔에 빠졌을 때 오히려 인간은 자기중심적인 상태에 빠진다. 그것이 슬픔이 갖는 부정적 내향성이다. 그런데 웃음은 잠깐 '자기'라는 존재를 불현듯 놓아버리는 것이다. 내가 지금 여기 있다는 사실, 내가 무슨 일을 하는 중이라는 현실, 나의 책임이 무엇이고 내 슬픔이 무엇인지에 대한 자각, 이 모든 것을 그 순간 잠깐 놓아버리는 것이다. 웃음은 자기를 잊음으로써 자기중심성으로부터 멀어지게 하는 마력을 가졌다. 웃음이 가진 긍정적 외향성이다. 웃음으로 가득 찬 이 그림은 나를 매번 깊은 슬픔과 우울의 늪으로부터 구해준다.

021 SUN  대화의 향기 상처 입은 나에게 들려주고 싶은 말

때로는 마음속의 나와 대화하는 것이 타인과 대화하는 것보다 더 어려울 때가 있다. 내 마음속에서는 아직 이런 목소리가 들려온다. "왜 이것밖에 안 되는 거니? 이게 네 재능의 한계야? 이게 네 최선이야?" 이 목소리의 기원을 따져보니 어릴 적부터 나를 무섭게 공부로 몰아세웠던 엄마의 훈육이었다. 내가 늦잠을 자면 엄마는 이렇게 말했다. "그렇게 잠을 많이 자서 도대체 커서 뭐가 되려고 그러니?"

나는 엄격한 훈육 속에서 자라며 오랫동안 '엄마가 원하는 모범적이고 바람직한 딸'이 되기를 꿈꾸었지만, 늘 불안과 우울에 시달렸다. 나는 아직도 진정한 친구를 사귀는 데 어려움을 겪고 있고, 타인의 호의마저도 의심하는 마음의 결벽증을 앓고 있다. 나에게는 아이가 없기에 간신히 그 트라우마를 물려주지 않을 수 있었지만, 마음 깊은 곳에는 '나는 진정한 친구가 거의 없다'라는 내면아이의 고통스러운 외침이 남아 있다.

다행히도 내 조카들은 지쳐 쓰러질 때까지 놀 수 있는 자유, 공부를 잘하지 못해도 엄마 아빠에게 야단맞지 않을 권리, 결코 학교 성적으로 자신의 가치를 평가받지 않을 권리를 누리고 있다. 내 동생들이 '우리 아이들을 언니처럼 외롭고 가여운 모범생으로 키우지 말아야지'라는 결심을 한 것처럼 보일 때 나는 안도의 한숨을 쉬게 된다. 내 동생들이 나에게는 주어지지 못한 '좋은 엄마가 될 권리, 무서운 엄마가 아니라 사랑받는 엄마가 될 권리'를 실현하고 있는 것 같아서 마음이 놓인다.

콤플렉스가 있던 자리를 어루만져주는 마음챙김 훈련은 의외로 간단하다. 마치 밤하늘의 별자리처럼 우리 마음속에 포진해 있는 콤플렉스의 지형도를 파악하는 것이다. 외모나 사회적 지위, 학벌이나 재산, 인기나 명예 등 수많은 콤플렉스의 항목들은 우리 마음속에서 일종의 '콤플렉스의 별자리'를 그리고 있다. 마치 혈자리를 포착해 침을 놓는 의사처럼, 환부를 어루만지는 마음으로 나의 결핍이 괴롭히는 부분을 찾아 이렇게 말해주면 어떨까. 너는 그 모든 결핍에도 불구하고, 있는 그대로 소중하고, 아름답고, 눈부시다고. 그 많은 콤플렉스에도 불구하고 지금까지 큰 탈 없이 버텨온 너 자신이 기특하다고.

너무 많은 콤플렉스에 찌들어 자신을 사랑하는 법을 잊어버린 자신의 어깨를 꼭 안아주는 오늘이 되었으면 한다. 당신은 당신의 장점 때문에 아름다운 것이 아니라, 그 모든 결점을 껴안은 채 오늘도 용감히 이 세상을 버텨냈기에 더욱 아름다운 존재다. 콤플렉스가 놓여 있는 자리, 그곳은 아픔이 꿈틀거리는 장소만이 아니라 치유의 기적이 일어나는 장소, 삶의 전환점이 시작되는 장소이기도 하다.

022

무의식의 토양에서 자라나는 의식의 나무

내가 자주 꾸는 꿈의 패턴은 목적지에 도달하는 일에 실패하는 이야기다. 꿈속에서의 나는 20대로 자주 돌아간다. 과외 아르바이트를 하러 가는데 갑자기 지금까지 경험한 적이 없는 거대한 홍수가 나서 길가에서 발을 동동 구른다. 엄청난 홍수가 나서 버스도 다니지 못하는데, 나는 길도 알지 못하면서 어떻게든 걸어서라도 아르바이트 장소로 가려 애를 쓴다. 꿈속에서도 나는 홍수 탓에 집에 돌아가지 못하는 것은 걱정하지 않고, 학생과의 약속을 지키지 못할까 봐, 아르바이트 자리를 잃어버릴까 봐 전전긍긍한다. 실제로 그런 일이 일어난 적이 없는데도, 그런 꿈은 믿을 수 없을 만큼 아픈 상처를 남긴 채 행복한 아침을 방해한다. 이렇게 간절한 목적지에 이르는 데 실패하는 이야기는 내 꿈의 단골 레퍼토리다.

융 심리학자들은 꿈 이야기 속에서 자기 인생을 바라보는 비전을 발견하기를 촉구한다. '그건 그냥 개꿈이야, 아무 의미도 없어'라고 꿈의 이야기를 무시하는 태도야말로 꿈이 우리의 삶에 진정한 도움을 주는 길을 방해하는 것이다. 꿈은 우리에게 '상징의 언어'를 통해 말을 건다. 예컨대 꿈에서 가족에게 교통사고가 일어났다면, 다음 날 가족들을 조심시킬 것이 아니라 '가족의 교통사고'라는 상징을 통해 자신의 무의식이 어떤 간절한 메시지를 보내려 하는지 알아내려 노력해야 한다는 것이다. 그 꿈은 인간관계에 큰 문제가 생겼음을 뜻할 수도 있고, 자기 안의 해결되지 않은 갈등을 상징하는 것일 수도 있다. 그런데 이런 꿈의 해석을 의사나 정신분석 전문가의 손에 맡기지 않고도 자신의 의지와 노력으로 풀어낼 수 있다는 것이 중요하다. 오히려 타인의 도움을 받기보다는 결국 '내 꿈의 의미를 제대로 해석할 수 있는 것은 나 자신'이라는 믿음을 가질 때 '의식과 무의식의 통합'이라는 과제를 해결할 수 있다.

무의식은 의식이 억압하거나 내버린 것들이 모여 사는 내면의 쓰레기 하치장이 아니다. 의식을 나무에 비유한다면 무의식은 토양이다. 무의식의 토양에는 모든 종류의 정신적 자양분이 잠재돼 있다. 또한 의식의 핸들을 잡은 우리 자신이 어떤 정신의 씨앗을 뿌리는지에 따라 '의식'이라는 나무의 종류와 성장 정도가 결정되곤 한다. 어떤 책을 읽고, 어떤 사람을 만나고, 어떤 장소에 가보는 것 모두가 '의식의 씨앗'이다. 무의식의 내용물이 쉼 없이 의식 쪽으로 올라와 성장의 자양분이 된다. 무의식에 숨은 잠재력을 적극적으로 의식의 토양 위로 끌어올리는 것, 그것이 비로소 온전한 자기를 향한 개성화의 몸짓이다.

023 TUE 독서의 깨달음 어린 시절의 나를 사로잡은 것들

어린 시절 나는 종이로 된 모든 것들을 사랑했다. 종이책, 종이접기, 신문지, 잡지, 피아노 악보, 전단지, 심지어 기차표나 버스표까지. 그중에서도 가장 사랑한 건 단연 종이책이었다. 나는 각종 문고판 동화책과 어른들의 잡지까지 모조리 섭렵했다. 아이들은 보면 안 된다며 경고를 받은 어른들의 잡지도 그냥 봤다. 무슨 말인지도 모르고 읽었는데, 어른이 되어서야 뒤늦게 이해하기도 했다. 그 모든 것들이 도움이 되었다. 그중 내가 100번쯤 읽은 동화책은 아스트린드 린드그렌의 《방랑의 고아 라스무스》였다. 한 소년이 고아원을 탈출하여 더 깊이, 더 처절하게 고아가 되어보는 내용이었는데, 그 이야기가 그렇게 매혹적일 수가 없었다.

라스무스는 멋진 양부모에게 입양되는 것이 꿈이었지만 그 꿈은 매번 좌절된다. 실수투성이, 장난꾸러기, 말썽꾸러기로 살아온 라스무스는 혼이 난 적은 많지만 사랑받은 적은 없다. 자신의 실수 때문에 고아원 원장님께 혼쭐이 날 것을 두려워한 나머지 가출을 감행하는데, 그때 만난 사람이 바로 방랑자 오스카였다. 오스카는 고칠 길 없는 방랑벽 때문에 끝없이 떠도는 삶을 선택하는데, 늘 가난하지만 남의 집 허드렛일을 해서라도 반드시 자신의 밥값을 버는 건실한 사람이기도 하다. 떠돌이로 살지언정 누구에게도 해를 끼치지 않는 자유로운 영혼의 주인공 오스카에게 단박에 매료된 라스무스처럼, 나도 오스카의 행동 하나하나에 가슴이 설렜다. 오스카와 함께 세상 구석구석을 떠돌며 라스무스는 자신에게 가장 소중한 삶의 가치들을 하나하나 발견해나간다.

라스무스가 마침내 자신을 받아줄 양부모를 만났을 때, 내 가슴속에는 알 수 없는 불꽃이 일었다. 라스무스가 제발 양부모와 함께 행복하게 살기를 바라는 마음과 방랑자 오스카와 함께 끝없이 떠돌기를 바라는 두 마음이 부딪혔다. 마침내 라스무스는 삶의 안식처를 발견하지만, 방랑의 여정 내내 손에 땀을 쥐게 하는 쫄깃한 모험의 시간이 더욱 아름다웠다. 그 책을 통해 나는 독립의 꿈과 방황할 권리, 역마살의 아름다움까지 몸소 체득한 것 같다.

지금도 내 마음의 세포 어딘가에는 고아 소년 라스무스의 뼈저린 외로움과 대책 없는 방랑자 오스카를 향한 설렘이 남아 있다. '이렇게 방황해도 될까', '이렇게 목적 없이 고민만 계속해도 될까'라는 생각이 들 때는 내 마음의 고향, 《방랑의 고아 라스무스》를 생각한다. 그 책은 여전히 내 귓가에 속삭인다. 마음 놓고 방황해도 괜찮다고. 목적 없이 모험을 떠나도 괜찮다고. 사랑과 희망이 남아 있는 모든 곳은, 아무리 초라한 곳이라도 나의 든든한 집이 될 수 있다고.

024 WED 일상의 토닥임 꿈의 서점에서 행복하게 길을 잃는 시간

내 상상 속의 서점, 나만의 꿈의 서점에는 책들만 잔뜩 쌓여 있는 것이 아니다. 마치 지상에서 영원으로 물 흐르듯 자연스럽게 이어질 것만 같은 아름답고 고풍스러운 계단이 천장 끝까지 이어지고, 계단마다 아름다운 책들이 가로놓여 있으며, 여기저기 손님들이 커피나 차를 즐길 수 있는 사랑스러운 테이블들이 놓여 있다. 수천 명이 서점 안에 있어도, 모두가 저마다 책을 읽거나 세미나를 하거나 낭독을 해도 전혀 시끄럽지 않다. 상상만으로도 행복해지는 순간이다. 모두가 서점 직원인 듯, 누구에게나, 어떤 책에 대해서 물어도, 하나같이 청산유수로 멋들어지게 책 소개를 해준다. 특히 148쪽을 주목해서 보세요, 주인공의 심리 묘사가 압권이에요. 이런 식으로 아주 구체적인 정보를 줄 수 있는 사람들이 서점 곳곳에 둥지를 틀고 있다. 직원과 독자가 분리되지 않고, 누구나 책을 쉽게 펼쳐볼 수 있지만 누구도 책에 손때 하나 묻히지 않으며 책을 더없이 존중하고 사랑한다. 내가 꿈꾸는 서점, 내 상상 속에서는 매일 기꺼이 방문하고 싶은 유토피아이다.

세상에는 서점 주인의 세계관과 취향이 고스란히 담긴 독특한 서점들이 많다. 단 한 사람만을 위한 단 한 권의 출판을 기획하는 서점도 있고, 간판도 달지 않은 채 오직 입소문과 단골만으로 꾸준히 서점업계의 숨은 보석이 된 곳도 있다. 거주지를 책방으로 탈바꿈한 생활 밀착형 서점도 있다. 외부로부터 완전히 차단된 조용한 장소에서 오직 책에만 집중하고 싶은 손님들을 위해 공간을 빌려주는 서점도 있다. 지하에는 전파가 들어오지 않아서 텔레비전도 스마트폰도 즐길 수 없으니 오직 책을 읽는 것밖에는 할 수 없는 그런 서점이다. 나는 서점 직원들이 열심히 책을 읽고 포스트잇이나 예쁜 엽서에 '내가 이 책을 사랑하는 이유'를 적어둔 서점들을 보았다. 점원의 따스한 손글씨가 가득한 추천사를 읽고 나니, 책을 사지 않을 수가 없었다.

이 서점들은 시장성보다는 오직 '주인의 책에 대한 사랑'을 진정한 동력으로 삼는다. 이런 개성 넘치는 동네책방들이 점점 많아진다는 것은 복잡다단한 무한미디어의 시대에도 책이라는 지극히 아날로그적인 매체를 통해 삶의 소중한 온기를 나누려는 사람들이 아직 많이 남아 있다는 뜻이 아닐까. 그러니 우리는 더욱 용기를 내어 책을 읽고, 낭독하고, 세미나를 하고, 아름다운 책 속의 이야기를 타인과 나누기 위해 책을 선물하고, 책장 위의 해묵은 먼지를 털어내고 오래전 꼭 읽으리라 마음먹었던 책을 오늘부터 읽어야 하는 것이 아닐까.

025 THU  사람의 반짝임 문학청년이 필요한 시대

문학청년이 점점 줄어만 간다. 문학청년이란 꼭 작가를 목표로 하는 사람만은 아니다. 문학작품을 읽고 그에 대해 이야기하는 것만으로도 마음이 뿌듯해지는 사람이라면, 아무리 나이가 들어도 순수한 '청년'이 아닐까. 대학 시절 문학 동아리에는 사람들이 넘쳤다. 작가 지망생이 아니더라도 '그냥 문학이 좋다'는 선후배들이 많았다. 나는 직접적으로 '문학이 좋다'라고 말하기가 왠지 쑥스러워서 '조금 관심이 있다'는 식으로 말할 정도였다. 워낙 많은 사람이 문학을 좋아했기 때문에 나까지 끼어들면 안 될 것 같을 정도로, 문학은 인기 만점이었다. 지금은 대학이나 도서관에서 문학 강연을 할 때 '진짜 문학청년'을 찾기가 어려워졌다. 인문학 강연의 '패키지 상품'으로서 문학작품이 들어갈 때도 많고, 특히 대학에서 강의를 할 때는 학생들의 주의를 집중시키기가 그 어느 때보다도 어려워졌다.

어느 저명한 법대 교수님을 모시고 인터뷰를 진행한 적이 있었는데, 그분은 어릴 때부터 시집이나 소설책이 손에서 떨어지는 법이 없었다고 하셨다. 나는 '법학'이라고 하면 일단 딱딱한 느낌부터 들었기 때문에 이런 뻔한 질문을 하고 말았다. "요즘 법대생들은 사실 문학을 좋아하는 친구들이 별로 없거든요. 선생님은 어떻게 수십 년 동안 법학을 공부하시면서 '문학과의 인연'을 놓치지 않으셨는지요?" 나는 그저 궁금해서 질문했을 뿐이었는데, 교수님은 눈빛이 갑자기 차가워지시며 반문하셨다. "법대생은 문학에 관심을 가지면 안 된다는 말입니까?" "아니, 절대 그런 것이 아니고요. 정말 너무 반가워서 질문드린 거예요. 다른 분들도 그랬으면 좋겠다는 마음으로요." 나는 뒤늦게 변명을 했지만, '법대생은 문학을 좋아하지 않는다'라는 편견을 고백한 격이 되어버렸다. 선생님께서는 그제야 눈빛이 좀 부드러워지셨고, 계속 말씀을 이어가셨다. "내가 대학을 다닐 때는 법대생들도 문학을 참 좋아했어요. 소설가나 시인이 되고 싶은데, 부모님께 차마 말씀드릴 수가 없어서 법대나 경영대를 선택하는 친구들도 있었지요."

나는 그 시절이 진심으로 부러웠다. 내가 문학을 전공해서가 아니라, '문학을 사랑하는 사람'이 많을수록 사회가 좀 더 따스하고 살 만하다는 믿음이 있기 때문이다. 무언가를 진정으로 사랑하기만 한다면 길은 얼마든지 열려 있다고, 문학은 언제나 내게 그런 용기를 심어주었다. 절박한 상황일수록 더 뜨겁게 피어오르는, 삶을 향해 한 걸음 더 나아가는 용기를.

026 FRI 영화의 속삭임 트라우마의 두 번째 충격

세상에서 내 아픔을 가장 잘 이해해줄 거라 믿은 존재가 내게 등을 돌린다면, 그 아픔을 견뎌낼 수 있을까. 트라우마는 '첫 번째 충격'보다 '두 번째 충격'일 때 더욱 커다란 파괴력으로 생을 무너뜨린다. 두 번째 충격의 본질은 첫 번째 충격으로 인한 아픔을 아무도 이해해주거나 공감해주지 않을 때 발생한다. 상처보다 더 무서운 것은 가장 가까운 타인의 외면이 아닐까. 때로 자신이 가장 사랑하는 존재를 향해서도 그 '외면'의 권력은 작동할 수 있다. 일부러 외면하지 않아도, 고통을 반복하는 것이 너무 아픈 일이라 자신도 모르게 고통 받는 사람에게서 서서히 멀어질 수가 있다.

키이라 나이틀리 주연의 영화 〈애프터 워(The Aftermath)〉에서는 바로 그 '외면' 때문에 서로를 더욱 아프게 하는 부부의 이야기가 펼쳐진다. 2차 세계대전 당시 독일군의 폭격으로 어린 아들 마이클을 잃은 주인공 레이첼은 아들뿐 아니라 남편까지 잃을까 봐 전전긍긍한다. 영국군 장교인 남편 루이스는 전쟁 후 폐허가 된 함부르크를 재건하는 사업을 맡았지만, 아내의 무너진 삶을 재건해주는 데는 무관심해 보인다. 레이첼 입장에서는 계속 집 밖으로만 맴도는 남편의 무심함이 못내 서운하다. 아이를 잃은 자신의 곁에 있어 주지 않는 남편, 아들의 이야기를 꺼내는 것조차 꺼리는 남편을 바라보며 아내는 절망한다. 레이첼은 밤마다 혼자 울다가 마침내 고백한다. 당신은 나만큼 슬프지 않은 것 같다고. 당신은 나처럼 아프지 않은 것 같다고. 극심한 고립감에 빠진 레이첼은 급기야 자신을 이해해주는 독일 남자와 사랑에 빠져 남편을 떠나려 한다.

내내 아내의 입장에서 남편을 야속하게 비추던 카메라는 그제야, 이야기의 끝에 이르러서야 남편의 남모를 아픔에 초점을 맞춘다. 아내가 짐을 싸서 떠나려 하자 남편은 고백한다. 당신을 보면 아이가 생각나고, 당신을 껴안으면 아들의 냄새가 났다고. 남편은 그제야 마음을 털어놓으며, 당신이 나를 떠나도 당신은 영원히 내 삶에서 가장 중요한 사람일 거라고 고백한다. 아내가 떠난 순간, 아내가 그토록 애지중지하던 아들의 낡은 스웨터를 본 남편의 슬픔이 폭발한다. 아내가 다른 남자와 떠나버릴 결심을 하자, 그제야 자신이 돌봐주지 않은 아내의 상처가 보이기 시작한 것이다. 마침내 서로를 향한 간절한 구원의 메시지를 읽었다면, 그들에게는 아직 희망이 있는 것이다. 이렇듯 들리지 않는 타인의 목소리를 마침내 들리게 만드는 것, 두 번째 충격에 고통받는 사람들의 아픔을 담는 것이 이야기의 힘, 스토리텔링의 힘이 아닐까.

027 SAT 그림의 손길 고통을 딛고 다시 피어나는 사랑

빈센트 반 고흐의 〈피에타〉(1889)는 고흐의 자화상과 피에타가 합쳐진 듯한 모습을 하고 있다. 내가 이 그림에 제목을 붙일 수 있다면, '길 위의 성모'로 하고 싶다. 우리가 흔히 보았던 성모상과 달리 이 그림은 특정한 장소가 아니라 이름 붙일 수 없는 길 위에서 정처 없이 방황하고 있는 듯한 성모를 보여준다. 이 그림의 주인공은 예수보다는 성모마리아 쪽인 것 같다. 그녀는 온몸으로 수난을 견뎌내고 있는 예수의 바람막이가 되어준다. 바람 부는 방향대로 정신없이 흩날리는 마리아의 옷자락은 그녀가 감당해야 할 세상의 온갖 풍랑을 가늠케 한다.

마리아의 표정에는 신기하게도 고통보다는 신비로운 희열이 느껴진다. 예수를 안고 있는 것이 아니라 세상을 향해 한껏 팔을 벌린 듯한 자세는 무언가를 웅변하려는 강렬한 의지가 엿보인다. 이 사람을 보라, 이 사람을 보라. 당신들이 절망의 구렁텅이로 밀어놓은 이 사람, 신의 아들을 보라. 이렇게 절규하는 듯한 성모마리아의 모습은 몰아치는 바람 속에서 더욱 의연하고 당당하다. 그녀는 지켜낼 것이다. 모성을 넘어 자신의 아들을 이토록 참혹한 아픔으로 몰아넣은 세상까지 마침내 사랑하게 될, 더 크고 너른 품이 느껴지는 그림이다.

고통받는 사람들이 더 깊은 상처를 받는 것은 '내가 이렇게 아파해도, 누구도 내 아픔을 이해해주지 못한다'라는 생각 때문이다. 우리는 아파하는 이들을 향해 '당신은 상처 입었지만, 망가지지 않았습니다'라고 말해줄 수 있어야 하지 않을까. 상처받았지만, 그 상처로 인해 완전히 무너지지 않았음을 알려주는 일은 중요하다. 아직 당신의 심장은 생생하게 고동치고 있다고, 아직 더 많은 눈부신 나날들이 남아 있다고 말해줄 수 있어야 하지 않을까.

공감은 여기가 끝이라고 느껴지는 순간을 버티는 마지막 지지대다. 벼랑 끝에 선 존재의 절망을 그리는 것. 그것은 지칠 줄 모르는 공감의 힘으로, 굴하지 않는 연대의 힘으로 고통받는 당신의 손을 꼭 잡아주는 따스함이다. 당신이 아무리 우울한 순간에도, 당신의 존재가 어느 곳에서도 인정받지 못하는 순간에도, 쿵쾅쿵쾅, 당신의 심장은 분명 뛰고 있다. 우리에게는 살아 있음을 느낄 수 있는 심장이, 아파하는 사람들의 손을 잡아줄 따스한 체온이 남아 있다.

028 SUN 대화의 향기 배려의 언어, 보살핌의 몸짓

초등학교 때 나는 외로운 아이였다. 친구를 사귀는 것이 두렵지만, 항상 친구가 먼저 내게 다가와 주기를 바라는 아이. 마음 깊은 곳에서는 유안진 시인의 〈지란지교를 꿈꾸며〉 같은 시에서 나오는 아름다운 우정을 꿈꾸었다. 저녁을 먹고 나면 허물없이 찾아가서 차 한잔하자고 말할 수 있는 친구, 내가 옷을 갈아입지 않아도, 김치 냄새가 좀 나더라도 흉보지 않을 친구. 내가 어떤 이야기를 하더라도 결코 나의 이야기를 남과 공유하지 않을 그런 친구. 어린 마음에도 '나는 과연 그런 친구를 사귈 수 있을까' 하는 궁금증, '그런 친구를 영원히 만나지 못하면 어떡하지?' 하는 두려움을 느꼈던 기억이 생생하다. 그런 나에게 먼저 다가와 따뜻한 눈인사를 건네고, 손동작이 굼뜬 나에게 뜨개질을 가르쳐준 친구가 있었다. 그 아이는 항상 남에게 먼저 다가가기 어려워하는 나에게 처음으로 먼저 다가와 준 친구였다. 나는 그 친구를 통해 '쑥스러워하는 사람에게 먼저 다가가 친구가 되는 법'을 배웠다. 이제야 알 것 같다. 그 고사리 손으로 뜨개질을 가르쳐주겠다며 다가와준 마음이야말로 외로운 소녀에게 가장 절실한 '배려'의 몸짓이었다는 것을. 그 친구의 따스한 배려를 통해 나는 '친구가 없다'는 고립감을 떨쳐낼 수 있었다. 배려는 이렇듯 사람의 얼어붙은 마음을 녹여준다.

아주 작은 배려라도 좋다. 식당의 문을 열고 들어갈 때 뒤에 오는 낯선 사람을 위해 문을 잡아주는 것도 좋고, 길을 잃은 것처럼 보이는 사람이 있을 때 먼저 다가가 길을 잃었냐고 물어보고 도와주는 것도 좋다. 무거운 짐을 들고 버스나 전철을 타는 낯선 할머니의 짐을 들어드려도 좋고, 혼자 밥을 먹는 것이 싫어 굶고 있을 친구에게 전화를 걸어 '오늘 내가 밥 살게'라고 따스한 저녁 초대를 해도 좋다. 배려는 온기를 잃은 삶에 따스한 인간적 에너지와 삶을 다시 시작할 용기를 선물해준다. 배려에 깔려 있는 정신은 바로 타인에 대한 '존중'이다. 사랑이나 우정은 서로에 대한 깊은 이해가 전제된 감정이지만, 배려는 전혀 모르는 사람에게도 베풀 수 있는 것이다. 배려의 몸짓에는 낯선 타인에 대한 무조건적인 존중이 들어 있다. 오늘 처음 만나는 당신이지만, 분명 당신은 존중받을 이유가 있는 사람일 거라는 조건 없는 믿음. 그러니까 그 사람이 나에게 잘해주거나 나에게 실질적인 이득을 주어서가 아니라, 나와 만났다는 이유만으로 그 우연의 순간마저도 소중히 여기려는 마음이 배려의 전제 조건이다.

배려와 존중, 그것은 인종과 문화와 제도의 모든 경계, 남녀노소의 경계마저도 허물어버린다. 따스한 배려와 품위 넘치는 존중이야말로 그 어떤 최첨단 신약보다도 상처로부터 우리를 확실히 지켜줄 수 있는 '마음의 면역력'이 아닐까.

029 MON 진정으로 자신의 편이 된다는 것

심리학의 조언

다른 사람에게는 '착한 사람'으로 인정받지만, 정작 자신의 감정 표현에는 충실하지 못한 사람들이 있다. 모두가 어려운 일이 있을 때 '그 사람'을 떠올리지만, 정작 '그 사람'은 어려운 일이 있을 때 누구에게 도움을 청하겠는가. 이토록 착한 사람을 가리키는 단어가 바로 '엠패스(empath, 초민감자)'이다. 타인에게 무한한 공감 능력을 발휘하지만 정작 자기 자신에게는 진정한 '편'이 되어주지 못하는 사람. 엠패스들의 특징은 맞장구 잘 치고, 다른 사람의 아픔에는 쉽게 공감하면서, 정작 자신의 아픈 감정을 충분히 보살피지 않는다는 것이다.

이런 사람들을 위해 나는 '에고와 셀프의 대화'를 추천한다. 자기 자신의 깊은 속내와 대화하는 법을 훈련할수록 우리는 '진정한 자신의 편'이 되는 법을 배우게 된다. 너무 어려운 부탁을 하는 타인의 간절한 표정을 보면서, 나의 에고는 나에게 이렇게 말한다. "이 부탁을 거절하면 그 사람이 나를 싫어하지 않을까? 그 사람도 너무 힘들어서 나에게 이런 부탁을 한 것이 아닐까?" 그렇다면 셀프는 이렇게 대답한다. "너라면 다른 사람을 곤란하게 하는 부탁은 하지 않으려고 애쓸 거잖아. 그 사람은 어려운 부탁을 하는 순간, 너보다는 자신의 입장을 생각한 거야. 아무리 그 사람이 힘들더라도, 지금 네가 가장 우선적으로 돌봐야 할 사람은 너 자신이야. 내가 볼 땐 지금 이 순간 가장 보살핌이 필요한 존재는 너야."

나는 이렇게 '거절하는 법'을 훈련했다. 에고의 편에 서게 되면 결국 남의 편이 될 때가 있다. 착한 사람처럼 보이기 위해서, 좋은 사람처럼 보이기 위해서, 셀프의 진정한 소원을 짓밟게 되는 것이다. 진정한 내 편이 되기 위해서는 눈에 아른거리는 타인의 부탁을 거절해야 할 때가 있다.

에고와 셀프의 대화는 모든 결정의 순간에 도움을 준다. 나는 항상 셀프에게 길을 묻는다. 에고는 매번 시니컬하게 질문을 한다. '이게 잘 될 리가 있나? 이걸 사람들이 알아줄까?' 이런 식으로 셀프의 도전을 무시하려고 한다. 하지만 셀프는 이렇게 질문한다. '이게 네가 진정으로 원하는 일이니? 그렇다면 도전해봐.' '여기에 너의 모든 것을 쏟아부었니? 그렇다면 후회하지 마.' 이런 식으로 에고보다 더 용감하고 지혜롭게 질문하고 대답하며 끝내 길을 찾는 존재가 바로 우리 안의 또 다른 자기, 셀프이다. 우리는 이렇게 우리 안의 또 다른 자기, 셀프의 아름다운 뒷모습을 비추어볼 수 있는 영혼의 거울을 발견할 수 있다.

030

TUE

독서의 깨달음

타인의 트라우마 속으로 여행하다

정유정의 소설《진이, 지니》를 읽으며 나는 타인의 트라우마 속을 여행하는 듯한 깊은 슬픔을 느꼈다. 아름다운 장소, 사진 찍고 싶은 명소가 아니라 타인의 깊이 상처받은 마음속으로 여행한다는 것. 그것은 슬프지만 아름다운 체험이며, 살아 있다는 일의 눈부신 축복을 이해하고 공감하는 여행이었다. 나는 이 작품을 읽으며 누군가의 트라우마 속으로 여행하는 일의 슬픔을 깨달았다. 작품 속에서 사육사 '진이'는 보노보 원숭이 '지니'의 환상 속으로 들어가는데, 그것은 지니의 트라우마가 꿈틀거리는 내면으로의 여행이었다. 작품 속에서 '지니의 램프'로 불리는 이 사유의 공간은 지니의 아름다운 추억이 내장되어 있는 무의식의 공간이기도 하다. 진이의 영혼과 지니의 영혼이 서로 바뀌는 것. 그것은 인간이 아닌 보노보 원숭이라는 이유로, 오직 지구상에 100여 마리밖에 남지 않는 희귀종이라는 이유만으로, 고가의 '상품'으로 밀거래되는 보노보의 처참한 운명 속으로 걸어 들어가는 여행이었다.

나는 이 작품을 읽으면서 끝없이 '고기'를 먹음으로써 유지되어온 우리의 삶, 인류의 역사를 아프게 되돌아보아야 했다. 지니보다 더 참혹한 상태에서 사육당하고, 학대당하고, 마침내 처참하게 버려지는 동물이 연간 수백만 마리이며, 인간의 먹거리로 소환되는 대부분의 동물이 비참한 환경 속에서 사육당하고 있다. 보노보 지니가 저 세상이 아닌 바로 지금 이 세상에서 행복할 수 있는 길을 꿈꾸며 다정한 사육사 진이는 자신이 간신히 붙든 마지막 숨결을 지니에게 내어준다. 그렇게 그녀는 마침내 인간과 동물의 행복한 공존의 세계를 향해 한 걸음 다가간다.

문명의 탈을 쓴 야만적 폭력을 끝내기 위해, 우리는 한 걸음 한 걸음 포기하지 않고 공생의 발걸음을 디뎌야 한다. 인간과 '인간 아닌 모든 생물' 사이의 공감과 공생의 길은 결코 멀리 있지 않다. 그들도 우리처럼 아프고, 눈물 흘리고, 슬퍼하는 존재라는 것을 잊지 않을 때 우리는 더 나은 인간이 될 수 있다. 부디 이 아름다운 이야기가, 인간에게 학대당하고 팔려나가고 가족을 모두 처참하게 잃어야 했던 보노보 지니의 이야기에 귀 기울일 줄 아는 내 안의 치유자(healer)를 일깨워주기를. 우리에겐 아직 기회가 남아 있다. 타자의 아픔에 귀를 기울여줄 마음의 온기가 남아 있다면. 모든 것을 효율성으로 환원시켜버리는 이 잔혹한 자본주의의 세계에서, 나의 아픔을 누군가가 진심으로 알아준다면 우리 삶은 완전히 달라진다. 힘들 때 등을 토닥여주는 딱 한 사람만으로 삶이 완전히 달라질 수 있음을 알 때, 우리는 지금보다 더 나은 세계를 향해 성큼 다가갈 수 있다.

031 WED  일상의 토닥임 낭독의 힘으로 상처를 치유하다

시를 암송하며 어두운 밤길을 걸어간 적이 있다. "사랑을 잃고 나는 쓰네// 잘 있거라, 짧았던 밤들아/ 창밖을 떠돌던 겨울 안개들아/ 아무것도 모르던 촛불들아, 잘 있거라" 여기까지만 암송해도 이미 밤길을 혼자 걷는 두려움은 사라졌다. "잘 있거라, 더 이상 내 것이 아닌 열망들아// 장님처럼 나 이제 더듬거리며 문을 잠그네/ 가엾은 내 사랑 빈 집에 갇혔네" 기형도의 시 〈빈 집〉을 낭송하며 걷다 보니, 슬픈 마음과 우울한 감정이 찬찬히 잦아들었다. 시 한 편이 마치 친구처럼 내 곁에서 함께하는 느낌, 시인과 함께 어두운 밤길을 걷는 느낌이었다.

굳이 기억하려고 애쓰지도 않았는데 20여 년 전에 외웠던 시를 지금까지도 고스란히 암송하는 나 자신에게도 깜짝 놀랐다. 그만큼 이 시의 아름다움은 너무도 각별해서, 무의식에서조차 잊지 않으려 발버둥을 쳤나 보다. 시를 혼자 묵독하는 것이 일인분의 푸짐한 한상차림 음식이라면, 시를 소리 내어 낭송하고 사람들과 나누는 것은 온갖 산해진미가 그득히 차려진 밥상에서 동네 사람들을 모두 모아 놓고 잔치를 벌이는 듯한 기쁨이다.

문학을 통해 상처가 치유되는 시작점은 내 안에만 웅크리고 있거나 나 자신을 학대하는 스스로를 잠시 문학작품 속으로 여행을 떠나보내는 것이다. 내 고민을 날것으로 표출하는 것보다 시의 함축적 언어로 한 번 걸러내어 표현하는 것. 일상의 상투적인 어법을 벗어난 자리에서, 비로소 나의 고민을 마치 남의 일처럼 거리를 두고 바라볼 수 있는 여유가 생긴다. 아름다운 시를 바라보듯 내 삶을 바라보는 마음의 거리감. 이것이 바로 자신을 '지나치게 뜨거운 주관'과 '지나치게 차가운 객관' 그 어디에도 치우치지 않고 바라볼 수 있게 하는 최고의 미적 거리이며 자신을 보듬을 수 있는 최소한의 치유적 거리다. 타인의 이야기가 마음속에 둥지를 틀면서, 나만의 고민과 열망으로 꽉 차 있는 마음속 해일이 가라앉기 시작하는 것이다.

오랫동안 시를 읽으면 내 삶을 타인의 이야기처럼 바라보고 타인의 삶을 나의 삶처럼 바라볼 수 있는 상대화의 시선이 생긴다. 내 고민으로 인해 내 안에서 화산이 폭발할 것만 같은 순간, 소리 내어 천천히 시를 읽어보는 조금은 엉뚱한 모험을 시작해보자. 집에 있는 명작선은 물론 학창 시절을 읽었던 문학 교과서의 한 대목이라도 좋다. 분노로 인해 숨이 가쁘던 호흡이 잦아들고 내 목소리를 차분히 들어주는 '또 하나의 나'를 만남으로써 '분노하는 나'의 일그러진 얼굴을 비로소 제대로 바라볼 수가 있다.

032 THU

사람의 반짝임

나를 작가로 만든 사람들

책을 만드는 일 속에서 작가와 편집자와의 하모니는 가장 결정적인 협업이다. '작가가 만들어낸 날것의 언어'를 '독자들이 읽고 싶은 책의 언어'로 바꿀 수 있도록 조언해주는 사람이 바로 편집자다. 나를 작가로 만든 내부의 힘은 나 스스로의 노력이지만, 나를 작가로 만든 외부의 힘은 8할이 편집자라고 할 수 있을 정도로, 편집자의 조언과 지휘력은 큰 힘을 발휘한다. 좋은 편집자란 어떤 재능을 갖춰야 할까.

좋은 편집자는 작가의 '아직 낳지 않은 황금알'을 알아볼 수 있는 투시력을 지닌다. 《그때 알았더라면 좋았을 것들》의 편집자는 나에게 '20대를 향해 건네고 싶은 메시지'를 책으로 써달라며, 한사코 '나는 이런 책은 못 쓴다'라며 도망치려는 나를 붙들어주었다. 남을 위로하는 글을 쓰는 재능이 없다고 생각하는 나에게, 편집자는 '선생님이 쓰고 싶은 것을 그냥 쓰시면 돼요!'라고 응원해주었다. 그 소박한 응원이 나로 하여금 '문학평론가'에서 '작가'로 변신하는 책을 쓸 수 있게 하는 원동력이 되었다.

또 좋은 편집자는 '기다림의 달인'이다. 훌륭한 편집자는 고통스러운 기다림을 창조적인 협업의 과정으로 바꿀 줄 안다. 작가는 너무나 절실하게 좋은 원고를 주고 싶지만, 빠른 시간에 좋은 글을 쓰는 일은 어렵기에 본의 아니게 편집자들을 기다리게 할 때가 많다. 편집자도 고통스럽지만, 작가도 누군가를 기다리게 하는 일이 가슴 아프다. 글을 쓰는 일이 워낙 고통스럽고 외로운 일이기 때문에 때로는 '이제 그만 포기하고 싶다'라는 생각이 들기도 한다. 바로 이럴 때 지혜로운 편집자는 작가에게 '포기하지 않을 용기'를 준다. '월간 정여울' 시리즈를 만들 때 담당 편집자는 내게 아무리 힘들어도 글을 써야 하는 이유를 알려주었다. 나의 글을 먼 곳에서 날아오는 따스한 편지를 기다리는 마음으로 고대하는 독자들이 있다는 것, 매달 배달되는 책 한 권이 조금이라도 늦으면 출판사에 전화를 걸어 '왜 책이 안 나오냐'라고 걱정하는 독자들이 있다는 것을 알려준 것이다. 편집자는 최초의 독자이기도 하고, 독자의 마음을 작가에게 전달해주는 훌륭한 메신저이기도 하다. 이렇게 마음이 따스한 편집자들 덕분에 지금까지 포기하지 않고 계속 글을 쓸 힘을 얻곤 했다.

좋은 편집자는 '아름다운 책을 마음속에 그리는 능력'이 있다. 급박한 미디어 환경의 변화 속에서 점점 설 자리가 좁아지는 책에 대한 변함없는 사랑, 글쓰기에 대한 사랑, 독자에 대한 사랑이야말로 좋은 편집자의 가장 중요한 덕목이다.

033 FRI 영화의 속삭임 <만추>, 시간을 도둑맞은 여자

영화 〈만추〉의 애나는 7년이란 시간을 도둑맞았다. 그 상실은 그 무엇으로도 대체할 수 없는 고통이었다. 7년 동안 억울하게 감옥에서 보낸 시간 이후, 어머니의 부고로 특별휴가를 받은 애나는 우연히 그녀의 마음을 설레게 하는 한 남자를 만난다. 그녀가 정상적인 삶을 살고 있었을 때라면 마주칠 가능성이 적은 사람, 그 뼈아픈 상실 이전의 애나라면 쳐다보지도 않았을 스타일의 사람이다. 훈. 그는 자신의 젊음을 미끼로 중년 여성들을 유혹하여 그녀들로부터 '용돈'을 받아 생활을 한다. 그 사람을 만날 때마다, 늘 마지막인 것 같다. 마음이 조급해진다. 절실함이 커질수록 마음은 급해져서 오히려 아무것도 손에 잡히지 않는다. 그렇게 이룰 수 없는 사랑에 빠진 모든 사람에게, 세상은 언제나 너무 늦은 가을이다. 곧 엄혹한 겨울이 올 것만 같은데, 이 따스한 가을 햇살을 하루라도 더 늘리고 싶은 마음.

억울한 살인 누명을 쓰고 아무것도 설명하지 못한 채 떠나야 하는 훈과 다시 감옥으로 돌아가야 하는 애나. 훈은 잊지 못할 키스와 아직 그의 체온이 묻은 시계와 낡은 코트를 남겨두고 그녀를 떠난다. 그 낡은 시계는 여러 가지 고백을 함축하고 있는 듯하다. 나의 시간은 이제 당신의 것입니다. 이제는 당신의 시간을 살아가세요. 그 누구 때문도 아닌, 그 누구의 탓도 아닌, 당신만의 시간을 시작하기를. 훈은 그녀에게 단지 낡은 시계가 아닌 새로운 운명의 시간을 선물한 것이 아닐까. 이제 더 이상 지나간 시간에 구속당하지 말고, 스스로에게 시간을 선물하라고. 세상의 속도에 결박되지 않고, 누구의 탓으로도 돌릴 필요 없는, 당신 자신만을 위한 시간을 다듬고 가꾸고 아끼라고.

그 후 2년이 더 지나고, 그녀에게는 아무 일도 일어나지 않은 것처럼 보인다. 인생의 가장 빛나는 시간을 감옥 안에서 보냈지만, 출소하는 그녀의 나이든 얼굴은 어느 때보다도 생기가 넘쳐 보인다. 훈에 대한 기다림이, 새로운 시간을 향한 순수한 기다림이, 그녀를 그토록 눈부시게 탈바꿈시킨 것 아닐까. 감옥에서의 7년 동안, 인생의 시계는 멈춰 있었다. 하지만 훈으로 인해 애나에게는 새로운 시간이 시작되었다. 설령 그를 다시 만날 수 없을지라도, 그가 남긴 새로운 시간이라는 선물은 지워지지 않는다.

살아 있는 한, 절대로 늦을 수 없는 그 시간. 오늘이 세상의 마지막 날이라 해도, 그 시간은 절대 결코 늦지 않았다. 그 시간 이전과 이후는 판이하게 다르기 때문이다. 저마다의 가슴속에서 죽어버린 줄로만 알았던 그들 각자의 '태초'의 시간. 누구에게도 열 수 없다고 믿었던 마음의 빗장이 열리는 순간. 아무리 오랜 시간 이 세상에 머물러도 매번 '한처음' 같은 그 낯설고도 친밀한 시간. 낯선 사람의 미소가 더 없이 아름다워 보이는 순간. 그것은 바로 사랑에 빠지는 순간이다.

034 SAT  그림의 손길 어머니와 아들의 보이지 않는 갈등

오르세 미술관에서 제임스 맥닐 휘슬러의 〈회색과 검정의 조화〉(1871)를 처음 봤을 때 나는 휘슬러의 실제 어머니를 향한 강렬한 호기심을 느꼈다. 어머니를 모델로 그린 휘슬러의 이 그림이 어쩌면 이렇게 '냉정한 거리 감각'으로 철저하게 무장한 것처럼 보일까 하는 의문이 들었기 때문이다. 늙어가는 어머니에 대한 안쓰러움이나 어머니에 대한 미운 정 고운 정 같은 것이 전혀 느껴지지 않았다. 자신을 모델로 허락해준 어머니와 화가인 아들, 두 사람 사이에는 뭔가 팽팽한 긴장감이 있었다.

휘슬러 자신도 이 그림은 '어머니를 그린 그림'이라기보다는 '회색과 검정의 조화' 자체를 보여주는 시각적인 실험이라고 못 박았으나 사람들은 이 그림에서 '그 너머'를 보고자 했던 것 같다. 이 그림은 '화가의 어머니'로 더 많이 기억되며, 미국인들은 휘슬러 어머니의 검소한 옷차림과 금욕적인 표정을 '미국인의 이상적인 모성애'로 해석하기도 했다. 실제로 휘슬러의 어머니는 아들이 다른 여인들에게 지급하는 모델료가 너무 많다고 생각했으며, 아들이 그림을 그리는 동안 모델들을 입히고 먹이는 일을 자신이 도맡아 하느라 무척 힘겨운 삶을 살았다고 한다. 아들의 '아름다움을 향한 온갖 낭비'를 이해할 수 없던 어머니의 보이지 않는 근심이 이 그림의 팽팽한 긴장감을 떠받치고 있는지도 모른다.

휘슬러가 어머니의 반대로 사랑하는 여인과 헤어지고, 억지로 끌려가다시피 미국으로 돌아와야 했을 정도로 두 사람은 사사건건 대립했다고 한다. 두 사람의 불화 덕분에 이 그림에 이토록 짜릿한 긴장감과 미적 거리감이 살아 있는 것만 같다. 아름다운 그림을 위해서는 그 어떤 낭비도 주저하지 않았던 아들과 아름다움보다도 눈앞의 현실과 경제적 안정감이 중요했던 어머니. 두 사람 사이의 날카로운 긴장감이 오히려 이 그림을 더욱 매력적인 이야기의 보물창고로 만든다.

위대한 화가도 어머니와 갈등했다는 사실이 내게는 위로가 된다. 부모와 자식이 겪는 이상과 현실의 갈등은 본래 '인류의 역사' 속에서 매번 반복되었으니, 우리가 겪고 있는 이 갈등 또한 보편적인 것이 아닐까. 그러니 부모와 달라도 너무 다른 '우리 자신'을 조금 더 사랑하고, 지지하고, 위로해주기를.

035

SUN

대화의 향기

다시는 너로 인해 상처받지 않을 거야

사랑뿐 아니라 우정도 불평등할 때가 있다. 내가 친구를 생각하는 것만큼 그는 나를 생각해주지 않는다는 것을 알았을 때, 우리는 연인에게 버림받았을 때만큼이나 비참해진다. 친구를 너무 좋아했던 나는 그런 경험을 여러 번 했다. 이제는 '정을 주지 않으리라', 복수하듯 다짐해보건만, 매번 정에 지고, 우정에 항복하고 만다. 하지만 한 친구에게는 도저히 그럴 수가 없었다. 그 친구의 외면과 답장 없음과 무응답에 너무 오래 상처받은 나는 이제 그만 '항복'을 선언해야 할 때가 왔음을 깨달았다.

내가 좋아하는 친구이지만 결코 나를 행복하게 하는 친구가 아니었다. 그 친구를 생각할수록 나는 더욱 작아지고 슬퍼지고 노여워졌다. 그 친구는 자신의 우울한 감정에 빠져서 나를 냉대하면서, 그 냉대가 내 안의 빛을 점점 빼앗아간다는 것을 전혀 몰랐다. 그 참을 수 없는 무심함이 나를 더욱 비참하게 만들었다.

나 자신에게 물어보았다. 내가 과연 그 친구를 아무런 조건 없이, 그러니까 그 친구가 나를 전혀 좋아하지 않아도 계속 좋아하고, 어여삐 여기고, 그리워할 용기가 있는가. '예스'와 '노'가 동시에 내 안에서 용솟음쳐 나왔다. 그 친구를 그만큼 좋아하는 '감정'은 사실이지만 더 이상 비참하게 나를 방치할 '끈기'는 없었다. 나는 그 친구에 대한 감정에서 나를 구해내야 했다.

이제는 연락하지 않는다. 언젠가 그가 나를 향해 다시 우정을 회복하자는 사인을 보내오기 전까지는 어려울 것 같다. 그런데 내가 이 우정을 향한 '에고'를 완전히 벗고, 그 친구가 나를 좋아하든 말든 그냥 모든 것을 다 잊고 '이 세상에 너 같은 친구는 없어'라고 고백하며 전화하는 날이 올 것 같기도 하다. 하지만 그래도 아직은 이르다. 아무 조건 없이 내 친구를 사랑할 수 있는 더 너른 마음이 생길 때까지, 그동안 너무 일방적으로 상처받은 나를 꼭 안아주고 싶다. '괜찮아, 괜찮아, 넌 그 친구에게 최선을 다했어. 그토록 오랜 시간 우정의 사인을 보내고 또 보내도, 그 어떤 답장도 돌아오지 않는 우정은 끝내 네 것이 아닌 거야.'

끝내 내 것이 아니었구나. 내가 진정한 친구라 믿었던 너의 모든 아름다움은, 결코 내 것이 아니었구나. 어느새 참았던 눈물이 고이기 시작한다. 이제 그 친구를 정말 놓아줄 때가 되었나 보다. 때로는 깊이 사랑하는 것을 진정으로 놓아줄 용기가 필요하다.

036 MON  심리학의 조언 1차 트라우마와 2차 트라우마

1차 트라우마가 피할 수 없는 사건으로 인한 것이라면, 2차 트라우마는 주변 사람들의 반응 때문에 발생할 때가 많다. 예컨대 어린 시절 부모의 학대 때문에 겪은 상처가 1차 트라우마 곧 첫 번째 화살이라면, 그 학대 때문에 '아무도 나를 사랑하지 않는다'는 자기인식이 굳건해져버린 채 마음의 창을 완전히 닫아버리는 것이 2차 트라우마, 두 번째 화살이다. 두 번째 화살은 첫 번째 화살보다 더 아프고 치명적일 수 있다. 상처를 치유하려는 개인의 의지를 꺾어버리기 때문이다. 첫 번째 화살은 막을 수가 없다. 어디서 날아오는지 알 수 없기 때문에. 첫 번째 화살은 주로 어린 시절이나 사회 초년생 시절에 겪는 예비할 수 없는 트라우마를 말한다. 그런데 두 번째 화살은 어느 정도 예측이 가능하다. '내가 어떤 상황에서, 어떤 말에 상처를 받는지' 우리가 알고 난 뒤의 일이기 때문이다.

내가 상처를 받는 패턴이나 다른 사람이 나에게 상처를 주는 패턴을 유심히 관찰하다 보면, 두 번째 화살의 출처가 보이기 시작한다. 가장 가까운 사람들의 비난, 혹은 가해자 스스로의 어처구니없는 변명과 적반하장식의 대처가 두 번째 화살의 주요 발생지다. '뭐 그런 걸 갖고 상처받고 그러니'라는 말, '남들도 다 그래, 네가 참아'라는 말, '네가 너무 예민해서 그래, 남들은 다 참고 살아'라는 말이 모두 2차 트라우마를 유발시킨다. '내가 때린 것이 문제가 아니라 네가 구타를 유발한 것이 문제다'라는 식의 변명, '피해자가 뭔가 처신을 잘못해서 피해를 당한 것'이라는 식의 비난 또한 2차 트라우마에 불을 지른다. '그나마 다행이지, 그만하길 다행이지'라는 공허한 위로 또한 2차 트라우마를 발생시킬 수 있다. 내 상처를 소중하게 여기지 않는 말들, 내 상처를 어떻게든 '사소한 것'으로 만들어 상처 입은 나의 존재를 무력화시키는 모든 말들이 2차 트라우마를 강화한다.

첫 번째 화살이 피부의 상처를 닮았다면, 두 번째 화살은 눈에 보이지 않는 치명적 내상을 닮았다. 피부에 보이는 상처는 '이것이 심각하구나, 어떻게든 치유를 해야겠다'는 생각을 하게 만들지만, 보이지 않는 내상은 정도가 더 심하면서도 좀처럼 상처의 전체적 윤곽이 제대로 드러나지 않기 때문이다. 우리의 목표는 막지 못한 1차 트라우마 대신, 2차 트라우마를 막을 수 있는 자기 치유의 테라피를 개발하는 것이다. 상처에 취약해서 점점 더 예민해지는 신체가 아니라, 상처보다 더 중요한 우리 인생의 더 큰 그림을 그려나가기 위해, 상처에도 불구하고 끝없이 전진할 수 있는 용기를 지닌 신체로 만드는 것이다.

037 TUE  독서의 깨달음 누군가의 보물창고를 엿보고 싶은 마음

이근화 시인의《아주 작은 사람들이 말할 때》를 읽노라니, 이 사람이 좋아하는 것은 그냥 다 찾아보고 싶다. 단지 취향의 문제가 아니다. 이 사람이 살아가는 모습, 이 사람이 사랑하는 것들, 이 사람의 마음속에 있는 것들이 궁금해서다. 이근화 시인이 아이들에 대해 말할 때, 사랑하는 그림이나 사진, 음악에 대해 이야기할 때, 그녀의 마음속으로 살짝 들어가 그 방대한 사랑의 기억들 속으로 여행하고 싶어졌다. 이런 글을 읽는 것만으로도 우리 마음은 넓어지고, 깊어지고, 향기로워진다. 이 책은 시인의 일상과 독서목록, 사랑하는 영화들, 사진들, 음악들의 보물창고다. 시인의 글쓰기에서 불쑥불쑥 등장하는 아이들의 이야기는 마치 늘 존재하지만 우리가 의식하지 못하는 공기처럼 일상 곳곳에 스며 있다. 뜻밖의 질문과 갑작스러운 성장으로 어른들을 당황스럽게 하는 아이들. 매일 봐도 매일 다른 이 놀라운 아이들을 키우느라 늘 바쁜 상황 속에서도, 잠깐의 고요를 찾아 헤매며 글을 쓰는 시인의 절박한 마음이 가슴을 울린다.

이 책의 '시인이 사랑하는 것들 리스트'를 읽다 보면 피아니스트 아르헤리치의 삶이 유독 도드라진다. 각각 아버지가 다른 세 딸의 어머니로 살고 있는 아르헤리치의 파란만장한 삶이 또 다른 목소리로 말을 걸어왔다. 아르헤리치는 딸들과 정말 친구처럼 지내고 있었다. 오히려 딸들이 엄마를 돌봐주는 느낌도 들었다. 아르헤리치는 딸에게 이렇게 말한다. "학교처럼 재미없는 곳에는 왜 가니?" 공부하라는 말을 단 한 번도 하지 않는 엄마, '이렇게 살아야 한다'는 의무사항을 전혀 부과하지 않는 엄마가 이 세상에 정말 실재하고 있었다.

해외 공연 때문에 집을 나가 있는 날이 더 많았던 엄마, 너무 천재적이어서 도저히 따라갈 수 없는 엄마, 그러나 절대로 잘난 척 따위는 하지 않는 엄마, 아이들을 절대 혼내지 않는 엄마, 가끔은 아주 어린아이처럼 보살핌과 달램이 필요한 엄마. 예술가의 삶과 엄마의 삶을 굳이 분리시키지 않는 아르헤리치의 삶은 너무도 자연스럽고 아름다워서 굳이 누군가의 조언이 필요하지 않은 것 같았다. 딸들은 따스한 보살핌과 엄격한 훈육 없이 자랐지만, 분명 외롭고 힘든 순간도 많았지만, 그럼에도 불구하고 전혀 그늘져 보이거나 무언가가 부족해 보이지 않았다. 엄마의 열정과 재능, 삶에 대한 사랑을 고스란히 물려받은 딸들은 그것만으로도 충분하다는 듯이, 슬픔과 우울마저도 '우리 마음의 역사'에서는 당연한 과정임을 받아들이는 모습이었다. 책을 다 읽고 나면 이근화 시인과 아르헤리치의 모습이 아주 근사하게 오버랩되면서, '예술가의 삶과 인간의 삶'을 마침내 일치시킨 두 전사의 모습을 가슴속에 담아두게 된다.

038 WED 일상의 토닥임 내 마음을 남김없이 보여준다는 것

가끔 나에게 마음 깊은 곳의 속내를 너무 많이 보여주는 사람들이 있다. 그럴 때면 어린 시절 나를 보는 것 같아 가슴이 저릿하다. 감정을 그토록 숨기지 못하면 다칠 일이 많은데. 나에게 모든 것을 이야기해주는 사람을 볼 때 가슴이 아프면서도 그 사연을 결코 잊지 못한다. 나에게 아픔을 고백하는 사람에게 책임을 느끼기에. 그의 상처가 나에게 도착한 데는 반드시 이유가 있을 테니. '이런 이야기는 숨겨야 해'라는 판단, '이런 이야기는 해도 돼'라는 판단. 그 구분은 어떻게 하는 것일까. 우리는 오랫동안 훈련을 통해 그 차이를 익혀왔을 것이다. 하지만 고통이 한계에 다다랐을 때, 그 구분의 장벽은 무너져버린다. 나에게 '직장 내 괴롭힘'에 대한 상담을 청해온 A도 그런 경우였다. 내가 전문 심리상담사가 아님을 알면서도, A는 울면서 전화를 했다. "선생님밖에 생각이 나지 않았어요. 제 이야기를 들어줄 것 같은 사람은 선생님밖에 없어요."

너무 당황했지만, 그 순간은 그의 이야기를 들어줘야만 했다. 오죽하면 별로 친하지도 않은 나에게 구조신호를 요청했을까. 일 때문에 식사를 몇 번 같이 한 것이 다였지만, 나는 A의 재능을 높이 평가했다. 좋은 사람임을 알았고, 뛰어난 재능과 열정을 지닌 사람임을 알았다. 그런 사람이 직장 내 괴롭힘을 당하고 있다는 사실은 믿을 수 없을 정도로 마음이 아팠다. 이야기를 들어보니 점입가경이었다. A의 재능을 질투하는 선배 B가, A가 사장님의 칭찬을 받고 있다는 사실을 알게 된 후, 그를 따돌리기 시작한 것이다. A를 업무에서 배제하고, A가 또다시 칭찬을 받을 수 있는 모든 가능성을 차단하고, 심지어 A를 높이 평가하는 모든 사람과 A 사이를 이간질시킨 것이었다. A는 함께 밥을 먹을 사람도 없었고, A에게 먼저 인사를 하는 사람조차 거의 없다고 했다. 그 넓은 직장에서 완전히 고립되어버린 A의 사연을 듣고 있자니 나 또한 가슴이 답답해졌다. 아무런 잘못이 없는 그가 단지 '누군가에게 미운털이 박혔다'는 이유만으로 직장을 떠나라는 무언의 압박을 받고 있다는 사실이 믿기지 않았다.

나는 그에게 나의 심리학 강연을 들을 수 있게 해주고, 그가 마침내 상대방의 공식적인 사과를 받을 때까지 함께 그 아픔을 나누려고 노력했다. 다행히 그는 지금 새로운 직장에서 행복하게 적응해가고 있다. 나는 그를 통해 깨달았다. 누군가에게 마음을 다 보여주는 것이야말로 용기가 필요한 일임을. 아픈 마음을 타인에게 보여줄 수 있는 용기가 바로 상처를 치유할 수 있는 첫걸음이 될 수 있음을.

039 THU

사람의 반짝임

끝없는 깨달음의 길 위에 서는 법

좀처럼 길이 보이지 않을 때가 있다. 노력만으로 안 되는 일도 있고, 주변 사람들의 도움으로도 풀지 못할 삶의 숙제가 있다. 그럴 땐 잠시 길을 찾으려는 처절한 몸짓을 멈추고, 앞서간 사람들의 인생 여정을 찬찬히 더듬어본다. 나와 같은 길이 아닐지라도, 험난한 길을 개척해 간 모든 사람의 이야기는 어떤 경우에라도 커다란 도움이 된다.

메릴 스트립은 세계적인 영화배우이기도 하지만 동시에 누구나 본받을 만한 지혜와 용기를 지닌 훌륭한 멘토이기도 하다. 나는 힘들고 불안해질 때마다 메릴 스트립의 영화에서 용기와 안정감을 얻곤 했다. 〈맘마미아〉의 메릴은 홀로 딸을 키우며 자신의 삶을 개척해 나가는 용감한 엄마이자 첫사랑 앞에서는 아직도 얼굴이 붉어지는 수줍은 소녀 같았다. 〈악마는 프라다를 입는다〉에서는 얼음장처럼 차가운 성격이지만 마음 깊은 곳에서는 '나의 일'에 대한 무한한 열정이 꿈틀거리는 메릴의 모습을 보았다. 〈아웃 오브 아프리카〉, 〈줄리 앤 줄리아〉, 〈매디슨 카운티의 다리〉 등 출연 작품들은 하나같이 진심과 열정이 어우러진 보석 같은 작품들이다.

메릴은 어디서나 인생의 진정한 주인공이 되는 법을 아는 사람이다. 화려한 외모나 현란한 액션이 아니라 타인에 대한 깊은 이해와 공감, 일에 대한 열정과 확신으로 조용히 주인공이 되는 법을 아는 사람. 게다가 남을 칭찬하는 법을 잘 알고 있는 사람이다. 후배들에게 언제나 용기를 주는 선배, 배우라는 직업이 아닌 일상의 자리에서도 언제나 모범을 보이는 따스하고 강인한 사람. 메릴을 사랑하는 사람들이 너무 많아 일일이 거명하기 어려울 정도다. 메릴의 상대 배우들은 그녀가 애인으로 등장하면 그녀와 정말로 사랑에 빠지고, 적이라면 그녀를 두려워하고, 친구라면 진정한 친구가 되었다. 메릴은 모든 관계의 궁합을 바꿔버리는 마음의 마법을 알고 있는 사람이다.

카메라 앞에서는 모든 것을 연기 속에 불사르는 훌륭한 배우지만, 촬영이 끝난 뒤에는 '평범한 사람'의 길로 다시 돌아오는 데 아무런 주저함이 없는 메릴의 모습은 우리에게 '비울 줄 아는 용기'를 가르쳐준다. 타인의 시선에 중독된 유명 인사가 아니라 '오직 나의 삶' 자체에 꾸밈없이 충실할 수 있는 용기. 그것이야말로 오직 지금 현재를 충만하게 살아가는 최고의 지혜가 아닐까. 그녀는 반핵운동, 환경운동, 여성운동 등에 참여하며 더 나은 세상을 향한 발걸음을 멈추지 않는다. 뛰어난 재능을 발휘하는 데 그치는 것이 아니라 삶을 더욱 아름답게 연주하는 힘을 지닌 사람. 이 세상 모든 존재가 결국 서로 연결되어 있음을 일깨우는 메릴의 강인하고도 지혜로운 삶은 우리에게 끊임없이 눈부신 영감을 준다.

040 FRI 영화의 속삭임 꾸밈없이 나 자신이 되면 충분한 순간

도서관에서 사랑을 확인하는 커플의 아름다운 로맨스를 보여주는 대표적인 영화로 오드리 헵번 주연의 〈티파니에서 아침을〉이 있다. 주인공 홀리와 폴은 같은 건물에 세 들어 사는 이웃이었다. 아직은 작가 지망생이지만 언젠가는 훌륭한 작가가 될 거라는 믿음을 포기하지 않는, 진지하고 순진한 청년 폴. 그는 홀리에게 자신의 마음을 털어놓으려 애쓰지만 홀리의 주변에는 항상 그녀를 따르는 남자들이 많아 좀처럼 마음을 털어놓을 틈을 찾기가 어렵다. 그러다가 도서관에서 조용히 책을 보고 있는 홀리를 발견한 폴은 드디어 그녀에게 진심을 고백할 기회를 발견한다. 누구와도 진지한 관계를 맺고 싶지 않은 홀리는 폴의 사랑을 받아주지 않으려 한다. 마치 더 깊이 상처 입을까 봐 모든 관계를 거부하는 사람처럼, 홀리는 누구에게도 마음을 보여주지 않으려 한다. 폴은 아직 가난하고, 미래도 불투명하지만, 자신의 사랑이야말로 홀리를 행복하게 해줄 수 있는 희망의 열쇠임을 의심치 않는다. 홀리는 어떤 상처가 있는지 전혀 이야기하지 않는다. 가끔 던지는 말은 그녀가 아주 오랫동안 어딘가에 속박되어 있었던 것 같은 느낌을 준다. "난 이 고양이처럼 이름도 없고 누구의 소유도 아니에요." "야생 동물에게 정 주지 마세요. 그럴수록 강해져서 언젠가는 숲속이나 나무 위로 날아가요."

끊임없이 자신의 진심을 가면 뒤로 숨기는 홀리를 향해 폴은 제발 당신의 진심을 보여달라고, 당신도 마음 깊은 곳에서는 사랑을 원하는 것이 아니냐고 묻고 싶어진다. 도서관에서 그들은 처음으로 말다툼을 한다. 하지만 바로 그 말다툼을 통해 두 사람은 서로를 처음으로 이해한다. 수많은 사람에게 둘러싸여 있거나 분위기가 진지해질 때마다 불쑥 딴 이야기를 꺼내는 홀리 때문에 고백할 수 없었던 그 한마디, 사랑한다는 그 말을. 떠들썩하고 어수선한 평소의 분위기에서는 왠지 나오지 않던 말. 사랑한다는 한마디 말이 용감하게 튀어나온다.

이 영화를 보면, 남자주인공 뒤에 거대하게 펼쳐진 도서관의 장서들이 마치 천군만마처럼 느껴진다. 도서관에 꽂혀 있는 책들이 마치 주인공을 호위하는 든든한 호위병처럼 다가온다. 그의 진심을 지켜주는 수호천사 같기도 하다. 도서관 안에서 그는 가장 용감해진다. 도서관, 모든 책이 누군가 자신을 읽어주기를 간절히 기다리며 고이 잠들어 있는 공간에서 주인공은 자신의 가장 깊은 진심을 비로소 발견하게 된 것이다.

041 SAT 그림의 손길 돌이킬 수 없는 순간을 포착하다

'돌이킬 수 없는 순간'을 그린 그림은 언제나 매혹적이다. '이 순간'이 지나면 삶이 영원히 달라질 것만 같은 순간을 포착한 그림들은 늘 잔인한 생동감이 넘친다. 어쩌면 이 순간이 마지막일지도 모르는, 바로 그 찰나의 이미지를 붙잡은 그림들은 '인간의 숨길 수 없는 진실'을 보여주기 때문이 아닐까.

존 윌리엄 워터하우스의 〈클레오파트라〉(1888)는 죽음을 결심한 클레오파트라의 비장한 각오와 자신을 죽이려 하는 사람들을 향한 서슬 퍼런 적개심이 드러난다. 클레오파트라가 죽음을 결심하는 순간, 그녀의 눈앞에 어떤 장면이 스쳐 갔을까? 이 세상 모든 것을 다 가진 듯 당당하고 눈부셨던 여왕은 죽음의 순간에도 위엄을 잃지 않았을 것만 같다. '모든 것을 다 가진 존재'에서 '아무것도 붙잡을 수 없는 존재'로 추락하는 순간의 덧없음이 그림 속에서는 마치 조각상처럼 완벽하게 굳어진 클레오파트라의 이미지로 나타난다. 그녀는 살아 있는 듯 보이지만, 까맣게 변해가고 있는 파리한 얼굴빛이 이미 이 세상 사람이 아님을 말해준다. 하지만 그녀는 꼿꼿하다. 무언가를 뚫어지게 바라보고 있는 듯, 눈도 감지 못한 채 이 세상과 저 세상의 경계를 서성이고 있다. 그녀는 위엄을 잃고 싶지 않았을 것이다. 죽어서도 감지 못하고 부릅뜬 두 눈은 한때 거대한 제국 로마를 위협했던 이집트 여왕의 당당함을, 온갖 지혜와 책략을 동원해 이집트를 살려냈던 명예로운 과거를 상기시키는 듯하다.

클레오파트라의 죽음을 묘사한 많은 그림이 있지만, 나는 클레오파트라의 관능적 아름다움보다는 죽어서도 잃을 수 없었던 그녀의 위엄을 당당하게 보여주는 이 그림이 가장 좋다. 과연 여왕은 안타깝게 삶을 마감했지만, 역사 속에서, 문학 속에서 여전히 사그라지지 않는 위엄을 간직하고 있지 않은가. 언젠가 닥쳐올 죽음을 생각하는 삶은 결코 나쁘지 않다. 다만 '어떻게 죽음을 생각할 것인가'의 문제가 중요하다. 언젠가 내 생명이 다하는 날, 클레오파트라처럼 당당하게, 위엄을 잃지 않고, 자신에 대한 변함없는 사랑을 간직한 채 죽고 싶다. 더 존엄하고 평화롭게 죽을 수 있기 위해, 내게 주어진 매 순간을 뜨겁게 사랑하고 싶다.

042 SUN 대화의 향기 초자아의 속삭임으로부터 도망치기

프로이트에게 찾아오는 환자 중에는 '우리 애가 말을 좀 잘 듣게 해달라'고 요구하는 이들이 있었다고 한다. 그때나 지금이나 말 안 듣는 아이들은 부모의 골칫거리였다. 하지만 프로이트는 아이들을 말 잘 듣는 존재로 길들이는 것이 정신분석의 목표는 아님을 분명히 했다. 어른의 말을 무조건 잘 듣는 아이는 그만큼 초자아(superego)의 명령에 순응하는 존재일 수밖에 없기 때문이다. 초자아는 어린 시절부터 부모나 교사로부터 단련되어 온 온갖 '금지'와 '처벌'의 명령어들로 이루어져 있다. 문제는 그것이 성인이 되어서도 내면의 언어 형태로 우리 마음속에 남아 있다는 것이다.

나를 괴롭혀온 초자아의 명령어들, 내 그늘진 초자아의 명령어들은 무엇일까. "넌 이것밖에 안 되는 거니?" "그러면 그렇지, 네까짓 게 뭐!" 이런 식의 '내 안의 귓속말'이 나를 괴롭힐 때가 있다. 어릴 때는 탁월함을 향한 집착이 가장 고통스러웠다. 1등을 해야만 부모님이나 선생님께 인정받을 수 있을 것만 같은 강박관념. 2등이나 3등으로 내려가면 뭔가 큰일이 날 것 같은 공포감. 그 두려움이 내면화되어 내 안에서는 '항상 1등을 해야만 해'라는 초자아의 명령이 꿈틀거리고 있었다. 그때는 그것이 초자아의 명령어인 줄 몰랐기 때문에 더욱 힘들었다.

내 그늘진 초자아의 두 번째 명령어는 성실함에 대한 과도한 집착이다. 무엇이든 최선을 다해야 한다는 강박 때문에 휴식을 즐길 줄 모르는 사람, 놀이의 기쁨을 제대로 이해하지 못하는 사람이 되었다. 내 초자아는 이렇게 나를 괴롭힌다. '이게 최선이니? 더 잘 해낼 수는 없니? 그렇게 게을러서 무슨 일을 해내겠다는 거니?'

내 그늘진 초자아의 세 번째 명령어는 '언제나 강해 보여야 한다'라는 압박감이다. 사회생활에서 언제나 누군가의 맏언니 같은 든든함을 가져야 한다는 강박관념이었다. '착해 보여야 해, 강인해 보여야 해. 남들에게 책잡히면 안 돼.' 이런 초자아의 명령어들은 나를 자유롭지 못한 사람, 창조적이지 못한 사람, 새로운 도전을 하지 못하는 사람으로 만들었다.

이제는 도전도 도발도 하지 못하는 소심한 인격으로 주저앉고 싶지 않다. 더 이상 방어기제 안에 갇혀 남들이 '이게 너다운 거야'라고 강요하는 이미지에 구속당하고 싶지 않다. 나는 초자아의 명령어와 싸우며 내 안의 싱그러운 창조성, 생기발랄한 잠재력의 불꽃을 피워올리고 싶다. 아름다운 장소에 갈 때마다, 위대한 책을 만날 때마다, 한 줄 한 줄 공들여 나만의 글을 쓸 때마다, 나는 초자아의 명령어를 뛰어넘어 진정한 나 자신에 이르는 길 위에 서 있을 것이다.

043 MON  심리학의 조언 초자아의 감시와 통제에서 벗어나기

에고, 이드(id), 초자아의 관계 속에서 초자아의 역할은 마치 24시간 눈을 뜨고 자아를 감시하는 무적의 경찰관 같은 존재다. 이드가 거침없이 솟아나는 야생의 충동이라면, 초자아는 그런 충동과 열망을 감시하고 통제하는 검열관이며, 에고는 초자아와 이드 사이에서 때로는 갈등하고 때로는 타협하며 화해와 중재를 추구하는 의식적인 자아다. 초자아에게는 아무것도 숨길 수가 없다. 우리의 일거수일투족은 물론 내면에서 일어나는 모든 감정과 욕망의 움직임이 초자아의 감시망을 벗어날 수 없기 때문이다.

초자아의 지나친 감시와 통제 속에서 벗어나 자기만의 자율성과 주체성을 기르는 것이야말로 성장의 과제이자 진정한 자기 자신을 찾는 정신의 모험이다. 어린 시절부터 귀에 못이 박이도록 듣는 부모님의 잔소리나 교사의 명령어에서 그들의 얼굴을 빼고 오직 그 명령어만 남겨놓은 것이 초자아의 모습이다. 초자아는 아무도 우리를 감시하지 않을 때조차 우리의 행동을 규율하는 '양심'의 역할을 하기 때문에 분명 필요한 존재이지만, 선량한 사람들에게 초자아는 주로 창조성이나 자율성을 억압하는 쪽으로 기능할 때가 많다. 누가 감시하는 것도 아닌데 지나치게 자신을 통제하는 사람들, 완벽한 모범생으로 인정받지만 혼자 있을 때는 깊은 공허감을 느끼는 사람들, 규칙과 제도에 짓눌려 자유로움과 상상력이 억압되어 있다고 느끼는 사람들은 모두 초자아의 명령어에 과도하게 짓눌려 잠재력을 마음껏 발산하지 못하는 셈이다.

자녀를 양육하는 기준이 '탁월한 자기 자신, 모범적인 자기 자신의 모습'에 있다면, 그런 부모는 아이의 초자아를 향해 짙은 그늘을 드리울 수 있다. 완벽한 부모, 탁월한 부모, 누가 봐도 흠잡을 데 없는 부모는 오히려 아이들의 양육에 어려움을 겪을 수 있다. 아이를 키울 때 모든 기준이 자기 자신에게 있기 때문이다. '왜 우리 아이는 나보다 공부를 못하는 걸까, 왜 내 아이는 나보다 뛰어나지 못한 걸까'라는 질문을 내면화한 부모는 지나치게 엄격한 기준으로 아이를 바라볼 위험이 있다. 아이는 '너는 왜 엄마보다 똑똑하지 못하니, 너는 왜 아빠보다 공부를 잘하지 못하니'라는 가혹한 초자아의 시선으로 자신을 바라보게 되는 것이다. 때로는 말썽도 피우고 때로는 통제가 안 되더라도, '부모가 결코 통제할 수 없는 나만의 세계'를 지키기 위해 분투하는 아이가 궁극적으로는 더욱 자유롭고 창조적인 상상력을 키워나갈 수 있다.

044

TUE

독서의 깨달음

잃어버린 존재를 영원히 사랑하는 길

'한(恨)'이라는 정서는 모든 슬픔을 한 단어로 응축하면서도 동시에 아무것도 제대로 설명해주지 못하는 단어이기도 하다. '한'은 '민족의 한', '천추의 한'처럼 이상화되고 추상화되기 쉽기 때문이다. 뭔가 구체적으로 설명해주기보다는 '그게 다 한이지, 한이야!'라는 식의 환원론에 빠지기도 쉽다. 개인의 슬픔이 '한'이라는 차원을 넘어서는 것은 참으로 어려운 일이다. 한은 원통함과 억울함으로 시작되어 울분과 좌절감으로 끝날 때가 많다. 한은 밖으로 흐르는 감정이라기보다 안으로 고여 있는 감정이기에, 달래고 누그러뜨리기는 더욱 어렵다. 이런 '한'의 태생적 폐쇄성을 뛰어넘는 작품이 바로 김별아의《영영 이별 영이별》이다.

단종이 숙부 수양대군에게 왕위를 빼앗기고 비참하게 죽어간 뒤, 단종비 정순왕후는 무려 65년이나 홀로 살아남아 이곳저곳을 떠돌며 그야말로 '인간이 느낄 수 있는 모든 한의 결정판' 같은 삶을 살아간다. 하지만 이 소설은 '개인의 한'으로 오그라들지 않고, 원통하게 죽어간 단종에 대한 연민과 수양대군을 향한 저항의 정서를 공유한 모든 사람의 슬픔을 어루만지는 방향으로 확장된다.

이 소설은 정순왕후의 '혼백'의 시점에서 파란만장한 역사의 소용돌이를 견뎌낸 수많은 사람의 슬픔으로 확장된다. 정순왕후의 일생은 열일곱 소년과 열여덟 소녀인 채로 영원히 헤어졌던 두 사람의 애끓는 사랑 이야기로 환원되는 것이 아니라 단종, 세조, 예종, 성종, 연산군, 중종에 이르기까지, 무려 6대 왕의 시대를 온몸으로 살아낸 정순왕후가 목격한 모든 '사건'들로 확산된다. 그녀는 수많은 사람이 권력의 암투 속에 서로를 모함하고, 밀고하고, 죽이는 파란만장한 세월을 묵묵히 참아냈다. 단지 살아남은 것에 그치지 않고, 자신만큼이나 가련하고 애통한 사람들, 남편을 죽음에 이르게 한 수양대군을 비롯한 모든 배신자의 삶까지 아우르는 거대한 이야기의 병풍을 자신의 슬픔이라는 바늘로 한 올 한 올 수놓아간다.

정순왕후는 왕비에서 평민으로 추락한 것으로도 모자라 날품팔이꾼, 걸인, 비구니의 삶까지 견뎌내며 살아남았다. 그녀를 살게 한 것은 바로 많은 사람의 따스한 연민의 손길이었다. 바로 이 공감과 연대의 정서야말로 한의 폐쇄회로를 벗어날 유일한 열쇠가 아닐까. 영원히 되찾을 수 없는 나라, 잃어버린 나라에 살고 있는 모든 '슬픔의 백성들'에게 이 소설은 '이제는 함께 울자'며 손을 내민다. 끝내 '나'를 뛰어넘고, '우리'의 좁은 경계를 부수고, 도저히 함께할 수 없던 '그들'에게까지 촉수를 뻗어가 결국 '더 커다란 우리'로 나아갈 때, '한'은 비로소 극복될 수 있을 것이다.

045 WED 일상의 토닥임 생각할 장소가 필요한 순간

도서관에서 처음으로 사랑에 빠졌다는 커플들이 의외로 많다. 도서관에서 함께 시험 공부를 하다가, 또는 전혀 모르는 사람의 수줍은 편지와 음료수 선물을 받으면서 사랑에 빠지는 사람들은 참으로 행복한 사람들이 아닐까. 도서관은 원래 책을 읽고 공부를 하고 자료를 찾는 곳이지만, 수많은 사람이 꿈을 찾기 위해 드나드는 인생의 터널 같은 곳이기도 하다. 인생의 가장 힘겨운 터널을 통과하고 있는 젊은이들에게 도서관은 시험을 준비하고 미래의 입지를 다지는 공간이기도 하지만, 왠지 사랑에 빠지고 싶은 공간, 더없이 고요한 낭만과 열정을 꿈꾸게 만드는 서정적 공간이기도 하다.

어릴 때는 무언가 찾아볼 책이 있거나 공부할 것이 있을 때 도서관에 갔지만, 어른이 되고 나서는 '무언가 생각할 것이 있을 때' 도서관에 가게 된다. 수많은 책에 둘러싸여 차분하게 고요한 분위기 속에 잠겨 있으면 마음이 편안해지고 고민이 가라앉는다. 꼭 필요에 따라 책을 고르는 것이 아니라, 그저 아무 책이나 마음을 끄는 것을 우연히 잡아들었을 때 뜻밖의 평화가 찾아오기도 한다. 도서관은 일상의 복잡한 고민에 휩싸인 마음을 따스하게 감싸준다. 책과 함께한다면 모든 것이 나아질 거라고. 책을 읽고 글을 쓸 수만 있다면, 우리는 좀 더 나은 사람이 될 수 있을 거라고. 도서관, 그리고 도서관에 가지런히 꽂힌 책들은 나에게 속삭이는 것 같다.

언젠가 온갖 고민으로 마음이 복잡했을 때 무작정 도서관에 찾아간 적이 있다. 지치고 힘든 마음으로 무얼 읽어야 할지도 모르겠다는 막막한 기분이었는데, 도서관의 문학 코너에 가니 사람이 아무도 없었다. 갑자기 이 모든 책을 언젠가는 다 읽어주어야겠다는 강렬한 충동을 느꼈다. 나름 열심히 책 읽는 삶을 살았다고 생각했는데, 여전히 읽지 못한 책이 이렇게나 많다니. 읽어야 할 책, 읽고 싶은 책, 영원히 읽지 못할 것만 같은 책이 이렇게 많다니. 경이로운 느낌에 잠시 어지러워졌다. 그러면서 이상하게도 마음이 가라앉았다. 복잡했던 마음의 파고가 신기하게도 가라앉았다. 나의 단순한 진심과 만나는 느낌이었다. 이제는 머나먼 곳을 향해 힘들게 떠나지 않아도 될 것만 같은 안도감이 밀려들었다. 그냥 거기 있어도 세계를 여행하는 느낌이 들었으니까. 그곳에 가만히 앉아 있으면 세계의 모든 지식이 나에게로 까르르 웃으며 흘러들 것 같은 느낌이었다. 도서관의 이런 느낌을 사랑한다. 아주 멀리 떠나지 않아도 세상 모든 곳으로 여행하는 느낌. 그곳에서 나는 삶의 온기와 향기를 듬뿍 선물 받는다.

046 THU  사람의 반짝임 나혜석, 내게 용기를 주는 사람

"너의 글은 너무 감상적이야, 너의 문체는 너무 소녀적 인상에 머물러 있어." 이런 식의 평가, 즉 여성이라는 이유만으로 '감상적이다', '소녀적이다'라는 평가를 받았던 작가들이 얼마나 많을까. 이런 부당한 비난은 시대를 앞서 '글 쓰는 여성의 길'을 걸어갔던 모든 작가가 견뎌야 했던 사회적 시선이었고, 당연히 남성중심적인 시선이었다. 더욱 섬세하고 치밀한 묘사와 공감 능력을 지닌 여성 작가들에게 '감상적'이라는 비난을 함으로써 그들의 성취를 인정해주지 않았던 것이다. 그런데 가는 길마다 '조선 최초'라는 수식어가 붙었던 화가이자 작가 나혜석이 비난받은 이유는 조금 달랐다. 그녀가 비난받았던 이유는 '너무 솔직하다'는 것이었다.

예컨대 나혜석은 〈모(母)된 감상기〉에서 어머니가 되기 위해 필연적으로 겪어야 할 출산의 고통을 너무 생생하게 표현했다는 이유로, 어머니의 숭고한 모성을 찬양하지 못하고 어머니가 되는 일의 고통을 너무 정직하게 표현했다는 이유로 비난받았다. '너무 솔직한 그녀'를 향한 이런 식의 비판은 〈이혼고백장〉에서 절정에 이른다. 아이들의 양육권은 물론 접견 권한도 주지 않는 매몰찬 전남편 김우영을 향해 나혜석은 자신의 모든 억울함을 낱낱이 폭로하고 아이들을 볼 수 있는 권리를 주장하는 장문의 선언문을 써서 조선팔도를 놀라게 한다. 1910년대에도 상상을 초월하는 일이었지만 지금까지도 여전히 어려운 일이다. 맞다. 그녀는 용감하다는 이유로, 시대를 앞서간다는 이유로, 자신의 의견을 당당하게 말한다는 이유로 비난받았던 것이다.

여성이 용감할수록, 당당할수록, 거침없이 도전할수록 더욱 비난받던 시대에 나혜석은 그 모든 비난의 조건들을 다 갖추고 있었다. 하지만 그녀의 거침없는 페미니스트로서의 행보는 수많은 여성에게 영감을 주었으며, 솔직하고 당당하고 저돌적인 그런 태도야말로 나혜석의 진정한 주체성이고 독립성이며 창조성의 원천이기도 했다.

나혜석은 알고 있다. 여성의 굴레를 넘어 한 사람의 인간으로서 자신의 재능과 열정을 발휘할 수 있는 장을 찾아 끊임없이 전진하는 것만이 자기 발견의 눈부신 희열임을. 포기를 모르는 나혜석은 끊임없이 한 발짝 한 발짝 나아갔다. 그 어떤 여성혐오의 광풍에도, 그 어떤 남성중심주의의 화살에도 쓰러지지 않고, 한 발짝 한 발짝 여성과 남성이 동등하게 자신의 꿈을 펼쳐나갈 수 있는 해방의 세상을 향해 성큼성큼 걸어갔다.

047 FRI 영화의 속삭임 사랑과 행복을 택할 권리

여기, 온갖 이유로 차별받거나 학대당하는 아이들의 편에 서서 항상 더 나은 판결을 내리기 위해 분투하는 판사가 있다. 영화 〈칠드런 액트〉의 주인공 피오나 메이, 그녀는 고등법원 판사이고, 상상을 초월하는 업무를 처리해내면서도 늘 고통받는 아이들의 슬픔에 둔감해지지 않는다. "이 모든 슬픔은 주제도 비슷하고 그 안에 담긴 인간적인 요소들도 비슷했지만 피오나는 끊임없이 그 슬픔에 매혹되었다." 그녀는 아이들의 슬픔에 매번 매혹되고, 그 슬픔을 어떻게든 치유하는 쪽으로 공정한 판결을 내리려고 하지만, 때로는 그 모든 최선의 판결에도 불구하고 희생되는 아이들이 있었다. 예컨대 샴쌍둥이의 분리 수술 사례가 그런 경우다. 분리 수술을 하면 한 아이가 죽게 된다. 그러나 이미 뇌는 물론 여러 신체 기능이 무력화되어 살날이 얼마 남지 않은 한 아이를 분리하지 않으면 건강한 다른 아이도 죽게 되기 때문에, 어쩔 수 없이 '두 아이 모두의 죽음'이라는 결말이 아닌 '한 아이의 생명'을 살리는 쪽으로 판결을 했다. 하지만 피오나는 오랫동안 '다른 아이를 살리기 위해 죽어간 한 아기'에 대한 미안함과 안타까움으로 괴로워한다. 그녀에게 아이들은 단지 공적인 판결의 대상이 아니라 한 명 한 명 소중한 애정과 공감의 대상이었던 것이다.

이토록 공감 능력이 뛰어나고 사려 깊은 판사 피오나 메이에게 또 하나의 커다란 사건이 맡겨진다. 성년을 몇 달 남기지 않은 17세 소년 애덤 헨리가 '종교적 신념'을 이유로 수혈을 거부하고 있는데, 백혈병에 걸린 상황이라 수혈을 계속 거부하면 며칠 내로 목숨을 잃을 위험에 처한 상태에서 의사가 법원명령을 신청한 것이다.

때로는 모두가 최선을 다했지만 안타까운 결말을 향해 치달을 때가 있다. 애덤도 피오나도 최선을 다했지만, 비극적인 결말을 향해 달려가는 상황을 막을 수가 없다. 어쩌면 피오나가 애덤을 어린아이가 아닌 어른으로 대해 주었더라면, 애덤은 돌이킬 수 없는 절망의 구렁텅이에 빠지지 않을 수도 있었을 텐데. 애덤의 소원을 들어주지는 못해도 애덤의 이야기를 더 들어줄 수는 있었을 텐데. 매몰차게 애덤을 집으로 돌려보낸 피오나의 결정이 애덤을 절망의 나락으로 떨어지게 했던 것은 아닐까. 피오나는 애덤의 존엄성보다 애덤의 생명이 소중하다는 판결을 내림으로써 애덤의 목숨을 살렸다. 하지만 그 다음에는 생명 이후의 것들, 즉 애덤의 '상처 입은 마음'을 돌봐야 했던 것은 아닐까. 우리가 어른이 되는 순간 가장 절실히 필요로 하는 것, 그것은 나의 진심을 존중해주는 타인의 따스한 눈길과 진심으로 열려 있는 마음이 아닐까.

048

SAT

그림의 손길

책에 미친 바보, 간서치를 그리다

궁정화가는 주로 왕가나 귀족들의 초상화를 가장 많이 의뢰받았지만, 주세페 아르침볼도는 지루한 '높으신 분들'의 초상화를 그리면서도 기발하고 창조적인 탈출구를 찾아냈다. 아르침볼도가 막시밀리안 2세의 공식 초상화 화가로 일하던 시절 그린 역사학자 볼프강 라지우스(Wolfgang Lazius)의 초상화가 그러한 경우이다. 아르침볼도는 〈도서수집가〉(1566)를 통해 '책에 미친 역사학자'를 코믹한 모습으로 그려냈다. 책에 미친 사람들을 가까이서 본 사람들은 이 그림을 보자마자 금세 웃음을 터뜨릴 것이다. 간서치(看書癡, 책만 읽은 바보)들은 정말 이런 모습을 하고 있는 것처럼 보일 때가 있다.

나도 한때 이런 모습으로 비친 적이 있을 것이다. 가끔 지금도 '정상적인 사람들' 사이에서는 이런 모습으로 비칠지도 모르겠다. 책을 모으고 읽고 보관하는 일에는 모종의 광기가 필요하기 때문이다. 간서치들은 책을 모으고, 책을 아끼고, 책장을 넘기고, 책 속에 빠져 있느라 자신의 모습이 곧 아무렇게나 쌓인 책더미처럼 보인다는 사실도 모른다. 이것은 '책의 내용보다도 책이라는 사물 자체에 대한 소유욕'에 눈이 먼 사람을 풍자한 그림이라는 해석도 있지만, 내 눈에 비친 이 사람은 책을 진심으로 사랑하는 사람 같다. 책을 너무도 사랑한 나머지 자신의 온몸이 책으로 변해가고 있다는 사실조차 모르는, 책에 미친 바보의 모습은 우스꽝스럽지만 아름답다. 꽃과 열매와 채소들의 자유분방한 콜라주로 그림을 그렸던 아르침볼도는 이번에 '책'이라는 세포로 인물의 생김새를 완성한다. 이 그림을 향해 짓는 미소는 '나를 웃기는 사람들'을 향한 미소가 아니라 '나 자신이 웃음의 대상'이 되었을 때의 미소다.

나도 책에 미친 바보가 되고 싶다. 누구의 눈치도 보지 않은 채, 사람들이 손가락질을 하더라도, 그저 책에 대한 사랑만으로도 완전한 행복을 느끼는 '책바보'가 되고 싶다. 나는 이 그림에 무한한 친밀감을 느낀다. 내가 되고 싶었던 존재, 내가 꿈꾸던 삶, 내가 사랑하는 사람들의 모습을 압축한 '자화상'처럼 다가오기 때문이다.

049 SUN 대화의 향기 가족을 통해 매일 자신을 비춰보는 것

매일매일 자신을 비춰보는 일은 쉽지 않다. 그것도 아주 엄격하고 용서 없는 잣대로 자신을 비춰보는 일은. 지난 몇 년 동안 나의 새해 다짐은 똑같았다. 마음챙김 목표를 '결코 화를 내지 말자'로 정했는데, 매번 채 한 달도 지나기 전에 깨고 말았기 때문이다. 무엇 때문인지 이제는 기억도 안 나는 사소한 일 때문에 화를 버럭 내버렸고, 즉시 가족에게 사과했지만 마음은 무거웠다.

가족은 내가 이 세상에서 가장 친절하고 따뜻하게 대해야 할 사람이라는 것을 알면서도 자꾸만 내 분노의 첫 번째 타깃이 되고 만다. 가까이 있다는 이유만으로, 내 분노의 유탄에 가장 먼저 맞는 희생양이 되어버리는 것이다. 나 또한 그 분노의 첫 번째 희생양이 될 때가 많다. 내게 아무 잘못이 없을 때도, 나 또한 가족이 느끼는 분노의 유탄에 맞아 휘청거린다. 가족 안에서 우리는 죄 없는 서로에게 비난의 화살을 날릴 때가 있다. "가끔 내 화도 좀 받아주고 그러면 안 되겠어?" "그만큼 받아줬으면 됐잖아!" "그래도 난 이 세상에 말할 곳이 당신밖에 없는데!" "그래도 그만 말해, 시끄러워!" 이런 식으로 대화하다 곧잘 싸움이 되어버린다. 5분만 화를 가라앉히고, 물 한 잔만 마셔도 가셔버릴 화가, 쓸데없이 말로 서로를 공격하다 보면 '화의 물결'은 더욱 큰 파도가 되어 결국엔 '분노의 해일'이 되어버리고 만다. 지나고 나서 돌아보면 부끄러울 것이 분명한, 이런 유치한 대화 속에서 사랑과 행복이 한순간에 파괴되어버릴 수 있다.

최근에 나는 새롭게 목표를 세웠다. '결코 화를 내지 말자'가 아니라, '화를 내더라도, 화를 내지 않는 또 다른 내가 나를 지켜보고 있다'는 것을 잊지 말자고. 그 '또 다른 나'를, 그러니까 내 마음의 움직임을 매 순간 관찰할 수 있는 또 하나의 나를 항상 깨어 있도록 만드는 것이 마음챙김의 시작이다. 누군가에게 내 화를 받아주길 청해서는 안 된다. 내 화를 받아주지 않는다고, 나는 받아줬는데 너는 받아주지 않는다고 불평해서도 안 된다. 그렇게 과도한 기대는 서운함으로 바뀌고, 서운함이 쌓이면 미움이 되어버리고, 미움이 쌓이면 분노가 되어 폭발해버릴 수 있다.

이제 나는 화가 날 때마다 '물'의 이미지를 떠올린다. 시원한 물이 콸콸 솟구쳐 나오는 분수를 생각하기도 하고, 에메랄드빛으로 영롱하게 빛나는 망망대해에서 수영을 하는 상상도 해본다. 설거지를 하거나 샤워를 하는 것은 분노를 치유하는 확실한 '몸짓 테라피'다. 화가 날 때마다 나는 스스로를 타이른다. '너는 이것보다 더 좋은 사람이잖아. 너는 너의 분노보다 강한 사람이잖아.' 나 자신과 나누는 이 대화야말로 분노를 치유하는 최고의 진정제다.

050 MON  심리학의 조언 내 안의 신화를 창조하는 순간

남들은 '왠지 안 될 것 같다, 그게 과연 되겠냐'는 눈초리로 나를 의심스럽게 바라보지만, 나는 왠지 '이건 될 것 같다, 해낼 수 있을 것 같다'라는 생각이 들 때가 있다. 남들이 아무리 말려도, 꼭 해내야만 한다는 생각이 드는 순간. 심리학자 칼 융이라면 이것을 '내 안의 신화가 깨어나는 순간'이라고 했을 것이고, 프로이트의 창조적인 계승자 자크 라캉이라면 '실재계에 눈을 뜨는 순간'이라고 명명할 것이다. 자기 안의 신화, 혹은 실재계는 우리가 무의식 안에 이미 가지고 있지만 아직 발현하지 못한 잠재적 힘이다. 영화 〈매트릭스〉의 네오가 처음에는 평범한 회사원이었다가 엄청난 수련과 고통스러운 자기 발견의 과정을 거쳐 마침내 스스로가 '세상에 하나뿐인 구원자, 더 원(the One)'임을 깨닫게 되는 순간. 그는 자기 안의 신화를 실현하며, 실재계의 기적 속으로 성큼 다가가는 것이다.

심리학의 과제는 바로 '나는 콤플렉스 덩어리야, 결코 이 상처를 극복해내지 못할 거야'라고 믿음으로써 자기 안의 가능성을 억압하는 내면의 괴물과 싸워 이기는 것이다. 그리하여 나를 가로막는 내 안의 모든 그림자와 때로는 싸우고 때로는 화해하여 그림자의 어두운 에너지조차 내적 성장의 계기로 삼을 수 있을 때, 자기 안의 신화는 창조된다. 〈해리 포터〉의 마력은 어른들에게도 신화적 힘을 발휘한다. 아무에게도 특별함을 인정받지 못하던 해리 포터가 마법학교에 가자 모두가 그를 알아본다. 설명할 필요도 없이 사람들은 그의 존재를 알아본다. 마법학교는 해리 포터처럼 평범해 보이는 아이의 마음속에 잠재된 엄청난 신화적 에너지를 끌어낸 기적의 장소다. 우리에게도 그런 마법학교가 있다면, 누구나 자기 안의 신화 속으로 한 발짝 다가갈 수 있지 않을까.

내 안의 그림자와 하나가 된다는 것은 '그동안 지하실에 밀어 넣고 문을 잠가 버린 후 한 번도 들여다보지 않았던 부분을 이제야 돌보게 되는 것'이다. 마주치기 싫어 외면했던 내 안의 상처들이 어느덧 괴물이 되어 내 무의식의 동굴 깊숙이 숨겨져 있다. 그 괴물에게 직접 다가가 말을 걸어야 한다. 씻겨 주고 쓰다듬어 주고 먹여 주고 안아 주어 애착관계를 형성해야 한다. 그렇게 내 안의 괴물, 내 안의 그림자를 어르고 달랠 수 있을 때, 나는 내가 믿어오던 것보다 훨씬 강하고 아름다운 존재임을 깨닫게 된다. 내 안의 잠재된 무의식의 가능성을 믿음으로써 내가 발 디딘 현실을 바꿀 수 있는 힘을 기르는 것, 그것이 심리학의 궁극적 목표다.

051

TUE

독서의 깨달음

타인이 내 삶을 쥐락펴락한다면

아무리 가면을 쓰고 '난 아무렇지도 않아'라고 다짐해 보아도, 언젠가는 내 진짜 속마음이 드러나곤 했다. 아주 작은 틈새를 통해서도 결국은 드러나는 마음의 진심, 그것이 무의식의 핵심이다. 《프로이트의 환자들》(김서영)은 '무의식의 목소리를 듣는 법'을 훈련함으로써 의식과 무의식의 분열을 극복하는 방안을 제시한다. 저자는 '프로이트는 모든 것을 성적인 문제로 환원한다'는 프로이트 비판론에 정면으로 맞서면서, 프로이트식 정신분석이 여전히 유효함을 많은 사례를 통해 증명하고자 한다. 또한 프로이트 전집 중에서 무의식의 탐구에 도움이 될 만한 구체적인 사례를 모아 '100만 인을 위한 정신분석'에 도전한다.

예컨대 프로이트는 한 남자가 시도 때도 없이 '마리아!'라고 외치는 틱 증상을 보이자 정신분석을 통해 다음과 같은 결론에 이른다. 환자는 학창 시절 마리아라는 소녀를 좋아해 항상 마음속으로 '마리아'라는 이름을 되뇌곤 했다. 그런데 어느 날 수업 도중 '마리아'를 큰소리로 외치는 증상이 나타났다. 이러한 틱 증상은 수십 년이 지나 그녀를 더 이상 사랑하지 않게 된 뒤에도 지속된다. 지나치게 억압하려 했기에, 과도하게 통제하려 했기에 오히려 '마리아'라는 짓눌린 이름은 틱이라는 증상 또는 실수를 통해 무의식의 고통을 드러낸 것이다.

의식이 자신을 괴롭히는 대상을 피하려고 노력할수록, 무의식은 그 대상에 집착하게 되는 것이다. 이렇듯 마음속 이야기는 '증상'이라는 무기로 신체를 공격한다. 정신분석의 키워드는 '인정'이다. 그것이 아무리 견디기 힘든 고통일지라도, 온몸으로 받아들이는 것, 그것이 인정이다. 분명 내게 선택권이 있었는데도 용감해질 기회, 진정한 나 자신이 될 기회를 놓쳐버리는 데서 우리의 슬픔이 시작된다. 타인이 내 삶을 쥐락펴락한다고 느낀다면, 그 사람이 그렇게 하도록 내버려둔 자신에게도 책임이 있다. 그리고 그 누구도 아닌 스스로를 보듬고 쓰다듬기 시작해야만 치유는 가능하다.

치유는 '행복한 상태'로 곧바로 나아가는 것이라기보다는 '행복을 스스로 쟁취할 용기'를 가지는 상태에 가깝다. '행복한 사람'이 되기보다는 '주체적인 사람'이 되도록 만드는 것이 정신분석의 진정한 목적이다. 착한 척, 기쁜 척, 행복한 척하지 않기. 바로 그 솔직한 받아들임에서 진정한 치유는 시작된다.

052 WED 일상의 토닥임 '혼자'보다 '협업'이 소중한 시간

우리를 더 나은 존재로 만드는 힘은 무엇일까. 물론 본인의 노력이 가장 중요하지만, 좋은 사람들과의 협업이야말로 우리를 더 나은 존재로 만드는 최고의 비결이다. 나는 매번 신간을 낼 때마다 '글을 쓰는 일'과 '책을 만드는 일' 사이에는 엄청난 간극이 존재함을 깨닫는다. 글을 쓰는 일이 피아노 독주라면, 책을 만드는 일은 오케스트라의 협연이다. 글쓰기는 언제든 나 혼자 할 수 있지만, 책을 만드는 일은 수많은 사람의 도움과 협력을 필요로 한다. 책의 목차는 물론 제목과 디자인에 이르기까지 모든 부분에 관여하는 훌륭한 편집자의 역할이 가장 중요하고, 책의 내용과 잘 어울리는 이미지를 구현하는 창조적인 디자이너, 디지털화된 편집본을 '만질 수 있는 생생한 책'으로 만들기 위해 인쇄와 제본에 참여하는 분들, 책을 더 많은 독자에게 제대로 알려주기 위해 노력하는 마케터와 서점 직원에 이르기까지, 정말 많은 사람이 책을 만들고 유통하는 과정 속에 기꺼이 참여해야 한다.

《빈센트 나의 빈센트》를 만드는 동안 편집자는 매일 나에게 가족보다 더 자주 메시지를 보냈다. "선생님, 오늘은 초교를 마쳤어요." "오늘은 디자인 시안이 나왔어요." "책 인쇄 중이에요. 사진 잘 나오게 잉크를 들이부어달라고 신신당부했어요." 이렇게 세심하게, 다정하게 책을 만드는 과정 하나하나를 이야기해줌으로써 내가 결코 혼자가 아님을 일깨워주었다. 편집자와 작가는 이렇듯 언어를 사랑하는 마음, 그 언어로 만들어진 책을 사랑하는 마음으로 뭉쳐진 영혼의 길벗이 되어 힘겨운 오늘을 버텨내는 진정한 동지가 된다.

책을 만든다는 것은 단지 정보를 제공하는 객관적인 시스템에 참여하는 일이 아니다. 문장 하나하나로 누군가의 마음에 가닿을 수 있다는 믿음. 책 한 권으로 당신과 내가 친구가 될 수 있다는 믿음. 책을 만드는 과정 하나하나에서 수많은 사람과 깊고 따스하게 소통할 수 있다는 믿음. 이 모든 따스한 공감과 소통의 과정이 모여 책을 만드는 일이 완성된다.

날이 갈수록 책을 읽는 사람들이 적어진다며 걱정하는 사람들이 많지만, 나는 아직도 '오직 책으로만 가능한 소통의 따스함'을 믿는다. 책을 만드는 과정 하나하나를 통해 다짐해본다. 나의 책이 우리 안의 가장 따사로운 공감과 치유의 햇살을 당신의 상처 가득한 심장 깊은 곳까지 아름답게 실어 나를 것이라고. 아무리 삶이 각박해지더라도 우리가 절대 잊어서는 안 될 삶의 가치를 붙들어야 한다고. 책을 만드는 과정을 통해 나는 늘 상상한다. 우리가 결코 잃어버려서는 안 될 따스함을 책 속에 담자고. 우리가 반드시 닦아주어야 할 고통받는 타자의 눈물을 닦아주는 책을 만들자고.

053 THU  사람의 반짝임 정신적으로 건강한 사람이란

사회생활을 잘하는 게 정신건강에 좋은 걸까. 구김살 없는 성격은 건강한 걸까. 우울과 불안이 느껴질 때마다 '나는 괜찮아'라고 우격다짐하는 것은 정말 괜찮은 것일까. 이 모든 것이 '의식의 가면'이라는 것을 우리는 자주 잊고 산다. 직장에서 버텨내려고, 모난 사람으로 보이지 않으려고 우리는 자신도 모르게 다채로운 가면을 바꾸어 쓰고 살아가니까. 그러는 동안 우리의 무의식은 자꾸만 달아날 틈새를 찾는다. 그렇게 행복한 척, 괜찮은 척하는 것은 진짜 너 자신이 아니잖아. 너도 할 말이 있잖아. 용감히 나서서 부당함을 비판해야지. 하지만 사람들 앞에서는 좀처럼 의식의 가면이 완전히 벗겨지지 않는다. 그런데 억압된 것은 반드시 귀환한다. 짓눌린 감정, 꺼내지 못한 말, 표현하지 못한 행동은 언젠가는 '증상'이 돼 되돌아온다. 뼈 있는 농담 속에, 통제하지 못하는 실수 속에 그리고 마침내 마그마처럼 폭발하는 분노를 통해.

아픈 사람, 심각한 증상을 보이는 사람, 정신과 치료를 받는 사람뿐 아니라 건강해 보이는 사람, 전혀 문제가 없어 보이는 사람에게도 정신분석은 커다란 도움이 된다. 그렇다면 심리적으로 건강한 상태로 회복된다는 것은 어떤 것을 의미할까. 예컨대 어떤 남편이 프로이트에게 자신의 아내를 데리고 와서 "선생님, 제 아내가 신경증을 앓고 있습니다. 저희는 별로 행복하지 않아요. 제발 제 아내를 고쳐주셔서 저희가 다시 행복하게 살 수 있도록 도와주세요"라고 말한다면, 그는 정신분석이 무엇인지 모르는 사람이다. 프로이트는 그의 아내가 정신분석을 통해 주체적인 사람이 된 뒤에는 십중팔구 남편을 떠날 거라고 생각한다.

부모가 '아이가 말을 지독하게 듣지 않는다'면서 제발 좀 '건강하게, 말 잘 듣게' 고쳐달라고 한다면, 그 또한 정신분석의 본연과는 다른 것이다. 부모는 자신들이 생각하는 기준에 맞게 때로는 폭압적으로 아이들을 길들이려 한다. 부모에게 정신적으로 건강한 아이란 말 잘 듣는 아이, 순종적인 아이인 경우가 많기 때문이다. 그렇다면 정신분석에서 말하는 건강이란 '행복한 인간'이라기보다 주체적인 인간, 책임지는 인간, 자신의 부족함도 장점도 차별 없이 있는 그대로 받아들이는 사람이라는 의미에 가깝다. 항상 밝은 표정을 짓는 인간이나 순종적인 인간, 현재에 만족하는 인간이 결코 '건강하다'라고 볼 수는 없는 셈이다. 불안이나 우울을 느끼더라도 그 감정을 있는 그대로 받아들이고 때로는 그 감정 속에 빠져볼 수도 있는 사람, 그 감정에 '솔직한 사람'이야말로 정신적으로는 더욱 건강한 셈이다.

054 FRI 영화의 속삭임 조금만 더 마음을 열어두었더라면

이언 매큐언의 소설을 영화화한 〈체실 비치에서〉는 청춘의 미숙함과 서툶 때문에 오히려 더 찬란하게 빛나는 '젊은이들의 사랑'을 그려낸다. 불완전하고, 결점 투성이며, 좌충우돌하기 때문에 더 아름답고 순수한 청년들의 사랑. 플로렌스와 에드워드는 서로를 잘 모르는 상태에서 사랑에 빠진다. 런던대학교에서 사학을 전공한 가난한 청년 에드워드 그리고 촉망받는 바이올리니스트이자 부잣집 딸 플로렌스. 자라온 환경도 너무나 다르고, 좋아하는 것도 너무나 다르며, 상대방이 어떤 생각을 하고 있는지 잘 모르지만, 그들은 거침없는 열정으로 서로에게 빠져든다. 그들이 사랑에 빠졌던 1962년, 영국 사회는 무척 보수적이었다. 혼전순결을 지켜야 한다고 믿는 사람들이 많았고, 남녀 사이에 성의 문제를 이야기하는 것 자체가 금기시되는 사회였기 때문에, 두 사람은 결혼 첫날밤까지도 서로의 생각을 잘 모르는 상태에서 신혼여행을 떠난다. 서로 너무나도 사랑하지만, 상대방이 결혼생활에 대해 어떻게 생각하는지 전혀 모르는 상태에서, 그들은 미숙하고 서툰 첫날밤을 치르려 한다. 결국 서로에 대한 터무니없는 오해와 지나친 기대 때문에 아름답고 낭만적인 첫날밤을 치르지 못한 채, 서로에 대한 완벽한 무지만을 깨달은 채 신혼여행에서 서로 이별을 고하고 만다.

두 사람은 오랜 시간이 지나서야 상대방의 마음을 헤아려보게 된다. 상대방이 자신의 편협함을 깨달을 때까지 조금만 더 기다렸더라면, 잠시만 서로의 자존심을 누그러뜨리고 상대에게 다가가려는 노력을 했다면, 그들은 행복한 커플로 오래오래 서로를 사랑하며 아름다운 삶을 꾸려갔을 것이다. 서로의 문화적 차이는 컸지만, 그 차이보다 그들의 사랑이 훨씬 더 컸기 때문이다. 하지만 청춘의 턱없는 순수처럼 청춘의 자존심 또한 결코 굽힐 수 없는 것이라서, 그들은 그 꼿꼿한 자존심 때문에 서로에게 다가가지 못한다. 사랑하는 부부가 오늘은 싸우더라도 결국 화해할 수 있는 가능성은 평생 열려 있음을 아직 몰랐던 것이다. 플로렌스, 가지 마. 플로렌스, 보고 싶어. 이런 짧고 단순한 문장만으로도 화해할 수 있었을 텐데.

에드워드는 노년기에 접어들어서야 그것을 깨닫는다. 돌이킬 수 없는 상처를 주는 것도 사랑이지만, 그 모든 상처를 극복하고 또다시 그에게 전화를 할 수밖에 없는 것이 사랑이기도 하다는 것을, 조금 더 시간이 지나면 알 수 있었을 텐데. 수백 번 싸우더라도, 또 수천 번 서로를 따스하게 끌어안아줄 수 있는 것이 또한 사랑임을, 조금만 더 시간이 지나면 알 수 있었을 텐데.

055 SAT  그림의 손길 누군가의 뒷모습을 바라본다는 것

눈을 뗄 수 없는 포즈가 있다. 살아 있는 사람이든, 그림이나 사진 속의 사람이든, 혼자 덩그러니 서 있거나 앉아 있는 사람의 뒷모습이다. 뒷모습이 유독 고독해 보이는 사람들이 있다. 고독해 보이는 사람들의 뒷모습은 바라보는 사람조차 고독하게 만든다. 그런데 그 고독이 싫지 않다. 고독한 이의 뒷모습을 바라보면, 그 사람이 등 뒤에 짊어지고 가는 고독의 무게를 가만히 헤아려보게 된다. 그 쓰라린 고독의 풍경을 나도 공유하고 싶어진다.

몇 년 전 나폴리 국립박물관에서 이 아름다운 여인의 뒷모습을 처음 봤을 때의 뭉클한 감동을 잊을 수가 없다. 1세기경에 그려진 것으로 추정된 〈플로라(Flora)〉(작자미상)라는 그림은 바라볼수록 마음이 편안해지면서 동시에 알 수 없는 설렘을 안겨주었다. '아름다움이란 무릇 이런 것'이라는 정답을 구현한 그림 같았다. 곧 사라질 것이기에 아름다운 것. 곧 내 앞에서 멀어질 것이기에 아름다운 것. 그것이 뒷모습이다. 앞으로 질주해오는 생생한 설렘이 아니라, 눈앞에서 점점 멀어져가는 아련함으로 기억될 아름다움. 그것이 뒷모습만이 가진 매혹이다.

무려 2000년이라는 세월의 간극을 뛰어넘어, 이 그림은 나에게 다정하게 말을 걸고 있었다. 여신의 앞모습이었다면 감동은 반감되지 않았을까. 앞모습이 관람객을 향해 다가오는 느낌이라면, 뒷모습은 멀어지는 모습을 떠올리게 함으로써 존재의 찰나성을 더욱 극적으로 드러낸다. 오른손으로는 땅 위에서 솟아오른 꽃을 한 송이 한 송이 어루만지며, 왼손으로는 꽃다발을 살포시 안아 들고 사라지는 여인의 모습은 꼭 신화 속 꽃의 여신 플로라가 아닐지라도, 살아 있는 꽃의 화신이 되어 긴 세월을 훌쩍 뛰어넘고 있었다.

눈코입의 움직임은 우리가 신경 쓸 수 있고 어느 정도 통제가 가능하지만, 뒷모습은 제어가 되지 않는다. 걸음걸이, 어깨의 각도, 고개의 기울기, 전체적인 밸런스에 이르기까지, 그 어느 것 하나 완벽히 '통제'되지 않는다. 그리하여 뒷모습은 훨씬 정직하고 적나라하게 내 마음의 무늬와 빛깔을 드러내는 것이 아닐까. 누군가를 간절히 알고 싶다면, 그 사람의 뒷모습을 오래오래 바라볼 일이다.

056 SUN 대화의 향기 다시 오지 않을 청춘의 사랑

단 한 번 사랑하고 평생을 그리워할지라도, 사랑이란 무조건 한 번쯤은 빠져볼 만한 감정이 아닐까. 사랑이 아니라면 '나보다 남을 더 배려하고, 나보다 남을 더 생각할 수도 있다'는 인간의 아름다움을 경험하지 못하기 때문이다. 우리는 평생 자기중심적인 삶을 살기 쉽다. '나'로부터 시작하여 '나'로 끝나는 일들로 점철된 삶 속에서 단 한 번이라도 '타인이 먼저'인 삶을 경험할 수 있다면, 그것은 사랑에 빠졌을 때뿐이다. 젊은 시절의 사랑은 더욱 그렇다. 열정으로 타오르는 사랑 속에는 자신도 모르게 인생의 우선순위를 잊어버리는 인간의 순수성이 담겨 있다. 그것이 청춘의 사랑이 우리에게 가르쳐주는 것이다. 우리 마음속에는 이성이 결코 통제하지 못하는 감성적인 불꽃이 있다. 그 불꽃이 피어오르는 것도, 사그라지는 것도, 합리적 이성으로는 조절하지 못하는 것. 그것이 바로 사랑이다.

끊임없는 경쟁과 취업에 대한 스트레스 때문에 '연애는 사치'라고 생각하는 젊은이들이 많아지고 있다. 하지만 사랑은 그 모든 장애물에도 불구하고 우리가 추구할 가치가 있는 생의 아름다움이다. 꼭 그 사람과 결혼하지 않더라도, 내 사랑이 보답받지 못하더라도, 누군가를 진심으로 사랑했다는 사실은 평생 버릴 수 없는 순수의 기억으로 남아 누구도 빼앗아갈 수 없는 우리 자신의 정체성이 되기 때문이다. 우리는 해명할 수 없다. 우리가 만났던 많은 사람 가운데 왜 하필 콕 집어 그 사람을 사랑하는지. 나를 사랑해주는 사람들이 아니라 왜 꼭 '내가 사랑하는 사람'만이 진정한 열정의 대상이 되는지. 내가 사랑하는 사람이 나를 그만큼 사랑해주지 않을지라도 왜 그 사람을 쉽게 포기할 수 없는지. 우리는 이런 근원적인 질문에 선뜻 대답하지 못한다. 그것은 논리적으로 설명 불가능한 영역에 속하기 때문이다. 하지만 바로 그 설명할 수 없는 부분이, 논리적으로 해명할 수 없는 부분이 우리가 꿈꾸는 사랑의 본질이다. 상처 입고 쓰러지면서도 결코 포기할 수 없는 나 자신의 소중한 마음의 불꽃을 발견하는 것, 그것이 사랑이 우리의 내면을 성숙하게 만드는 이유이다.

지금 당신이 '너무 많은 현실적 장벽들' 때문에 사랑하기를 주저한다면, 이야기해주고 싶다. 현실의 장벽은 우리를 평생 가로막지만, '사랑할 수 있는 자유'는 인생에서 아주 드물게 찾아온다고. 사랑할 수 있는 기회를 놓치지 않는 것, 그것이 '마음이 젊은 사람들'의 찬란한 특권이라고.

057 MON  심리학의 조언 '척'하는 의식, 그러나 숨길 수 없는 무의식

프로이트식 정신분석의 매력은 '사소한 일'에서 아주 중요한 메시지를 찾아내는 힘이다. 우리가 자칫 '그런 사소한 것에 신경 쓰지 말자'라고 스스로를 타박하는 사건들, '뭘 그리 예민하게 굴어'라고 잔소리를 듣는 우리의 감정 표현 속에 세상에서 가장 중요한 의미가 들어 있다고 보는 것이 프로이트식 정신분석의 시각이다. 우리의 모든 꿈, 실수, 감정, 증상들을 '의미 있는 것'으로 해석함으로써 인간 정신의 미개척지를 끊임없이 탐구하는 것이 정신분석의 역할이다. 나의 상처를 이해하기 위해 정신분석을 공부하다가 타인의 상처를 이해하게 되고 결국 우리 모두의 상처를 이해하도록 만드는 것이 정신분석의 아름다움이다.

의식과 무의식의 차이, 의식의 통제대로 말을 듣지 않는 무의식의 반란이야말로 단지 고쳐야 할 증상이 아니라 '자유'를 찾아가는 과정이다. 무의식은 때로는 의식과는 정반대되는 이야기를 들려준다. 의식이 행복과 사랑과 기쁨에 대해 이야기할 때 무의식은 그 반대의 이야기를 하는 경우가 있다. 나의 의식은 자신을 '효녀'라고 생각할 수 있지만 무의식은 효녀가 아니라는 증거를 제시할 수도 있다. 효녀라고 생각하는 것은 '의식의 책임감'이고, 효녀가 되어야 한다는 의무감에서 벗어나고 싶어 하는 것은 '무의식의 욕망'인 셈이다.

무의식의 진실은 의식의 일관성을 깨뜨린다. 하지만 의식의 일관성이 깨질 때 우리는 자유로워진다. 더 이상 착한 척, 행복한 척, 기쁜 척을 할 필요가 없어지는 상태. 스스로에게 거짓말을 하며 '나는 괜찮다'라고 다짐할 필요가 없어지는 상태. 그것이 정신분석이 추구하는 자유로운 주체 되기의 첫걸음이다.

정신분석에서 '증상'은 환자의 도피처일 때가 많다. 환자가 때로는 이상 징후의 치료를 거부하고, 증상 자체를 사랑하는 것처럼 보이는 이유는 증상을 통해 '얻는 것'이 있기 때문이다. 외출을 싫어하는 남편이 아내가 밖에 나가자고 하면 갑작스레 천식이 도진다든지, 시험에 공포를 느끼는 학생이 시험 때가 되면 정말로 장염에 시달리는 것은 '증상'을 통해 위기 상황으로부터 도피하려는 무의식이 작용한 것이다. 우리는 증상에 차분히 귀 기울임으로써 치유를 향한 첫걸음을 시작할 수 있다. 무의식의 목소리를 부정하고 그저 모든 것을 통제하고 조절하고자 하면, 그것이 곧 불행의 시작이다. 증상 속에는 고통만 있는 것이 아니라 '치유의 열쇠'가 들어 있다.

058 TUE  독서의 깨달음 에너지 뱀파이어, 감정의 착취

사람의 마음은 본래 섬세하고 다치기 쉬운데, 안타깝게도 현대인은 예전보다 더욱 깨지기 쉽고 상처 입기 쉬운 마음을 지니게 되었다. 심리학자 베르너 바르텐스는 애정을 볼모로 한 정서적 협박이야말로 상대방에게 양심의 가책을 느끼게 만드는 '감정 폭력'이라고 말한다. 그의 책《감정 폭력》은 모든 부문에서 점점 치열해지는 경쟁과 생존의 게임에서 점점 취약해지는 인간의 상처받기 쉬운 마음을 다룬다. "이런 것도 못 해줘? 네가 날 사랑하는 줄 알았는데." 이런 식의 '애정을 담보로 한 협박'이야말로 매일 만나는 친근한 사이에서 벌어질 수 있는 감정 폭력이다. 무한 경쟁 사회에서 사람들은 만인의 만 가지 요소와 자신을 비교하곤 한다. 그렇게 되면 행복해지기는 더욱 어려워지고 만다. 이 상처 입기 쉬운 마음은 결코 잘못된 것이 아니다. 상대방으로부터 심한 말을 들었을 때조차도, 가끔 이게 혹시 폭력인지 아닌지 헷갈릴 때가 있다. 실제로 두들겨 맞은 것도 아니고 미소까지 띠면서 말을 하는데 마음은 치명상을 입은 느낌이 든다.

연인이나 친구이지만 자꾸 나의 마음을 매번 상하게 하는 사람이 있다면, 그 사람은 당신에게 감정 폭력을 행사하고 있는 것이다. 그런 옷 좀 입지 말라는 둥, 너랑 어울리지 않는다는 둥, 사사건건 간섭하는 사람들도 당신을 사랑하는 척하면서 당신의 마음에 상처를 입히는 것이다. 내 스케줄을 존중하지 않고 아무 때나 전화를 하는 사람도 나의 시간과 나의 마음을 멋대로 침범하는 '무례한 친구'이다. 그가 '친구'인 것보다도 그가 '무례하다'라는 점이 더 중요하다. '이거 정말 중요한 일인데, 꼭 너에게 이야기해야 해!' 이렇게 말하지만, 사실은 쓸데없는 수다를 떨기 위한 욕망을 채우고자 전화를 하는 사람도 있다. 자신의 감정 분출구를 찾기 위해 타인을 이용하는 사람은 모두 상대에게 감정 폭력을 행하고 있는 것이다.

이렇게 다른 사람의 에너지를 고갈시키는 정서적 폭력을 일삼는 사람들을 '에너지 뱀파이어'라고 한다. 그런 사람들 때문에 괴롭다면, 내 삶이 무너지고, 내 자존이 무너진다면, 더 이상 참지 말고 부딪혀보자. "그런 말씀은 듣기 거북합니다." "그런 말씀은 이제 안 하셨으면 좋겠습니다." 정중하지만 선명하게 나의 의사를 표현하자. 성격 예민한 사람으로 보여도 괜찮다. 까다롭고 다가가기 어려운 사람으로 보여도 괜찮다. 내가 나를 확실히 지킬 수만 있다면. 마침내 무너져가는 내 자존을 지킬 수만 있다면. 나를 바라보는 타인의 시선보다 더 중요한 것은 그 어떤 긴박한 상황에서도 나를 지킬 수 있는 유일한 존재는 바로 나라는 사실을 잊지 않는 것이다.

059 WED 일상의 토닥임 나에게 영감을 주는 존재들

"작가는 어떻게 영감을 얻을까요? 어떻게 문장 쓰기를 훈련할까요? 한 권의 책을 만들기까지 무엇을 해야 할까요?" 이런 질문을 자주 접한다. 취재에서 퇴고까지, 작가로서의 글쓰기 훈련은 지금까지도 매일 계속된다. 이 질문을 향해 예전에는 '글을 어떻게 쓰는가'라는 화두를 중심으로 대답했다면, 지금은 '삶을 어떻게 살 것인가'의 문제로 치환하여 대답한다. 좋은 삶을 살아야 비로소 좋은 글이 나오기 때문이다. 삶은 엉망인데 글만 번지르르하다면 그건 자신의 삶을 속이는 일이다. 언제 글과 삶이 제대로 만날 수 있냐고 묻는다면 이렇게 대답하고 싶다. '세상이 내 상처에 말을 거는 순간' 그리고 '세상이 내 기쁨에 말을 거는 순간'이라고.

내게 글쓰기는 단지 직업이 아니라 삶을 더 뜨겁게 살아내기 위한 살아 있는 미디어다. 내 삶이 더욱 치열하고 열정적일수록 더 좋은 글이 나온다. 삶이 권태와 우울함에 빠질 때 글쓰기 또한 함께 좌충우돌한다. 더 나은 글을 쓰기 위해 나의 마음과 몸 상태를 최고로 끌어올리는 것 또한 중요한 글쓰기 훈련이다.

내가 문학, 여행, 심리학을 글쓰기의 재료로 가장 자주 활용하는 이유도 바로 이 세 가지가 '삶과 가장 뜨겁게 만나는 순간'을 만들어주기 때문이다. 문학은 작품의 주인공들을 통해 더 다채로운 삶의 현장 속으로 우리를 안내하고, 여행은 반드시 집 밖으로 나가야만 체험할 수 있는 세계 속으로 인식의 지평을 넓혀준다. 심리학은 언제 어디서나 지금 당장 떠날 수 있는, 내면으로 가는 만능 여행 티켓이다. 심리학을 공부하는 일은 아직 상처를 완전히 극복하지 못한 내 마음속으로의 여행이기도 하고, 도무지 이해할 수 없어 괴롭던 타인의 내면을 향한 여행이기도 하다.

문학, 여행, 심리학이 주는 깨달음의 기쁨을 지속하기 위한 가장 중요한 실천은 바로 독서다. 매일 멈출 수 없는 나만의 '취재'는 천천히 깊이 읽기를 통해 시작한다. 더 깊이 내 상처를 건드리는 책, 그래서 더 가슴 아픈 책, 더 내 마음에 커다란 깨달음의 발자국을 남기는 책이 글쓰기에 영감을 주는 책들이다.

글이 아니었더라면 우리는 어떻게 만날 수 있었을까. 온 힘을 다해 쓴 글이 있었기에 독자들을 만날 수 있었고, 그들이 내 가장 좋은 친구임을 알게 되었다. 글을 통해 우리는 직접 만나지 않아도 친구가 될 수 있었고, 머나먼 해외에서도 언제나 서로의 안부를 걱정하며 마음이 따스해지는 친구도 만들 수 있었다. 글쓰기가 아니었다면 결코 만날 수 없었던 모든 새로운 인연들을 생각하며, 나는 오늘도 용기를 낸다.

060 열 사람이 모여 한 사람의 빚을 갚는다

THU

사람의 반짝임

고통스럽지만 반드시 알아야 할 역사의 상처들이 있다. 독일인들이 아우슈비츠의 기억을 끊임없이 역사교육의 중요한 주제로 삼는 것처럼, 우리도 위안부 할머니들의 상처를 역사의 일부로 기억해야만 한다. 우리가 시작할 수 있는 첫 번째 공감의 기적은 바로 역사를 올바로 아는 것에서 시작된다. 우선 '당시 일본군들이 왜 위안부라는 존재를 만들었을까'를 정확히 간파해야 한다. 식민지 조선의 여성들을 아무런 죄의식 없이 끌고 간 그들은 일본우월주의, 남성우월주의 그리고 군국주의의 신념을 표현한 것이다. 군인들을 위해서는 민간인이 희생해야 한다고 생각했고, 힘없는 조선인 여성들을 강제로 끌고 가 일본 군인들의 성적 희생양으로 만드는 것을 '당연한 국민적 희생'이라고 생각했던 끔찍한 욕망과 그릇된 신념을 해부해야 한다.

다음으로 나는 이것이 가장 중요하다고 생각하는데, 위안부 할머니들이 '혼자가 아니다'라고 느끼실 수 있도록 '아픔을 함께하는 길'을 찾는 것이다. 그분들의 아픔이 곧 우리의 아픔, 나의 아픔이라는 사실을 깨닫는 것이다. 트라우마 치료에서 가장 중요한 것은 상처받은 사람이 또다시 상처를 받지 않도록 배려하는 것이다.

우리 옛 선인들의 미풍양속 중에는 십시채(十匙債)라는 것이 있었다고 한다. 십시일반처럼, 어느 한 사람이 진 빚을 열 사람이 모아 갚아주는 것이었다. 한 사람이 빚에 끙끙 앓고 있을 때 마을 사람들이 조금씩 돈을 모아 갚아준다면, 못 갚을 빚이 어디 있을까. 위안부 문제라는 우리 역사의 가장 뼈아픈 부채에 대해서도 이런 십시채의 아름다운 마음을 되살렸으면 좋겠다. 우리가 함께 아픔으로써 할머니들의 아픔이 조금이나마 덜어지기를.

역사학자 에릭 홉스봄은 이렇게 말했다. "역사가들이란 같은 시대 사람들이 잊고 싶어 하는 것을 전문적으로 기억하는 사람이다." 역사가가 아닌 우리도, 힘 있는 사람들이 어떻게든 잊고 싶어 하는 아픈 상처들을 '전문적으로 기억하는' 뜨거운 열정과 살아 있는 권리를 찾아야 하지 않을까.

- 2015년 한국 외교부와 일본 외교부는 위안부 문제에 대해 협상하고 합의문을 발표하였다. 그러나 이 합의는 피해자들과의 소통이나 국회의 동의 없이 이루어져 비판을 받았다. 당시 한국 정부는 일본 정부로부터 10억 엔의 위로금을 받아 '화해치유재단'을 설립하여 피해자에게 지급하기로 결정했다. 이후 2017년 문재인 대통령은 위안부 합의에 대해 사실상 파기 의사를 표했으며, 2018년에는 화해치유재단을 해산하겠다고 발표했다.

061 | FRI 영화의 속삭임 | 사랑할 때 버려도 좋을 가식과 허영

현란한 텔레비전 광고와 달콤한 로맨틱 코미디를 보면, 사랑을 할 때 저토록 많은 에너지와 미장센이 요구되는 걸까 하는 의문이 든다. 문명이 발달할수록 행복의 조건들을 쟁취하기 위해 개인에게 요구되는 허영의 목록이 지나치게 많아진다. 잠시 텔레비전을 끄고 들여다보던 핸드폰을 내려놓으면, 나를 지치게 했던 행복의 조건들이 사실은 주입된 허영에 불과함을 서글프게 깨닫곤 한다. 〈죽어도 좋아〉는 심플하다 못해 얼핏 초라해 보이는 노부부의 사랑이야기를 통해 우리를 지치게 한 허영의 목록을 성찰하게 하는 영화다. 나는 이 영화가 적당한 코믹성을 첨가한 슬픈 리얼리즘 영화일 거라 예상했다. 할아버지와 할머니를 둘러싼 갖가지 인연의 선들이 빚어내는 불협화음이 두 사람을 끊임없이 곤경에 빠뜨려 울고 웃게 하는.

그러나 그들에게 연애의 지리멸렬한 과정이란 없다. 그저 한 번에 눈이 맞고, 아무런 변명과 행정 수속 없이 '기냥' 살림을 합쳐버린다. 그들에게는 우물쭈물 조건을 따지거나 주어진 환경과 투쟁할 만한 머뭇거림의 시간이 필요치 않다. 서로가 71년과 73년의 삶 동안 그토록 재고 따지고 약속하고 계산하는 과정들이 어떤 행복도 가져다주지 않음을 깨달았기 때문은 아닐까. 그들의 살림은 더할 나위 없이 가볍고 조촐하다. 할아버지의 자그마한 집, 할머니의 장구와 옷가지 몇 개. 이들의 남루한 살림살이는 오히려 영화의 미장센 전체에 활기를 불어넣는다. 그 간단한 살림을 꼭 필요한 용도로만 깔끔하게 씀으로써 그들은 군더더기 없는 삶의 행복을 만끽한다. 그들의 '행복한 성생활'의 무대장치가 되는 뽀송뽀송한 이불, 서로의 알몸을 따스하게 어루만지며 물장구를 치는 '빨간 고무다라이', 여름철 둘의 뜨거운 성생활의 열기를 잠시 식힐 수 있는 자그마한 선풍기. 삶 전체를 전복하는 여행, 죽음조차 부둥켜안고 떠나는 자의 여행가방은 오히려 가볍다.

이들은 많은 것을 생각하지 않는다. "우린 어떻게 하면 우리가 행복해질 수 있을까, 매일매일 그 생각밖에 안 혀요." 그들의 주름은 그들이 행복해질 수 있는 작은 지혜들이 하루하루 늘어간 '즐거운' 흔적의 다른 이름일 뿐이다. 하여 이들의 '혁명적 사랑가'의 끝 구절은 결코 어떤 상징도 은유도 아닌, 지금 여기서 그들의 '몸'이 발화하는 언어다. "얻었네 얻었네, 천하를 얻었네, 이순례 박치규가 천하를 얻었네!"

062 SAT  그림의 손길 아이의 미소, 모든 슬픔을 날려버리다

아이를 키운다는 것은 당신의 두뇌 속에 언제 우당탕 넘어질지 모르는 수많은 볼링핀을 심어놓는 것이나 마찬가지다. 하지만 아이가 진정 무서운 것은 아이를 돌보기 힘들어서라기보다는 '아이가 항상 어른들을 보고 있다'는 사실 때문이다. 아이들이 어른의 말을 듣지 않는 것은 자연스럽다. 아이에게는 어른들의 명령보다 더 중요한 '자기만의 욕망'이 있기 때문이다. 어른들은 마음껏 자유와 욕망을 즐기면서 아이들에게 하지 말라고 하는 것들이 너무 많다. 아이들은 이 명령과 실천 사이의 간극을 잘 알고 있다. 하지만 이렇게 인류의 역사 속에서 '만들어진 어린이'에 대한 경계심으로 아무리 무장해봐도, 동서고금의 어떤 그림을 볼 때든지, 동서양의 온갖 아이를 볼 때마다 느끼는 것은 바로 아이들의 귀여움과 천진난만함이다. 아이들이 예쁜 것은 어쩔 수가 없다. 아이들의 이목구비 때문이 아니라 단지 아이이기 때문에 사랑스럽고 귀여운 것은 피할 수 없는 일이니, '자기 아이들'을 바라보는 부모의 눈은 어떻겠는가.

기원전 1320년 경에 만들어진 〈아쿠엔아텐과 네페르티티, 그리고 아이들〉 조각을 보면, 이집트의 여왕 네페르티티의 아이들은 마치 엄마아빠의 몸이 세상에서 가장 멋진 놀이터인 듯 신나게 놀고 있다. 엄마 아빠의 몸은 때론 미끄럼틀처럼, 때로는 그네나 롤러코스터처럼 이 세상 모든 놀이기구를 대신해준다. 왼쪽의 아버지 아쿠엔아텐은 아이를 높이 들어 올려 입을 맞출 듯 몸짓을 취하고 있고, 오른쪽의 어머니 네페르티티는 어깨 위에 한 아이를 올려두고 한 아이는 무릎에 올려놓은 채 세상을 다 가진 듯 흐뭇해하고 있다. 엄마와 아빠 그리고 아이들이 보낼 수 있는 최고의 시간은 바로 이렇게 함께 웃음꽃을 피우며 즐겁게 노는 시간임을 증언하는 이 작품은 뭉클한 가족애를 느끼게 한다.

지상 최고의 권력을 누렸던 네페르티티 부부에게도 가장 행복한 시간은 이렇듯 아이들과의 소박한 놀이의 시간이 아니었을까? 클레오파트라와 함께 이집트의 2대 미인으로 알려진 네페르티티의 흉상에서는 얼음처럼 차가운 표정으로 누구도 범접할 수 없는 냉혹한 아름다움을 뿜어내더니, 여기에서는 너무나 환한 미소로 아이들의 재롱을 흐뭇하게 바라보고 있다. 고대 이집트의 여왕에게나 수천 년 후를 살아가는 현대인에게나 가장 아름다운 시간은 아이들의 티없는 웃음소리를 들을 때가 아닐까. 아이의 얼굴에 떠오른 환한 미소를 보는 것만으로도, 우리 가슴 속의 온갖 걱정이 사라진다.

063 SUN  대화의 향기 뭘 그런 걸 갖고 상처받느냐는 말

'뭘 그런 걸 갖고 상처받고 그러니!'라는 말이 참 싫었다. 위로해주는 척하면서 사실은 나의 상처 입은 감정 자체를 부정하는 말이기 때문에. 공감해주지 못하면서 위로해주는 척은 왜 하는지 알 수가 없었다. 사람들은 생각보다 참 자주 타인의 감정을 무시하고 부정한다. 위로해줄 마음이 없다면 위로해주는 척은 하지 말았으면 좋겠는데, 위로의 형식 속에 공격적 화살을 담고 있는 말을 들을 때 우리는 또 한 번 상처를 입는다. 우리가 상처받았을 때 가장 필요로 하는 것은 크게 두 가지다. 상처의 뿌리를 직시하고 대면할 수 있는 용기. 그리고 상처를 내 안에서 치유해낼 수 있다는 믿음. 이런 용기와 믿음을 방해하는 것들이 우리를 또 한 번 상처 입히는 타인의 말과 표정과 몸짓이다.

상대가 때리지 않아도 우리는 상처받는다. "넌 너무 예민해, 아무것도 아닌 걸로 상처를 받고 그러니!" 이런 무자비한 말들이 때로는 신체에 상해를 입히는 것보다 더 심각하게 마음의 트라우마를 만든다. 감정 폭력이란 바로 이렇게 물리적인 폭력을 가하지 않고도 말이나 표정이나 몸짓이나 태도만으로도 사람들에게 깊은 상흔을 남기는 정서적 실체다.

감정 폭력은 당하는 이로 하여금 이게 혹시 내 탓이 아닐까 하는 의구심을 불러일으키기에 더욱 잔혹하다. 다른 사람들은 잘만 견디고 사는데, 나만 예민하게 구는 것 같은 착각을 불러일으키기 때문이다. '이게 다 널 위한 거야!' 하는 식의 감언이설로 약한 사람들을 현혹하는 말들도 모두 감정 폭력이자 정서적 학대다.

다른 사람을 위하는 척하면서 결국 그 사람을 정서적으로 고립시키는 협박 어린 말들을 조언으로 착각한다면 결코 우리에게 날아오는 '두 번째 화살'을 피할 수 없다. 우리에게 날아오는 첫 번째 화살은 어디서 날아오는지 알 수 없기에 피할 수 없지만, 두 번째 화살은 피해야 한다. 같은 사람이 비슷한 상처를 줄 확률이 높기 때문이다. '성격 좋은 네가 참아'라고 하는 사람들도 있는데, 그런 식으로 참고 또 참다 보면 망가지는 건 나의 자존감뿐이다. 더 깊은 상처가 나를 찌르기 전에 부디 직접적으로 표현하자. "그런 말씀은 불쾌합니다." "이제 나에게 그런 말 하지 말아줘." "그 말은 너무 아프다, 이제 그만." 우리는 우리의 아픈 상처를 또 한 번 가격하는 또 다른 공격의 말들과 용감하게 싸울 준비를 해야 한다.

064 MON

심리학의 조언

끝없는 표출을 원하는 이드의 욕망

프로이트가 인간의 마음을 분석할 때 사용했던 '이드', '초자아', '에고'라는 개념은 언제 봐도 흥미로운 주제다. 이 중에서 가장 다루기 힘든 것이 '이드'다. 이드는 멈출 수 없는 욕망이고, 초자아는 그 욕망을 멈추려는 경찰관이며, 에고는 둘 사이에서 중재를 맡은 협상가다. 이드는 고삐 풀린 망아지처럼 자꾸만 어디론가 튀려고 한다. 그럴 때 에고가 나서서 이드와 협상을 해야 한다. 무조건 욕망의 표출을 가로막으려는 초자아의 무서운 압력을 조절하면서, 동시에 이드를 부드럽고 세련되게 조율해야 한다. 이럴 때 유용한 앎이 바로 '표출'과 '표현'의 차이다. 표출은 그냥 생각나는 대로 다 저질러버리는 것이다. 힘들면 힘들다고 소리 지르고, 아프면 아프다고 짜증 내고 싶은 것이 이드의 '표출'을 향한 욕망이다. 하지만 그런 이드의 성급함을 길들여 '표현'의 통로를 열어주는 것이 바로 '승화'다. '이드'의 고삐가 완전히 풀려버려 커다란 사고를 치지 않도록. 하지만 너무 '조심'만 하면, 즉 초자아가 너무 강해지면 창조성이 약해진다. 에고는 이 양극단을 오가면서 초자아를 달래고 이드를 길들여야 한다.

억압된 욕망은 반드시 귀환한다. 귀환하는 모습을 더 아름답게 만들 수 있는 방법이 예술이다. 미술이나 음악도 좋지만 글쓰기야말로 누구나 도전할 수 있는 '표현'의 방법이다. 많은 재료 준비가 필요하지 않고, 종이와 연필만 있으면 되지 않나. 힘든 감정을 글로 표현하면, 아무에게도 표현하지 못했던 슬픔이 비로소 진정된다. 억압된 욕망이 나중에 완전히 다른 모습으로, 너무 무시무시한 모습으로 귀환하지 않도록 내가 나를 돌봐야 한다.

마음을 글로 표현하는 것이 아직 어렵다면, 좋은 글을 소리 내어 읽어도 좋다. 아름다운 시를 소리 내어 읽거나, 한 글자 한 글자 또박또박 필사를 해보면 표현의 욕구가 해소된다. 억압된 감정이나 욕망은 속 시원한 표출을 원한다. 분노를 표현하지 못하면 희생양을 찾게 된다. 그럴 때 자주 희생양이 되는 사람이 바로 우리 곁의 소중한 사람들이다. 분노를 가족에게 표출하는 것이야말로 나를 찌르는 가장 아픈 화살이다. 결국 나 하나의 분노 때문에 가족 모두가 불행해지기 때문이다. 아픔을 서서히 달래면서 '내가 좋아하는 일'을 통해 고통을 승화하는 법을 배워야 한다. 내가 사랑하는 일과 취미를 통해 고통을 표현하는 방법을 훈련해야 한다. 표현은 표출과 달리, 억압된 욕망을 다른 방식으로, 좀 더 창조적인 방식으로 드러내는 것이다.

065 TUE  독서의 깨달음 불교의 팔정도와 서양 심리학의 만남

내가 '믿고 보는 저자' 마크 엡스타인은 탁월한 의사이기도 하고 탁월한 불교심리학자이기도 하다. 게다가 글쓰기의 호소력이 뛰어나다. 그러면서 읽는 사람이 부담을 느끼지 않도록 자신의 실수나 과오도 솔직하게 고백한다. 《트라우마 사용설명서》로 불교심리학의 정수를 보여준 마크 엡스타인은 《진료실에서 만난 붓다》에서는 서양 심리학과 불교의 팔정도(八正道)를 접목한다. 팔정도의 기본적인 개념을 '마음이 아픈 사람이 세상을 바라보는 태도'에 접목시킴으로써, 올바른 의도, 올바른 행동, 올바른 말, 올바른 집중 등으로 자신을 치유할 수 있는 회복탄력성을 길러주는 책이다.

프로이트와 붓다의 공통점은 본래 지닌 무한한 잠재력을 제대로 쓰지 못하는 인간의 상황을 직시하고, 잠재력을 극대화하는 데 무의식의 힘을 최대한 활용할 수 있도록 이끌었다는 점이다. '싫은 것을 밀쳐내지도, 좋은 것을 움켜쥐지도 않은 채 일어나는 모든 상황을 전부 수용하는 명상적 태도'와, '휩쓸리지도 거부하지도 않고 자신의 경험에 대해 열린 마음을 유지하는 태도'인 자기 관찰의 지점에서, 프로이트와 붓다는 어느새 만나고 있다.

마크 엡스타인은 불교 명상을 통해 자신에게 닥친 문제를 피하지 않고 자기 내면의 치유력을 믿고 삶이 던지는 불확실성조차 기꺼이 받아들이는 삶의 자세를 기르자고 설득한다. 그는 '자아'란 우리 모두가 공통적으로 지닌 골칫거리라고 이야기한다. 여기서 말하는 자아는 에고, 즉 사회적 자아, 끊임없이 타인과 나를 비교하는 에고다. 더 부유하고 더 매력적인 사람이 되기 위한 노력은 우리를 끊임없는 피로와 자기의심으로 밀어 넣고 있다. 우리는 삶이 나아지기를 원하지만 그것은 끊임없이 에고의 차원에 머물러 있기 마련이다. 셀프의 차원에서 더 나은 삶을 살려고 노력한다면, 삶은 피곤한 경쟁이 아니라 무한한 자기돌봄의 차원으로 열리게 된다.

변화에 저항하기 위한 수단이나 삶으로부터 도피하기 위한 수단으로 명상을 활용하지 말고, 좀 더 효율적으로 아이디어를 내거나 작업 생산성을 높이기 위해 명상을 활용하지 말고, 진정한 자기 내면과의 투명한 만남을 위해 명상을 활용할 수만 있다면, 우리는 점점 셀프의 차원으로 다가가는 삶의 행복한 주인공이 될 수 있다.

• 끊임없이 타인의 시선을 의식하는 사회적 자아 '에고'의 영향력을 줄이고, 자기 안의 깊은 그림자와 무의식을 대면하려는 내면의 자기 '셀프'를 바라보는 것이 서양심리학과 불교심리학의 공통점이다.

066 | WED  일상의 토닥임 | 과정의 기쁨을 온전히 향유하기

얼마 전 지하철에서 핸드폰으로 영화를 보는 남자를 보며 깜짝 놀랐다. 영화를 처음부터 끝까지 보는 것이 아니라 모든 장면을 '빨리 감기' 속도로 보는 게 아닌가! 게다가 '스킵(skip)' 하는 장면이 워낙 많아 두 시간짜리 영화를 보는데 10분도 걸리지 않았다. 중요한 장면이나 보고 싶은 장면만 효율적으로 선택해서 보는 것이었다. 참 편리한 방법이기는 하지만 영화나 드라마가 지닌 섬세한 감동의 디테일을 많이 놓칠 수밖에 없지 않을까? 저 장면을 저렇게 건너뛰면 주인공이 그토록 눈물 흘리는 이유를 이해할 수 없을 텐데, 주인공이 고난을 극복하는 감동적인 과정을 놓칠 텐데. 마음속에 그런 안타까움이 싹텄다. 우리 현대인들은 그렇게 모든 것을 더 빨리 섭취하려다가 결국 콘텐츠 소화불량에 걸릴 위험에 처하는 것이 아닐까.

기나긴 영화나 드라마처럼 우리 삶에도 지루한 부분, 때로는 건너뛰고 싶은 부분, 삭제하거나 편집해버리고 싶은 부분들이 존재한다. 하지만 오랜 시간이 지나 조금 더 성숙해진 나 자신의 관점으로 바라보면, 그토록 아파하고 방황하고 정체되어 있는 것만 같던 그 시절의 소중함이 보이기 시작한다. 우리가 가장 많이 방황하던 시간, 일이 좀처럼 진행되지 않아 답답하던 과정들은 올올이 내 삶의 그림자이자 소중히 껴안아야 할 내 삶의 일부임을 깨닫는다. 생의 디테일을 한순간도 남김없이 한 올 한 올 즐길 줄 아는 것. 지루한 부분도 서글프고 힘겨운 부분도 남김없이 받아들이는 용기. 그것이 내게는 더 나은 존재가 되는 길, 더 풍요로운 나 자신의 뿌리와 가까워지는 길이었다.

아름다운 문학작품의 주인공들은 나에게 이렇게 속삭였다. 더 자주 놀라라. 더 깊이 모든 것을 사랑하라. 더 많이 웃고, 울고, 미소 짓고, 경탄하라. 재빨리 스토리를 알아내려고 하지 말고 단어 하나하나를 음미하며 작품을 읽어라. 전시관을 휙휙 스쳐 지나가며 유명한 작품만 눈여겨보지 말고 모든 작품을 천천히 되새기고 음미하고 찬탄하라.

세상의 아름다움이 나를 그저 스쳐 지나가도록 내버려두지 말고, 대상의 아름다움과 달콤한 향취를 남김없이 빨아들이고 진정한 나 자신의 것으로 만들어보자. 우리가 귀찮고 지루하다며 '스킵' 하지만 않는다면, 다급한 성질을 참지 못하고 '빨리 감기' 버튼만 연달아 누르지 않는다면, 아름다움은 우리 가까이에 있으며, 생은 더 눈부신 장면을 우리에게 보여줄 준비가 되어 있다.

067 THU  사람의 반짝임 '하드 캐리'는 우리를 병들게 한다

나는 '하드캐리(hard carry)'라는 용어에 묻어 있는 깊은 피로감을 이해한다. 실력이 월등하게 뛰어나 팀을 승리로 이끄는 사람을 가리키는 말이지만, 모두가 그 사람만 바라볼 때 하드캐리의 당사자는 깊은 외로움과 두려움을 느끼게 된다. 한 명의 스타 플레이어에게 모든 공격을 의지하는 팀, 한 명의 탁월한 능력을 지닌 사람에게 어려운 일을 다 맡겨버리는 조직이 과연 오래갈 수 있을까. 한 개인에게 집중적인 하드캐리를 요구하는 팀은 결코 훌륭한 조직이라 보기 어렵다. 수많은 가족 구성원 중에서 유난히 한 사람에게만 많은 역할을 요구하는 것도 그를 괴롭히는 무거운 부담이다.

하드캐리의 당사자는 대부분 심한 스트레스와 트라우마를 그림자처럼 달고 산다. 특히 남을 지배하려는 열망이 전혀 없는 사람들에게, 하드캐리는 영웅적 호칭이 아니라 그저 무겁고 끔찍한 부담이 되곤 한다. 세상의 모든 짐을 혼자 다 지고 있는 것 같은 사람, 그가 진짜 하드캐리의 주인공이다. 사람들은 그를 향해 대단하다고, 책임감이 투철하다고, 능력이 출중하다고 칭찬하지만, 그의 내면은 항상 불안과 슬픔으로 가득 차 있다. 모든 사람의 아픔을 홀로 지고 가는 영웅적인 캐릭터는 위대하지만, 그가 혼자 감당해야 할 슬픔이 너무 크다. 슈퍼맨에게도 친구가 필요하고, 아이언맨에게도 연인이 필요하며, 모든 아이에게는 무조건적인 사랑을 줄 사람이 필요하고, 우리 모두에게는 '내 아픔을 이해해줄 한 사람'이 필요하다. 하드캐리는 결코 인간의 외로움을 구원하지 못한다.

나는 영화 〈반지의 제왕〉을 보면서 이 이야기의 진짜 매력이 '모두가 주인공이 되는 마법', 즉 누구도 함부로 엑스트라로 만들지 않는 따스한 마음에 있음을 깨달았다. 원작《반지의 제왕》의 눈부신 우정을 향한 예찬은 톨킨의 실제 삶에서 우러나온 것이다. 일찍 부모님을 여의고 가난과 외로움 속에서 고통받던 톨킨의 위대한 재능을 알아본 사람들은 바로 그의 친구들이었다. 아무도 인정해주지 않았던 톨킨의 재능을 알아보고 무조건적으로 사랑해주는 친구들이 있었기에 톨킨은《반지의 제왕》을 쓸 수 있었던 것이다. 나는 무시무시한 하드캐리로 작품을 이끌어가는 이야기보다, 친구와 함께 있어, 누군가와 함께 있어 더욱 아름다운 사람들의 이야기가 좋다. 하드캐리보다 더욱 아름다운 것, 그것은 '무엇도 두렵지 않아, 너와 함께한다면'이라고 속삭이는 친구를 한 명 갖는 것이다.

068 FRI 영화의 속삭임 완벽하지 않아도 아름답다

음악과 인생과 세상이 어우러져 아름다운 하모니를 빚어낸 영화가 있다. 바로 야론 질버만 감독, 필립 세이모어 호프만 주연의 〈마지막 사중주(A Late Quartet)〉다. 첼로, 제1바이올린, 제2바이올린, 비올라를 연주하는 네 사람은 단지 음악을 함께하는 동료를 넘어 인생 자체를 함께해온 인연으로 깊이 연결되어 있다. 더없이 행복하고 이상적으로 보이는 이들이지만 알고 보면 해묵은 갈등과 말하지 못한 비밀이 숨겨져 있다.

이들의 정신적 지주는 바로 첼리스트 피터다. 그는 훌륭한 연주자일 뿐만 아니라 학생들에게 더없이 따스한 스승이며, 고아나 다름없이 자란 비올리스트 줄리엣을 훌륭하게 키운 아버지 같은 존재다. 줄리엣의 남편 로버트는 제2바이올린 파트를 맡고 있고, 그들의 오랜 친구인 다니엘은 제1바이올린 파트를 맡고 있다. 줄리엣의 딸 알렉산드라는 바이올린 영재로 뛰어난 재능을 지니고 있지만 1년에 6개월 이상 해외 연주회로 바쁜 부모 때문에 '나는 방치된 존재'라는 트라우마를 지니고 있다.

영화의 갈등은 이들의 정신적 지주 피터가 파킨슨병에 걸리면서 시작된다. 근육이 서서히 마비되며 점점 '마음대로 할 수 있는 일'이 적어지는 고통스러운 질병, 파킨슨병은 연주자에게 치명적이다. 가장을 잃은 가족처럼, 선장을 잃은 배처럼 그들은 어쩔 줄 모른다. 피터의 리더십이 위기에 처하자 이들 사이의 해묵은 갈등이 폭발하기 시작한다.

피터는 학생들에게 "전체적으로 완벽한 연주가 아니더라도, 어느 한 부분이라도 감동을 주었을 때 우리는 그 연주자에게 고마워해야 한다"고 가르친다. 불협화음을 내더라도 끝까지 쉼 없이 연주하라는 베토벤의 규칙을 깨고, 피터는 스스로 물러나며 후임 연주자를 소개해주는 파격적인 방식으로 오히려 관객들을 감동시킨다. "난 더 이상 이들의 속도를 따라갈 수가 없군요." 최고의 첼리스트였던 피터의 아름다움은 자신의 쇠락을 모든 관객 앞에서 솔직히 고백하는 용기에 있었다. 끝까지 쉼 없이 연주할 수 없을 때, 도저히 불협화음을 견딜 수 없을 때, 더 나은 협업의 가능성을 찾아 스스로 물러나는 용기를 보여준 것이다.

영화도 음악도 정해진 러닝타임이 있지만, 아름다운 작품들은 러닝타임이 끝나도 우리 가슴속에서 영원히 울려 퍼진다. 완벽하지 않아도 아름답다. 모든 음표를 세세히 기억하지 않아도 좋다. 음악이 끝나도 그 여운은 마음속에서 계속되듯이, 아름다운 영화는 우리 마음속에 영원히 끝나지 않는 아련한 잔상을 남긴다. 그것이 바로 어떤 역경 속에서도 결국 더 아름다운 사랑과 이해의 길을 찾아내는 인간의 위대함이 주는 향기의 아우라가 아닐까.

069 SAT 그림의 손길 뒷모습마저 눈부신 그림 속의 주인공

고독한 사색의 시간은 누구나 꿈꾸지만 좀처럼 누리기 힘든 특권이기도 하다. 본인이 고독의 시간을 누리려 해도 '고독에 집중할 시간과 공간'이 허락되지 않는다면, '혼자만의 달콤한 시간'은 좀처럼 오지 않는다. 하지만 우리는 진정 나 자신이 되기 위해, 내 삶의 진짜 주인공이 되기 위해 고독의 시간을 탈환해야 한다. 프랑스의 사상가 미셸 드 몽테뉴는 고독의 필요성을 환기시키는 아름다운 문장을 남겼다. "누구나 내면 깊숙한 곳에 자신만의 작업장을 간직하고 있어서, 언제든 마음대로 그곳으로 들어가 자유와 고독을 지을 수 있어야 한다."

고독의 필요성을 예찬한 이 문장에 가장 어울리는 그림이 바로 카스파르 다비드 프리드리히의 〈안개 낀 바다 위의 방랑자〉(1818)이다. 그림 속의 주인공은 자신의 고독으로 거대한 '무대장치'를 마련한 것 같다. 안개 낀 바다는 경계선이 보이지 않아 더욱 아련한 신비로 다가오고, 끝이 보이지 않는 세계 속에서 고독하게 서 있는 사람의 뒷모습은 마치 모노드라마의 연출과 주연을 한꺼번에 맡은 듯 주변의 상황을 완전히 통제하고 있다. 그는 자신의 고독을 지휘하고 있는 것이다. 정말이지 고독은 '감정과 사색으로 만드는, 보이지 않는 공간'과 같은 것이어서, 마치 고독이라 부르는 건물을 짓는 심정으로 튼튼히 마음의 요새를 건축해야 한다. 대신 고독에 함몰되어서는 안 되므로 언제든 고독의 요새 밖으로 뛰쳐나올 수 있는 '마음의 문'도 남겨놓아야 한다.

이 그림에서 눈을 뗄 수 없는 것은 아마 '나도 이런 고독의 풍경을 짓고 싶다'라는 부러움을 느끼기 때문이 아닐까. 뒤에서 아무리 불러도 대답하지 않을 것 같은 이 남자의 고독은 누구도 침입할 수 없는 든든한 철옹성처럼 느껴진다. 그는 자신의 고독 속에서 완전한 자유를 얻었다. 인간의 이성이 지닌 최고의 가능성을 실험하고 발견한 칸트의 뒷모습이 이렇지 않았을까. 삶을 사랑하는 능력이 곧 철학임을 믿었던 니체의 고독한 뒷모습이 바로 이렇지 않았을까. 이 그림에서 '고독한 철학자의 뒷모습'을 읽어내는 것은 나만의 착각이 아닐 것이다. 누구나의 가슴속에 살아 있는 '사유하는 인간의 아름다움'을 그림으로 표현한다면 바로 이런 모습이지 않을까.

070 SUN 대화의 향기 당신의 뒷모습은 어떤 표정입니까

복잡한 현대사회를 살아가는 우리는 어쩌면 서로에게 끊임없이 뒷모습만 보여주는 존재들일지도 모른다. 서로의 진짜 앞모습을 볼 수 없는 우리는 서로의 사라져가는 뒷모습을 안타깝게 바라보며 '오늘도 저 사람과 소통에 실패했다'라는 쓰라린 패배감을 안고 집으로 돌아온다. 누군가를 깊이 사랑할 때조차 '나는 그를 알고 있다'고 생각하지만, 결국 평생 그의 뒤통수를 바라보며 그것을 앞모습이라 착각했을지도 모른다. 부부가 함께 잠들 때 한 사람이 등을 돌리고 모로 누워 자는 것은 상대방을 가슴 아프게 한다. 등을 보이는 것 자체가 거부의 몸짓으로 읽히기 때문이다. 모든 관계가 그렇다. 친구와 헤어질 때도 너무 빨리 등을 홱 돌려 가버리는 것은 상대의 마음을 허전하게 한다. '저 사람은 나와 그토록 빨리 헤어지고 싶은가' 하는 질문을 하게 되는 것이다.

등을 '바라보는 자'의 입장에서 등은 소통의 불가능성을 환기시키는 가슴 아픈 상징이 된다. 하지만 '누군가의 뒷모습을 안다'는 것은 새로운 소통의 시작이기도 하다. 뒷모습만 봐도 누구인지 안다는 것은 매우 친밀하거나 익숙한 관계일 때 가능한 것이기 때문이다. 그래서 우리는 어떤 사람의 뒷모습만 보고도 그 사람에게서 도망칠 수도 있다. 그 사람이 모르게. 그 사람을 전혀 기분 나쁘게 하지 않은 상태에서 그로부터 도망칠 수 있는 것이다. 우리 자신은 어떤 사람일까. 나의 뒷모습만 봐도, 사람들은 내게서 도망치고 싶어 할까.

때로 뒷모습은 앞모습보다 훨씬 정직하다. 앞모습은 이리저리 치장할 수 있지만, 뒷모습의 표정은 숨길 수가 없기 때문이다. 누군가 내 뒷모습을 보고 있다는 생각을 하면서 하루 종일 걸을 수도 없다. '뒤통수가 따갑다'는 것은 내 뒷모습에 대한 자의식이 선명할 때의 이야기다. 뒤통수를 신경 써야 할 특별한 경우에만 뒷모습을 '연기'할 수 있다. 우리는 좀처럼 스스로의 뒷모습을 의식하지 못한다. 앞모습만 건사하기에도 바쁜 세상이기에. 물리적으로 '뒷거울'을 비추는 행위 정도로는 뒷모습의 본질을 꿰뚫어 볼 수 없다. 언젠가 친구가 이렇게 말한 적이 있다. "너 뒷모습이 왜 이렇게 우중충하니? 비 맞은 솜이불처럼 축 늘어져가지고는." 친구의 정감 어린 핀잔이었지만, 불에 덴 듯 뜨끔했다. 뒷모습에도 '표정'이 있다는 것을 깜빡한 것이다. 내 뒷모습이 내 감정을 그토록 정확하게 반영할 수 있다는 생각은 하지 못했다. 그렇다면 뒷모습이야말로 우리 자신이 알지 못했던 우리 자신의 '영혼의 명함'은 아닌지. 뒷모습마저 다정한 사람, 뒷모습도 반가운 사람이 되고 싶다.

071 MON  심리학의 조언 나와 다른 존재를 견디고 사랑하라

이진경의《불교를 철학하다》를 읽으며 '내가 나라고 믿는 것', '내가 나답다고 여기는 것'의 뼈아픈 심연을 들여다보게 되었다. '나의 본성은 내 이웃이 결정한다'는 문장에 가슴이 뜨끔했다. 내가 좋아하는 존재들로만 구성된 내 이웃의 울타리는 비좁고 고집스럽기 이를 데 없기 때문이다. 내 이웃의 경계가 좁다는 것은 곧 내 마음의 행동반경이 편협하다는 이야기임을 새삼 깨닫는다.

'자아가 강하면 빨리 늙는다'는 문장에서도 뒤통수를 한 방 맞았다. 나야말로 자아가 강하고, 나야말로 빛의 속도로 늙어가고 있다는 생각 때문에 괴로워하고 있었기 때문이다. 단지 눈가의 잔주름이 늘어나는 문제가 아니라, 마음이 늙는다는 것이 훨씬 괴로운 일이다. 예전에는 '저기가 어디지? 꼭 가보고 싶다!' 하며 흥분했던 마음이 점점 시들해진다. '그 사람은 어떤 사람일까? 꼭 한번 만나보고 싶다' 하던 호기심도 사라져간다. 새로운 장소는 '매혹적인 곳'이었는데 지금은 '편안한 곳'이 더 좋고, 늘 '호기심 어린 대상'이던 새로운 사람이란 '또 어떻게 나에게 상처를 줄지 모르는 잠재적 공격수'로 느껴지곤 한다. 어쩌다가 설렘이나 호기심을 느끼다가도 '그런 감정에는 쓰라린 대가가 따른다, 상처라는 대가가!'라는 생각 때문에 모험을 접어버리곤 한다. 어쩌다 이렇게 빠르게 늙어가는 영혼의 주인공이 되어버렸을까.

이런 생각에 빠져들다가 문득 '존재 자체가 선물이 될 수 있다면'이라는 대목에서 별안간 눈시울이 뜨거워진다. 이런 기분을 느껴본 적이 도대체 언제쯤이었을까. 조카가 태어났을 때가 떠오른다. 아기의 눈코입이 예뻐서가 아니라 그 아이의 가녀린 숨소리와 하품하는 입 모양, 젖을 먹은 뒤 트림을 하는 소리까지 그저 그 자체로 어여쁘고 신비로웠는데. 바로 그런 느낌이 존재 자체가 선물이 되는 일상 속의 기적이었다. 그런데 타인의 존재나 다른 사물의 존재를 통해 선물의 기쁨을 느낀 적은 많지만, 나라는 존재 자체가 선물이라는 생각은 해본 적이 없었다. 존재만으로도 선물이 되는 사람이 되기를 바란 적도 있지만, 그런 생각을 한다는 것 자체가 욕심인 것 같았다. 돌이켜보니 내가 누군가에게 진정 도움을 줄 수 있다면, 만약 그럴 수만 있다면, 내가 모르는 순간에, 내가 포착할 수 없는 그 순간에, '존재 자체가 선물'이 되는 것이 아닐까 싶었다. 무더운 여름날 문득 불어오는 시원한 바람이 '내가 너희 중생들의 더위를 잠시나마 식혀주겠다'고 작정하는 것이 아닌 것처럼. 귀여운 갓난아기가 '내가 여러분에게 선물이 될게요!'라는 의도를 가지고 태어나는 것이 아닌 것처럼.

072

TUE

독서의 깨달음

인간은 변하지 않는다는 핑계

'사람은 절대 변하지 않는다'라는 말을 입에 달고 다니는 사람들이 있다. 절대 변하지 않는 사람들 때문에 속이 상한 사람들도 있겠지만, 자기 자신이 변하고 싶지 않기 때문에 그런 말을 반복하기도 한다. '사람은 어차피 안 변한다'라는 말을 너무 쉽게 한다면, '나는 결코 한 톨도 변하지 않을 테야'라는 고집을 부리고 있는 사람일지도 모른다. 세상을 바꾸는 사람들, 자기 주변을 환하게 물들이는 사람들, 결코 희망을 포기하지 않는 사람들의 공통점은 인간의 변화를 믿는다는 점이다. 그런데 '남이 알아서 변해주기를 바라는 것'으로는 변화가 불가능하다. 자기 삶을 더 낫게 만들기 위해, 더 좋은 사람이 되기 위해 날마다 분투하는 사람들만이 눈부신 변화의 주인공이 될 수 있다. 마음이 나빠지고, 영혼이 타락하고, 나쁜 습관이 몸에 배는 것은 식은 죽 먹기다. 하지만 이미 나빠진 마음을 더 나은 곳을 향해 한 걸음 한 걸음 바꾸는 것은 너무도 어려운 일이다. 바로 그 어려운 일을 해내는 사람들만이 세상을 바꿀 수 있다.

로리 고틀립의《마음을 치료하는 법》은 상처 입은 마음 때문에, 비뚤어진 심리 때문에 변화를 두려워하고 진정한 성장을 두려워하는 사람들을 위한 책이다. 변화를 시작하기 위해서는 뭔가 복잡한 준비가 필요하다고 생각하는 사람들에게, 변화하고 싶지만 주변 사람들이 도와주지 않아서 불가능하다고 생각하는 사람들에게, 이 책은 용기를 준다.

로리 고틀립은 사람들의 아픈 마음을 치료하는 심리치료사다. 그녀는 자신이 손대는 모든 분야에서 인정받은 유능한 엘리트였다. 하지만 어느 순간, 환자의 아픔을 치료해야 할 자신의 마음이 깊이 병들어 있다는 것을 알게 되고, 자신의 마음을 들어줄 또 하나의 심리치료사가 필요하다는 것을 깨닫는다. 심리치료사가 또 다른 심리치료사를 찾는다는 것이 얼마나 부끄럽고 굴욕적이었을까 짐작할 수도 있겠지만, 사실 심리치료사야말로 자신의 정신건강을 철저히 관리해야만 환자들에게 최고의 컨디션으로 다가갈 수가 있다. 이 책의 저자처럼 심각한 상황이 아니더라도, 타인의 마음을 돌보는 모든 사람에게는 '또 하나의 치유자'가 필요하다. 치유자가 또 다른 치유자를 만나는 과정에서, 자신의 상처는 물론 환자들의 상처 전체를 새롭게 바라볼 수 있는 커다란 혜안이 살아난다. 도움을 청해도 괜찮다. 타인에게 도움을 청하는 용기야말로 진정한 치유의 시작이다.

073 WED 일상의 토닥임 장소를 통한 치유의 길

최일남의 소설《서울의 초상》은 도시화가 한창이던 시절, 오직 '서울'을 향한 집념을 불태우며 안간힘을 써서 살아남아야 했던 그 시절 젊은 세대들의 고뇌가 담겨 있다. 살붙이 하나 없는 서울에 대한 공포와 적개심이 동시에 일렁이면서도, 발붙일 곳 하나 없다는 적막감에 몸을 떨면서도, 끝끝내 서울에 주저앉아 무언가를 이루어야 한다는 오기로 똘똘 뭉친 그 시절 젊은이들의 서글픈 열정이 이 소설에 담겨 있다.

소설의 주인공 성수는 일단 서울에 교두보를 확보하기만 하면 어떻게든 서울에 달라붙어 있어야 한다는 집념을 불태운다. 1960년대를 배경으로 한 1980년대 소설을 읽으며 나는 소스라쳤다. 서울을 향한 이 과도한 집착은 현재의 우리에게도 남아 있기 때문이다. 다만 예전과 달라진 점은 이제 복잡한 서울을 벗어나 공기 좋고 물 좋은 곳에서 전원생활을 즐기고 싶어 하는 사람들도 많아졌다는 점이다. 서울을 향한 애착 또한 여전히 강고하지만, 서울을 객관적으로 바라보고 서울의 단점을 극복하려는 사람들도 늘어났다. 사람들은 '도시정원'이나 '옥상텃밭' 같은 다양한 실험을 통해 대도시에 결핍된 향토성과 자연친화적인 삶을 탈환하려 한다.

나는 이제 관광지나 주거지로서가 아니라 '서울 그 자체를 사랑하는 마음'을 지니게 되었다. 서울 그 자체의 아름다움을 조금은 객관적인 시선으로, 조금은 '이방인의 시선'으로 바라볼 수 있게 된 것이다. 나에게는 서울이 동경의 대상을 넘어, 고향을 넘어, 이제 사랑 그 자체를 위한 사랑의 모습으로 다시 태어나고 있다. 내 어린 시절의 골목길을 뛰어넘는 신기한 볼거리로 가득한 각종 새로운 '길'들을 더 오래, 더 천천히 걸어보고 싶다.

심리치료 기법 가운데 '장소를 통한 치유(geographic cure)'라는 개념이 있다. 나는 서울의 구석구석 골목길을 걷는 것만으로도 아픈 마음을 위로받곤 했다. 그런 아름다운 추억들이 모여 지금 내가 지니고 있는 건강함과 강인함이 싹튼 것 같다. 장소에 얽힌 아름다운 추억들은 심리적 면역력이 되어 위기에 처할 때마다 우리의 상처 입기 쉬운 마음을 다스려준다. 나는 이제 어린 시절의 노스탤지어를 넘어서 어른이 된 이후의 새로운 서울에 대한 추억을 만들어가는 중이다. 훗날 다시 추억에 잠길 수 있는 또 하나의 서울을 만들기 위해서, '현재의 서울'을 아끼고 사랑하고 싶다.

074

THU

사람의 반짝임

잊을 수 없는 그녀의 눈물

나는 오래전 루브르 박물관에 처음 방문했을 때, 평생 잊을 수 없는 눈부신 방문자를 만났다. 백발이 성성한 아름다운 노부인이었는데, 그녀는 루브르 박물관의 소장품 하나하나를, 마치 세상에 단 하나뿐인 보석처럼 아주 작은 그림 하나도 놓치지 않고 소중하게 바라보고 있었다. 나는 그림을 바라보던 눈길을 돌려 어느덧 그 노부인을 바라보고 있었다. 예술을 사랑하는 사람의 눈빛은 저런 것이로구나. 유명한 작품과 유명하지 않는 작품을 차별하지도 않고, 거대한 크기의 걸작이든, 이름을 기억할 수 없는 화가의 손바닥만 한 초상화든 똑같이 반짝이는 시선으로 소중하게 바라보는 눈빛을 보면서 그 '애정의 눈길'이 바로 예술작품을 영원히 살아 숨 쉬게 하는 최고의 비결임을 깨달았다. 나도 저렇게 나이 들어가고 싶다는 생각이 저절로 드는 순간이었다.

그런데 노부인의 눈에서 갑자기 눈물이 그렁그렁 솟아오르기 시작했다. 아마도 그녀는 평생 이 순간을 기다려온 것 같았다. 노부인의 눈에서 천천히 솟아오르던 눈물은 마침내 폭포수처럼 쏟아져 내렸다. 흐르는 눈물을 제대로 닦지도 않은 채 그림 앞에서 한동안 발을 떼지 못하던 그녀의 모습은 평생 내 '마음속 카메라'에 담겨 있는 또 하나의 예술작품이 되었다. 평생 그런 순간을 기다렸다. 루브르 박물관에서 지상 최고의 걸작들을 만나는 시간. 마치 시간이 멈춰버린 듯한 순간, 아니 인류의 모든 시간의 흔적들이 한데 모여 기쁨의 향연을 벌이는 듯한 순간. 이 눈부신 기적 같은 순간을 위해 그녀와 나는 오랜 시간 일상의 힘겨움을 견뎌온 것은 아닐까. 그 순간, 우리는 한마디 말도 나누지 않았지만 너무도 소중한 친구가 된 느낌이었다.

나는 아무리 힘든 순간에도 박물관에 가서 몇 시간이고 혼자 그림을 보고 있으면 마음의 상처가 가라앉는 느낌을 받는다. 나보다 더 아프고, 나보다 더 고통받은 사람들이, 그 슬픔을 이겨내고 고통을 승화시켜 아름다운 작품을 빚어낸 것을 보면, 저절로 숙연해지고 겸허해진다. 생전 단 하나의 작품밖에는 팔지 못한 빈센트 반 고흐의 그림을 보면서 우리가 느끼는 감동은 인기나 가격 같은 세속적인 가치가 아니라, 오직 '예술의 아름다움' 그 자체를 향해 인생을 바친 예술가의 순수를 향한 경외감이 아닐까. 예술작품은 단지 예술가만의 것이 아니라 '그것을 통해 감동을 느낄 수 있는 모든 사람의 것'임을 느낄 수 있는 곳. 이곳이야말로 우리에게 '지식의 즐거움'과 '감상의 즐거움', 나아가 진정한 '휴식의 즐거움'을 동시에 줄 수 있는 아름다운 힐링 스페이스다.

075 FRI 영화의 속삭임 내 가장 아픈 상처마저 안아주는 친구

영화 〈톨킨〉은 《반지의 제왕》의 작가 톨킨의 일대기를 담은 영화다. 나는 이 영화가 작가 톨킨을 하드캐리의 주인공이나 눈부신 군계일학으로 만들지 않고 수많은 친구의 사랑을 받았던 행복한 젊은이로 바라보는 관점이 좋았다. 어머니를 일찍 여읜 톨킨은 가난 때문에 고통받았지만 다행히도 외롭지는 않았다. 어떤 순간에도 자신을 이해해주는 친구들이 있다는 것만으로도, 외롭고 힘든 작가의 길을 걸어가는 고통을 이겨낼 수 있었기 때문이다.

이 영화를 보면서 위대한 작가를 만들어주는 최고의 환경이 '조건 없는 우정'임을 깨달았다. 이 작품이 톨킨의 재능이 얼마나 뛰어났는지 예찬하는 이야기가 아니라 그의 따스한 감수성을 만들어준 일등공신이 바로 친구들의 우정이었음을 증언하는 이야기여서 더욱 좋았다. 영화의 주인공은 단지 톨킨 한 사람이 아니다. 톨킨이라는 위대한 작가를 성장시킨 주변 사람들의 아름다움이 이 영화의 진짜 주인공이었다.

톨킨은 어린 시절 어머니를 잃었고, 전쟁을 통해 가장 사랑하는 친구 제프리를 잃음으로써 돌이킬 수 없는 상실의 체험을 원초적 슬픔으로 껴안은 채 살아간다. 그의 작품 《반지의 제왕》은 한 명의 영웅을 만들기 위해 나머지 인물들을 엑스트라로 전락시키지 않는다. 처음에 주인공 프로도는 이 거대한 작품을 이끌어가기에는 좀 약한 아이, 지나치게 평범한 아이, 위대한 모험을 떠나기에는 부족한 아이로 느껴진다. 프로도를 진정한 영웅으로 만들어주는 것은 친구들의 무조건적인 사랑이며, 부족하고 결핍투성이인 프로도를 있는 그대로 사랑해주는 사람들의 따스한 마음이다. 친구들은 프로도가 특별하거나 뛰어나서 사랑하는 것이 아니다. 친구들은 있는 그대로의 프로도, 평범한 프로도를 아무 계산 없이 사랑하기 때문에 그를 혼자 보낼 수 없고, 혼자 죽게 할 수 없다. 가끔은 어설프고 대체로 어리숙한 친구를 따라 언제 죽을지 모르는 무시무시한 모험을 떠날 수 있는 멋진 친구 샘이 있기에 프로도는 진짜 영웅이 될 수 있다.

영화 〈톨킨〉은 아무도 내 편이 아닌 것 같은 세상에서 하루하루 그 모든 낯선 사람들을 친구로 만들어갈 줄 아는 사람이 진짜 영웅임을 가르쳐주는 것이 아닐까. 이 이야기는 주인공 톨킨만의 '하드캐리'를 추구하는 원맨쇼가 아니어서 진정 아름답다. 멋진 영웅이 혼자 장렬하게 자기 생을 던지고 비장하게 죽는 이야기가 아니라, 주인공이 죽지 않고 살아남아 계속 이 세상의 희망을 노래하는 이야기라 더욱 감동적이다. 이 영화는 사랑만큼이나 소중한 우정, 때로는 사랑보다 더 커다란 버팀목이 되어 우리의 외로움을 지켜주는 친구의 소중함을 일깨워준다.

076 SAT

그림의 손길

패러디와 유머의 힘

보자마자 폭소를 자아내는 이 흥미로운 벽화는 옛 소련과 동독 지도자들의 정치적 제휴를 기념하는 동시에 풍자한 작품으로, 베를린 장벽 보존 구간인 '이스트 사이드 갤러리'에 있다. 시선을 조금 옮겨보자. 점잖게 빗어 넘긴 머리에 말끔한 검정색 슈트 차림의 두 남성의 짙은 키스신이 보는 이를 민망하게 만든다. 그림 아래에 적힌 기도문 같은 제목도 애틋하기 그지없다. '신이시여, 이 치명적인 사랑을 계속하게 도와주소서.' 이 그래피티 페인팅은 드미트리 브루벨이라는 아티스트의 1990년 작품이다. 원래는 소련 공산당 서기장 브레즈네프와 호네커 동독 수상의 정치적 제휴를 기념하는 동시에 유머러스하게 풍자한 사진을 그래피티 아트로 옮긴 것이었다.

이 작품의 별명은 '우정의 키스(fraternal kiss)'인데, '우정의 키스'치고는 너무도 격렬하고 간절한 탓에 그림을 지나치는 사람들은 포즈를 흉내 내며 배꼽을 잡곤 한다. 사라진 두 국가(소련과 동독)의 지도자가 치명적인 키스를 하는 이 그림은 역사 속으로 사라진 두 나라의 문화에 대한 노스탤지어를 자극하면서, 이제는 '유희의 대상'이자 대중이 사랑하는 일종의 팝아트로서 각광받게 되었다. 두 정치가의 심각한 만남과 역사적인 협상의 장면을 이처럼 우스꽝스러운 풍자의 대상으로 만든 것은 사진작가 보스였고, 그 유머를 '거리의 미술'로 승화시켜 세계적인 작품으로 대중화시킨 것이 브루벨이었다. 이 그림을 보고 있으면 '정치'라는 심각한 커뮤니케이션이 어쩌면 유머러스한 풍자의 대상이 될 수도 있음을 깨닫게 된다.

이 그림 속의 두 인물은 이렇게 속삭이는 듯하다. '그렇게 심각하게만 보려고 하지 마, 우리 정치인들도 이렇게 때로는 열정적이라고.' 무엇보다도 이 작품의 유머를 완성하는 것은 관객이다. 유머러스한 그림은 일단 관객들을 무장해제 시킨다. 유머러스한 작품들은 그림 속의 피사체를 모방하고 싶은 마음을 불러일으킨다. 웃음이 담뿍 담긴 그림을 통해 관객들은 슬픔의 한가운데서 피어나는 웃음의 따스함을 이해하게 된다. 나를 웃게 하는 모든 그림은 내게 이렇게 속삭이는 것 같다. 삶은 아름다우니, 웃어라. 아니 자꾸 웃다 보니, 삶이 아름다워지네. 그러니 차라리 누군가 웃기기 전에 먼저 스스로 웃어버려라. 그러면 우리의 삶도 아름다워지리라.

077 SUN 대화의 향기 언어를 통한 치유의 힘

심리학이나 고전문학 강의를 할 때마다 자주 듣는 부탁이 있다. "작가님, 더 쉽게 말해주시면 안 될까요." 최대한 쉽고 자연스러운 문장으로 말하려고 노력하지만, 그래도 '너무 어려웠다'는 말을 들을 때마다 낙담하기도 한다. 더 쉽게, 더 재미있게, 더 호소력 있게. 자꾸만 스스로 다그치지만, 그러다가 진짜 나 자신을 잃어버릴까 두려워지기도 한다. 앎의 형식에 마음을 쏟다가 앎의 내용을 잃을까 두렵다. 쉽게 표현하는 것에 골몰하다가 아무리 어려워도 내가 진정으로 말하고 싶은 것을 놓치게 될까 두렵다. 하지만 '더 쉽게' 가르쳐달라는 요구가 늘 맞아떨어지는 것은 아니다. 그 순간의 열정을 남김없이 쏟아붓는 강의를 하면, 결국 쉽고 어려움이 문제가 되지 않는다. 진심은 반드시 전해지게 되어 있다. 어쩌면 소통의 진정한 관건은 난이도가 아니라 친밀감이 아닐까. 우리가 작가나 강연자에게 요구해야 할 것은 '더 쉽게 말해달라'는 것이 아니라, '더 내 얘기처럼, 진짜 내 인생처럼 이야기해달라'는 것이 되어야 하지 않을까.

자신이 추구하는 지식, 자신이 만들어내는 스토리, 자신이 경험하는 삶을 전달하는 모든 메신저의 숙명은 바로 이것이다. 독자들이 스스로 경험한 것이 아닐지라도, 마치 그들이 경험한 것처럼 느낄 수 있도록 생생하게 전달하는 것. 그리하여 모든 글쓰기는 단순한 전달이 아니라 싱그러운 창조의 몸짓이 되어야 한다. 그림이든 음악이든, 여행이든 사랑이든, 무언가를 체험하거나 감상한 뒤에는 반드시 '언어'로 해석하는 작업이 필요하다. 화가들은 그림에 대한 글을 쓰는 사람들을 믿지 않고, 음악가들은 음악에 대한 평론을 쓰는 이들을 싫어하지만, 그럼에도 사람들은 아름다운 작품을 아름다운 언어로 표현하는 이들을 필요로 한다. 평론이 불필요한 것이 아니라 아름답고 창조적인 평론이 턱없이 부족한 것이다. 오감으로 받아들여진 체험이 아무리 소중한 것일지라도, 인간은 '언어'를 통해야만 자신의 느낌을 최종적으로 저장할 수 있기 때문이다. 첫사랑의 설렘도, 위대한 교향곡의 감동도, 행복한 여행의 체험도, 모두 '언어'를 통해 갈무리될 때 비로소 우리 마음속에서 완결된 스토리텔링으로 각인될 수 있다.

언어는 우리가 가진 가장 아름다운 무기이다. 언어는 악성 댓글처럼 사람을 죽이는 무서운 흉기가 될 수도 있고 따스한 치유의 토닥임처럼 아름다운 구원의 목소리가 될 수도 있다. 아름다운 언어, 창조적인 언어는 돈이 들지 않는 최고의 치유법이다.

078 MON  심리학의 조언 원인과 결과가 비롯되는 곳

'아무도 나를 이해하지 못해', '내 마음은 아무도 모를 거야'라는 생각을 해보지 않은 사람이 있을까. 누구나 자신이 제대로 이해받지 못한다는 생각 때문에 쓰라린 외로움과 깊은 소외감을 느낀다. 심리학에서는 '통제소재(locus of control)'라는 개념을 통해 개인의 행복을 좌우하는 요건을 설명한다. 자신의 삶을 통제할 수 있는 요인이 자기 바깥(external locus of control)에 있는지, 자기 내부(internal locus of control)에 있는지에 따라 삶을 바라보는 관점 자체가 달라진다는 것이다. 자신의 행복이나 성공을 결정하는 요인이 자기 바깥에 있다고 생각하는 사람들은 걸핏하면 환경을 탓하고 주변 사람들에게 불만을 토로한다. 반면 자신의 성공과 행복이 온전히 자신에게 달려 있다고 생각하는 사람들은 자신의 열정과 노력을 소중히 여기며 환경과 주변의 영향을 훨씬 덜 받는다.

흐릿하고 불안하며 때로는 휘청거리는 우리 자신의 마음을 투명하게 바라보기 위해서는 '내 모든 행동의 원인과 결과가 어디에서 비롯되는가'를 알아야 한다. 물론 모든 행동이 100퍼센트 환경이나 의지만으로 결정되는 것은 아니지만, 내 인생의 주요 컨트롤 타워가 어디에 있는지 아는 것은 매우 중요하다. 컨트롤 타워가 자아의 외부에 있다면 우리는 끊임없이 흔들리고 방황할 수밖에 없다.

상황을 탓하지 않고 용감하게 더 나은 삶을 쟁취하는 사람들은 대부분 자기 행동의 가장 큰 동력을 자기 자신에게서 찾는다. 부모님이 의사가 되기를 원하기 때문에 의대에 가는 것이 아니라, 집안사람들이 다 의료계에 종사할지라도 자신만은 화가의 길을 가겠다는 뚝심과 재능이 있는 사람이 진정 눈부신 자기 인생의 주인공이 될 수 있다. 우리는 인생의 핸들을 스스로 틀어쥐고, 더욱 용감하고 담대하게 '삶'이라는 고속도로를 질주할 필요가 있다.

타로점이나 사주풀이에 집착하고, '재미'로 점을 본다면서 사실은 조금이라도 나쁜 징조가 느껴지면 지나치게 호들갑을 떠는 사람들이 있다. 자기 삶의 핸들을 꽉 움켜쥐고 있는 사람들은 '운명'이나 '예언'이라는 외부적 판단에 휘둘리지 않는다. 나쁜 점괘가 나올지라도 개의치 않고 꿈꾸던 일에 도전할 수 있는 용기를 지녀야 한다. 더 좋은 것은 그런 예언이나 운명의 조언에 일희일비하지 않고, 사주나 타로점을 보러 갈 여유조차 없이 열정적으로 살 수 있는 용기다. 환경이나 운명이 이끌어가는 대로 수동적으로 끌려가는 삶이 아니라, 과거는 바꿀 수 없어도 현재와 미래는 바꿀 수 있다고 믿는 용기를 지닌 사람이 되고 싶다.

079 TUE  독서의 깨달음 상처 있는 사람이 더욱 매혹적이다

상처는 참으로 복잡미묘하다. 마음속에서 상처로 인해 파괴되는 부분이 분명히 존재하는데, 반대로 상처가 아예 없다면 어른스러움이라든지 인간적인 매력 또한 자라나지 않는다. 상처는 우리 일부를 아프게 찢어내면서 궁극적으로 성장시킨다. 상처로부터 시작되는 새로운 삶이 진정한 어른 되기의 필수 과정인지도 모른다. 영화나 드라마의 캐릭터는 더더욱 그렇다. 짧은 시간 안에 트라우마와 치유와 성장의 과정까지 그 인물의 모든 것을 압축하여 보여주어야 하기 때문에 캐릭터가 지닌 트라우마가 스토리텔링의 핵심 동력이 될 때가 많다. 안젤라 애커만의《트라우마 사전》은 이야기를 창작하는 사람들에게 많은 영감을 주는 책이다. 심리학과 스토리텔링에 관심이 있는 사람들에게도 도움이 될 수 있다.

누군가를 이해한다는 것은 그 사람의 깊은 상처가 그를 얼마나, 어떻게 변화시켰는지 이해하는 일이다. 이름, 나이, 주소, 가족관계 등 모든 정보를 다 알고서도 그 사람의 상처를 제대로 알지 못한다면 우리는 그를 진정으로 '안다'고 할 수 없다. 소설이나 영화 속 인물들에게 빠져드는 순간은 바로 주인공이 우리와 비슷한 상처를 앓고 있다는 것을 알게 될 때가 아닐까. 이야기 속의 주인공들이 처음에는 '도대체 왜 그런 행동을 하는지 모르겠다'라는 느낌을 주는 이유는 바로 방어기제 때문이다. 즉 캐릭터가 고통스러운 경험을 피하려고 '감정 갑옷(emotional armor)'을 입어버리기 때문이다. 그 감정 갑옷이 서서히 약해지면서 주인공의 마음을 무장해제시키는 이야기의 힘이 바로 사랑과 치유의 에너지다.

단순히 고통의 효율적인 조합만으로는 이야기의 예술이 완성되지 않는다. 타인의 고통은 나의 고통과 설득력 있게 연결되어야 하며, 뼈아픈 고통을 통해 주인공이 진정으로 성장하지 못한다면 이야기는 독자들에게 커다란 실망감을 주게 된다. 애커만의 책은 상처로 인해 새로운 삶을 시작하는 사람들, 상처 때문에 더욱 복합적인 캐릭터를 가지게 되는 인간의 아름다움을 묘사함으로써 '이야기를 짓는 사람들'에게 풍요로운 영감을 전해준다.

- 애커만은 〈작가들을 위한 자기 관리법〉이라는 챕터에서 '믿을 수 있는 사람을 곁에 두라'는 조언을 건넨다. 글을 쓰며 나 혼자밖에 없다는 느낌을 달래야 한다는 것이다. 친구나 지인에게 미리 상황을 공유하고 연락을 주고받는 것도 추천하는 방법이다. 이 대목은 글 쓰는 사람뿐 아니라 '상처를 다루는 일'을 하는 모든 이에게 도움이 될 것이다.

080 WED 일상의 토닥임 박물관, 나의 힐링스페이스

여행을 하면서 한 도시의 매력을 가장 압축적으로 느낄 수 있는 장소가 바로 박물관이다. 도시를 대표하는 예술작품, 상징적 인물, 꼭 알아야 할 문화유산들이 모여 있는 곳. 박물관에서 우리는 지적 호기심과 감성의 목마름을 동시에 채울 수 있다. 나는 베를린의 쿨투어포럼 미술관에서 페르메이르와 보티첼리의 그림을 발견하고 커다란 감명을 받아 세 번이나 방문했고, 네덜란드의 반 고흐 미술관은 아무리 가도 질리지 않아 다섯 번이나 방문했다. 피렌체의 우피치 미술관을 관람하기 위해서 뙤약볕 아래 네 시간 동안 기다리면서도 그 시간이 아깝지 않았다. 박물관의 매력은 파리의 루브르 박물관이나 뉴욕의 메트로폴리탄 뮤지엄처럼 방대한 컬렉션에만 있는 것은 아니다. 소장품들을 가족처럼, 친구처럼 사랑하고 아끼는 지역 사람들의 마음이 느껴지는 순간, 우리는 그 박물관의 진정한 애호가가 된다.

루브르 박물관, 대영박물관, 오르세 미술관 등 유명한 박물관이나 미술관의 공통점은 '오감의 만족'을 지향하는 종합 엔터테인먼트의 성격이 강하다는 것이다. 박물관에서 미술 작품이나 유물만을 보는 것이 아니라 그곳에서 맛있는 것을 먹고, 편안한 휴식도 취하며, 가족과 함께 하는 시간, 홀로 조용히 산책할 수 있는 여유 등 다양한 만족을 추구할 수 있다. 루브르 박물관이나 대영박물관은 워낙 세계적인 관광명소가 된 곳이지만, 글래스고의 리버사이드 뮤지엄처럼 나로서는 처음 접해보는 장소의 편안함은 더욱 놀라운 것이었다. 온갖 탈 것, 볼 것, 먹을 것, 놀 것이 함께 모여 있는데, 온 가족이 놀러와서 뛰어노는데도 전혀 복잡하거나 정신없는 느낌이 없었다. 종합 엔터테인먼트 공간으로서의 박물관의 역할을 톡톡히 하면서도 전혀 어수선하거나 '통일성이 없다'는 생각이 들지 않았다. 사람들은 박물관 창가에 앉아 조용히 사색을 즐기기도 하고, 영국의 옛 증기기관차를 바라보며 역사 속의 한 시대를 떠올리기도 했다.

생각하며 놀 수 있고, 관람하며 사색할 수 있는 '여백의 공간'이 많다는 것. 함께 있고 싶은 공간도 많지만, 혼자 있을 수 있는 조용한 탐닉의 공간이 많다는 것. 이것이야말로 훌륭한 박물관이 지닌 진정한 매력이다. 종교와 상관없이, 믿음과 상관없이, 예술가가 표현하는 작품이 지닌 아름다움과 세계관 속으로 빨려들게 만드는 것. 그리하여 지금 내가 처한 현실의 어려움을 극복할 수 있는 에너지를 얻게 만드는 것. 그것이 아름다운 작품이 지닌 힘이고, 박물관에서 우리가 얻을 수 있는 자기 치유의 에너지이기도 하다.

081

글씨를 통해 드러나는 사람의 아름다움

나는 글씨체가 아름다운 사람들을 사랑한다. 글씨체 속에는 그 사람의 성격과 고민, 장점과 단점이 다 들어 있다. 오래전 대영박물관에 처음으로 방문했을 때, 인류문화유산 중에서 '글자'가 이루어낸 업적이 얼마나 큰 것인가를 새삼 생각하게 되었다. 함무라비 법전의 거대한 위용과 범접할 수 없는 위엄이 대영박물관에서 가장 기억에 남는 한 장면이었다. 그 크기나 내용보다도 글자들의 아름다움에 넋을 빼앗겼다. 수메르 문자의 질서정연하면서도 은근한 여백을 담은 아름다움, 이집트 상형문자의 그림에 가까운 유머러스하고 섬세하기 이를 데 없는 아름다움에 마음을 빼앗겼다. 글자 속에 의미뿐 아니라 '생의 아름다움'을 담을 수 있는 문자들이 바로 오랫동안 인류의 역사에서 영향력을 잃지 않는 문자들임을 알 수 있었다.

글자들이 이루는 풍경은 곧 문명의 풍경이고, 인간의 정신이며, 삶과 예술과 철학이 만나는 지점이 아닐까 싶다. 유지원의 《글자풍경》에서 저자는 독일의 엄격하고 꼿꼿한 서체와 이탈리아의 나른하고도 우아한 서체를 비교하기도 한다. 독일의 가지런한 서체와는 전혀 다른, 유연하며 날아갈 듯한 이탈리아 서체 속에 '이탈리아다움'이 깃들어 있다는 것이다.

글자를 다루는 것이 곧 정보를 지배하는 것이기에 동서고금의 역사를 통틀어 글자를 장악한 사람들은 주로 남성들이었지만, 글씨체의 역사에서 여성이 주도한 예외적인 문자문화가 바로 '한글'이라는 점도 흥미로운 사실이다. 특히 '궁체'를 통해 한글의 아름다운 서체가 무궁무진하게 응용된 것을 생각하면, '언문'이라 핍박받던 한글이 여성들을 통해 아름답고 화려하게 꽃피었다는 사실이 무척 흥미롭다. 한글이 만들어진 초창기의 글씨체는 매우 남성적이고 네모반듯한 느낌을 주었는데, 궁녀들을 비롯한 많은 여성의 정성스러운 글씨체로 다듬어진 궁체는 한글을 더욱 우아하고 유연한 글자로 만들었다는 생각이 든다.

'신언서판(身言書判)'이라는 말도 있듯이, 훤칠한 신수, 아름다운 말씨, 반듯한 글씨, 뛰어난 판단력은 훌륭한 인격을 판가름하는 중요한 기준이었다. 지금도 '반듯한 글씨'를 향한 사람들의 호감은 여전하니, 글자체의 아름다움이 정신의 무늬를 반영한다는 것을 무의식적으로 인정하는 것 같다. 아름다운 글씨 속에서 아름다운 마음의 행로를 찾는 과정을 통해 삶을 더욱 풍요롭게 가꾸는 시간이 되기를 꿈꾼다.

082 FRI 영화의 속삭임 <비포 선라이즈>, 사랑을 잃어버린 당신에게

영화 〈비포 선라이즈〉는 마음속에 우울의 검은 잉크가 퍼져나갈 때마다 한 번씩 꺼내 보고 싶은, 햇살 같은 영화다. 비포 선라이즈(Before sunrise), 즉 해가 뜨기 전까지 밤새도록 함께 있고 싶은 사람을 만나는 기적 같은 날. 기차에서 단 한 번 스쳐 갈 뻔한 사람이 평생 잊지 못할 첫사랑이 되기까지, 그들에게는 단 하루도 걸리지 않았다. 어쩌면 누군가를 완전히 가슴에 품기까지 필요한 시간은 극히 짧은 것인지도 모른다. 단 한 번의 눈빛, 단 한 번의 대화, 단 한 번의 스침만으로도 평생의 인연을 만들 수 있을지 모른다. 이 영화를 보고 있으면 바로 그 단 한 번의 손짓, 단 한 번의 문장을 소중히 여겨야 한다는 생각이 든다.

기차에서 처음 만난 제시가 셀린에게 '빈에서 내리지 않을래요'라고 속삭이는 순간, 그들의 삶에는 지진과 같은 균열이 일어난다. 처음 보는 남자 때문에 내 목적지를 바꿔야 하나, 그냥 이 기차를 타고 가면 빨리 집으로 돌아갈 수 있는데, 그런데 이 남자는 왜 이렇게 매력적이지? 셀린의 가슴 속에서는 별의별 상념이 다 스쳐 갔을 것이다. 하지만 셀린은 편안하고 익숙한 길을 버리고 위험하고 설렘 가득한 길을 택한다.

〈비포 선라이즈〉의 속편 〈비포 선셋〉에서 셀린은 이제 다른 사람의 남편이 되어버린 옛사랑 제시를 바라보며 강렬한 상실감에 사로잡힌다. 유명한 작가가 되어 파리를 찾은 제시는 지난 시간 동안 많은 것이 변했다는 것을 온몸으로 보여주지만, 셀린은 마치 시간이 멈춘 듯, '사랑했던 그 시간'의 추억 속에 박제된 듯 안타까운 표정으로 제시를 바라본다. 셀린은 9년 만에 제시를 만나 자신의 진심을 털어놓는다. "내겐 남은 게 없어. 너와 보낸 그날 밤, 나의 로맨티시즘을 모두 쏟아부어서." 사랑도 낭만도 열정도, 한 사람이 한평생 느낄 수 있는 모든 아름다운 감정을 단 하루에 쏟아부은 느낌이었기에, 셀린은 9년 동안 제시를 그리워하며 누구도 제대로 사랑할 수 없었던 것이다. 〈비포 선라이즈〉에서 그들은 이런 사랑을 속삭이지 않았던가. "마치 꿈속에 있는 것 같아……. 이 시간을 우리가 만들어낸 것 같아."

그들은 그렇게 하룻밤에 사랑에 빠졌고, 그 사랑을 지키기 위해 각자의 자리에서 분투한다. 연락처조차 남기지 않고 그야말로 '낭만'에 모든 것을 맡겨버린 두 사람은 무려 9년이나 서로를 볼 수 없게 되지만, 오랜 시간이 지나서도 사랑은 빈의 거리 곳곳에, 셀린의 흩날리는 머리카락 속에, 제시의 찡그린 미간 사이에 변함없이 남아 있다. 〈비포 선라이즈〉, 〈비포 선셋〉, 〈비포 미드나잇〉을 이어 보는 사이, 그 오랜 시간 동안 '영원히 마음속에서 끝나지 않는 사랑'의 눈부신 햇살이 가슴속에 물결치는 것을 느꼈다.

083 SAT 그림의 손길 뛰는 사람 위에 나는 사람들

17세기 서유럽의 일상사를 그린 그림들에서 도박, 와인 그리고 서로 희롱하는 남녀들은 마치 '욕망의 3종 세트'처럼 함께 나타나곤 한다. 뛰는 놈 위에 나는 놈 있고, 나는 놈 위에 이 모두를 비웃는 희대의 사기꾼이 있다는 것을 보여주는 조르주 드 라 투르의 〈음모를 꾸미는 사기꾼들〉(1634)은 서로 속고 속이는 도박의 유희적 본질을 보여준다.

화려한 깃털 장식을 단 화면 중앙의 여인이 짓고 있는 앙큼하면서도 살짝 겁먹은 듯한 표정은 '어떻게 하면 들키지 않고 이들을 구워삶을 수 있을까' 하는 속내를 비춘다. 숨겨뒀던 에이스 카드를 살짝 쥐고는 '이건 몰랐지롱!' 하는 듯한 왼쪽의 남자는 모든 상황을 위에서 바라보는 자처럼 보인다. 오른쪽 끝, 현란한 장식으로 치장한 옷을 입은 남자가 바로 '독박'을 쓰게 될 당사자처럼 보인다. 그는 속고 있다. 그러나 자신이 속고 있다는 것을 모르는 듯하다. 오로지 자기 패에만 몰두하고 있다. 테이블에 모인 사람들은 그를 벗겨 먹기 위해 철저히 '공모'하고 있는데, 그는 그 사실을 모르고 있는 것이다.

하지만 이 모든 상황을 한 차원 더 위에서 바라보는 것은 바로 '화가'다. 테이블 위에 자신의 돈을 걸지 않은 사람만이 이 '사기의 매트릭스'를 벗어나 상황을 전체적으로 조망할 수 있다. 그리고 그 '뛰는 자 위의 나는 자'를 보는 최후의 시선은 바로 관객에게 돌아간다. 누군가가 사기를 치는 동안, 서로 속고 속이고 있음을 모르는 사람들. 그리고 그 모든 상황을 지켜보는 관찰자들. 그리고 그 관찰자들을 또 다른 시선으로 지켜보는 제2, 제3의 관찰자들. 이런 시선의 중첩은 단지 '도박하는 사람들'을 묘사하는 것이 아니라 우리가 살아가는 세상의 알레고리를 보여준다. 속고 속이는 사람들, 그러면서 자신이 속고 있는 줄도 모르는 사람들, 그런 사람들을 바라보며 '나는 속고 있지 않아'라고 착각하는 사람들. 그림을 바라보면서 반사적으로 흘러나오는 단순한 웃음은 이렇게 또 다른 성찰을 향한 사유의 등대가 되어주기도 한다. 때로는 무작정 달콤한 위로보다도 '인간 군상의 솔직한 풍자'가 마음챙김에 도움이 된다.

084 SUN 대화의 향기 영화 속 명대사를 되뇌는 밤

인간의 두뇌가 놀랍다는 생각을 할 때는 꼭 엄청난 발명품을 봤을 때만은 아니다. 내 머릿속에서 일어나는 일들, 일상 속에서 우리가 자신을 구해내기 위해 시도하는 갖가지 상상력들이 바로 놀라움의 원천이 될 때가 있다. 우리 마음속에는 마치 스스로를 위로하는 치유의 시스템처럼 작동하는 다양한 본능적 습관이 있다. '머릿속에서 들려오는 목소리'가 바로 그런 것이다. 너무 바빠서 몸을 챙길 여유가 없을 때, 육체가 피로를 견딜 수 있는 한계에 다다랐을 때, 머릿속에서는 이런 목소리가 들려온다. "이제 그만. 이건 진짜 네가 아니야. 너 자신을 지켜야 해. 몸도 마음도." 다른 사람에게 이해받지 못할 때, 노력한 만큼 인정받지 못할 때, 설움이 북받쳐와 목이 멜 때는 이런 목소리가 들려온다. "지금까지 잘 견뎌왔잖아. 누군가에게 인정받기 위해 열심히 산 건 아니잖아. 넌 정말 잘했어. 남들이 뭐라 해도, 넌 네가 할 수 있는 최선을 다한 거야." 이렇게 스스로 다독이고 쓰다듬는 내 안의 목소리, 그것이야말로 가장 외로울 때조차 나를 지키는 힘이 되어준다.

내가 나를 위로하는 데 한계에 다다를 때쯤이면 오래전 영화 속에서 들었던 아름다운 대사들이 떠오른다. 정말 사랑했던 영화들을 떠올릴 때는 마치 그 주인공들이 아직도 어딘가에서 영화와 똑같은 모습으로 살고 있을 것 같은 착각이 들기도 한다. 〈8월의 크리스마스〉의 마지막 대사는 언제 봐도 가슴 뭉클하다. "하지만 당신만은 추억이 되질 않았습니다. 사랑을 간직한 채 떠날 수 있게 해준 당신께, 고맙다는 말을 남깁니다." 당신을 과거의 추억으로 남기지 않고, 영원히 '지금 여기'처럼 지속되는 생생한 사랑의 현재로 기억하고 싶은 마음이 절절히 느껴지는 대사는 언제 다시 되뇌어도 슬프도록 아름답다.

마음이 갑갑하고 손에 일이 잡히지 않을 때, 갑자기 이 세상에서 내가 가장 외로운 사람처럼 느껴질 때, 나는 영화 속 명대사를 머릿속에서 상영하며 마치 내 머릿속이 아름다운 영화관이 된 것 같은 행복한 착시에 빠진다. 슬픔이 밀려올 때마다, 지금 당장 영화관에 달려갈 상황이 되지 않을 때마다, 머릿속의 영화관을 청소하고, 상영관 불을 끄고, 객석에 앉아 마음속 스크린에 영사기를 비춘다. 비용도 들지 않고 커다란 노력이 필요한 것도 아닌데, 이렇게 멋진 영화관이 내 머릿속에서 아름다운 언어의 향연을 펼친다. 지상에 존재하는 단 하나의 영화관, 내 머릿속의 영화관에서 나를 감동시킨 영화들을 동시 상영한다. 관객도, 스크린도, 오디오시스템도, 심지어 좌석조차 없을 때도, 내 머릿속에서는 최고의 영화가 상영될 수 있으니.

085 MON  심리학의 조언 트라우마의 사슬을 끊는다는 것

트라우마가 유전된다는 것은 고통스러운 일이다. 아이들은 부모의 좋은 면도 물려받지만, 취약한 성격이나 상처 입은 마음을 물려받기도 한다. 지금도 온갖 걱정으로 잠 못 이루는 밤이면, 내 안에 '아직 도려내지 못한 엄마의 감정적 유전자'가 살아 있음을 느낀다. 걱정 많고, 슬픔 많고, 뒤끝이 아주 긴 엄마의 감정적 사이클을 물려받은 나는, 엄마를 사랑하지만 엄마에게서 벗어나고 싶어 한다. 유전되는 트라우마의 사슬을 끊어내는 힘은 곧 '내 욕망에 투사하여 남을 바라보는 마음'의 습관을 끊어내는 것이다. '내가 의사가 되고 싶으니까 내 딸도 의사가 되고 싶을 거야', '내가 저 사람을 싫어하니까 내 아들도 저 사람을 싫어하겠지', '내가 못 이룬 꿈을 내 딸이 대신 이뤄줄 거야'라는 식으로 자신의 욕망을 타인에게 비추는 마음이 곧 '투사(projection)'이다.

자식이 싫어하는 것을 계속 강요하는 부모의 이기심이 투사의 비극 가운데 가장 대표적이다. '이게 다 널 위한 거야, 그러니까 공부를 열심히 해야지, 이게 다 널 사랑해서 그런 거니까, 네가 무조건 참아!' 이런 식으로 작동하는 모든 욕망은 투사의 비극을 강화한다. 트라우마의 사슬을 끊는다는 것은 내 욕망을 투사하여 타인을 바라보며 '저 사람은 나를 너무 닮았어, 저 사람은 나의 분신이야, 저 사람은 내가 없으면 안 돼'라는 식으로 생각하는 습관을 끝내는 것이다. 사랑하는 존재의 독립성을 인정해주고, 원하는 것을 자유롭게 추구할 수 있도록 길을 내어주는 것. 그것이 치유의 시작이다. 사랑이라는 이름으로 아이를 착취하는 부모들, '내가 널 위해 이렇게 희생하는데'라며 아이를 괴롭히는 부모들은 사실 자기 마음속에 있는 깊은 트라우마나 콤플렉스를 치유하지 못한 경우가 많다. 자신의 해결되지 않은 트라우마는 이렇게 타인에게 전염되거나 다음 세대로 유전된다.

'타이거맘'은 아이를 스파르타식으로 키우는 것이 결국 아이를 위하는 길이라 믿고 그야말로 호랑이처럼 으르렁거리며 무섭게 아이들을 몰아세우지만, 혹독한 훈육을 내면화한 아이들은 세상을 따스하고 아름답게 바라보는 마음의 눈을 잃어버린다. 안타깝게도 트라우마는 유전된다. 하지만 트라우마를 낫게 하는 자기치유력은 분명히 진화하고 있다. 포기하지 않는 마음속에, 결코 희망을 잃지 않는 당신의 마음속에, 트라우마를 치유할 수 있는 힘은 살아 숨 쉬고 있다.

086

TUE

독서의 깨달음

떠나지 못하지만 여행을 꿈꾸는 당신에게

여행에 대한 강의를 할 때마다 청중의 눈빛에서 '당장 떠나고 싶지만 떠나지 못하는 상황'에 대한 안타까움이 묻어 있음을 발견한다. 그런 이들에게는 정보 중심의 여행책자보다는 여행자의 감수성이 듬뿍 묻어 있는 에세이를 소개해주고 싶다. 첫 번째 책은 생텍쥐페리의 《인간의 대지》다. 위험과 공포로 가득한 사하라 사막에서, 그 누구도 밟지 않은 땅을 첫 번째로 밟는 짜릿한 희열을 느낀 비행기 조종사 생텍쥐페리의 자전적 이야기다. 이 책에서 나는 관광과 비행이 대중화되기 이전, 좀 더 불편하고 느렸지만 그리하여 더더욱 낭만적이고 원초적이었던 여행자의 열정을 발견한다. 안데스산맥에서 조난당했다가 기적적으로 생환한 친구 기요메, 사하라 사막에 불시착했다가 천신만고 끝에 살아온 생텍쥐페리의 이야기는 여행과 탐험, 방황과 모험이 결국 하나일 수밖에 없었던 시절의 생동감 넘치는 체험으로 가득하다. 이 책을 읽으며 혹시 '너무 방랑을 좋아한 나머지, 길 위에서 죽게 되면 어쩌나' 하던 막연한 두려움을 떨쳐냈다. '언젠가 길 위에서 죽을지도 모르는 두려움'을 '걷고 또 걷다가 길 위에서 죽어도 좋다'는 해방감으로 바꾸어준 책이 바로 《인간의 대지》다.

두 번째 추천 도서는 리베카 솔닛의 《걷기의 인문학》이다. 나는 비행기나 버스, 기차를 탈 때보다 걷고 있을 때 진정한 여행의 참맛을 느낀다. 이 책 또한 반드시 걸어야만 보이는 것들, 끝없이 걷고 또 걸음으로써 비로소 달라 보이는 풍경의 아름다움을 노래한다.

세 번째 추천 도서는 인류학자 로렌 아이슬리의 자서전 《그 모든 낯선 시간들》이다. 그의 여행은 행복을 위한 여가 활동이 아니라 생존을 위한 투쟁이었다. 아버지의 죽음 이후 네브래스카주 서부 황무지에서 화물열차와 우편열차에 닥치는 대로 올라타며 사막을 가로지르고, 흔들리는 열차에서 떨어지지 않도록 노끈으로 손목과 열차를 묶고 네바다 사막을 횡단하며, 그는 생존의 길을 향해, 학문의 길을 향해 달렸다. 언제 강도로 변할지 모르는 부랑자 무리에 섞여 어느 마을에서는 경찰의 총격까지 받으며 천신만고 끝에 그가 도달한 곳은 평생 '여행할 권리'를 잊지 않는 자유로운 삶이라는 보이지 않는 종착역이었다.

건조한 상태에서는 보잘것없지만 따스한 찻물 속으로 들어가면 오색찬란한 꽃봉오리를 피워내는 꽃차처럼, 여행은 꼬깃꼬깃 구겨져 있던 내 감성의 날개를 화려한 공작새의 날개처럼 활짝 펼쳐내는 천연의 항우울제다.

087 WED 일상의 토닥임 낭독의 기쁨으로 고통을 어루만지기

낭독은 내게 마음과 마음을 이어주는 공감과 연대의 울림을 가르쳐주었다. 낭독은 메마른 가슴에 촉촉한 단비를 내려주듯, 저마다의 닫힌 마음의 빗장을 서서히 열어젖힌다. 작가와 독자의 공감, 작중 인물과 독자의 만남, 함께 낭독하는 사람들끼리의 연대감에 이르기까지. 낭독의 기쁨은 끊임없는 연결과 울림의 연쇄 고리를 확장해 나아간다.

내가 인문학이나 심리학 강연에서 가장 자주 청중에게 낭독해주는 문장은《데미안》의 '나는 오로지 내 안에서 솟아오르는 내 모습을 살아내려 했을 뿐인데, 왜 이토록 나 자신이 되는 것이 어려운 것일까' 하는 대목이다. 이런 장면을 소리 내어 읽으면 한없는 슬픔이 가슴속에 차오른다. 그저 내가 원하는 대로, 내 안에서 우러나오는 그 무엇을 향해 살고 싶었지만, 왜 그토록 세상의 장벽을 뛰어넘는 것이 어려웠을까. 작품 속의 문장이 좀 더 나다운 언어로 재해석되어 가슴속에 새로운 파문을 일으킨다.

《데미안》에는 우리 마음속에는 우리 자신보다 훨씬 뛰어나고 지혜로운 또 하나의 내가 살고 있다는 문장이 있다. 이 문장을 함께 읽으면 청중의 눈가가 초롱초롱 맑아지는 모습이 보인다. 내 안에 나보다 더 크고 깊고 위대한 '또 하나의 나'가 살고 있다면, 우리는 길을 잃을 때마다 '내 안의 또 다른 나'라는 현자를 향해 편안하게 조언을 구할 수 있지 않을까. 나를 치유하는 힘이 내 안에 있다는 것을 깨닫는 순간, 내 안의 수많은 고통은 비로소 누그러들기 시작한다.

낭독에는 그 자체로 치유의 효과가 있다. 언젠가 한여름 만원 지하철역에서 혼자 낭독을 한 적이 있다. 너무 피곤하고 덥고 짜증 나던 날, 어차피 전철 안은 시끄러우니 나지막한 낭독 소리는 아무에게도 제대로 들리지 않았다. 아주 작은 소리로 핸드폰에 저장된 전자책 중에서 아무것이나 열어 세 문장 정도 소리 내어 읽어보았다. 그랬더니 짜증도 가라앉고, 더위도 누그러드는 느낌, 이상하게도 마음이 편안해지는 느낌이 스며들었다. 하루 종일 무언가에 쫓겨 다니듯 불안했던 마음이 신통하게도 거짓말처럼 가라앉았다. 그 이후로는 사람이 많든 적든 아주 작은 소리로 책이나 신문 중 아무 대목이나 낭독을 해본다. 그러면 마치 내 몸 전체가 낭독이 만들어내는 따스한 울림 속에서 아이스크림처럼 사르르 녹는 느낌이 든다. 한 글자 한 글자 아름다운 문장을 소리 내어 읽을 때마다, 이 세상 모든 아름다운 것들이 더 밝은 빛으로 내게 담뿍 안겨 오는 느낌이 든다. 우리가 아름다운 문장을 소리 내어 읽을 때마다, 글자 하나하나가 나를 토닥이고 감싸주는 부드러운 손길이 되어 지친 영혼을 꼭 안아준다.

088

THU

사람의 반짝임

그 사람을 만나지 않았더라면

그 사람을 만나지 않았더라면, 혹은 그 사람과 헤어지지 않았다면 내 인생은 어떻게 되었을까. 지금의 가족에게서 태어나지 않았다면 내 인생은 어떻게 되었을까. 이런 질문은 '나와 내 주변의 사람들' 사이에 맺어진 인연의 네트워크를 묻는 일임과 동시에 '나는 누구인가'라는 자기 정체성의 문제이기도 하다. 이 지구에서 태어나고, 이 나라에서 태어나고, 이 사람들을 만나서 살아가고 있는 내가 전혀 다른 행성이나 국가에서 태어나 다른 사람들을 만나 자랐다면, 전혀 다른 삶을 살고 있지 않을까. 나와 환경, 나와 인연, 나와 세계는 항상 이렇게 대화하고, 접속하고, 서로가 서로에게 깊은 영향을 끼치며 매일 새로운 연기(緣起)의 네트워크를 만들어나가고 있다. 이것은 단지 환경결정론이 아니라 '내가 사유하고, 내가 결정하고, 내가 모든 것을 창조한다'는 의식의 착각에서부터 벗어나야 한다는 의미다.

모든 것이 무언가 다른 모습으로 변신하고 있고, 소멸하고 있고, 생성되고 있으니 그 무엇도 '지금의 이 상황'을 근거로 쉽게 판단하지 않는 것이 좋지 않을까. 나쁜 상황에 지나치게 슬퍼할 필요도, 좋은 상황에 지나치게 환호할 필요도 없어진다면, 우리는 더욱 자유롭고 해방된 삶을 살 수 있지 않을까. 그러니 '각자도생'이라는 세속적인 이기심, 강자들의 폭력적 세계관은 우리를 결코 구원할 수 없다. 각자 내 할 일만 하고 남에게는 전혀 상관하지 않으려는 냉혹한 개인주의는 공생과 연대와 공감이 가득한 삶 앞에서는 분명 그 빛을 잃을 것이다.

나 자신의 상처 또한 매 순간 그 의미가 변한다. 내가 예전에 '도저히 회복할 수 없는 상처'라고 생각했던 것들도 어느덧 '이제 이미 오래전에 극복한 상처'처럼 보이기도 하고, '그런 건 상처가 아닌 줄 알았는데'라고 생각했던 작은 생채기가 알고 보니 오히려 극복하기 어려운 트라우마인 경우도 있었다. 존재가 변하듯 마음도 변하고 관계가 변하듯 생각도 변하여 모든 것이 어느 것 하나 '결정된 것'이 없다는 생각이 오히려 내 갇힌 마음을 해방시켜주는 느낌이다. 나는 한때 절망이 영원할 것이라고 믿었고, 슬픔은 끝나지 않으리라 믿었으며, 고통에 붙박인 삶에서 벗어날 길은 없는 줄로만 알았다. 이제는 '절망에 사로잡힌 나'라는 아상(我想)을 벗어나기 시작했다. 희망을 찾는 사람들, 치유를 믿는 사람들, 아픔을 극복하는 사람들이 더 많아질 것이라는 믿음이야말로 내가 심리학 공부를 통해 지켜내려는 '우리 안의 빛'이다. 공감과 연대와 배려야말로 지금 이곳에서 우리에게 매일매일 일어나고 있는 눈부신 기적이니까.

089 FRI 영화의 속삭임 나는 언제까지 '나'일 수 있을까

'자신의 죽음'에 대한 막연한 환상이 없는 사람이 있을까. 나는 병원에서 죽기보다 집에서 죽기를 바란다. 곁에서 손을 잡아줄 사람은 나와 가장 가까운 한 사람이면 충분하다. 많은 사람의 눈물겨운 배웅을 원치 않는다. 유골은 화장하여 산이나 강에 뿌리면 된다. 죽을 때 아름다운 유언을 남기고 싶지만, 아직 그런 멋진 유언은 전혀 생각나지 않는다. 하지만 이런 것들이 무에 그리 중요하겠는가. 우리는 죽음의 이미지를 상상할 뿐 결정할 권한이 없다. 언제, 어디서, 어떻게, 누구 곁에서 죽을지 그 무엇도 지휘할 수 없다. 우아한 죽음, 차분하고 정갈한 죽음을 꿈꾸는 우리의 열망마저도 이 결정 불가능성 앞에서는 한가로운 사치가 되어버린다. 수많은 영화, 문학작품 그리고 실제 인물들의 죽음을 보면서 그토록 죽음에 대한 몽상을 많이 했건만 '바람직한 죽음'이란 없었다. 모든 죽음은 어처구니없었고, 잘 모르는 사람의 죽음조차 늘 충격이었으며, 사랑했던 이들의 죽음은 평생 지울 수 없는 상처를 남겼다. 한마디로, 우리는 죽을 준비가 되지 않은 것이다.

사람들이 가장 두려워하는 죽음의 시나리오는 무엇일까. 교통사고, 암, 뇌졸중, 심장마비, 알츠하이머 등 수많은 죽음의 요인 중에서도 나는 알츠하이머가 가장 두렵다. 내가 '나'임을 기억하지 못한 채로, 많은 사람에게 폐를 끼치며 죽어갈까 봐. 모든 죽음이 아프고 두렵지만, 알츠하이머는 내가 나로서 소중히 쌓아 올린 기억의 피라미드 전체를 와르르 무너뜨리는 질병이기에 더욱 두렵다. 알츠하이머를 다루는 영화나 소설이 급증하는 이유 중 하나는 이 질병이 '나는 과연 언제까지, 어떻게 나 자신일 수 있을까' 하는 철학적 문제를 제기하기 때문이 아닐까.

〈스틸 앨리스〉는 가장 슬기롭게 질병의 고통을 견딜 수 있을 것 같은 사람, 남들이 보기에 모든 것을 다 갖춘 사람마저도 병 앞에서는 속수무책임을 보여준다. 명문대 심리학 교수이자 세 자녀의 어머니이고 사랑받는 아내인 앨리스에게 있어 '기억'이란 사실 '삶을 지탱해주는 모든 것'이다. 세계적인 명성을 얻은 훌륭한 학자이며 완벽한 스승이자 뛰어난 작가이기도 한 그녀에게 닥친 알츠하이머라는 재앙은 '나를 있게 한 모든 것'을 위협하는 공포다. 그러나 그녀는 가혹한 운명 앞에 굴복하지 않는다. 앨리스는 알츠하이머 환자들을 대변하는 감동적인 연설에서 이렇게 말한다. "저는 고통받고 있는 것이 아닙니다. 저는 투쟁하고 있습니다(I'm not suffering, but I am struggling)." 그녀는 그저 '가혹한 질병으로 고통받는 사람'이 아니라 매 순간 '나다움'을 잃지 않기 위해 투쟁하는 운명의 검투사였던 것이다.

090 SAT 그림의 손길 유쾌한 희열 속에 몸을 던지는 시간

그림에는 마법 같은 힘이 있다. 〈스케이트 타는 목사〉라는 그림을 알게 된 이후로 나는 자꾸 '유머러스한 그림'을 찾게 되었다. 원제가 〈더딩스턴 호수에서 스케이트를 타는 로버트 워커(The Rev. Robert Walker Skating on Duddingston Loch)〉인 그림 속에서 워커 목사는 미끄러운 빙판 위에서 전혀 힘들지 않은 듯, 마치 자신이 스케이트를 타고 있다는 사실조차 의식하지 않는 듯 편안한 자세를 취하고 있다. 이 놀라운 평온함, 그의 몸에서 은근히 배어 나오는 장난기 그리고 그가 입은 엄격한 성직자의 복장이 흥미로운 불균형을 이룬다.

그의 경이로운 스케이팅 장면을 보면 겨울이 단지 춥고 외로운 계절로만 느껴지지 않는다. 우아하면서도 확신 어린 몸놀림이 그림 전체에 절제된 활기를 부여하고, 스케이트를 탈 줄 모르는 나도 이 그림을 보면 왠지 스케이트를 잘 탈 수 있을 것 같은 유쾌한 기분에 감염된다. 스코틀랜드의 혹독한 겨울을 묘사하는 배경 속의 황량한 산들과 대조되는 목사의 멋진 스케이팅은 황량한 벌판 위에서도 아름다운 몸놀림으로 겨울의 우울증을 날려버리는 인간의 작지만 위대한 승리를 보여준다.

그림 속 인물은 지역사회의 존경을 받는 성직자다. 그런 그가 너무나도 작고 앙증맞은 발로 스케이트를 타고 있는 모습은 폭소를 터뜨리게 한다. 웃지도 않고 찡그리지도 않은 채 '이게 뭐 대수라고' 하는 표정으로 아무렇지도 않게 스케이트를 타는 목사의 모습에는 삶의 무거움과 온갖 골치 아픈 업무들을 이 순간만은 완전히 잊어버린 자의 여유와 내공이 묻어 있다.

이 작품을 보고 있으면 그가 평소 근엄한 표정으로 신도들에게 설교하는 모습도, 무려 다섯 명의 아이를 둔 아버지라는 점도 상상할 수가 없다. 이 그림이 자아내는 유머의 본질은 바로 그 모순과 불균형에 있다. 근엄함과 경건함의 상징인 목사가 애들이나 타는 스케이트를 이토록 우아하고 귀엽게 즐기고 있다는 '언밸런스'한 상황이 관람객을 웃음 짓게 하는 것이다. 누구에게나 이런 '감정의 해방구'가 필요하지 않을까? 책임감 있는 어른으로 살아가야 한다는 현실을 잠시나마 잊을 수 있는 시간. 나이와 성별마저 잊고 '순간의 산뜻한 희열' 속으로 정직하게 몸을 던지는 건강한 오락의 시간 말이다.

091 SUN 대화의 향기 내가 가장 잘한 것은 무엇일까

얼마 전 지난 과거를 되돌아보며 '내가 가장 잘한 것은 무엇일까'라는 질문을 해보았다. 가장 잘한 것은 단지 어떤 구체적인 행동(도전이나 만남, 시험, 이직 같은 것들)이 아니라 삶을 바라보는 내 시선과 태도의 문제라는 생각이 들었다. 나는 어렵고 힘들어도 잘 참는 마음의 습관을 기르고 싶었다. 어렸을 때부터 아무리 힘든 일이라도 일단 혼자 버티고 보자는 끈기와 인내심을 길렀다. 정말로 좋아하는 일이라면 아무리 밤을 새워도, 오랜 시간 실패를 해도 끝내 괜찮았다. 때로는 좋아하지 않는 일이라도 나의 성장을 위해 도움이 된다 싶으면 무조건, 때로는 미련해 보일 정도로 참고 버텼다. 그 힘이 나를 작가로 만들었고, 참을성 있는 어른으로 만들었다. 그 오랜 견딤의 시간이 없었다면 지금의 내가 존재할 수 있을까. 포기하고 싶었던 순간, 다 내려놓아버리고 싶었던 순간, 그때 나를 지탱해준 힘은 무엇일까. 뭔가 대단한 일을 해야겠다는 욕심보다는 지금 이 순간을 무사히, 성실히, 그러면서도 의미 있게 버텨내고 견뎌내야 한다는 믿음 때문이 아니었을까.

견딤의 시간, 인내심이 필요한 순간은 어쩔 수 없이 고통스럽다. 기다림의 지혜를 말하는 사람들은 기다림의 고통을 다른 무엇으로 승화한 이들이다. 인내심의 원숙한 경지로서 치매 환자를 보살피는 도우미들의 기다림 중 '패칭 케어(patching care)'라는 것이 있다. 패칭 케어는 처음부터 완벽한 설계도를 가지고 계획적으로 치매 환자를 다루는 것이 아니라 그때그때 뜯어진 부분을 응급처치하는 마음으로 조금씩 때가 무르익기를 기다리는 것이다. 치매 환자는 자신의 심각한 상황을 잘 받아들이려 하지 않기에 그가 상황을 받아들일 때까지 조용히 대기하며, 조금씩 환자의 불편함을 해소하는 데 만족한다. 패칭 케어에는 위계질서가 없다. 통제도 계획도 '누가 더 잘 해냈다'는 칭찬도 없다. 그저 조용히 고통을 감내하는 사람들의 정성스러운 보살핌만이 있을 뿐이다.

견딤의 가치를 아는 사람들은 설렘이 사랑으로 바뀔 때까지, 봄의 새싹이 가을의 결실이 되기까지, 천지 분간을 못 하던 아기가 어느새 지혜와 열정으로 가득한 성인으로 자라기까지, 인내심의 소중함을 '인생의 일부'로 당당히 기입할 줄 안다. 끈기와 인내를 갖고 마침내 다가올 소중한 날들을 위하여 기다리는 시간. 그 견딤의 시간은 인생에서 불필요한 시간, 쓸데없는 시간이 아니라 인생을 더욱 찬란하고 농염하게 만드는 위대한 영글의 몸짓이다.

092 MON 심리학의 조언 더 높은 나와 만나는 꿈

삶의 운전대가 제대로 작동하지 않는 순간, 무언가에 실패했거나 뜻대로 일이 풀리지 않을 때 그림자는 우리에게 섬뜩한 모습으로 본색을 드러낸다. 그림자의 얼굴은 절대 단순하지 않다. 온갖 콤플렉스와 트라우마가 복잡하게 얽혀서 마음에 맺힌 그림자의 모호성과 복잡성을 수용하는 힘이 곧 성숙의 지표다. '그릇이 크다'라는 것은 곧 이질성, 불합리, 모순조차 견뎌내는 힘이다. 피상적인 긍정, '다 잘 될 거야'라는 무조건적인 긍정의 자기 암시는 사태 해결에 별 도움이 되지 않는다. 그 사람이 내 마음대로 따라와주지 않는 것이 그림자가 아니라, 그 사람이 내 마음대로 따라와주기를 바라는 바로 그 마음이 그림자다.

우리는 내 안의 '밝음'을 편애하지 말아야 한다. 내 안의 밝음뿐 아니라 어둠까지 끌어안을 때 우리는 온전함을 되찾는다. 착하게 살기보다 온전하게 살라는 것이다. 착하게 살자는 압박감에서 벗어나 나 자신의 '온전함'을 찾고자 노력한다면, 우리의 삶은 훨씬 풍요로워지지 않을까. '치유(heal)'라는 말은 '온전하다(whole)'와 같은 뿌리에서 나왔다고 한다. 치유란 좋은 것은 쏙 빼먹고 나쁜 것은 배제하는 방식이 아니라, 내면의 어두움과 그림자까지 끌어안는 너른 사유의 품속에서 완성된다.

내면의 자기, '더 높은 차원의 자기(the higher self)'를 만난다는 것은 곧 나 자신의 그림자와 제대로 대면하는 것이다. 그 부분만 건드리면 너무 아파 끊임없이 도망치기만 하던 그림자와 만나, 마침내 그 그림자마저 소중하게 보듬어줄 수 있는 용기. 거기서 개성화의 첫걸음은 시작된다. 개성화란 끝없이 유행이나 대세를 따를 것이 아니라 진정한 내면의 목소리를 따라 자신의 삶을 스스로 개척하는 과정이다. 진정한 자기 자신을 발견하기 위한 모든 자원이 그림자 속에 들어 있으니, 내 안의 어두운 그림자, 즉 트라우마와 콤플렉스야말로 소중한 나의 일부다.

삶의 전반부가 사회화의 시기라면, 삶의 후반부는 개성화의 시기가 되어야 한다. 진정한 나 자신을 찾는 일, 즉 개성화의 요구를 묵살하면 무시해버린 자기 자신의 그림자와 잠재력이 끊임없이 우리를 향해 '내면의 조공'을 요구한다. 왜 너는 네 자신의 꿈을 돌보지 않느냐고. 왜 너는 네 자신의 가장 소중한 잠재력을 외면하느냐고. 인간은 마음대로 되지 않는 것들을 통해서만 진정으로 성장할 수 있다. 거기 우리 자신이 감당하지 못한 어둠이 있으므로. 거기 우리 자신의 뼈아픈 그림자가 투영되어 있으므로.

093 TUE

독서의 깨달음

로고테라피, '의미'로 치유하다

나는 어떤 상황에서도, 아주 사소한 일에도, 소중한 의미를 부여하고 싶어 한다. 그래서 빅터 프랭클의 《의미를 향한 소리 없는 절규》가 더욱 반가웠다. '의미를 향한 소리 없는 절규(The Unheard Cry for Meaning)'라니. 내가 고통스러웠던 모든 순간을 절묘하게 요약하는 아름다운 제목이었다. 이 책의 핵심개념인 '로고테라피(logotherapy)'는 '의미를 찾음으로써 고통을 이겨내고 상처를 치유하는 법'을 말한다. 약이나 의사를 찾지 않고도 우리가 일상 속에서 자발적으로 스스로 고통을 치유할 수 있는 방법이기도 하다. 로고테라피, 그것은 내가 겪고 있는 아픔에서 '의미'를 찾음으로써 그 의미의 힘으로 고통을 이겨내는 인간의 잠재력을 믿는 것이기도 하다. 의미는 제 발로 찾아오는 것이 아니라 우리가 적극적으로 찾아 나설 때 비로소 나타난다. 아침에 일어났을 때 단지 '직장에 나가야 해'라는 의무감이 아니라 '내가 진정 하고 싶은 일'에 몰두할 수 있는 또 하루가 시작되었다는 기쁨을 느낄 수 있다면, 이미 로고테라피를 실현한 셈이다.

나치의 수용소에서 매일 인간 이하의 취급을 받으며 먹을 것, 마실 것, 입을 것은 물론 살아갈 이유조차 찾을 수 없었던 빅터 프랭클이 그 고통을 견디며 살아남아 위대한 심리학자가 될 수 있었던 것도 바로 '의미를 향한 멈출 수 없는 갈망' 때문이었다. 그는 수용소에서 인간의 추악함도 매일 보았지만, 인간의 아름다움도 매일 발견하려 애썼다. 극한의 상황에서도 동료의 아픔을 생각하며 서로 돕는 사람들, 유머와 지식과 예술의 아름다움을 잊지 않으려 분투하는 사람들을 보며 그는 계속 살아가야 할 의미를 발견했다. 지금 수용소에 갇혀 견디고 있는 고통이 훗날 자신이 더욱 훌륭한 학자가 될 수 있는 밑거름이 될 것임을 믿었다. "인간은 자신이 추구하던 의미를 찾을 수만 있다면, 그로 인한 고통을 각오하고 희생을 감내하며 필요하다면 생명까지도 바친다. 반대로 의미를 잃으면 인간은 자살 충동을 느낀다."

'아무도 나를 사랑하지 않는다'는 고립감 속에서도 위대한 예술을 창조하는 몸짓을 통해 삶의 의미를 찾았던 반 고흐도, '음악가인데 귀가 들리지 않는다'는 고통을 견디고 오히려 귀가 거의 먼 상태에서 더욱 위대한 음악을 창조했던 베토벤도, 바깥세상의 박수 소리가 아니라 내면의 '의미'를 탐구하는 데 전력투구했던 것이다. 우리는 고통 속에서도 '의미'를 찾음으로써 매일매일 더 나은 존재가 될 수 있다.

094 WED  일상의 토닥임 너무 겸손해서 탈인 사람들

칭찬을 있는 그대로 받아들이지 못하는 사람들이 있다. 글쓰기 수업을 하면서 훌륭한 아이디어와 아름다운 문장을 만나면 나는 어김 없이 칭찬을 듬뿍 퍼붓는다. 그런데 이 솔직한 칭찬의 말을 잘 받아들이지 못하는 분들이 의외로 많다. "설마요. 전 한 번도 글쓰기로 칭찬받은 적이 없는걸요." "학교 다닐 땐 상 한 번 받아본 적이 없는데." "정말요? 제가 볼 땐 별로인데." "아니에요. 전 아직 멀었어요." 단순한 겸양의 말이 아니라 정말 칭찬 자체를 자연스럽게 받아들이지 못하는 마음속에는 이미 체질화되어버린 겸손과 낮은 자존감이 뒤섞여 있는 것이 아닐까. 생각해보니 나 또한 오랫동안 칭찬을 제대로 받아들이지 못하고, 타인의 칭찬 앞에서 얼굴이 붉어지고 머리를 긁적이던 사람이었다. 자신의 재능이나 능력을 확신할 수 없었기 때문에 타인의 칭찬이 진심으로 수용되지 않았다. 심지어 자기 분야에서 이미 인정을 받고 높은 성취를 이룬 사람들도 칭찬을 당당하게 받아들이기보다는 습관화된 겸손의 말로 응수하는 경우가 많다. "할 줄 아는 게 이것밖에 없어서요." "제가 못하는 게 얼마나 많은데요. 딱 이 일 하나만 간신히 잘해요."

우리는 왜 이렇게 칭찬을 두려워하는 것일까. 칭찬을 마음 깊은 곳에서는 간절히 원하면서도, 막상 칭찬을 받으면 쑥스럽고 숨고 싶고 난 아직 멀었다는 생각이 드는 것은 왜일까. 우리는 '이상적 자기 이미지'에 비해 '현실적 자기 이미지'를 너무 낮게 잡고 있는 것은 아닐까. 이상적 자기 이미지가 언젠가는 도달하고 싶은 자신의 상상 속 모습이라면, 현실적 자기 이미지는 '나는 현재 이 정도의 사람이야'라고 판단하는 스스로의 평가다. 자기를 현실보다 낮게 평가할 때, 자존감은 추락하고, 기분은 우울해지며, 세상을 바라보는 눈도 비관적으로 물들어간다. 칭찬을 받아들이지 못하는 것은 결코 작은 일이 아니다. 입에 발린 아첨의 말이 아닌 진심 어린 칭찬의 말조차 받아들이지 못한다면 스스로에 대한 존중과 믿음이 너무도 부족한 것이다.

자기를 사랑한다는 것이 너무 과하게 느껴진다면, 일단 자신을 존중하기부터 해주자. 언제부턴가 나 자신에게 이렇게 주문을 걸기 시작했다. '난 칭찬받을 자격이 있어. 내가 하는 일은 소중한 일이야. 난 더 많은 사랑을 받을 권리가 있어.' 그러니 칭찬을 있는 힘껏 받아들이자. 그리고 타인에게도 더 많이, 더 깊이 칭찬의 말들을 선물하자. 칭찬은 전혀 힘든 일이 아님에도 불구하고 우리 삶을 더욱 풍요롭고 향기롭게 만들어준다. 가장 가까운 사람들의 이런 따스한 칭찬이야말로 내가 나를 진심으로 사랑할 수 있게 도와준 최고의 우울증 치유제였다.

095

THU

사람의 반짝임

칭찬의 기술이 필요한 순간

향기로운 칭찬의 말들이야말로 나를 더 이상 '칭찬 기갈증'에 시달리지 않게 했으며, 칭찬보다 더 중요한 것은 자신에 대한 믿음임을 깨닫게 해주었다. 예전보다 훨씬 밝아지고 당당해진 요즘에는 누가 칭찬해주기도 전에 오히려 내가 먼저 칭찬을 유도하기도 한다. 특히 가족처럼 편안한 사람에게는 거침없이 칭찬을 요구한다. "저 정말 잘했죠? 엄청 기특하죠?" 사람들은 귀찮다는 듯이 마지못해 칭찬을 해주면서도 활짝 웃어준다. 이런 '설레발'이 상대방을 웃게 해주는 순간, 자화자찬이 유머의 수단이 될 수도 있음을 깨닫는다.

상대방이 내 자화자찬에 환하게 웃어주는 이유는, 이제 내가 나를 사랑하기 시작했음을 눈치챘기 때문이다. 칭찬이 절실히 필요한 사람들은 칭찬으로부터 필사적으로 숨고, 칭찬은커녕 비판을 받아야 마땅한 사람들이 오히려 승승장구하는 모습을 볼 때면 화가 나기도 한다. 칭찬을 마땅히 받아야 할 사람들은 칭찬으로부터 숨느라 바쁘고, 칭찬을 받을 일이 거의 없는 사람들이 자화자찬을 하며 자기 홍보에 열을 올리는 모습도 보인다. 물론 진정으로 자기를 사랑하는 사람에게는 칭찬조차 필요 없을 것이다. 하지만 그렇게 완전히 자신을 사랑하는 사람이 얼마나 될까. 우리는 여전히 부족한 자기 이미지와 싸우고 있고, 따스한 칭찬과 다정한 응원에 목마르다.

칭찬에는 기술과 정성은 물론 때로는 아주 날카로운 전략도 필요하다. 오랫동안 칭찬에 목마르면서도 칭찬으로부터 도피하는 사람들을 관찰하다 보니, 이제는 칭찬을 하는 것보다 칭찬을 진심으로 받아들이는 것이 더 어려운 일임을 알게 되었다. 칭찬에는 분명 강력한 위로와 치유의 효과가 있다. 그런데 무조건 타인을 치켜세우기보다는 그 사람에 대한 세심한 관찰을 통해 분명한 근거를 들어 칭찬을 하는 것이 칭찬을 듣는 사람의 마음을 훨씬 따스하게 위로할 수 있다.

오늘도 힘겨운 하루를 보낸 당신에게 꼭 들려주고 싶은 응원의 말이 있다. 먼저 당신이 자기가 한 일을 더 많이 사랑하고, 스스로 인정해주기를. 그리고 잊지 말자. 당신이 하고 있는 바로 그 일, 그것이 이 세상에 꼭 필요한 일이고 더없이 소중한 일임을 인정해주는 사람. 그 사람이야말로 당신의 진정한 친구라는 것을. 그리고 누군가가 당신의 재능을 칭찬해준다면 기꺼이 그 칭찬을 환한 미소로 받아주기를. 오늘도 힘겹게 하루를 꾸려오며 누군가를 기쁘게 해준 당신. 당신은 칭찬받을 자격이 있다. 더 많이 사랑받을 자격이 있다. 당신은 바로 지금 그대로의 모습만으로도 눈부시고, 충만하며, 사랑스럽다.

096 FRI 영화의 속삭임 반드시 되찾아야 할 자기다움의 길

실화를 바탕으로 한 영화 〈콜레트〉를 보면서 새삼 깨달았다. 창조성의 원동력이 때로는 자신의 재능을 의심하는 타인의 끔찍한 비난에서 오기도 한다는 것을. 콜레트는 반짝이는 재능을 지니고 있었지만, 남편에게 '너의 글은 너무 감상적이고 소녀 취향이다'라는 식의 비난을 듣는다. 하지만 그녀는 포기하지 않고 글을 써서 마침내 남편의 명성을 뛰어넘는 작가로 성장한다.

콜레트는 유령작가로 작가 인생을 시작했다. 여성이 자신의 이름으로 글을 쓰는 것 자체가 환영받지 못하던 시절, 콜레트의 남편 윌리는 재능 있는 젊은이들의 글쓰기 실력과 자신의 유명세를 활용하여 일종의 '글 공장'을 운영한다. 자신의 명성을 악용하여 젊은 작가들에게 원고를 착취해내고 원고료도 제대로 지급하지도 않아 원성을 사는 남편의 실체를 알았을 땐, 이미 그녀도 그 유령작가 군단의 일원이 되어 있었다. 글 공장 사장 윌리의 그림자로 일하며 자신의 재능을 남편의 명성을 쌓아 올리는 데 이용당한 콜레트. 그녀는 남편과의 투쟁 끝에 마침내 모든 족쇄에서 해방되고 진정한 작가의 반열에 올라서게 된다.

콜레트가 가진 힘은 바로 자신에게 주어진 상황에 굴복하지 않고 새로운 정체성을 스스로 창조하게 한 글쓰기였다. '빨리빨리 써야 해, 그래야 돈을 벌지'라는 남편의 잔소리와 착취, 감금당한 것이나 다름없는 감옥 같은 생활 속에서도, 콜레트는 자기 안의 담대함과 재능을 잃지 않는다. 마감의 압박과 신랄한 악평 속에서 오히려 콜레트의 재능과 창조성은 빛을 발한다. 바람둥이 남편과의 고통스러운 결혼생활, 그로 인해 떠나와야 했던 생소뷔르라는 아름다운 시골 마을을 향한 노스탤지어는 그녀가 반드시 되찾아야 할 자기다움이었다. 글쓰기를 통해 콜레트는 바로 그 잃어버린 시간의 아름다움을 되찾는다.

콜레트의 소설은 아내, 어머니의 역할에 속박되어 있던 당대 여성들에게 진정한 여성 해방의 의미와 자유를 향한 존재의 눈부신 갈망을 일깨워주었다. 아내의 재능을 무시하면서도 착취하느라 혈안이 되어 있던 남편 윌리의 온갖 방해 공작에도, 콜레트의 싱그러운 감수성과 창조적인 상상력은 짓눌리지 않고 오히려 더욱 빛을 발했다. 콜레트는 글쓰기를 통해 진정한 자기 자신이 되어가는 길을 찾아낸다. 최악의 상황에서도 최선의 창조성을 끌어내는 용기, 바로 그 속에서 글쓰기의 진정한 희열이 탄생한다.

097 SAT 그림의 손길 진정한 웃음의 비밀

그림뿐만 아니라 일상 속에서도 나는 작은 웃음의 기회를 엿본다. 런던 지하철역에서 만난 '커플 매니지먼트' 광고가 그랬다. '저는 정말 유머 없는 사람이 좋아요. 정말이라니까요'라고 속삭이며 웃는 여인은 지금 '짝'을 찾고 있다. 유머 없는 사람이 좋다는 여성의 고백이 커플 매니지먼트 광고가 될 수 있다니! 광고를 보며 한참 웃었다. 영국 사람들도 유머에 대한 스트레스가 심한가 보다. '유머 감각이 없다'는 콤플렉스를 나만 앓고 있는 것은 아니었구나.

사실 유머라는 것이 꼭 엄청난 화술과 우스꽝스러운 행동으로만 태어나는 것은 아니다. 사랑하는 사람들과 함께 사소한 장난을 치는 것만으로도 우리는 얼마든지 미소 지을 수 있다. 진정한 웃음의 비밀은 '유머 자체의 밀도'가 아니라 '누구와 함께 웃을 수 있는가'라는 상황에 있는 것이 아닐까.

심각하고 진지한 분위기를 기대했다가 뜻밖에도 깨알 같은 유머 코드를 발견할 때 긴장이 이완되고, 삶을 바라보는 눈이 느긋하게 풀어진다. 치유의 본질은 이완이다. 예전에는 피터 브뤼헐의 그림이 '우습다'는 생각을 못 했는데 지금은 그의 그림을 볼 때마다 미소가 절로 나온다. 그의 유머 코드를 이제야 이해하기 시작했나 보다.

피터 브뤼헬의 〈농가의 결혼식〉(1568)을 보면, 결혼식이라는데 정작 신랑 신부는 주인공이 아니다. 신부는 취했는지 피곤한지 몽롱한 상태로 보이고, 결혼식을 진짜로 즐기고 있는 사람들은 '별 상관없는 하객들'이다. 사람들은 흥에 겨워 신나게 술을 마시고, 춤을 추고, '작업'을 걸기도 한다. 사람들의 몸짓 하나하나가 흥겹다. 인생이란 원래 이렇지 않은가? 잔칫집에서 진짜 주인공은 신랑이나 신부가 아니라 가장 많이 퍼마신 객이라는 아이러니.

나도 왠지 저런 잔칫집에 가본 느낌이 든다. 타고난 공감의 능력을 한층 끌어올리는 이 작품은 너무나 '토속적'인 상황이 상상력을 더욱 자극한다. 유럽의 잔칫집도 그랬구나, 우리네 잔칫집도 그렇던데. 그림 속 인물들과 술 한 잔 기울이고 싶게 하는 그런 그림이다.

098 SUN

대화의 향기

자기혐오와 싸우는 방법

글쓰기 수업에서 한 수강생이 이런 질문을 했다. "저는 글을 정말 열심히 쓰는데, 어느 정도 쓰고 나면 자기혐오가 밀려와요. 왜 이렇게 재능이 없을까, 누가 내 글을 읽어나 줄까 하는 두려움, 나 자신에 대한 미움 때문에 글쓰기에 집중이 잘 안 됩니다." 놀랍게도 옛사람들은 '자기혐오(self-hatred)'라는 감정 자체를 몰랐다고 한다. 자기혐오는 분명 문명화 이후의 증상이다. 자기혐오는 너무 많은 비교 속에서 자신을 사랑하는 법을 잃은 현대인의 고질병이 되어가고 있다.

당신은 당신이 동경하는 무언가가 되지 않아도 충분히 소중하고 아름다운 존재다. 나는 요새 매일 세 번씩 '나는 충분하다'라는 주문을 되뇐다. 이 주문은 자꾸만 나 자신을 '형편없는 존재'로 깎아내리려는 내 안의 초자아가 뿜어내는 독성으로부터 나를 보호해준다. '나는 충분하다'라는 주문을 되뇌며 내가 이미 지니고 있는 것들로 내 삶을 조화롭게 가꾸고 싶어 하는 내 안의 더 큰 나와 만난다. 나는 충분하다. 지금보다 더 많이 갖지 않아도 된다. 이미 많은 것들을 가지고 있다. 나는 충분하다. 내 결점들을 잘 알고 있지만, 그 결점 때문에 내가 지닌 본래의 빛이 가려지지는 않는다. 내가 가진 지혜와 용기의 빛만으로도 충분히 이 세상을 헤쳐 나갈 수 있다. 나는 충분하다. 타인에게 의존하지 않아도 내 삶을 꾸려갈 수 있다. 타인을 사랑하는 것과 타인에게 의존하는 것은 다르다. 나는 타인을 사랑하되 의존하지 않을 것이다. 나는 내 힘만으로 이 세상을 헤쳐 나갈 수 있다. 이런 식으로 '나는 충분하다'라는 아주 간단한 문장을 좀 더 나다운 방식으로 해석하고 확장해 나아간다. 그렇게 나를 무시하고 비난하며 나를 깎아내리려는 초자아에게 맞서고, 초자아의 자기혐오가 그릇된 것임을 이성적으로 깨닫는다. 내 안의 더 큰 나와 만나는 것은 이런 총체적 치유의 힘을 지니고 있다.

비난의 말들, 트라우마의 기억이 마치 '붉은 피'처럼 선명한 색으로 우리 가슴을 물들인다면, '내 안의 더 큰 나'를 만들어가는 과정은 내 마음이라는 연못을 끝이 보이지 않는 거대한 바다로 만들어가는 과정이다. 비난의 화살, 트라우마의 상처가 아무리 붉은 피처럼 선명하더라도 내 마음이라는 드넓은 바다에 섞여버리면 그 어떤 힘도 발휘하지 못한다. 바닷물에 한 방울의 핏방울을 떨어뜨려도 아무런 변화가 없는 것처럼. 내 안의 더 큰 나를 발견하고 확장하고 성장시키면, 그 어떤 상처도 나를 무너뜨리지 않는 무적의 요새를 지을 수 있다.

099 MON  심리학의 조언 약물 치료는 과연 지름길인가

미국의 생활용품 전문점에 잠시 양말을 사러 들렀다가 깜짝 놀랐다. 식품, 화장품, 가벼운 의류 등 일상에서 필요한 것들을 팔고 있는 상점에서 가장 커다란 비중을 차지하는 것이 바로 '약품' 코너였기 때문이다. 한국에서는 10개 들이 낱개 포장으로 판매되는 진통제(그것도 아이들이 꺼내 먹지 못하게 겹겹이 철통방어하여 포장해 파는 약들)가 무려 100개나 200개씩 플라스틱통에 담겨 판매되고 있었다. 멀리서 보면 비타민이 담긴 통과 진통제가 담긴 통의 생김새가 크게 다르지 않았다. 이렇게 쉽게, 이렇게 대량의 약을 마구 팔아도 되는 것일까. 껌을 사는 것과 약을 사는 것이 별로 다르지 않아 보였다. 미국에서는 약물중독으로 한 해에 7만여 명이 사망하고 있는데도, 약물에 대한 규제는 너무도 미약한 실정이다. 우리의 마음을 과연 약으로 다스릴 수 있을까. 잠깐 약물을 통해 마음이 편안해진다고 해도, 그 효과가 얼마나 갈까. '약효를 발휘하는 시간'만큼만 마음이 진정된다면, 나머지 시간은 무엇으로 견딜 것인가. 마음의 아픔 때문에 먹었던 약이 몸에 치명적인 영향을 남긴다면, 마음은 잠깐 괜찮아졌지만 몸은 망가지게 된다면 어떻게 견딜 것인가.

《마음이 병이 될 때》의 저자 조지프 데이비스는 질병에 대처하는 현대인의 태도를 비판한다. 일단 정신질환 진단에서부터 문제가 있다. 의학용어를 남용하고, 진단을 받기도 전에 약을 남용하는 사례가 급증하다 보니, 통과의례의 고통과 심각한 정신질환을 구분하지 못하는 사람들이 많아진다. 실연이나 실직처럼 원래 힘들 수밖에 없는 상황에서 약부터 찾는다면 우울감과 우울증을 구분하지 못하게 된다. 우울증은 치료가 필요하지만 우울감은 정상적인 침체다. 문제는 사람들이 실력 있는 전문가의 정확한 진단보다는 빠르고 손쉽게 고통을 제거하는 수단에 의존한다는 점이다.

약물은 스스로 견디는 힘을 퇴색시킨다. 몸에 면역력이 있듯이 마음에도 스스로 나아지는 회복탄력성이 있다. 자기치유의 노력은 약물 투여보다 오래 걸리기 때문에 사람들은 더 쉬운 해결 방법을 택하지만, 본질적인 해결이 되지 못한다. 약물의 진정 효과가 사라지면 마음은 또다시 우울과 불안을 호소한다. 우리 안에는 고통에 일희일비하지 않는 참된 자아가 존재한다. 우리가 어떻게 살아야 할지 궁극적으로 더 나은 길을 향해 인도하는 참된 자아가 누구의 마음속에나 존재하고 있다. 문제는 이 참된 자아를 찾는 길을 약물과 광고와 환자들의 조급함이 가로막고 있다는 점이다. 나는 내 우울의 치료제를 안다. 내가 읽은 모든 책, 내가 만난 모든 좋은 사람, 내가 경험한 모든 일상의 소중한 순간이 치유의 비결이다. 마음공부야말로 그 어떤 중독의 위험이 없는, '내 안의 최고의 치유제'가 아닐까.

100

TUE

독서의 깨달음

'시인-되기'의 기쁨, 트라우마를 치유하다

자신의 상처를 말은커녕 글로도 표현할 수 없던 사람이 글쓰기를 시작한다면 그의 상처는 치유될 수 있을까. 진은영, 김경희의 《문학, 내 마음의 무늬 읽기》는 '글쓰기가 치유의 시작'이라고 말해줄 것만 같다. 상처를 어떤 여과장치도 없이 입말로 '표출'하는 것이 아니라 은유와 상징을 통한 문학적 글쓰기를 통해 '표현'할 수 있다면, 상처는 '글'이라는 또 하나의 텍스트가 되어 내 앞에 가로놓이게 된다. 즉 나와 상처 사이에 '거리'가 생기게 되는 것이다. 바로 이 거리 두기의 시작이 치유의 가능성이다. 상처에 거리를 둘 수 없는 상태는 상처 속에 깊이 빠져 있을 때이기 때문이다. 자기 안의 트라우마를 글쓰기라는 매개체를 통해 표현할 수 있을 때, 우리는 '상처를 바라보는 나'와 '상처 속에서 아직 헤어 나오지 못한 나'를 구분할 수 있다. 이제 상처를 바라보는 나는 상처 속에서 몸부림치는 나를 구해낼 수 있는 새로운 주체로 거듭나게 되는 것이다.

나와 비슷한 아픔, 나와 닮은 슬픔을 앓고 있는 사람들의 문장은 내 슬픔을 객관화하고 상대화할 수 있는 소중한 기회를 제공한다. 문학치료의 과정 속에서 참가자들은 '내가 과연 나만의 고유한 개성을 담아 글쓰기를 시작할 수 있을까' 하는 두려움에 노출된다. 이것은 글쓰기를 꿈꾸는 사람들에게 꼭 필요한 두려움이기도 하고, 무언가를 자발적으로 시작할 수 있는 사람들이 느끼는 필연적인 통과의례이기도 하다.

어떤 문장부터 시작해야 할지 모르는 사람들에게 알려주고 싶다. 어떤 문장이라도 좋으니, 시작하는 것 자체가 중요하다고. 이 책에서 문학치료의 효과를 가장 직관적으로 보여주는 사례 중 하나가 '가나다라마바사아자차카타파하'로 미니자서전을 써보는 작업이다. 마치 삼행시처럼 누구나 따라 할 수 있으면서도 동시에 자신의 인생 이야기와 창조적 개성을 동시에 발휘할 수 있는 형식이다. 이렇게 아직 글쓰기를 홀로 시작하기 어려운 사람들이 도전해볼 만한 최소한의 형식을 개발하는 것이 문학치료의 지름길이다. 우리가 자신만의 글을 쓸 수 있을 때까지, 격려해주고, 함께 읽어주고, 그 과정 전체를 함께해주는 사람, 그가 바로 문학 상담의 멘토가 될 것이다. '저 사람이라면 내 글을 아주 정성껏 읽어주고, 글의 숨은 행간까지도 소중하게 읽어줄 거야' 하는 믿음이야말로 치유의 근간이 되지 않을까. 문학치료의 과정 속에서 '누군가 나와 함께 있어준다는 것'을 느낄 수 있다면 '내 상처를 홀로 대면하는 고통'은 곧 '내 상처와 따스하게 대화하는 기쁨'으로 변화할 수 있다.

101 WED 일상의 토닥임 감정노동에 시달리지 않을 권리

한 빵집에 갔다가 이런 문구를 적어놓은 메모를 보았다. "반말은 삼가주세요." "돈과 카드는 던지지 않는 센스!" "주문은 끝까지 해주세요!" 얼마나 험한 일을 겪었으면 이런 문구를 붙여놓을까 싶다. 반말을 아무렇지 않게 던지는 사람들, 돈이나 카드를 집어 던지며 불쾌감을 주는 사람들, 주문도 끝까지 하지 않고 대충 말하고 휙 가버리는 사람들 때문에 직원들은 얼마나 감정노동의 스트레스를 견뎌야 했을까. 특히 "반말은 삼가주세요"라는 문장 뒤에는 울고 있는 모양의 'ㅠㅠ'라는 이모티콘이 붙어 있어 직원들이 느꼈을 마음의 상처가 더욱 생생하게 전달되었다. '손님은 갑, 무조건 손님이 왕'이라는 식의 권위적인 사고방식이 이런 폭력적인 언어 습관을 낳은 것이다.

'점원과 손님의 접촉을 차단하는 언택트(untact) 마케팅이 대세'라는 신문 기사 또한 마음을 아프게 한다. 접촉을 뜻하는 컨택트 앞에 부정의 접두사 un을 붙인 이 신조어는 단어 자체가 사람의 마음을 아프게 하는 말이다. 물론 점원의 개입 없이 조용하게 혼자 구매 결정을 내리고 싶어 하는 손님들 마음은 이해하지만, 그렇다고 '언택트 마케팅이 대세'라며 점원의 개입 자체를 막는 것은 지나친 것 아닐까. 정말 점원의 도움 없이 인공지능 로봇을 등장시켜 최소한의 개입만 하는 것이 미래 지향적인 마케팅인가. 점원 없는 매장에서 로봇이나 기계만을 상대해야 하는 낯선 상황에 당황하는 손님들도 많을 것이다. 기업의 이익만을 생각하는 이런 사고방식은 점원뿐 아니라 손님의 마음에도 상처를 준다. 손님들은 점원의 과도한 개입을 부담스러워하는 것이지 친절하고 배려심 깊은 서비스 자체를 싫어하는 것이 아니다.

과도한 존댓말이나 경어체의 사용을 유도하는 문화도 손님과 점원의 거리감을 가중시킨다. "주문하신 음식 나오십니다!"라는 식의 문장을 직원들에게 교육시키는 문화는 손님뿐 아니라 음식에까지 과도한 높임말을 씀으로써 손님과 점원의 거리감을 가중시킨다. "사랑합니다, 고객님!" 같은 과잉된 애정 표현 또한 거부감을 불러일으킨다. 사랑은 손님과 고객 사이에 어울릴 만한 단어가 아니지 않은가. 이런 과도한 표현은 '사랑'이라는 단어가 지닌 본래의 의미마저 퇴색시킨다. 존중과 배려면 충분한 상황에서 친밀한 관계에나 어울릴 만한 애정이나 과도한 극존칭을 요구하는 직원교육은 손님과 점원 사이의 불필요한 감정노동을 격화시킨다. 우리 모두 이런 과도한 감정노동에 휘둘리지 않을 권리가 있다. 그 누구에게도 '과도한 친절'을 베풀 필요가 없는 사회, 최소한의 친절만으로도 모든 일상이 유지될 수 있는 사회가 좋은 사회 아닐까.

102 THU  사람의 반짝임 낯선 사람의 친절로 반짝이는 시간

따스한 배려의 언어와 무조건적인 존중의 몸짓. 그것이야말로 서로의 상처나 아픔을 치유하는 최고의 해법이다. 배려가 몸에 배어 있는 사람들은 '타인에 대한 무조건적인 존중'이 마음 깊숙이 깔려 있는 사람들이다. 모두가 '아낌없이 주는 나무'처럼 자신이 가진 모든 것을 주리라고 기대하긴 어렵지만, 아주 작은 배려만으로도 내 삶은 물론 세상이 훨씬 아름다워지는 길은 일상 곳곳에 숨어 있다. 가령 식당이나 상점에서 점원에게 불필요한 노동이나 서비스를 강요하지 않고 내가 할 수 있는 것은 스스로 챙기기, 상대가 어리다고 무조건 반말하지 않기, 누군가가 아프거나 힘들어 보인다면 그의 수고를 덜어주기 위해 휴식 시간을 주기. 모두 우리가 일상 속에서 충분히 실천할 수 있는 배려의 몸짓이다.

배려는 본능적으로 자신을 먼저 생각하는 인간의 마음에 '타인을 생각할 수 있는 또 다른 여유'가 남아 있다는 증거이기도 하다. 스스로를 위하는 것이 인간의 본능이긴 하지만, 자신만을 위한 삶에 모든 힘을 다 쏟아붓는 것은 결코 행복한 삶이 아니다. 배려는 마치 보이지 않는 마음의 천막처럼 다른 사람들을 내 삶이라는 천막의 그늘에 와서 쉬게 해주는 아름다운 몸짓이다.

예전 영국에 갔을 때 처음 가보는 도시 세인트 얼반(St. Alban)에서 배려의 마음으로 여행자를 기쁘게 해주는 사람을 만났다. 나는 세인트 얼반 대성당을 찾고 있었는데, 그가 자신도 이곳은 처음이라며 인터넷으로 지도를 찾더니 '말로는 잘 설명하지 못하겠다'며 자신의 자동차에 타라는 것이었다. 걸어가긴 꽤 멀다며 걱정 말고 자신의 차에 타라는 그의 친절함 덕분에 낯선 도시에서 길을 잃지 않고 즐겁게 여행을 계속할 수 있었다. 바람 씽씽 부는 날 추위와 당혹감을 잊고 나를 더욱 행복한 여행자로 만들어준 그의 아름다운 마음씨 덕분에 '낯선 사람의 배려'야말로 삶을 더욱 반짝이게 만드는 행복의 지름길임을 깨달았다.

오늘도 우리의 곁에 걱정의 비, 분노의 비, 고독의 비를 맞고 있는 누군가가 있다면, 우리가 저마다 마음속에 지닌 보이지 않는 천막을 펼쳐 그 사람의 아픔을 가려줄 수 있다면 어떨까. 아픔을 겪고 있는 타인뿐 아니라 마음의 천막을 내어주는 우리 자신의 삶 또한 따스한 온기로 가득 차게 될 것이다. 배려는 마음을 마치 커다란 천막처럼 세상 속에 펼쳐놓고, 슬픔의 비가 내릴 때마다 누군가가 내 천막의 그늘에 와서 쉴 수 있도록 마음의 곁을 내주는 일이다.

103 FRI 영화의 속삭임 마지막까지 지켜야 할 존엄

영화 〈덩케르크〉를 보면서 극한 상황 속에서도 우리를 끝내 인간이게 만드는 힘을 생각해보았다. 2차 대전 당시 독일군에 '승리'하기 위해서가 아니라 덩케르크에 고립된 40만 명의 연합군을 '철수'시키기 위해 각자의 자리에서 고군분투하는 사람들의 처절한 사투. 그 속에서 빛난 것은 애국심이나 영웅주의가 아니라 한 사람의 목숨을 전투의 승리나 국가의 대의명분보다 소중히 여기는 마음가짐이었다.

큰아들이 전쟁 초기에 전사했음에도 불구하고, 작은아들을 데리고 자신의 선박을 직접 몰고 전쟁터로 나와 수백 명의 병사들을 구하기 위해 목숨을 거는 도슨 선장의 모습은 가슴을 울렸다. 도슨 선장의 따스한 미소와 놀라운 용기는 영화가 끝난 뒤에도 오랫동안 내 가슴속에서 환한 등불이 되어 어둠을 밝혀주는 느낌이었다. 이 상황에서 작은아들마저 목숨을 잃는다면 두 아들을 모두 전쟁에서 잃는 것인데, 도슨 선장은 두려움을 이겨내고 '더 많은 사람'을 구하기 위해 바다로 나아간다.

단지 생환만이 유일한 지상명령이 되어버린 상황에서 병사들은 마지막 구명보트에서 서로를 잔인하게 밀어내는 극한의 생존경쟁을 펼치기도 하지만, 결국 개인의 안위보다는 '모두의 존엄'을 선택한 사람들의 용기와 지혜 덕분에 무려 38만 명의 군인들이 무사히 구출된다. "전쟁에서 철수는 승리가 아니지요. 하지만 이번 덩케르트 철수는 명백한 승리입니다." 적을 항복시키는 것보다 더 위대한 승리는 바로 생명만큼이나 소중한 40만의 존엄을 지켜낸 것이었다. '적을 이기지도 못하고 단지 살아남는 데 급급했다'는 자괴감에 빠진 병사들에게 사람들은 일깨워준다. 그대들이 살아 돌아온 것만으로도 우리는 기쁘며, 당신들은 충분히 위대하다는 것을. 덩케르트 작전의 외피는 '철수'지만, 그것은 패배나 후퇴가 아니라 인류의 집단적 존엄의 승리였다.

모두가 집단의 명령에 굴복하여 약자들을 짓밟을 때 단 한 명만이라도 용기를 내어 그 불의와 폭력을 향하여 '아니오'라고 대답할 수 있다면, 희망은 있다. 전쟁은 물론 어떤 극한 상황에서도 우리를 끝내 인간이게 만드는 힘. 그것은 인생의 우선순위를 짜릿한 승리나 경쟁에 두는 것이 아니라 고통받는 타인을 향한 자비와 공감, 존엄과 정의에 두는 것이 아닐까. '무찔러야 할 적들'과 '지켜야 할 우리'를 나누는 단단한 경계를 뛰어넘는 용기, '지켜야 할 우리'의 경계를 끊임없이 확장하는 자비와 포용이야말로 우리를 인간답게 하는 힘이다.

104 SAT  그림의 손길

행복이란 이런 것, 아름다움이란 이런 것

클로드 모네의 〈양산을 든 여인〉(1886)은 우울할 때마다 자주 꺼내 보는 그림이다. 아름다움이란 이런 것이구나, 사랑스러움이란 이런 것이구나. 모네가 여성과 자연의 어우러짐을 그린 그림을 볼 때마다 이런 감탄을 연발한다. 〈양산을 든 여인〉은 모네가 단지 풍경화의 달인이 아니라 인물화의 달인이기도 하다는 것을 새삼 깨닫게 해준다. 바람에 나부끼는 풀잎들, 햇살을 온몸으로 받아내는 양산, 바람과 햇살의 어울림을 마치 춤추듯이 즐기는 여인의 우아한 몸짓. 이 모든 것이 어우러져 행복이란 이런 것, 아름다움이란 이런 것, 사랑스러움이란 이런 것이라는 모범답안을 보여주는 듯하다.

모네는 꽃이나 나무처럼 자신을 '자연의 일부'로 긍정하는 인간의 겸허한 아름다움을 포착한다. 나는 인간의 모습이 배제된 모네의 〈수련〉 연작도 좋지만, 아직 '사람들의 표정과 몸짓'이 남아 있는 초기작들에 더 따스한 눈길이 가곤 한다. 〈수련〉 연작이 모네가 지베르니라는 아름다운 고장에서 자연 속으로 귀의한 후의 철학적 탐구를 담고 있다면, 모델의 모습들이 아직 살아 있는 초기작에서는 '자연 속 인간'의 모습이 좀 더 구체적으로 드러나 있기 때문이다.

모네의 인물들은 자연 속에서 결코 튀지 않는다. 자신을 드러내는 것이 아니라 자신을 자연 속에 조용히 숨기는 인물들은 모네의 눈에 비친 세상의 일면을 나타낸다. 〈양산을 든 여인〉을 가만히 바라보고 있노라면, 그림 속 여인의 양산과 치맛자락과 희미한 미소까지도 자연의 일부로 녹아드는 듯하다. 모네는 명확한 경계선이 아니라 색채 그 자체로 존재의 테두리와 양감 모두를 표현하려 했다. 그는 사물에 깃든 색채만으로 자연과 인간의 모든 것을 표현하는 경지를 향해 한 걸음 한 걸음 나아갔다. 모네는 이렇게 말했다. "색은 하루 종일 나를 집착하게 하고, 행복하게 하고, 고통스럽게 만든다." 그 행복과 집착과 고통이 모여 이토록 아름다운 작품이 태어난 것이다. 기쁨이 고플 때면, 행복이 고플 때면, 나는 이 그림을 떠올리며 기쁨과 행복의 바다를 헤엄치는 느낌을 얻는다.

105 SUN  대화의 향기 사랑하는 일을 '업'으로 삼는다는 것

나는 사실 문학을 '직업'으로 삼고 싶지는 않았다. 너무 사랑하는 것을 직업으로 삼으면, 그것에 매달리게 될까 봐. 문학과 밥벌이는 왠지 어울리지 않는 조합이었다. 하지만 그렇게 생각하는 것이 '프로 의식'을 약화하는 법이다. 정말로 떳떳하게 문학을 사랑한다면, 문학이 직업이 되든 아니든 개의치 말아야 한다. 그리고 문학을 직업으로 권할 수 있을 정도로 더욱 당당해져야 한다. 소설가나 시인이 되지 않더라도, '문학의 울타리' 안에서 살아갈 수 있는 직업은 꽤 많다. 문학작품 속에 들어 있는 수많은 지혜나 아름다운 문장들을 '삶의 소중한 자양분'으로 바꿀 수 있는 일이라면, 그 무엇이나 당당한 직업이 될 수 있을 것이다.

나에게도 용기를 주는 일들이 몇 번 있었다. 한 지역 도서관에서 강연을 했는데, 중학생 아들과 어머니가 함께 내 강의를 들었다. 수업이 끝난 다음 어머니는 '우리 아이가 선생님처럼 작가가 되고 싶어 한다'라고 하시면서 어떻게 하면 작가가 될 수 있는지 알고 싶다고 하셨다. 아들의 표정은 진심이었다. 이런 일이 몇 번 반복되자, 나의 '걱정과 조바심'은 '희망과 안도감'으로 바뀌어 가고 있다. 무엇보다도 자라나는 꿈나무들이 '문학'이나 '작가'에 관심을 가진다는 것이 참으로 고무적이었다.

몇 년 전에는 대학에서 '한국문학과 세계문학'이라는 강의를 한 학기 동안 진행했는데, 그중에서 정말 눈을 반짝거리며 단 한 번도 지각이나 결석을 하지 않고 열심히 듣는 학생이 있었다. 그 학생이 하도 기특해서 "학생은 이 험난한 시대에 문학을 선택했군요?" 하고 말을 걸어보았다. 눈가가 촉촉한 그 학생은 마치 기다렸다는 듯이 내게 하소연을 했다. "사실 저는 이과를 선택하고 싶지 않았거든요. 저는 국어 선생님이 되고 싶은데, 부모님이 절대 안 된다고 하셔서 어쩔 수 없이 이과를 선택했어요. 그래서 이 수업이 저에게는 쉼터였어요." 문학이 쉼터가 될 수 있음을 스무 살에 벌써 알아버렸으니, 그 학생은 더 이상 홀로 방황하지 않아도 될 것이다. 나는 비슷한 상황에 처했던 내 친구가 대학을 졸업하고 다시 임용고시를 봐서 국어 선생님이 되어 지금 행복하게 살아가고 있다는 이야기를 들려주었다.

사랑하는 것을 업으로 삼아서는 안 된다는 생각은 틀렸다. 사랑하는 것일수록 매일 곁에 두어야 한다. 우울과 불안과 슬픔에 빠지지 않기 위해, 우리는 가장 사랑하는 것을 내 곁에 둘 수 있는 삶을 선택할 권리가 있다.

106 MON  심리학의 조언 스트레스, 마음의 실체를 바라보는 창

우리는 스트레스로 인해 극도의 정신적 황폐함을 겪을 수도 있지만, 오랜 스트레스로 고생하다가 뜻밖에 새로운 결정을 내리거나 인생을 바꾸는 전환점을 찾기도 한다. 스트레스가 부정적인 역할을 하든 긍정적인 역할을 하든, 중요한 것은 스트레스가 어떤 결정적인 '신호'라는 것이다. 기존의 자극을 피해야 한다는 신호, 혹은 자극으로부터 무언가를 배우라는 신호, 더 나아가 그 자극과 고통을 통해 내 삶을 돌아보라는 신호일지도 모른다. 사실 현대인은 각종 스트레스를 피하느라 스트레스가 주는 긍정적인 효과에 대해서는 거의 생각할 겨를이 없다. 가족, 직장, 학교, 병원, 군대, 관공서 어느 곳이든 스트레스 없는 곳이 있겠는가. 하지만 잠시 스트레스를 향한 알레르기 반응을 멈추고, 스트레스의 효과를 생각해보자. 모든 행복한 일에는 어느 정도 스트레스가 공존하지 않았는가. 사랑도 '그 사람에게 내가 어떻게 보일까'를 끊임없이 신경 쓰는 스트레스를 감수하는 일이며, 우정도 '친구에게 내가 좋은 사람이 되어야 한다'는 긴장감을 유지해야 하는 일이다. 극도의 긴장감이 없다면, 극도의 스트레스가 없다면 어떤 운동경기도, 어떤 오케스트라 연주도 감동적이지 않을 것이다. 모든 '살아가는 행위'에는 스트레스 인자가 포함되어 있다. 스트레스 자체가 속속들이 나쁘다기보다는 스트레스에 반응하는 우리 자신의 마음과 태도가 삶을 바꾸는 것이 아닐까.

심리치료사 켈리 맥고니걸은 정신적 고통을 치유하는 데 스트레스 호르몬이 오히려 도움이 된다고 증언한다. 테러 공격에서 살아남은 50세 남성 생존자가 심각한 외상 후 스트레스 장애를 앓고 있었는데, 그에게 3개월 동안 코르티솔이라는 스트레스 호르몬을 10mg씩 투여한 뒤로 증상이 엄청나게 호전되었다고 한다. 사고 당시를 조금이라도 떠올리면 극심한 고통을 느끼던 환자는 스트레스 호르몬을 지속적으로 투여 받은 뒤 오히려 정상적인 삶을 살 수 있게 되었다. 이제 미국의 의사들은 스트레스 호르몬의 효과를 다양한 치료법에 활용하기 시작했다. 심장 수술 환자들에게 스트레스 호르몬을 투여하니, 집중치료 기간이 줄어들고 고통이 경감되었으며 삶의 질이 향상되었다고 한다. 스트레스 호르몬은 정신과 치료의 보조제로도 사용된다. 정신과 치료 직전에 스트레스 호르몬을 투여하면 불안증과 공포증 치료의 효과를 향상시킨다고 한다. 물론 이런 사례가 모든 경우에 적용되는 것은 아니지만, '스트레스를 어떻게 적극적으로 조절하고 활용하는가'에 따라 삶의 질이 바뀔 수 있다는 것은 분명해 보인다. 요컨대 스트레스를 '피할 방법'만을 생각하기보다는 스트레스의 구체적 영향을 살펴보고 때로는 스트레스를 적극적으로 활용할 필요도 있다.

107 TUE  독서의 깨달음

마지막 순간까지 열정적인 독자이기를

나는 이런 이야기를 좋아한다. 상황은 급박하지만, 그 상황을 견디는 사람은 신기하리만치 차분하고 담담한 이야기. 담백하게 아픔을 견디지만, 침울해지는 것이 아니라 오히려 하루를 활기차게 살아갈 힘을 주는 이야기. 《엄마와 함께한 마지막 북클럽》을 처음 읽었을 때, '나중에 정말 힘들 때 꼭 다시 읽어야지'라고 생각했다.

이 책의 저자는 《모리와 함께한 화요일》의 기획자로 잘 알려진 유명 출판사의 편집장이지만, 실제 주인공은 '췌장암으로 죽어가는 어머니'다. 어머니의 화학치료를 기다리는 병원 대기실에서 아들은 도대체 무슨 이야기를 꺼내야 할지 모르지만, '요즘 읽는 책 이야기'를 꺼내자 어머니의 표정은 환해진다. 이때부터 화학치료 때마다 모자(母子)는 둘만의 '북클럽'을 꾸려나간다. 고통스러운 암치료를 앞두고 어머니는 초조할 법도 하건만, 아들과의 북클럽이 기다리고 있다는 이유 하나만으로 힘겨운 치료를 이겨나갈 힘을 얻는다. 아들은 어머니에 대한 더 깊은 사랑을 체험한다. 어머니에게 어떻게 사랑한다는 표현을 해야 할지 몰라 망설이는 아들에게 어머니가 세상에서 가장 좋아하는 활동, '책 읽기'를 함께하는 것만큼 아름다운 효도는 없지 않을까.

작가의 어머니 매리 앤 슈발브는 평생 자식들에게 '끊임없이 도전하고, 고통에 빠진 타인을 돕고, 쉼 없이 책을 읽는 삶'을 가르치고 실천한 분이다. 하버드대학교 입학처장을 지내고, 아프가니스탄에 도서관을 짓기 위해 분투하고, 전 세계 난민 돕기 운동에 참여하며 27개국을 방문하고, 그러면서도 세 아이의 훌륭한 어머니로 살아가는 동안, 어머니가 한 번도 멈춰본 적이 없는 일이 바로 독서였다. 주말에 멀리 소풍을 가기보다는 온가족이 거실에 모여 조용히 각자 책을 읽는 집안에서 자란 아들은 가끔은 어머니의 '과도한 책사랑'이 부담스러울 때도 있었지만, '책과 함께하는 하루하루'가 모여 자신의 삶이 깊고 그윽해졌다는 것을 알고 있다. 그래서 불치병에 걸린 어머니와 함께하는 마지막 북클럽은 슬프기보다는 설레고, 활기차며, 더없이 소중하게 느껴진다.

병원의 고통스러운 치료를 기다리는 동안, 대기실에서 진행된 엄마와 아들의 간절한 북클럽은 때로는 가슴 뭉클한 우정의 이야기처럼 읽히기도 하고, 어머니와 아들의 영원한 이별의 준비운동으로 느껴지기도 한다. 이야기 속의 어머니가 너무도 사랑스러운 분이라 꼭 한 번만이라도 만나보고 싶은데 이미 세상을 떠나셨기에 이메일조차 보낼 수 없는 상황이라는 것이 가슴 아플 정도로, 나는 '책을 사랑하는 남의 어머니'를 사랑했다. 죽기 직전까지 행복하고 싶은 나는, 오늘도 책을 읽으며 세상 무엇과도 바꿀 수 없는 나만의 작은 행복을 찾는다.

108 WED 일상의 토닥임 서로 다른 차이들이 모여 이루는 세상

10여 년 전 런던에 처음 도착했을 때, 내 눈길을 사로잡은 것은 그야말로 '온갖 다채로운 인종들이 모여 이루는 총천연색 풍경'이었다. '튜브'라 불리는 영국의 지하철에도, 인류의 위대한 문화유산들을 항상 무료로 관람할 수 있는 대영박물관이나 내셔널갤러리에도, 도심 속의 낙원 같은 아름다운 공원들에도, 온갖 피부색과 알록달록한 눈동자들이, 지구상의 온갖 언어들과 서로 다른 문화적 차이들이 자연스럽게 공존했다. 런던은 마치 살아 움직이는 바벨탑 같았다. 성경 속의 바벨탑 이야기에서는 사람들의 언어가 서로 통하지 않아 결국 탑을 제대로 쌓아 올리지 못하지만, 런던의 바벨탑은 서로 다른 문화적 차이들을 인정함으로써 매일 더욱 새롭고 풍요로운 바벨탑을 쌓아올리는 것처럼 보였다. 런던에서도, 뉴욕에서도, 파리에서도, 마치 이 세상 모든 인종이 모여 매일 삶이라는 아름다운 축제를 벌이는 듯한 조화와 공존의 드라마를 볼 수 있었다.

나도 모르게 인종적 편견이 깨지던 순간들도 있었다. 런던에서 처음으로 뮤지컬 〈레미제라블〉을 보았을 때의 일이다. 배우들 모두가 뛰어난 연기와 가창력을 보여줬지만, 특히 내 눈길을 끌던 배우는 '코제트' 역을 맡은 젊은 여성이었다. 카나리아처럼 곱디고운 목소리로 노래하는 코제트를 처음 본 순간, 내 눈이 뭔가 잘못되었나 싶어 눈을 비비고 다시 한번 배우를 바라보았다.

코제트 역할을 맡은 배우는 흑인이었다. 내 머릿속은 빠르게 회전하기 시작했다. '빅토르 위고의 원작 《레미제라블》 속 코제트가 흑인일 가능성이 있을까?' 생각해보니, 코제트가 백인이라는 언급은 기억나지 않았다. 정말 그렇다. 장발장이 그토록 크나큰 사랑으로 지켜내려 했던 코제트가 백인이었는지 흑인이었는지, 혼혈이었는지, 또 다른 인종이었는지에 대한 언급은 작품에 등장하지 않는다.

나는 나의 인종적 편견을 반성했다. 그리고 코제트 역할을 맡은 흑인 배우에게 더 뜨거운 박수갈채를 보내주었다. 그녀는 나뿐만 아니라 수많은 사람의 인종적 편견과 싸워왔을 것이다. 너와 나의 차이가 '차별'로 번지지 않는 세상, 당신과 나의 차이가 서로를 향한 더 크고 아름다운 소통과 이해로 번져나가는 아름다운 세상을 꿈꾼다.

109 THU  사람의 반짝임 '다름' 때문에 우리는 더욱 아름답다

뉴스에서는 연일 '차별'과 '테러' 같은 무시무시한 단어들이 쏟아지고 있지만, 내가 여행 속에서 느낀 것은 세상에는 '증오'와 '분노'보다 '사랑'과 '이해'의 감정이 훨씬 더 강력하다는 사실이었다. 사람들은 아주 작은 도움의 기회도 놓치지 않고 서로를 돕고, 처음 보는 사람에게도 마치 오래전부터 알아왔던 사람처럼 반갑게 인사했다. 처음 보는 사람이 길을 잃고 헤매는 나를 위해 자신의 시간을 쪼개 직접 목적지로 데려다주기도 했고, 자신의 자동차에 나를 태워주기도 했다. 나는 '낯선 사람들의 따스한 친절'에 크나큰 감동을 받았다. 그리고 내가 그들을 신기하게 바라보는 만큼, 그들도 나를 신기하게 바라본다는 것을 알고 파안대소하기도 했다.

언젠가는 프랑스의 몽펠리에라는 아름다운 도시를 여행하다가 그날이 여름 축제일임을 우연히 발견했다. 온 도시가 흥겨운 축제 분위기로 떠들썩했다. 거대한 공연 무대가 설치되었고, 즉석에서 바디페인팅을 해주는 사람들도 있었으며, 알록달록한 옷과 장신구, 골동품과 식료품을 파는 상인들로 거리가 북적였다. 한쪽에는 다양한 음식을 만들어내는 푸드트럭이 늘어서 있었는데, 특히 적양파를 썰어 갖은양념에 버무려 튀긴 음식이 인기였다. 분명 채소를 튀긴 것인데 마치 고소한 양념치킨 같은 향기가 나서 도저히 지나칠 수가 없었다. 오랫동안 줄을 서서 기다렸다가 마침내 양파튀김을 사 먹었는데, 요리사가 영어로 나에게 물었다. "어디서 왔어요?" "한국이요, 남한(South Korea)." "비행기를 몇 시간이나 탄 거예요?" "12시간 정도요." "어머나, 정말 멀리서 왔구나. 난 태어나서 그렇게 멀리까지 가본 적이 없어요. 그런데 한국에는 이렇게 생긴 양파가 없나요?"

그의 발상이 너무 어처구니가 없었지만 공격성은 느껴지지 않았으므로 나는 씩 웃으며 말했다. "우리도 맛있는 양파 많아요. 이것보다 훨씬 맛있어요." 내가 좀 더 순발력이 있었더라면, 한국의 '치맥'을 이야기해줬을 텐데. 게다가 양파와 감자를 잔뜩 넣은 감자탕과 닭볶음탕, 양념갈비찜은 얼마나 맛있는지, 온갖 알록달록한 한국 음식에 얽힌 흥미진진한 이야기도 들려줬을 텐데.

여행을 통해 배운 가장 소중한 진실은 바로 우리의 서로 다른 '차이'가 이 세상을 더욱 아름답게 만들어준다는 사실이었다. 하나의 장소에만 익숙해지면 '차이'에 대한 감수성이 약해지고, 그럴수록 유연성과 포용력이 떨어지게 된다. 나는 온갖 문화적 차이와 이질성이 공존하는 여행을 통해, 내 안의 편견과 내 안의 고정관념이 기쁘게 깨어지는 소리를 듣는다.

110 FRI 영화의 속삭임 왕의 말더듬증을 치유한 언어치료사

볼 때마다 새로운 감동을 주는 영화가 있다. 〈킹스 스피치〉가 바로 그런 영화다. 처음 이 영화를 봤을 때는 '이름 없는 의사가 왕을 구원하는 이야기'로 봤다. 온 국민을 향해 연설을 해야 하는 왕이 말더듬이라는 콤플렉스를 앓고 있다는 것은 얼마나 힘든 일이었을까. 괴짜 언어치료사 라이오넬의 능수능란한 '국왕 길들이기'는 짜릿한 감동을 주었다. 다시 이 영화를 봤을 때는, 모두의 주목을 받는 국왕 버티의 처절한 외로움이 더 잘 보였다. 왕자로 자랐지만 한 번도 왕이 될 거라는 생각을 하지 못했던 버티, 잘난 형에 대한 지긋지긋한 콤플렉스를 앓고 있는 버티의 두려움이 더욱 가슴 아프게 다가왔다. 말을 더듬는 것은 어쩌면 권위적인 아버지와 오만방자한 형 사이에서 한 번도 기를 펴지 못한 마음의 증상 아니었을까. 세 번째로 영화를 보니 비로소 '타인의 아픔을 치유해주는 사람의 콤플렉스'가 보였다. 콤플렉스를 치료하는 일을 업으로 삼고 있는 언어치료사도 알고 보니 콤플렉스 덩어리였던 것이다.

언어치료사 라이오넬은 사실 배우가 되고 싶었다. 원래 꿈은 연기였지만 걸핏하면 배우 오디션에서 떨어졌다. 그런데 놀라운 패자부활전은 바로 '언어치료사'라는 직업(현실)에 자신의 좌절된 재능(연기력)을 활용하는 라이오넬의 기지에서 시작된다. 라이오넬은 마치 연기를 가르치는 선생님처럼 국왕에게 '말더듬이가 아닌 척하는 연기'를 가르친 것이다. 라이오넬은 그저 '평생 배우가 되지 못했다'는 콤플렉스 속에 주저앉은 것이 아니라 콤플렉스를 대면하는 용기를 발휘한다. 노인이 되어서도 끊임없이 배우 오디션에 도전하면서도 한편으로 생계를 위해서는 언어치료사 일을 계속한 것이다. 라이오넬은 자신의 콤플렉스 때문에 꿈을 포기한 것이 아니라 오히려 타인의 꿈을 이뤄주는 훌륭한 치료사의 역할을 해내었다.

라이오넬의 콤플렉스 치유법은 '마음을 한없이 편하게 하여 오직 이 순간에만 집중하기'다. "딴 건 다 잊고 나를 보며 말해요. 친구에게 말하듯이요." 라이오넬의 치료는 불안에 떠는 왕에게 안정감을 준다. 그는 마치 지휘자처럼, 왕의 목소리를 연주한다. 그리고 왕 스스로가 자신이 진정으로 누구인지를 깨닫게 함으로써 라이오넬은 왕의 진짜 콤플렉스는 '말을 더듬는 것' 자체가 아니라 '나는 진정한 왕이 될 자격이 없는 사람'이라는 잘못된 생각에서 왔다는 것을 깨닫게 해준다. "당신은 내가 아는 가장 용감한 분이세요. 분명 좋은 왕이 될 겁니다." 절대로 좋은 왕이 되지 못할 거라고 스스로를 규정하는 버티에게 언어치료사 라이오넬이 처방한 최고의 약은 바로 '나 자신을 향한 믿음'이었다.

111 SAT  그림의 손길 '신의 아들'을 향한 따스한 미소

19세기 태평양의 군도에서 태어난 이 그로테스크한 성모마리아 그림은 단번에 파란을 일으켰다. 이 그림이 '성모마리아와 예수는 당연히 백인일 것'이라는 우리의 선입견을 뿌리째 뒤흔들기 때문이다. 하지만 이런 깨달음은 모두 이 그림을 둘러싼 정보를 찾아본 후에야 알게 된 것이다. 뮌헨에서 내가 가장 좋아하는 장소인 노이에 피나코텍(현대미술관)에서 폴 고갱의 〈신의 아들, 예수의 탄생〉(1896)을 처음 보았을 때, 첫눈에 '아름답다'고 생각했다. 불경하다거나 불온하다는 생각은 전혀 하지 못했다. 그런데 나중에 알고 보니 이 그림은 엄청난 신성모독으로 여겨져 오랫동안 논란의 대상이 된 그림이었다. '성모마리아는 백인이어야 한다'는 도그마에 갇힌 사람들은 이 그림이 지닌 모든 빛과 온기를 알아보지 못하고 있었다. 나에게 이 그림은 꾸밈없이 순수하고 따뜻한 아름다움으로 다가왔다. 이 작품이 당돌하다거나 저돌적인 예술적 실험이라는 생각은 하지 못했고, '드디어 성모마리아가 신성의 베일을 벗고 저잣거리 삶의 현장으로 나왔구나' 하는 생각이 들었다.

마침 내 여동생이 난산 끝에 첫 아이를 낳은 날이었기에 이 그림은 더욱 아련한 슬픔으로 다가왔다. 마리아의 정면 얼굴은 관객들의 눈에 보이지 않는다. 그녀는 모든 힘을 다 써버린 듯 지친 모습으로 갓 태어난 아기를 바라보고 있다. 우리는 일찍이 이토록 흐트러진 모습의 성모마리아를 본 적이 없다. 시트의 구겨진 자국들은 그녀가 견뎌낸 참혹한 고통의 시간을 증언한다. 하지만 이 뼈아픈 고통의 흔적을 바라보는 화가의 시선은 눈부시도록 따뜻하다. 엄청난 산고의 시간이 막 지나간 자리에는 꿀맛 같은 평화, 갓 태어난 생명을 향한 경이가 자리하고 있다. 지극히 인간적이고 편안한 자세로 아기를 바라보는 마리아의 모습은 지쳐 보이기보다는 왠지 든든하고 믿음직스러워 보인다. 나는 이 그림을 통해 신의 부성과 인간의 모성을 동시에 간직한 채 태어난 아기 예수의 경이로운 축복을 바라본다. 나는 이 그림을 통해 무한한 사랑과 완전한 평화의 빛깔을 본다.

• 실제로 그림을 보면 마리아를 둘러싼 공간이 얼마나 알록달록한지 놀라게 된다. 황금색, 레몬색, 태양빛이 서로 다투며 어우러진 라임색 시트는 마치 '신의 사랑'을 형상화한 것처럼 따뜻하고 눈부시다.

112 SUN 대화의 향기 맘껏 두리번거릴 자유를 꿈꾸다

여행이 내게 주는 기쁨 중 하나는 목적 없는 어슬렁거림, 뚜렷한 목표 없는 두리번거림이 주는 해방감이다. 때로는 지도를 보면서 어디로 갈까 고민하는 것조차 머리 아픈 일이라 하염없이 낯선 거리를 거닐고 또 거닐 때가 있다. 프랑스 남부의 도시 몽펠리에가 그랬다. 몽펠리에는 프랑스에서 스페인으로 넘어가기 위해 잠시 들른 곳이었다. 그저 하루 쉬고 가야지 하는 생각뿐이었는데, 목적 없이 어슬렁거리다보니 이 도시가 얼마나 아름다운 곳인가를 발견하게 되었다. 당시 빈센트 반 고흐의 흔적을 따라가는 여행을 기획하면서 책을 구상 중이었는데, 거리를 걷다 보니 파브르 미술관이 나왔다. 많이 들어본 곳인데, 어디였더라. 기억을 뒤지다보니 반 고흐와 폴 고갱이 함께 와서 논쟁을 벌였던 바로 그 미술관이었다. 일부러 찾아온 곳이 아닌데 이토록 소중한 발견을 하다니. 이런 것이 바로 세렌디피티다. 내가 계획하거나 의도한 것이 아니었는데, 우연히 발견하게 되는 삶의 기쁨. 내가 아무런 목적 없이 어슬렁거리지 않았더라면 이 아름다운 미술관을 발견할 수 없었겠지. 이런 생각을 하자 더욱 '헤매고, 두리번거리고, 어슬렁거리는 일'의 아름다움이 마음속에서 소중하게 반짝이기 시작했다.

대낮의 어슬렁거림이 끝나가자 저녁의 어슬렁거림이 시작되었다. 알고 보니 그날은 지역의 여름 축제일이었다. 나는 어느새 와인잔을 들고 '행복한 이방인'이 되어 축제의 장소 한복판에서 울려퍼지고 있는 멜로디를 흥얼거리고 있었다. 스팅의 〈아임 언 잉글리쉬맨 인 뉴욕(I'm an Englishman in New York)〉이 흘러나오는데, 어디선가 부드럽고 달콤한 목소리가 그 노래에 독창적인 화음을 얹어 아름다운 선율을 만들어내고 있었다. 소리가 나는 쪽을 바라보니 치렁치렁한 레게머리를 발랄하게 흔드는 멋진 흑인 여성이 나를 향해 찡긋 웃어 보였다. 목소리가 정말 아름답다고 칭찬을 해주었더니 자신이 유명하지는 않지만 앨범도 낸 적이 있는 가수라고 고백했다. '목소리가 심상치 않았는데, 역시 가수였구나' 하고 감탄하며 더듬더듬 수다를 떨었고, 결국 그 자리에서 그녀의 음반까지 샀다. 친구는 "그래서 어리숙한 네가 항상 호구가 되는 거야!" 하며 핀잔을 주긴 했지만, 전혀 기분 나쁘지 않았다. 그날의 어슬렁거림이 없었다면, 그날의 세렌디피티가 없었다면, 그 아름다운 가수의 목소리를 듣지 못했을 테니까.

그때 한 프랑스인이 '왜 술을 안 마시냐'고 물었다. 술보다는 축제를 좋아한다고 했더니, 그럼 자기가 마시겠다며 웃었다. 나는 흔쾌히 와인을 몽땅 따라주었다. 친구는 또 한 번 혀를 끌끌 찼지만, 나는 행복했다. 그 잔에 담긴 술은 나를 행복하게 해주지 못했지만, 우연히 내 곁에 있었던 다른 사람을 행복하게 해주었으니까. 나의 아름다운 어슬렁거림의 페스티발, 그것이 내겐 여행이 선물해주는 눈부신 축복이다.

113 MON  심리학의 조언 내 안의 내면아이를 토닥이는 언어

어떤 단어를 가만히 바라보고 있으면 그 단어가 유난히 마음을 할퀴는 느낌이 들 때가 있다. 예컨대 '취급 주의'를 뜻하는 '프래질(fragile)'이라는 단어가 그렇다. 망가지기 쉽고, 무너지기 쉽고, 허약한 내 자아의 어떤 부분을 건드리는 단어인 것이다. 이 단어를 볼 때마다 화들짝 놀라기도 하고 어쩐지 반가운 느낌이 들기도 한다. '아니, 이건 내 영혼의 그림자를 꼭 닮은 단어가 아닌가!' 싶어 허를 찔린 기분이 드는 것이다. 공항에서 '취급 주의'라는 스티커가 붙은 수하물을 볼 때면 가슴이 쿵쾅쿵쾅 뛰고는 한다. 저 안에 깨지기 쉽고, 망가지기 쉬운 어떤 존재가 들어 있을 거라는 생각이 들면서, 부디 살면서 누군가의 연약한 부분을 조심조심 다독이고 상처를 보듬어주며 살아야겠다는 다짐을 하게 된다.

바로 이럴 때, 내 안에서 눈을 뜨는 자아가 '내면아이(inner child)'다. 심리학에서 내면아이는 성인 자아의 위로와 조언을 필요로 하는 '자기 안의 그림자'이자 '자기 안의 숨겨진 햇빛'이기도 하다. 즉 '우리 안의 가장 어두운 상처를 안고 있는 존재'인 동시에 '우리 안의 가장 빛나는 가능성을 품은 존재'이기도 하다. 내면아이는 생이 끝날 때까지 계속 성장하여 더 나은 성인 자아와 합체할 수도 있고, 노인이 되어서도 여전히 그 사람의 발목을 잡으며 '절대로 자라지 않는 유치한 부분'으로 남기도 한다. '아직도 막내티를 못 벗었네', '여전히 무슨 문제에만 부딪치면 도망치기 바쁘네'라는 지적을 듣는 우리 안의 내면아이를 성장시키는 힘은 바로 끈질긴 현실감각과 책임감 그리고 더 성숙한 자신이 되기 위한 매일의 노력이다.

우리 안의 상처 입은 내면아이가 성장하기 위해서는 성인 자아의 도움이 필요하다. 자신을 돌볼 수 있는 성인 자아, 상처 입어도 언젠가는 스스로의 힘으로 일어설 수 있는 성인 자아가 먼저 말을 걸어주어야 한다. 마음 깊은 곳의 골방에서 울고 있는 상처받은 내면아이에게 성인 자아가 다정하게 말을 걸어줄 때, 내면아이는 성장과 치유의 동력을 얻을 수 있다.

나는 내면아이에게 가끔 말을 걸어 안부를 확인하곤 한다. "오늘은 기분이 어때? 며칠 전 그 상처는 조금 회복이 되었니?" 내면아이는 어떤 날에는 환하게 미소 짓고, 어떤 날에는 슬픈 표정으로 볼멘소리를 한다. 아직 마음의 상처가 다 낫지 않았다고. 그럴 때 나의 성인 자아는 상처의 '의미'를 이야기해준다. 그 상처를 대면하고 극복해야만 앞으로 나아갈 수 있다고, 너는 네가 생각하는 것보다 훨씬 가치 있고 지혜로운 존재라고.

114 TUE  독서의 깨달음 내 안의 노마드를 일깨우다

마음속에 품은 말을 차마 글로 옮기지 못할 때가 많다. 너무 이상한 생각인 것 같아서, 사람들의 비난을 받을까 두려워서, 또는 나조차 내 생각을 이해할 수 없어서. 그런데 작가 올가 토카르추크(Olga Tokarczuk, 1962~)는 내가 꿈꾸지만 차마 표현하지 못하던 그 모든 언어들을 폭포수처럼 콸콸 쏟아낸다. 짜릿하고, 통쾌하며, 눈부시다. 내가 살고 싶었지만 살지 못한 삶을 그녀는 잘도 살아낸다. 내가 가고 싶었지만 가지 못한 곳들을 잘도 찾아 떠난다.

2007년에 발표한 작품《방랑자들》에서 작가의 분신인 '나'는 인간의 마음속에 숨어 있는 '노마드(nomad)'의 근원적 폭발력을 드러낸다. 잠시도 고정된 상태로 머물지 못하고, 어느 곳에도 정착하지 못하며, 어떤 의견과 신념에도 완전히 자신을 끼워 맞추지 못하는 '나'. '나'는 바로 그 방랑자적 근성 때문에 어디서든 생의 부조리를 견딜 수 있는 강인함과 어디서든 거뜬하게 상황에 적응할 수 있는 유연성을 지닌 매력적인 캐릭터다.

이 인물의 매력은 무엇에도 미련을 두지 않으며, 어떤 사회적 역할에도 집착하지 않고, 그 무엇으로도 불리고 싶어 하지 않는다는 것이다. 그렇다고 해서 그녀가 무책임하다고 생각하면 곤란하다. 어디서든, 무엇으로든 잘 살아낼 수 있는 존재, 어떤 지위나 역할에 휘둘리지 않는 존재, 그래서 무엇으로도 규정되지 않지만 무엇이든 지금 이곳에서 누릴 수 있는 존재. 그것이 진정한 노마드다. 그리하여 노마드의 근원적 본성은 무책임이 아니라 강인함과 유연성, 상상을 초월하는 인내심이다. 잘 견뎌내는 자, 잘 참아내는 자, 한없이 변신하는 자만이 노마드가 될 수 있다.《방랑자들》은 바로 그런 무적의 노마드 근성으로 여행하고, 이동하고, 흩어지고, 사라져간 많은 사람의 이야기가 마치 밤하늘의 아름다운 별자리처럼 자신들도 모르게 서로 교신하는 이야기다.

노마드는 아름다운 장소에서 에너지를 얻는 것이 아니라 떠난다는 사실 자체에서 눈부신 생명의 에너지를 얻는다. 어디로 떠날지는 그다지 중요하지 않다. 꼭 어디로 가야 좋은 것이 아니라, 유행이나 대세에 따르는 여행이 아니라, 떠남 자체가 소중하다. '이곳에 가봤다'고 자랑하며 '지금까지 세계 몇 개국 몇 도시를 여행했다'고 으스대는 것은 진정한 노마드의 본성과 어울리지 않는다. 노마드에게는 떠남에서 얻는 생의 에너지가 중요할 뿐 어디에 머물지, 어느 곳에서 멋진 인증샷을 남길지는 중요하지 않으므로.

115 WED 일상의 토닥임

우리의 잠재력은 어떻게 억압되었는가

〈몬테소리 교육: 행복한 아이들〉이라는 다큐멘터리를 보다가 '우리도 어렸을 때 저런 교육을 받았다면 훨씬 자신감 있고, 자유롭고, 창의적인 사람이 되지 않았을까' 하는 안타까움을 느꼈다. 새로운 도전을 두려워하고, 도전에 성공하지 못할까 봐 걱정하는 어른들이 어렸을 때부터 자신감과 창조성을 키워주는 그런 교육을 받았다면 훨씬 자기 자신을 사랑하게 되지 않았을까.

몬테소리 교육의 기본 신념은 아이가 '내면의 힘'을 선천적으로 가지고 태어났음을 전적으로 믿어주는 것이다. 아이들이 어떤 목표를 삼든, 어떤 도전을 꿈꾸든, 일단은 지켜봐주고, 믿어주고, 지지해주는 것이다. 가장 야심 넘치는 동기가 가장 용감한 도전을 가능하게 해주기 때문이다. 참견하거나 지적하지 않고, 다만 관찰하고 지지하고 응원해주는 것. 이런 분위기 속에서 아이들은 놀랍도록 차분하게, 놀랍도록 일사불란하게 움직이며 하루 종일 주변의 사물들과 서로의 상호작용 속에서 무언가를 배운다. 이것은 꼭 몬테소리 교육을 실천하는 유치원이나 학교에 가지 않아도 집에서도 기초적으로 훈련할 수 있는 것이다.

몬테소리 교육의 핵심은 아이의 모든 새로운 도전을 전혀 말리지 않는 것이다. 아기 때부터 '이거 하지 마라, 저거 하지 마라'는 이야기를 하지 않고, 아이가 혼자서 노는 과정을 천천히 지켜보기만 하는 것이다. 물론 항상 지켜봐주고, 좋은 책이나 장난감을 곁에 놓아두는 정도의 노력은 필요하다. 다만 위험하다거나 더럽다며 아이를 다른 곳으로 옮기고, 하고 싶은 것을 말리고, 제지하는 일을 멈추는 것이다. 다큐멘터리 속의 한 아기 아빠는 아이가 개미를 따라다니며 하루 종일 마당에서 흙을 잔뜩 묻힌 채 돌아다녀도, 그네에 혼자 올라타도 내버려두었다. 그랬더니 놀랍게도 아이가 누구의 도움도 없이 똑바로 서고, 걸음마를 가르치지 않아도 홀로 걷기 시작했다고 한다. "아이는 세상을 지배하기 시작했습니다. 자신만의 속도와 목표로." 바로 이것이다. 자신만의 속도와 목표로 세상에 도전할 수 있도록, 어른들은 아이들을 가만히 기다려주는 것이다. 이런 아이들의 교육 방법을 우리 어른들에게도 적용한다면, 우리는 훨씬 더 자발적이고 창조적인 삶, 끊임없이 도전하는 삶의 주인공이 될 수 있지 않을까.

새로운 도전을 장려하는 가장 좋은 방법 중의 하나는 '스스로를 다그치지 않는 것'이다. 올해의 할당량, 이달의 직원상, 이런 것들이 동기를 부여해주기보다는 서로의 능력을 비교함으로써 더 큰 스트레스를 주는 경우가 많다. 우리의 새로운 도전을 위해 필요한 것은 외부의 포상보다는 '나 자신의 순수한 자발성과 그로 인한 진심 어린 기쁨'이 아닐까.

116

THU

사람의 반짝임

절대 화내지 않는 스승을 꿈꾸며

학교에서 겪은 상처는 좀처럼 사라지지 않는다. 그것도 존경하는 스승에게 받은 상처는 결코 사라지는 법이 없다. 학생들에게 걸핏하면 화를 내는 스승, 학생들에게 과도한 심부름을 시키는 스승, 가르침보다는 충성을 요구하는 스승은 결코 좋은 스승이 아니다. 학생들에게 본인의 이삿짐까지 나르게 하고, 명절 때마다 은근히 선물을 요구하고, 스승의 날에 돈을 걷는 스승들을 보며, 나는 절대로 그런 교사가 되지 않겠다고 다짐했다. 나는 그런 스승들에게 너무 깊은 상처를 받았기에, 학생들에게 무조건 따스한 마음을 보여주려고 노력한다. 가르치는 사람의 아주 사소한 표정 하나, 스쳐 가는 말 한마디가 학생들에게 얼마나 커다란 영향을 끼치는지 알고 있기에. 그런데 절대로 화내지 않는 스승, 언제나 따스한 스승의 마음가짐을 훈련하다 보니, 아예 조언 자체가 두려워질 때도 있다. 나는 '조언'을 한 것인데, 저쪽에서는 '간섭'으로 받아들일 수 있기 때문이다. 조언과 간섭 사이의 경계를 넘지 않으려 하지만, 학생을 걱정하는 마음 때문에 경계가 가끔 흐려진다.

나의 글쓰기 수업에서 너무도 눈부신 재능을 보여주었던 M도 그런 경우였다. M은 어린 시절 부모님의 사랑을 듬뿍 받지 못했던 마음의 상처, 스승으로부터 온전한 격려와 응원을 받지 못하고 차별받은 상처로 평생 괴로워하고 있었다. M은 그 모든 상처를 글쓰기로 표현하고 있었다. 글쓰기는 M의 중요한 출구였으며, 트라우마를 승화시키는 기회이기도 했다. 그런데 어느 순간 M의 글쓰기는 다양한 테마를 다루기보다는 오직 '나'의 상처를 표현하는 데 집중되었다. 걱정스러웠다. 글쓰기 수업에서 필요한 것은 단지 나의 이야기뿐 아니라 타인의 삶, 세상의 이야기, '나와 타인이 교감하는 이야기'이기도 했기 때문이다. '나'는 글쓰기의 출발점이지만 모든 글쓰기의 종착점이 되어서는 안 된다. 나에서 시작해 타인의 이야기로 확장되는 이야기, 나를 소재로 하면서도 타인의 공감을 얻으려는 노력이 필요한 것이다. 타인의 마음을 헤아리는 글쓰기, 내가 미처 짐작하지 못한 남의 마음을 이해하려고 노력하는 취재와 분석의 작업이 필요하다. 이런 이야기를 해주었더니 M은 무척 괴로워했다. '내 아픔을 다 들어줄 사람'을 '스승'으로 생각했던 것이다. 그러나 나는 그 이상의 존재, 진정으로 내가 아는 것을 남김없이 전해주는 사람이 되고 싶다. 나는 M에게 따스한 조언의 편지를 보내고 이제 그 답장을 기다리는 중이다. 내 깊은 사랑을 간섭이라 여기지 않기를 바라며. 내가 사랑하는 M이 언젠가 내 뜻을 이해해주리라 믿으며.

117 FRI 영화의 속삭임 노화의 공포를 위로하다

만약 우리가 가장 젊고 눈부셨던 20대에 시간이 멈춰버린다면, 그렇다면 정말 행복할까. 영원히 늙지 않을 수만 있다면, 우린 다른 모든 것을 다 잃어도 좋을까. 〈아델라인: 멈춰진 시간〉은 바로 그 질문에 대답하는 영화다. 아델라인은 폭풍우 속에서 자동차 사고를 당해 물속에 빠진 상태에서 번개를 맞고, 그 후 기적적으로 회생했으나 신기하게도 나이가 들지 않는 신체를 갖게 되었다. 사람들은 그녀의 놀라운 피부와 딸의 언니처럼 보이는 최강 동안에 혀를 내두르지만, 그녀는 FBI의 추적을 당하며 생체실험 대상이 될 위기에 놓인다. 어쩔 수 없이 사랑하는 딸과 떨어져 몇 년에 한 번씩 신분과 거주지를 바꾸며 살아가는 아델라인. 그렇게 수십 년을 보낸 뒤 딸은 아델라인의 어머니만큼이나 늙었고, 아델라인은 여전히 젊고 눈부신 미모를 간직하고 있지만 전혀 행복해 보이지 않는다. 딸을 제외하고는 이 세상 누구에게도 자신의 비밀을 말해서는 안 된다는 강박 때문에 그 누구와도 깊은 관계를 맺을 수 없었던 것이다. 우정도 사랑도 자신의 것은 아니라고 생각하는 아델라인. 자신에게 다가오는 모든 인연을 차갑게 쳐내며 그녀는 점점 노쇠해가는 딸의 안부를 걱정한다.

영원히 늙지 않는 여인, 아델라인은 결코 행복하지 않은 것이다. 그런 그녀에게 드디어 진짜 사랑이 다가온다. 앨리스는 그녀의 모든 것을 다 받아줄 것 같은 착한 남자이지만, 그녀는 애써 그를 향한 사랑을 부정하며 괴로워한다. 107세의 나이에 29세의 젊음을 간직한 아델라인. 그녀는 자신이 아무리 부정하려 해도, '누군가를 사랑하고 싶은 따스한 마음'만은 버릴 수 없다는 것을 깨닫는다. 이 영화는 늙지 않는 기적보다는 우리 삶의 소중한 인연들이 훨씬 소중함을 일깨워준다. 사람들은 처음에는 아델라인의 눈부신 미모에 매혹되지만, 알면 알수록 풍부한 지혜와 경험으로 가득한 그녀의 내면을 더욱 사랑하게 된다.

나는 아델라인의 주름 하나 없는 피부보다는 그녀가 여러 외국어를 할 줄 알고 많은 옛 골목과 역사적 사실들을 기억하는 것이 부러웠다. 그녀는 그 어떤 지구인보다 많은 책을 읽을 시간이 있었고 그 어떤 지구인보다 많은 것을 배우고 느낄 시간이 있었다. 나이 든다는 것은 어쩌면 더 많은 슬픔과 더 많은 기쁨을 경험하는 존재가 되는 것이 아닐까. 기쁨도 풍요로워지지만 슬픔은 더욱 복잡하고 깊어진다. 나이듦은 결코 저주가 아니라, 삶을 사랑해온 기억의 나이테가 점점 늘어가는 축복이 아닐까. 〈아델라인: 멈춰진 시간〉은 노화를 향한 공포감에 시달리는 현대인에게 위안을 주는 영화다.

118 SAT 그림의 손길 몸을 움직여야 치유되는 마음

춤추는 사람들의 무한한 아름다움을 그린 드가의 그림을 바라볼 때면 '움직이는 존재야말로 아름답다'는 생각이 든다. 댄서들의 움직임, 아주 사소한 몸짓들은 우리가 살아 있다는 느낌, 힘들고 지칠지라도 여전히 살아 있는 존재라는 느낌을 일깨운다. 인간의 몸이 그리는 무한한 곡선의 세계를 그려낸 드가의 작품들 중에서도 나는 〈푸른 옷을 입은 댄서들〉(1893년 경)을 가장 좋아한다. 무대 뒤의 무용수들은 아직 어떤 특별한 동작을 취하고 있지 않다. 이 그림은 어떤 신비로운 정중동(靜中動)을 포착하고 있다. 특별히 움직이지 않고 있는데 어딘가 움직이는 것 같고, 움직이지 않는 것이라 생각하면 또 어떤 미묘한 움직임이 존재하고 있다.

무희들이 입은 푸른 드레스는 단지 의상이 아니라 화면 전체를 지배하는 부드러운 무게중심처럼 느껴진다. 관람객은 이 신비로운 푸른빛의 부름에 이끌려 무대 속으로 점점 빠져드는 느낌이다. 무대 위에서 직접 보여주는 특정한 동작을 묘사한 것이 아니라 어떤 동작을 취할지 머릿속으로 연습하고 그려보는 여인들의 설렘과 떨림이 화면을 가득 채우고 있다. 아직 '제대로 된 동작'이 되지 못한 미묘한 움직임, 정지와 운동 사이에 있는 그 무엇, 움직임도 움직임이 아닌 것도 아닌 그사이의 어떤 순간. 이 그림의 매력은 어떤 불철저함에 있다. 무대 뒤편의 배경은 마치 쇠라의 점묘법처럼 다양한 색채를 머금은 수많은 점으로 아스라하게 표현되었고, 무희들의 실루엣은 분명한 윤곽선이 아니라 희미하고 뭉툭한 붓터치로 '선'이라기보다는 '면' 전체로 표현되었다.

드가는 여성들이 자신의 움직임을 제대로 인식하지 못하고 있는 순간을 포착하는 것을 즐겼다. 누가 자신을 보고 있는지도 모른 채 늘어지게 하품을 하며 나른한 표정을 짓는 여인, 목욕을 끝내고 수건으로 몸을 무심히 닦는 여인의 뒷모습, 공연이 시작되기 전 옷매무새를 단정하게 고치고 있는 무희. 계산된 동작이 아니라 누구의 시선도 의식하지 않기에 더욱 자유롭고 무의식적인 찰나의 몸짓들을 엿보며 그는 그 짧은 순간을 스치는 무엇을 그려내려 한다.

드가는 안타깝게도 36세의 젊은 나이에 오른쪽 눈의 시력을 잃는데, 그런 악조건 속에서 그의 그림은 더욱 맹렬하게 '인간의 몸'을 자기만의 스타일로 묘사하는 쪽으로 성숙해갔다. 말년에는 남은 한쪽 눈마저 극도로 나빠졌는데 그가 2차원의 그림보다는 3차원의 조각에 더욱 관심을 갖게 된 것도 이런 시각적 결핍을 촉각이라는 또 하나의 감각으로 채워보려는 안간힘이었을 것이다.

119 SUN  대화의 향기 예술의 아름다움을 느낄 수 있는 권리

"글을 쓰지 않을 때는 주로 뭘 하세요?"라는 질문을 많이 받는다. 글이 안 써질 때나 잠깐이나마 쉬고 싶을 때는 공연장을 찾고 싶어진다. 복잡한 도심 한복판에서 아름다운 오케스트라 공연이나 오페라를 볼 수 있다는 것은 내게 일상의 거친 사막 한가운데서 발견하는 눈부신 오아시스다. 오래전 '과연 내가 내 꿈을 포기하지 않고 계속 살아갈 수 있을까' 하는 두려움을 안고 세종문화회관에서 열린 오케스트라 공연을 본 적이 있다. 오랫동안 좋은 글을 쓰는 작가가 되고 싶었지만, 과연 나에게 재능이 있을지, 재능을 꽃피울 수 있는 뚝심이 있는지 확신이 없던 때였다. KBS교향악단의 라흐마니노프 협주곡 연주였는데, 연주를 감상하는 내내 사막처럼 황폐한 내 마음속에서 형언할 수 없는 그리움의 샘물이 끝없이 솟아나오는 느낌이었다.

나는 내가 이런 순간을 그리워하고 있는 줄도 몰랐다. 그때 그 음악을 들으며 비로소 깨달았다. 나도 모르는 사이 간절하게 그리워하고 있었음을. 아름다운 음악을 들으며 일상의 모든 슬픔을 잊을 수 있는 이러한 시간을. 낮에는 학교에서 수업을 듣고 저녁에는 학원에서 강의를 하고 깊은 밤이 되어서야 졸린 눈을 비비며 간신히 글을 쓸 수 있었던 시절. 온갖 열정페이와 각박한 세상을 향한 공포에 지쳐버린 내 영혼의 발걸음이 잃어버린 모든 아름다움이 그 음악 속에 깃들어 있었다. 그 후로 조금씩이라도 틈이 날 때마다 공연을 관람하는 시간을 갖기로 마음먹었다. 가장 저렴한 좌석에서 졸린 눈을 비비며 공연을 관람하더라도 좋았다. 나는 눈부신 예술과 함께하는 그 찰나의 시간을 소중히 여기게 되었다. 지친 나를 위한 최고의 선물은 뭔가 새로운 상품을 구입하는 것이 아니라 예술의 아름다움을 가슴 깊숙이 호흡할 수 있는 시간과 공간을 체험하는 일임을 알게 되었다. 멋진 공연과 전시를 기획해도 사람들이 보러 오지 않는다면, 그 장소의 아름다움은 한 번도 펼치지 못한 공작새의 날개처럼 쓸쓸한 존재가 된다.

공연과 전시를 관람할 때마다 마음속에 깊이 되새기곤 한다. '예술의 아름다움을 느낄 수 있는, 너무도 아름답고 소중한 마음의 권리'를 잊지 말아야 한다고. 아름다움은 항상 우리 곁에 있었다. 하지만 우리가 눈을 크게 뜨고, 부지런히 신발을 신고 밖으로 나서지 않는 한 아름다움은 그저 안타까이 우리 곁을 빠르게 스쳐 지나갈 뿐이다. 사람들이 언제든 예술의 아름다움을 느낄 수 있는 권리를 찾을 수 있도록 더욱 다채롭고 매혹적인 자극을 줄 수 있는 장소들이 많아질 때 삶의 고단함에 지친 사람들이 예술의 아름다움을 만끽할 수 있는 치유적 효과는 더욱 커질 것이다. 아름다움은 항상 우리 편이다. 우리가 예술의 아름다움을 놓치지 않을 준비가 되어 있다면.

120 MON  심리학의 조언 스트레스의 원인과 작별하기

환자가 병원을 찾을 때, 가장 알고 싶어 하는 것은 바로 '내가 왜 아픈가'이다. 원하는 것은 고통의 제거이지만, 알고 싶은 것은 고통의 이유인 것이다. 하지만 의사들로부터 확실한 해답을 듣기 어려울 때가 많다. 환자가 처한 상황이나 외부 환경을 의사가 단번에 파악할 수는 없다. 이럴 때 의사로부터 환자가 가장 많이 듣는 대답 중 하나가 '스트레스 때문'이라는 것인데, 이 대답을 들으면 환자는 더욱 극심한 스트레스를 받는다. 도대체 스트레스가 없는 사람이 어디 있겠는가. 도대체 무슨 스트레스를 어떻게 줄여야 한단 말인가. 하지만 스트레스가 만병의 근원임은 움직일 수 없는 진실이다. 그러니 이제부터 환자의 주체적인 자기 분석이 필요하다. 나의 스트레스는 어디에서 비롯되는가. 가장 심각한 스트레스는 내 주변의 어떤 일, 사람, 사건과 관계되어 있는가.

현대인의 스트레스를 심화시키는 큰 요인 가운데 하나는 바로 '인터넷에 노출되는 시간'이 길어졌다는 점이다. 스마트폰의 이용자는 세계적으로 급증하고 있으며, 특히 한국인의 스마트폰 이용도는 세계 최고 수준이다. 'SNS 활동에 적극 참여하지 않으면, 친구들 사이에서 왕따가 될지도 모른다'는 공포와 스트레스는 10대 청소년들의 인간관계에 심각한 악영향을 끼치고 있다. 많은 사람들이 'SNS 피로도'를 호소하며 알림음을 끄거나 페이스북 등에서 탈퇴를 하고 있다.

스마트폰 사용으로 인한 스트레스는 수면 장애와 우울증과도 깊은 관계가 있다. 잠들기 직전까지 스마트폰을 이용하는 사람들의 수면 장애와 우울증 비율은 그렇지 않은 사람들보다 현저하게 높다. 인터넷 사용은 끊임없이 내 삶을 불특정 다수의 삶과 비교하게 만든다. SNS에 올라온 타인의 멋지고 자랑스러운 라이프 스타일과 자신의 삶을 비교하며, 사람들의 자존감은 예전보다 훨씬 자주, 지속적으로 상처를 입게 되었다.

나는 사이버스트레스를 줄이기 위해 하루에 세 시간 이상은 핸드폰을 멀리 두고 아예 손을 대지 않는 연습을 하고 있다. 업무 연락은 이메일로 부탁하고, 원하는 시간에 업무를 처리할 수 있도록 관계자들에게 양해를 구했다. 일단 복잡했던 머릿속이 차분하게 정리되는 느낌이 좋다. 쓸데없는 검색의 노동으로부터 자유로워지니, 독서와 글쓰기를 위한 시간, 차분히 나를 돌아보는 시간이 늘어나서 더욱 좋다. 미디어가 화살처럼 나를 공격하는 느낌으로부터 벗어나는 중이다. 스마트폰으로부터의 자유야말로 지금 우리에게 필요한 마음챙김의 시작 아닐까.

121 TUE  독서의 깨달음

자비, 누구나 실천할 수 있는 심리치유

너무 쉽게 남에게 상처를 받지만 너무 쉽게 남에게 상처를 주기도 하는 현대인들. 우리의 마음속에서 가장 절실한 감정, 가장 부족한 감정을 하나만 꼽으라면 나는 '자비'를 택하고 싶다. 자비는 연대와 공감을 가능케 하며, 치유와 공존을 위한 필수적인 감정이기 때문이다.《달라이 라마의 지혜 명상》을 읽으며 내가 가장 집중한 것도 바로 자비와 관련된 메시지였다. 이 책을 통해 자비의 실체에 한층 가까이 다가가는 느낌이었다. 달라이 라마가 아픈 사람을 유심히 바라보기만 해도 느껴지는 자비의 정체를 아주 조금이나마 알 것 같다. 그가 자비명상을 무려 70여 년 동안 하루도 빠짐없이 해냈다는 것이 놀랍다. 살아 있는 한 이 세상에 고통받는 존재들의 슬픔과 아픔을 보살펴주겠다는 서원. 고통을 사라지게 하는 것, 고통을 위무한 것, 고통을 조금이라도 덜어주려는 모든 마음이 자비였구나. 그러니까 나의 고통이 줄어들 때마다, 내가 누군가의 고통을 조금이나마 덜어줄 때마다 자비라는 기적은 매일매일 일어나고 있었던 것이다.

나는 달라이 라마를 통해 간신히 깨달았다. 자비는 단순한 '감정'이 아니라는 것을. 자비는 지식이고 배움이며 깨달음이라는 것을. 그것도 엄청난 노력과 통찰력을 통해 매일 길러야만 간신히 커질 수 있는, 훈련과 반복의 결과라는 것을. 사람들이 가장 원초적으로 꿈꾸는 자비의 형태는 바로 병든 사람의 치유다. 명상에 대한 수많은 저서를 출간한 과학자이자 명상전문가 존 카밧진은 자비명상의 살아 있는 증인이다. 그는 스트레스를 받은 노동자들에게 자비명상을 교육했고, 뇌 스캔 결과 명상자들의 불안이 감소했다. 명상을 거친 후 이들의 면역계는 눈에 띄게 향상되었다. 자비를 실천한다는 것은 나의 고통과 타인의 고통이 정확히 같다는 것을 깨닫는 인식의 변화를 전제로 하는 것이다. 그런 의미에서 나는 '자비를 베풀다'라는 시혜적인 표현보다는 '자비를 실천하다'라는 표현이 훨씬 좋다.

달라이 라마는 불쌍한 사람에게 느끼는 동정심은 결코 '자비심'이 아님을 명확히 한다. 동정심은 타인을 열등하게 여기고, 자신이 우월한 존재라고 느끼는 감정이기 때문이다. 진정한 자비심은 내가 행복을 원하고 고통을 피하고 싶어 하듯 남들도 행복을 원하며 고통을 피하고 싶어 한다는 사실을 깨달을 때 생겨난다. 자비는 한 사람을 향한 특정한 감정이 아니라 타인의 아픔을 바라보는 항시적인 관점이며, 한 개인이 아니라 인류 전체, 나아가 세계 전체의 공존을 위한 지성의 선택이다. 자비는 그 어떤 심리학적 지식이 없는 사람도 늘 일상 속에서 실천할 수 있는 최고의 치유법이며 최선의 지적 선택이다.

122 WED 일상의 토닥임 미운 오리 새끼의 자기발견

대학원에서 나는 미운 오리 새끼였다. 나는 걸핏하면 이런 이야기를 들었다. "네 글은 너무 감정적이야." "지나친 주관성은 글쓰기에 도움이 안 돼." "차라리 문예창작학과에 가지 그러니? 왜 국문과에서 이 고생이니?" "국문과는 공부를 하는 곳이야, 네 마음대로 글을 쓰는 곳이 아니야." "논문은 객관성이 생명이야. 너의 글은 너무 소설 같아." 그때마다 자존감에 치명상을 입었다. 나는 내가 글을 쓰는 대상, 즉 소설가나 시인들을 너무 사랑했고, 그 사랑을 조금 더 객관적인 언어로 표현하는 것이 논문인 줄 알았다. 하지만 그 객관적인 언어에서 길이 막혀 버렸다. 객관적으로 쓰려 할수록 뭔가 내 안의 소중한 것이 깎여나가는 느낌이었다. 차가운 이성과 또렷한 논리, 그것으로 글을 쓸수록 왠지 내 안의 소중한 감수성과 따스한 열정이 사라지는 느낌이었다. 나는 그런 비난을 들으며 스스로 힐난했다. 내가 뭔가 크게 잘못된 사람인 것만 같았다.

하지만 똑같은 글쓰기의 스타일을 '논문'이 아닌 '나의 책'이라는 그릇에 담으니 대중의 반응은 놀랍도록 따스했다. "선생님의 글을 보고 있으면 미처 표현하지 못한 제 마음을 보는 것 같아요." "작가님의 글을 읽으며 산후우울증을 치유했어요." "우리 딸도 작가님처럼 타인의 마음을 어루만지는 글을 쓰고 싶대요." 그 따스함에 소스라치게 놀라 스스로를 돌아보았다. 나의 글쓰기는 예나 지금이나 똑같은데, 도대체 무엇이 달라진 거지? 그건 바로 '내가 노는 물'이었다. 학계에서는 비판을 넘어 비난을 당하기 일쑤였던 내 글이 대중 독자들과 함께 하는 에세이 시장에서는 따스한 환대를 받았다. 나는 마치 처음으로 나의 진짜 모습을 물 위에 비춰 본 미운 오리 새끼처럼 울컥한 감정에 사로잡혔다. 오리와 백조 사이의 위계는 결코 없지만, 나는 미운 오리 새끼로 타박 받는 것보다는 같은 무리들의 사랑을 받는 백조이고 싶었다.

나는 학자의 자리에서 작가의 자리로 옮겨 오면서, 잃어버린 자존감을 되찾았다. 전에 없었던 따스한 마음, 자신을 사랑하는 마음까지 생겼다. 내게 어울리는 사람들, 나를 사랑하는 사람들 곁에 있을 때, 우리는 진짜 자신이 될 수 있다. 나를 꾸미기 위해 혈안이 될 필요도 없고, '사랑받지 못하면 어떡하나' 하는 두려움에 빠질 필요도 없다. 그만큼 '같은 무리들의 사랑을 받는 백조'의 자리를 찾는 것은 인생에서 중요한 모험이며 자기발견이다. '여기가 내 자리가 아닌가 보다'라는 소외감에 시달릴 때는, 진정으로 '나다움'을 받아줄 수 있는 공동체를 찾는 적극적인 모험이 필요하다.

123 THU  사람의 반짝임 친구로 사귀고 싶은 문학 속의 이상형

문학작품 속의 주인공을 진짜 친구로 삼고 싶을 때가 있다. 버지니아 울프의 분신, 댈러웨이 부인이 바로 그런 사람이다. 그녀는 예민하고 내성적이면서도 사려 깊고 관찰력이 뛰어난 사람이다. 분명 귀족적인 취향을 지녔고 파티의 여주인공으로서의 삶을 포기하지 않을 테지만, 그럼에도 불구하고 나는 그녀가 좋다. 자신과 너무 다른 존재까지도 깊이 이해하고 공감할 수 있는 너른 포용력이 있기 때문이다. 그러면서도 자신의 따스한 감수성을 애써 감추는 약간의 까다로움과 수줍음 또한 댈러웨이 부인의 매력이다.

댈러웨이 부인은 자신이 그저 파티나 좋아하는, 정치인의 아내로 보일 것을 알고 있다. 그래서 자신이 클라리사였던 시절, 자신의 이름으로 불리던 시절, 그 싱그럽고 찬란한 시절의 열정을 그리워하기도 한다. 다시 한번 처음부터 다시 시작할 수 있다면 얼마나 좋을까, 전혀 다른 모습으로 살아갈 수만 있다면. 클라리사는 이렇게 한탄하지만, 내가 보기에는 댈러웨이 부인의 지금 모습이 너무 아름답다. 그녀는 꽃을 사러 나온 산책길 위에서도 사유와 관찰을 멈추지 않는다. 산책이야말로 그녀가 세상과 접하는 방식이다. 영국 여왕의 비밀스러운 행차로 보이는 검은 자동차로부터 전쟁의 후유증 때문에 끝없이 환각에 시달리는 청년 셉티머스에 이르기까지, 산책은 런던이라는 대도시의 온갖 다채로운 인간군상을 한꺼번에 만날 수 있는 길이었던 것이다. 게다가 댈러웨이 부인의 파티는 어떤가. 그녀가 파티를 꿈꾸는 것은 사치와 유흥을 즐기는 사람이어서가 아니라, 그녀가 사랑하는 사람들을 한자리에 모아놓고 그들이 행복해하는 모습을 보고 싶어서이다. 그녀는 산책을 통해 더 많은 사람과 소통하고 싶어 하고, 파티를 통해 더 많은 사람을 즐겁게 해주고 싶어 하는 것이다. 세상을 향한, 클라리사의 이 비밀스러운 열정을 나는 사랑한다. 겉으로 보기에는 침착하고 냉정한 사람이라 아무도 클라리사의 마음속에 이토록 커다란 열정이, 이토록 깊은 사랑이 숨겨져 있는지 모르는 것이 아닐까.

클라리사는 어린 시절부터 사람들을 자신의 정원에 초대하여 행복한 한때를 보내는 일을 사랑했다. 아름답고 정성스럽게 꾸민 정원은 그녀의 환한 미소와 따스한 환대로 인해 지상의 유일한 마법의 정원이 되었다. 그녀가 가장 소중하게 여긴 것은 바로 '우정'이었기 때문이다. 가족이 아니어도, 이해관계가 얽힌 관계가 아니어도, 오직 '친구'라는 이유만으로 한없이 가까워질 수 있는 공감과 연대의 관계. 그것이 클라리사가 본능적으로 이해하고 실천했던 치유의 기술이었던 것이다.

124 FRI 영화의 속삭임 '나는 과연 무엇을 원하는가'를 깨닫다

단순한 오락영화인 줄 알았는데, 막상 뚜껑을 열어보니 깊은 깨달음과 감동을 주는 영화가 있다. 멕 라이언과 아네트 베닝 주연의 〈내 친구의 사생활〉이라는 영화가 그렇다. 디자이너로서 재능이 뛰어나지만 아버지 회사의 콘셉트에 어울리는 디자인을 억지로 해주면서, 무난하고 행복한 결혼생활을 목표로 삼고 있는 메리(멕 라이언). 결혼하지 않고 오직 일에만 매진하여 패션잡지 편집장으로 성공한 실비(아네트 베닝). 메리는 타인의 행복을 자신의 행복보다 늘 우위에 두는 착한 여자지만, 그녀의 행복은 가정이 화목해야만, 가족 중 아무도 사고를 치지 않아야만 유지되는 불안한 행복처럼 보인다.

어느 날 이들의 인생에 위기가 찾아온다. 실비가 자주 가는 백화점 향수 매장의 크리스탈이라는 점원이 메리의 남편과 불륜관계라는 사실을 알아낸 것이다. 메리의 남편은 신문 경제면에 이름이 오르내리는 유명 인사였지만, 모두가 부러워하던 메리의 스위트홈은 하루아침에 무너져 내린다. 그런데 주변 사람들의 조언이 모두 도움이 안 된다. 어머니는 '참고 살아라, 나도 그랬단다'라는 보수적인 태도를 보이고, 실비는 용감하게 나서서 남편을 되찾아오라고 한다. 메리의 성격상 두 가지 모두 어려웠던 것이다. 한 번도 남에게 아쉬운 소리를 해본 적 없는 메리, 착하고 친절하고 우아하게만 살아온 메리에게는 '착하지 않은 남편과 크리스탈'이 결코 이해할 수 없는 존재이며, 메리는 그들에게 착하지 않게, 혹독하고 단호하게 불륜을 정리하라고 일갈할 용기도 없었다.

단식원에서 뭔가 획기적으로 삶을 바꾸는 대단한 변화를 모색해보기로 한 메리는 그곳에서 레아라는 여성을 만난다. 평생 착하게만 살려고 노력했는데, 왜 자신은 이토록 불행해졌는지 모르겠다고 고백하는 메리를 향해 레아는 말한다. "Be selfish!" 제발 이기적으로 살라고. 나를 생각하는 순간 인생이 더 잘 풀린다고. "내가 누구지? 나는 뭘 하고 싶지?" 이것만 생각하라고. 메리는 처음으로 자신이 원하는 스타일로 패션디자인을 시작해보고, 아름답고 풍요로운 삶의 원동력이 '남들의 평가'가 아닌 바로 '나 자신의 의지'임을 알게 된다.

끝없이 타인을 걱정하다가 정작 자신을 돌보는 법을 잊어버린 사람에게 이 영화를 추천하고 싶다. 착하게 살려고 하지 말고, 진정한 자기 자신이 되라고. '착해야 한다'는 감정의 감옥에 갇혀 '나 아닌 다른 사람의 요구'를 들어주며 인생을 낭비하지 말고, 누가 뭐래도 온전한 나 자신이 되는 삶을 살라고.

125 SAT  그림의 손길 내 마음에 비친 내 모습 바라보기

갑자기 정전이 되었을 때 오랜만에 촛불을 켠 적이 있다. 촛불을 켜고 가만히 앉아 있자니 마음이 놀랍도록 차분해졌다. 이 세상에 오직 촛불과 나만 있는 느낌, 모든 복잡한 자극이 사라져 내 마음의 비밀스러운 전모가 확연히 드러나는 느낌이었다. 왜 진작 촛불을 켜지 않았을까 싶었다. 촛불을 켜는 순간, 온 세상이 이토록 달라 보이는데. 모든 존재를 너무 밝게 비추는 형광등과 달리 촛불은 부분만 밝게 비춤으로써 자연스러운 하이라이트 효과를 준다. 정말 집중하고 싶은 하나의 대상만을 제대로 비출 수 있기에. 촛불을 켠 날 밤, 평소에 잘 안 쓰던 일기를 썼다. 사각사각 펜이 종이를 긁적이는 소리도 더욱 생생하게 들렸다. 작은 촛불을 통해 내 마음으로 직접 통하는 비밀의 열쇠를 찾은 느낌이었다.

빛은 스스로 형체를 갖지 못하고 타자를 비춤으로써 자신의 존재를 알린다. 조르주 라투르의 〈등불 아래 참회하는 막달레나〉(1630~1635)는 바로 이런 '어둠 속 빛'의 매력을 극대화시킨 작품이다. 이 작품을 바라보는 것만으로 '내 마음에 비친 내 모습'을 발견하는 듯한 느낌이다. 이 그림 자체가 마음챙김 명상의 효과를 발휘한다. 바라보는 것만으로도 차분해지고, 바라보는 것만으로도 '내 마음은 지금 어떤 모습일까'를 저절로 생각하게 되는 그림이다.

빛은 특정한 형체가 없다. 하지만 형체를 지닌 모든 것에 '진정한 형체'를 부여한다. 스스로는 일정한 모양을 지니지 않으면서 자신이 만나는 모든 것에 형태와 빛깔을 부여하는 빛의 힘은 끊임없이 화가들을 매혹시킨다. 빛은 스스로를 와해시키면서 대상을 새로운 모습으로 창조한다. 빛이 흩어지고 무너지고 바스러지는 동안, 대상은 새로이 빚어지고 환해지며 도드라진다. 우리가 보는 것은 빛과 존재의 어우러짐이다. 존재는 때로는 빛을 온몸으로 흡수하고, 때로는 빛을 온몸으로 밀어내면서, 빛과 대화하고 춤추고 마침내 하나가 된다. '빛' 따로, '존재' 따로는 제대로 볼 수 없지만 빛과 존재의 어우러짐은 볼 수 있다.

화가들은 누구보다도 예민하게 빛과 존재의 어울림을 포착한다. 라투르의 그림은 오직 희미한 촛불 하나에 의지해 한 인간의 깊은 내면의 울림까지 담아낸다. 해골을 손에 쥐고 등불을 응시하는 막달레나의 모습은 언제든 닥칠 수 있는 죽음을 성찰하며 구원과 깨달음의 빛을 향하는 인간의 숭고함을 보여준다. 라투르가 그린 것은 오직 한 여인이지만 그의 화폭에 드러난 영상은 깨달음의 빛을 향해 끝없이 구도의 길을 걸어가는 모든 사람의 꿈이다.

126 SUN 대화의 향기 마음의 힘을 키워주는 예술의 손길

아름다운 예술이 주는 치유의 효과는 고단한 어깨를 토닥토닥 두드려주는 친구의 손길을 닮았다. 아픈 사람의 어깨를 주물러주는 치료사의 손길처럼, 하루 종일 일하느라 지친 엄마의 발을 주물러주는 소년의 손길처럼, 예술은 우리 몸속에 있는 줄도 몰랐던 고통을 끄집어내어 '여기가 아프신가요?' 하고 묻는 것만 같다.

오페라 〈베르테르〉를 볼 때도 가슴이 저릿했다. 영원히 이루어질 수 없는 사랑을 안고 세상을 떠나가는 베르테르의 슬픔이, 나와는 전혀 상관없는 머나먼 낯선 땅의 젊은이가 느낀 아픔이 바로 지금 우리가 겪고 있는 저마다의 슬픔과 따스한 교집합을 이룰 수도 있다는 생각이 들었다. 예술은 바로 그런 면에서 '모든 것들을 이어주는 존재'다. 내가 겪어본 고통과 결이 다를지라도, 마치 작품 속 주인공의 아픔이 내 아픔인 것처럼 느껴지는 것. 예술의 프레임 속에서는 모든 것이 이해된다. 우리와 전혀 상관없어 보이는 지구 반대편의 온갖 파란만장한 이야기도 예술의 프리즘을 거치면 모든 것이 이해 가능한 것, 공감할 수 있는 것이 된다. 바로 그렇게 예측불가능한 상황들 속에서 타인의 고통에 대한 공감 능력을 키울 수 있는 것이야말로 오늘날의 예술이 감성이 메마른 사회를 향해 선사하는 마음의 축복이다.

예술은 일상의 타성에 젖은 규격화된 의식을 깨뜨려주고, '우리가 당연하게 여기는 세상'이 누군가의 피땀과 눈물이 일구어낸 눈물겨운 작품임을 일깨워준다. 삶을 치유할 수 있는 힘을 예술의 아름다움에서 얻을 때마다 우리는 더욱 뜨겁게 '삶에 대한 사랑'을 느낄 수 있게 된다. 아름다운 음악을 들을 때, 그냥 스쳐 지나갈 수 없는 그림 앞에 속수무책으로 한참 서 있을 수밖에 없을 때, 너무 몰입해서 시간과 공간조차 잊게 만드는 공연을 볼 때, 그 순간만은 일상의 모든 감정노동과 불편한 인간관계와 아직 해결하지 못한 수많은 인생의 문제가 눈 녹듯 사라져버리는 느낌이 든다. 그리고 그 아름다운 몰입과 도피의 시간이 끝나고 나면 나는 더 지혜롭고 강인해진다. 예전보다 훨씬 더 크고 깊고 자유로운 사람이 되어 나의 고통뿐 아니라 타인의 고통을 치유할 수 있는 더욱 따스한 사람이 된다.

우리는 예술을 통해 분명 더 품격 있는 삶, 더 아름답고 향기로운 삶을 누릴 권리가 있다. 삶에 지친 사람들, 온갖 동영상과 이미지와 미디어의 홍수 속에서 지친 사람들에게 예술의 아름다움은 더 큰 그리움으로 귀환한다. 아름다운 예술작품은 우리에게 이렇게 질문할 수 있는 힘을 지녔다. "여기가 아프신가요?"

127 MON 내 그림자와 함께한 나날들

심리학의 조언

내가 사랑하는 심리학자 칼 구스타프 융은 자신의 자서전을 이렇게 시작한다. "내 인생은 무의식의 자기실현의 역사다." 융을 통해 나는 깨달았다. 내가 '나도 모르게' 하고 있는 많은 행동들, 그리고 내가 잊어버렸다는 사실조차 잊어버린 수많은 억압된 기억이 내 삶의 그림자를 이루고 있음을. 우리가 감추고 무시하고 짓밟는 무의식이 마치 살아있는 생명체처럼 강력한 에너지를 가지고 우리의 삶을 바꿀 수도 있다. 그렇다면 나의 삶을 융의 언어로 표현한다면 무엇일까. 내 인생은 그림자와의 치열한 전투였다. 내 안의 슬픔과 상처와 결핍이 빼곡하게 모여 있는 바로 그 '그림자'라는 존재야말로 내가 싸워야 할 최고의 적수였다. 그런데 내 안의 그림자를 깊이 들여다볼수록, '그림자와의 전투'는 점점 '그림자와 친구 되기'라는 정반대의 경지를 향해 달려가고 있다.

그림자와 친해진다는 것은 매일매일 상처를 바보처럼 곱씹는다는 뜻이 아니다. 또한 그림자는 주로 가까운 사람들과 나눈 시간 속에 자리하므로, 어쩔 수 없이 그림자를 돌보다 보면 가족 트라우마와 만나게 된다. 이때 주의할 점은 부모나 형제자매가 나에게 준 상처를 분명히 재인식한다고 해서 가족에 대한 사랑이 줄어드는 것은 아니라는 점이다. 부모가 내게 준 상처를 똑바로 바라봄으로써 우리는 사랑이라는 이름 뒤에 숨은 이기심과 폭력을 제대로 인식할 수 있고, 이를 통해 앞으로 더 제대로 사랑하는 법, 상처주지 않고 사랑하는 법을 모색하게 된다. 또한 그림자를 고백한다고 해서 우리의 영혼이 손해를 보는 것도 아니다. 그림자를 고백함으로써 나에게 상처를 준 자에게 복수하는 것도 아니다. 우리는 아무리 노력해도 서로에게 상처를 주지 않고는 살아갈 수 없으며, 우리가 할 수 있는 것은 그 상처를 최소화할 수 있는 배려와 존중의 마음가짐을 기르는 것뿐이다. 나아가 이미 일어난 상처를 덧나게 하지 않게 하고 그 상처를 치유할 수 있는 힘을 기르는 것은 오직 그림자를 돌보는 삶을 통해 가능하다.

그림자와 대면하는 순간을 고통의 시간으로만 생각한다면 우리는 그림자로부터 그 어떤 새로운 가능성도 발견할 수 없다. 하지만 그림자의 목소리를 잘 들어보면, 그곳에 내 모든 희로애락의 원천이 꿈틀거리고 있음을 발견할 수 있다. 우리를 아프게 하는 내면의 그림자를 그저 방치하면 그곳이 끝없이 상처가 덧나는 고통의 장소가 된다. 그러나 그림자를 마치 보물처럼 소중히 여기고 보살피면 바로 그 그림자가 존재하는 자리야말로 구원의 자리, 창조의 자리가 될 수 있다. 부디 자신의 그림자를 외면하지 말기를.

128 TUE  독서의 깨달음 내 안의 그림자와 친구가 될 수 있다면

로버트 존슨의 《내 그림자에게 말 걸기》는 융 심리학의 훌륭한 입문서이기도 하며 융 심리학을 좀 더 우리 자신의 잠재성과 창조력을 이끌어낼 수 있는 방향으로 활용할 수 있게 만드는 가이드북이다. 로버트 존슨은 우리가 남들에게 보여주는 뛰어난 연기력, 즉 페르소나 뒤에 감춰진 어두운 그림자를 길들이는 것이야말로 우리 인생의 가장 중요한 과제임을 일깨운다. 야생마처럼 날뛰는 우리의 분노와 증오가 모여 있는 곳, 그곳이 그림자가 모여 있는 곳이다. 그림자를 방치하고 그림자로부터 도망치려고 하면 이상하게도 인생이 잘 풀리지 않는다. 트라우마나 콤플렉스 따위는 내 인생과 아무런 상관이 없는 척하는 것은 페르소나의 뛰어난 연기력일 뿐이다. 나는 이제 오히려 내 상처와 콤플렉스가 모여 있는 마음의 자리, 즉 그림자에 집중한다. 끝없이 피하는 것보다는 용감하게 대면하는 것이 훨씬 지혜로운 일임을 알기 때문이다. 로버트 존슨의 책은 바로 그 용감한 대면을 가능하게 도와주면서, 동시에 '그림자를 방치하는 삶'보다는 '그림자를 소중히 보살피는 삶'이야말로 더욱 슬기로운 마음챙김의 비법임을 일깨워준다.

융은 어느 청년의 꿈속에서 여자 친구가 얼어붙은 호수에 빠져 죽어가는 이야기를 알게 된다. 꿈속에서 죽어가던 여자 친구는 바로 우리 자신의 또 다른 자기, '알터에고(alterego)'의 모습일 수 있다. 남성의 꿈에 나타나는 여성은 주로 아니마를 형상화하는 경우가 많다. 그저 주저앉아 꿈속의 여자 친구가 물에 빠져 죽도록 내버려두어서는 안 된다. 물에 빠져서 허우적거리는 우리 안의 여자 친구는 바로 우리가 구해야 할 소중한 내면의 여성성, 또는 우리 자신의 가장 중요한 잠재력일 수 있다. 꿈속에서 여자 친구가 얼어붙은 호수에 빠져 죽어가고 있다면, 그것은 우리 내면의 소중한 여성성이 죽어가고 있다는 신호라는 것이다. 그 내면의 여성성은 악기를 연주하고 싶은 열망일 수도 있고, 글을 쓰고 싶은 충동일 수도 있으며, 주변 사람들을 경쟁상대로 보는 것을 멈추고 그들의 아픔을 보듬어줄 수 있는 따스한 포용력을 갖추는 것일 수도 있다. 꿈속에서 '죽어가는 여자 친구'가 상징하는 것이 무엇인지 분석하고 헤아리고 성찰해봄으로써 우리는 내 안에 오직 쌓아두거나 밀쳐두기만 했던 진정한 문제와 대면할 수 있게 된다. 그림자의 목소리를 소중하게 경청할 때 우리의 가능성과 잠재력은 진정으로 자라날 수 있다. 그림자와 친구가 될 수만 있다면, 마침내 그림자와 춤을 출 수 있게 된다면, 당신을 괴롭히는 그 어떤 고통도 당신을 파괴하지 못할 것이며, 당신 안에 일어나는 모든 번뇌와 아픔까지도 더 눈부신 미래의 삶을 위한 밑거름이 될 것이다.

129 WED 일상의 토닥임 아름다운 시 한 편 새겨둘 마음의 여백

오래전 누군가를 만나고 돌아서는 순간, 돌아서자마자 그 사람이 못 견디게 보고 싶을 때가 있었다. '내가 살아 있는 동안 그 사람을 또 언제 만날 수 있을까'라는 생각에 마음이 착잡해지는 순간, 지하철 스크린도어 위의 시 한 편을 만났다. "내가 당신을 사랑하는 것은 까닭이 없는 것이 아닙니다./ 다른 사람들은 나의 홍안만을 사랑하지마는, 당신은 나의 백발도 사랑하는 까닭입니다.// 내가 당신을 그리워하는 것은 까닭이 없는 것이 아닙니다./ 다른 사람들은 나의 미소만을 사랑하지마는, 당신은 나의 눈물도 사랑하는 까닭입니다.// 내가 당신을 기다리는 것은 까닭이 없는 것이 아닙니다./ 다른 사람들은 나의 건강만을 사랑하지마는, 당신은 나의 죽음도 사랑하는 까닭입니다." 한용운의 〈사랑하는 까닭〉이었다.

눈물이 왈칵 쏟아졌다. 내가 누군가에게 받고 싶었던 사랑, 내가 누군가에게 주고 싶었던 사랑, 그러나 끝내 서로가 주고받지 못했던 안타까운 그리움의 언어가 그 시 속에 다 담겨 있는 것만 같았다. 이렇듯 아름다운 시는 마치 코끝으로 바로 스며들어 마음을 뒤흔드는 꽃향기처럼 아무런 설명 없이 영혼의 성벽을 기어코 무너뜨린다. 그런 무너짐의 순간이 아름답다. 마음의 성벽을 차곡차곡 쌓아 누구도 내 마음을 들여다볼 수 없게 만드는 동안 우리는 훌륭한 연기자가 될 수는 있지만 진정한 나 자신이 될 수는 없으니까.

나를 기어이 무너뜨리는 시인의 언어들이 마치 일상의 감옥을 벗어나게 해주는 눈부신 비상구처럼 느껴진다. 시(詩)라는 이름의 비상구, 그것은 어디에나 존재하지만 깨어 있는 가슴을 통해서만 비로소 보인다. 그렇게 지하철 스크린도어에서 아름다운 시를 발견하는 날은 내 영혼이 눈을 뜨는 날이다.

우리는 시를 통해 결코 가본 적이 없는 황야, 결코 가본 적이 없는 바다, 결코 밟아본 적이 없는 해와 달과 별조차 만날 수 있다. 아무리 낯선 곳이라도 이미 가본 듯, 이미 다 아는 듯, 이미 오래전부터 사랑해온 듯, 끝없이 친밀하게 만들어주는 그것. 그것이 시가 있는 자리이며, 시를 읽어야만 비로소 느껴지는 삶의 비밀이며, 시와 함께해야만 기어이 만들어지는 세상이 아닐까. 길게 묘사하는 글쓰기로는 차마 표현할 수 없는 압축미, 시만이 도달할 수 있는 깊이와 상징과 은유가 살아 있는 글쓰기의 감동을 우리는 매일, 지하철 스크린도어에서도, 공중화장실의 스티커 메모지 위에서도 얼마든지 느낄 수 있고, 언제든지 감동할 수 있다. 우리가 마음의 눈을 크게 뜨기만 한다면. 아름다운 시 한 편 가슴속에 새겨둘 아주 작은 마음의 여백 하나를 만들어두기만 한다면.

130 THU  사람의 반짝임 로빈 윌리엄스, 영원한 치유의 미소

누군가의 사망 소식을 들었을 때, 비로소 내가 그를 얼마나 사랑했는지 깨달을 때가 있다. 한 번도 만나지 못하고 오직 스크린을 통해서만 만난 배우들이 그렇다. 더 이상 그의 신작 영화를 볼 수 없다는 생각이 들면 가슴이 아파온다. '오 캡틴, 나의 캡틴'이라는 잊을 수 없는 명대사로 유명한 〈죽은 시인의 사회〉로부터 시작된 나의 로빈 윌리엄스 앓이는 〈미세스 다웃파이어〉의 '유모로 변장하여 이혼한 아내의 집에 아이들을 돌보러 온 아빠'는 물론, 〈굿 윌 헌팅〉과 〈바이센테니얼 맨〉에 이르러 정점에 이르렀다.

그가 영화 속에서조차 따스한 치유자가 되어주었던 〈죽은 시인의 사회〉의 첫 번째 장면이 아직도 기억에 생생하다. 좋은 스승은 아무리 열악한 상황에서도 학생의 잠재력을 끌어낸다. 영화 초반부, 학생들은 아직 그를 믿지 않고, 특히 토드(에단 호크)는 너무 내성적이라 자기표현을 유난히 어려워하는 아이였다. 키팅(로빈 윌리엄스)은 토드의 가장 깊숙한 곳에 숨어 있는 시인의 잠재력을 이끌어낸다. "저기 휘트먼 아저씨의 사진이 있어. 저 사진이 뭘 연상시키지? 생각하지 말고 그냥 말해버려." "미, 미친 사람요." "어떤 종류의 미친 사람? 생각하지 말고 그냥 대답해." "정, 정신 나간 미친 사람." "오, 그것보단 더 잘할 수 있어. 마음을 열고, 상상력을 펼쳐봐. 머릿속에 떠오르는 걸 바로 얘기해. 바보 같은 얘기라도 좋아." "어, 어, 땀에 젖어 이를 드러낸 미친 사람." "좋아, 네 안에도 시인이 살고 있구나. 자, 이제 눈을 감아봐. 눈을 감고 뭐가 보이는지 말해봐." "그, 그가 손을 뻗어서 내 목을 졸라요. 계속 뭔가를 중얼거려요. 진실은 언제나 두 발을 채 감싸주지 못하는 담요 같은 것이다. 당신이 잡아당기고 끌어당겨도 그 진실의 담요는 늘 부족하다. 무슨 수를 써봐도 그 담요는 우리를 완전히 덮어주지 못한다. 울면서 태어난 순간부터 죽음으로 떠나는 순간까지, 울고 절규하고 소리쳐도, 진실의 담요는 우리의 얼굴만을 덮어줄 것이다." 키팅은 토드의 놀라운 상상력에 흐뭇한 미소를 보낸다. "오늘 이 순간을 잊지 마." 모두가 토드의 놀라운 시적 상상력에 박수를 보낸다.

바보 같은 소리라도 좋으니, 내 안의 가장 깊은 외침을 끌어내는 것. 바로 이것이 '나는 재능이 없어'라는 초자아의 빗장에 가려진 이드의 외침이다. 우리 모두에게는 저마다의 눈부신 재능이 있다. 그 눈부신 재능을 펼칠 수 있게 도와주는 스승을 찾아 떠나는 길, 그것이 내겐 책을 읽고 영화를 보며 글을 쓰는 그 모든 일상의 시간이다.

131 FRI 영화의 속삭임 나 자신을 용서할 수 있을 때까지

배우 호아킨 피닉스의 얼굴을 보면 절대로 약해지지 않겠다는 다짐 같은 것이 보인다. 절대로 울지 말아야지, 절대로 아프지 말아야지, 절대로 무너지지 말아야지. 그런 간절한 다짐이 그의 강인한 턱선, 늠름한 콧날, 선 굵은 입술에 묻어 있는 것만 같다. 그래서 그가 〈돈 워리〉라는 영화에서 극단적인 나약함을 연기하는 것이 더욱 놀라웠다. 만취 상태에서 운전을 한 친구의 옆자리에 타서 평생 반신불수의 고통을 겪게 된 주인공 존. 그는 한없이 나약하고 자꾸만 주변 사람들을 실망시키며, 무너지고 또 무너진다. 이대로 더 무너지긴 어려울 것 같은데, 더 이상 이보다 더 낮은 밑바닥은 없을 것 같은데, 또 무너져 내린다.

〈돈 워리〉의 주인공이 겪는 아픔이 너무 커서 고개를 돌리고 싶지만, 영화 속에 보석 같은 말들이 너무 많아 결코 영화 보기를 멈출 수가 없다. 존이 마비의 고통을 이겨내고 간신히 손을 움직여 그려낸 만화는 얼마나 아름다운가. 그가 유쾌한 풍자와 독설이 가득 담긴 글과 그림으로 자신의 상처를 승화시키는 모습이 너무도 아름답다. 사람들은 그의 지나친 솔직함에 고개를 돌리기도 하지만, 그는 자신의 뼈아픈 트라우마와 온몸으로 대면한다. 그는 교통사고로 길바닥에 쓰러져 죽어가면서도 사람들에게 이렇게 외치는 자신의 모습을 만화로 그린다. "제 주머니에 5달러가 있거든요. 이걸로 맥주 하나만 사다 줘요." 그에게 교통사고보다 더 무서운 것은 알코올 중독이었으며, 알코올 중독보다 더 두려운 것은 '어머니가 날 버렸고, 아버지 또한 날 사랑하지 않으며, 이 세상 어디에서도 소속감을 느껴본 적이 없다'는 고립감이었다.

그의 멘토인 도니가 알코올 중독자들의 모임을 이끌면서 자기를 소개하는 장면 또한 뭉클하다. "전 도니고요. 알코올 중독자예요. 전 바지가 두 벌이었어요. 똥 묻은 거 하나 안 묻은 거 하나였죠. 그중에 뭘 입고 있는지 신경도 안 쓰면서 살았어요. 그런데 전 오늘 평범한 일상을 기념합니다. 일어나서 똥 안 묻은 바지를 입고 커피를 사러 갔어요. 미치게 맛있더군요. 꽤 괜찮은 하루였어요. 여기서 여러분 면상을 보기 전까지는요."

자신의 망가진 삶과 대면하는 이 솔직함이 존의 마음을 열게 하고 마침내 그가 알코올 중독을 치유하고 그림에 매진할 수 있도록 도와주는 결정적 역할을 하게 한다. 마침내 그토록 용서할 수 없던 자기 자신을 용서할 수 있을 때까지 우리는 자신의 가장 아픈 그림자와 끝까지 대면해야 한다.

132 SAT 그림의 손길 자연의 품에 안긴 인간의 아름다움

윌리엄 터너는 자연 속에서, 자연과 함께, 자연을 통해서만 존재할 수 있는 인간의 아름다움을 그렸다. 테이트 브리튼 미술관에서 열린 윌리엄 터너 특별전에서 내가 만난 영국인들은 한결같이 그림 하나하나 앞에서 오랫동안 서 있었다. 내 눈에는 서로 엇비슷해 보이는 터너의 풍경화가 영국인들의 눈에는 저마다 풍요로운 이야기보따리를 담고 있는 걸까. 그날 미술관에서 나는 터너의 그림에 감동받았다기보다는 오히려 '터너를 사랑하는 사람들'에게서 감동을 받았다.

그로부터 몇 년이 지나 영국의 가장 혹독한 계절, 겨울을 제대로 체험해보고 나서야 영국인들이 터너에 열광하는 이유를 어렴풋이 알게 되었다. 터너는 단지 자연만을 그리는 것이 아니라 '자연속의 인간'을 그린다. 그는 일찍이 깨달았다. 자연을 당연한 조건으로 인식하지 않고 특별한 풍경으로 인식하는 것은 철저히 인간의 눈임을. 〈바다 위의 어부〉(1796) 같은 초기작에서 그는 거대한 폭풍우와 싸우는 인간을 그린다. 이 그림에서 인간의 얼굴은 직접적으로 보이지 않지만, 우리는 이 그림을 통해 폭풍 속에서 힘겹게 사투를 벌이고 있을 어부의 얼굴을 상상할 수 있다.

'혹독한 자연환경 속의 인간'이라는 테마는 터너의 작품세계 전체를 통해 매우 중요한 역할을 한다. 그는 비바람 속의 어부, 눈보라 속의 나그네, 혹한의 겨울에 험준한 산맥을 넘는 군대 등을 수없이 그림으로써 자연을 통해서만 비로소 존재할 수 있는 인간의 운명을 그린 것이 아닐까.

초겨울부터 늦겨울까지, 영국의 가장 궂은 날씨를 경험해보고 나서야 나는 터너의 그림이 얼마나 '영국적'인 것인가를 깨달았다. 오후 3시만 되면 벌써 해가 지는 혹독한 영국의 겨울, 일기예보에서 가장 많이 들리는 어구는 바로 '내일은 폭우와 함께 강풍이 불겠습니다'라는 것이었다. 영국인들은 터너의 그림을 통해 자연과 싸우며 인생의 진실을 배우는 자기 자신들의 모습을 본 것이 아닐까.

터너의 그림을 보고 있으면, 엄혹한 자연환경 속에서 매번 커다란 어려움을 겪지만, 그 속에서 자신의 힘을 시험하고, 때로는 자연과 싸우지만 궁극적으로는 자연과 공존할 수밖에 없는 인간의 운명을 보는 것만 같다. 터너는 그렇게 자연 속에서, 자연과 함께, 자연을 통해서만 존재할 수 있는 인간의 아름다움을 그렸던 것이다.

133 SUN 대화의 향기 당신의 영혼을 만나는 방법

이런 질문을 받을 때가 있다. "선생님의 인생에 가장 큰 영향을 끼친 사람은 누구입니까?" 나는 그때 내가 사랑하는 여러 작가, 이를테면 버지니아 울프나 수전 손택, 루이저 메이 올코트 같은 사람들의 이름을 떠올리지만, 집에 돌아와서 다시 생각해보니 그 대답은 온전치 못한 것이었다. 이렇게 매일 떨어져 있어도, 예전처럼 자주 만나지 못해도, 여전히 나에게 가장 많은 영향을 끼친 사람은 부모님이다. 그런데 위의 훌륭한 작가들이 '살아낸 삶'이 내 인생에 영향을 끼친 것에 비해 부모님이 나에게 영향을 끼치는 방식은 정반대다. 부모님이 '살지 못한 삶'이 나에게 영향을 미치는 것이다. 부모님이 간절하게 꿈꾸었지만 하지 못했던 공부, 그 공부를 향한 지긋지긋한 콤플렉스가 오늘의 나를 만든 8할이다. 부모님의 콤플렉스 때문에 나는 더 열심히 공부하긴 했지만, 그로 인한 상처도 컸다. 더 잘 해내야 한다는 압박감, 이것으로 충분치 못하다는 결핍감, 내가 이것밖에 안 되는 존재일까 하는 자기혐오가 내 성격의 그림자를 드리운 것이다.

아이들에게 가장 커다란 영향력을 발휘하는 것은 부모의 무엇일까? 재산? 환경? 가치관? 융은 그 모두가 아니며 '부모의 살지 못한 삶'이 아이들에게 가장 큰 영향력을 발휘한다고 말한다. 부모가 살고 싶었지만 살지 못한 삶(the unlived life). 그것이야말로 아이들에게 영원히 투사될, 부모의 그림자이기 때문이다. 자신의 삶에 만족하고 스스로를 사랑하는 부모는 아이들에게 자신이 살지 못한 삶의 그림자를 지나치게 투사하지 않는다. 그러나 현대사회의 많은 부모가 그렇게 행복하고 주체적이지 못하다. 내가 살지 못한 삶, 내가 해내지 못한 것들을 아이들에게 요구하는 부모들이 너무도 많다. 자신이 살지 못한 삶의 요구를 들어주는 것은 아이도 배우자도 아니며, 그 누구도 아닌 '자기 자신'이 되어야 한다.

부모님의 길이 아닌 나 자신의 길을 걸어가는 것, 자신의 진아(眞我)와 만난다는 것은 곧 우리 주변의 온갖 자극과 유혹으로부터 완전히 자유로워지는 것을 말한다. 나는 부모님이 반대하는 작가의 길을 가기 위해 한동안 부모님과의 불화를 견뎠다. 그 시간은 죽음의 터널처럼 외로웠다. 하지만 그 시간이 없었다면, 지금 이 순간 글을 쓰며 행복해 하는 나 자신을 영원히 발견할 수 없었을 것이다. 개성화는 내 무의식까지 속속들이 원하는 진정한 나의 모습을 찾는 일이다. 그 길이 아무리 외로울지라도. 그 길이 아무리 험난할지라도.

134 MON

심리학의 조언

스트레스의 원인을 직시하는 방법

모든 스트레스를 단번에 날려버릴 수 있는 만병통치약은 없지만, 최근 인지행동 치료 분야에서는 스트레스를 통제하는 다양한 기법들이 개발되고 있다. 공황장애, 범불안장애, 대인기피증 등 수많은 정신적 문제를 겪고 있는 환자들을 성공적으로 치료한 심리학자 데이비드 번즈 박사는 환자가 공포를 느끼는 바로 그 장소에 함께 가서 '이렇게 위험해 보여도 결코 죽지 않는다, 이렇게 새로운 일에 도전해도 결코 잘못되지 않는다'는 것을 보여준다. 데카르트가 "나는 생각한다. 고로 존재한다"라고 말한 것에 착안하여, 번즈 박사는 이렇게 말한다. "나는 생각한다. 고로 두렵다." 두려움을 일으키는 것은 실제 외부 상황이라기보다는 내 '생각'이라는 것이다. 내 마음을 바꾸면 두려움을 생각하는 방식이 바뀌고, 다양한 자극을 공포로 받아들이는 사고방식 또한 바뀔 수 있다.

번즈 박사는 공포나 긴장감을 느끼는 뇌의 활동이 일종의 정신적 사기극이라고 본다. 예컨대 고소공포증이 있는 사람은 고층 건물의 엘리베이터에서 이렇게 생각하는 것이다. '여기 정말 위험하구나, 나는 곧 떨어져 죽고 말 거야.' 발표공포증을 앓는 사람은 발표가 시작되기 전에 이런 망상에 빠진다. '나는 분명히 말도 안 되는 소리를 지껄이겠지. 모두가 날 바보 취급할 거고, 나는 엉망진창이 되어버릴 거야.' 위험을 과장하는 것도 공포증 환자의 특징이다. 피를 두려워하거나 건강염려증을 앓는 사람들은 작은 위험에도 엄청난 스트레스를 느낀다. 예를 들어 면도를 하다가 살짝 찰과상을 입기만 해도 '왜 이렇게 피가 많이 날까! 뭔가 심각한 병이 있는 걸까?' 하며 엄청난 압박을 느낀다. 이렇게 작은 스트레스 요인에도 커다란 공포를 느끼는 사람들은 자극 자체보다도 자극을 받아들이는 자기 자신의 마음 때문에 더 고통받는다. 이런 과잉된 스트레스와 공포는 왜곡된 정신의 조작극이지만, 사람들은 그걸 알면서도 공포에 짓눌린다.

인지 왜곡이야말로 과잉된 스트레스의 주요 원인이다. 인지 왜곡의 특징은 흑백사고, 성급한 일반화, 생각 거르기, 장점 폄하, 결론 도약, 과장과 축소, 자기비난 등이다. 과도한 스트레스로 인해 상황을 그릇되게 판단하는 환자들의 특징은 사실이나 논리를 근거로 판단하는 것이 아니라 막연하고도 주관적인 자기감정에 따라 상황을 거꾸로 판단한다는 점이다. '내 심장이 이렇게 뛰는 걸 보니까, 지금 아주 위험한 상황임에 분명해.' '나는 어딜 가도 소외된 느낌이고 항상 불안하니까, 나는 분명 패배자야.' 우리는 바로 이런 주관적인 감정의 오류를 직시하고, 이 감정의 굴레로부터 스스로를 해방시켜야 한다.

135 TUE  독서의 깨달음 패닉에서 벗어나는 방법

환자가 가장 두려워하는 스트레스를 오히려 치유의 기회로 역전시키는 방법이 있다. 데이비드 번즈 박사는《패닉에서 벗어나기》에서 제프리라는 환자의 사례를 보여준다. 제프리는 '절대 패소해서는 안 된다'는 강박관념 때문에 엄청난 스트레스를 느끼고, 아직 일어나지도 않은 패소로 인해 쫄딱 망해 노숙자가 될 것이라는 과잉된 공포로 힘들어한다. 번즈 박사는 '실패한다면 모든 사람이 나에게 등을 돌릴 것이다'라는 제프리의 신념이 그릇되었음을 증명한다. 먼저 지인 10명에게 제프리는 '내가 패소했다'고 알렸다. 그 과정만으로도 충분히 힘겨운 일이었지만, 실험 결과에 제프리는 커다란 충격을 받았다. 자신이 소송에서 졌다는 말을 무려 10명의 동료 변호사에게 알렸지만, 5명은 그 사실을 기억조차 못했고 정신없이 자신들의 이야기만 늘어놓았다. 나머지 5명은 등을 돌리기는커녕 오히려 제프리를 적극적으로 감싸주었다. 자신이 패소했던 경험과 극복의 과정을 털어놓으며 제프리를 도와주려 했다. '모두가 나의 실패를 비웃을 것이다'라는 부정적인 과대망상은 사실이 아닌 것으로 판명난 것이다. 세상은 제프리가 생각하는 것보다 훨씬 정의롭고, 지혜로우며, 배려와 온기로 넘쳤다.

번즈 박사는 인턴 시절, 폭탄 테러범의 다친 몸을 치료해야 했던 순간의 공포를 회상한다. 그는 '피'에 대한 공포증으로 고생했다. 소름 끼치는 일이었지만, 그는 피투성이가 된 환자의 피부를 손으로 만지며 칫솔로 화약 파편들을 떼어냈다. 경험 없는 인턴이 심각한 중환자의 몸에 손을 대는 것 자체가 두려운 일이었지만 화약을 떼어내지 못하면 환자가 화약에 중독되어 죽을 수 있었기에 멈출 수가 없었다. 극도의 스트레스에 시달리자 이해할 수 없는 일이 일어났다. 화약을 닦는 일에 집중하자 불안감이 줄어들기 시작하면서 갑자기 피에 대한 공포증이 치유되었다. 자기 자신이 '팀'의 일원이 되었다는 것, 진정한 의사의 길을 걸어가고 있다는 사실에 고무되었던 것이다.

그는 공포에 당당하게 맞섬으로써 공포로부터 해방되었다. 이렇듯 스트레스 자체는 위험신호이지만, 그 위험신호에 과감하게 맞선다면 인생의 전환점을 맞이할 수도 있다. 고통은 현실이 아니라 현실에 대한 우리의 판단에서 비롯된다. 성공이나 실패, 강함과 약함 따위는 실제로 존재하기보다는 우리 자신의 경험을 재단하는 낙인찍기에 불과할 수도 있다.

136 WED 일상의 토닥임 타인에게 상처주지 않는 대화의 기술

연일 신문지상을 오르내리는 정치면 기사 속에는 온갖 갈등과 분노를 표출하는 공격적인 단어와 문장들이 마음을 어지럽힌다. 단어와 문장에는 보이지 않는 칼날이 장착되어 있어, 그런 날카로운 대화나 기사들을 듣거나 보는 것만으로도 마음의 상처를 입는 사람들이 많다. 어떻게 이 증오와 폭력의 언어로부터 탈출할 수 있을까. 제도로서의 민주주의는 안착되었지만 '심리적 차원의 민주주의'는 여전히 요원한 것 같다. 심리적 차원의 민주주의가 실제로 존재하지는 않지만, 나는 이제 민주주의가 절차적 차원과 제도적 차원을 넘어 '서로의 마음을 헤아려주는 단계'까지 가야 한다고 믿는다. 심리적 차원의 민주주의란 나와 다른 생각을 가진 사람의 아픈 마음까지 헤아려주는 민주주의이며, 내 주장을 말했을 때 남들이 받을 충격이나 상처까지 헤아리는 민주주의가 아닐까. 그러기 위해서는 일단 비폭력적인 대화, 타인의 마음에 상처와 충격을 주지 않는 대화를 나누는 기술을 배워야 하지 않을까.

넷플릭스 드라마 〈어웨이(Away)〉를 보며 타인에게 상처주지 않는 대화의 기술을 배웠다. 3년 동안 화성탐사선을 타게 된 우주비행사 엠마 그린(힐러리 스웽크)은 젊은 여성으로서 막중한 임무를 맡아 리더십을 유지하기 어려운 상태다. 여성에 대한 교묘한 차별, 나이 어린 리더에 대한 불신, 팀원들의 질투와 오해, 3년 동안 어린 딸과 남편을 보살필 수 없게 된 상황 등으로 인해 '화성탐사선의 리더'라는 영광보다 그로 인한 고통이 더 큰 것이다. 하지만 엠마는 누구도 원망하지 않는다.

엠마의 출세를 극도로 질투하는 중국인 화학자 루가 메이라는 통역관과 사랑에 빠지자 마치 재미난 가십거리라도 생긴 듯 등 뒤에서 험담을 하는 동료들. 루는 애정 없는 결혼생활에 지쳤고, 자신의 뛰어난 실력에도 불구하고 서툰 영어 때문에 차별받는 현실에도 지친 상태였다. 그때 메이가 다가와 노래방에서 팝송을 따라 부르며 영어를 배우게 도와주었고, 메이와 루는 그렇게 사랑에 빠졌다.

엠마는 우주선의 총사령관으로서, 한 인간으로서 루에게 깊은 동질감을 느낀다. 루가 남편을 두고 불륜에 빠졌다는 것, 여성이 여성과 사랑에 빠졌다는 것, 막중한 책임을 지닌 세계적인 과학자가 심각한 스캔들의 주인공이 되었다는 것, 그 모두가 엠마에게는 중요치 않았다. 오히려 엠마는 우주 한가운데서 길을 잃은 기분에 빠져 있을 루의 깊은 외로움이 자신과 같음을 이해한다. 엠마는 루에게 속삭인다. 당신의 막막함을 나는 안다고. 당신의 쓸쓸함을 나는 안다고. 엠마는 그렇게 자신을 가장 싫어하는 동료 루와 진정한 친구가 된다. 상처주지 않는 대화, 타인의 아픔을 보듬어 안는 대화는 이렇게 적대적인 존재조차 눈부신 친구로 만들어준다.

137 THU  사람의 반짝임 《작은 아씨들》 속 빛나는 우정

《작은 아씨들》의 셋째 딸 베스는 자매 중에서도 가장 말이 없는 소녀였다. 말수가 적을 뿐 아니라 무척 겁이 많아서 옆집의 로렌스 할아버지가 '어험' 하고 인기척을 내는 것만으로도 겁을 먹어 다시는 로리네 집에 가지 않을 정도였다. 그런데 로리네 집에는 아름다운 피아노가 있었다. 베스는 피아노를 한 번만이라도 연주해보고 싶었지만, 로렌스 할아버지가 무서워 그 집에 발을 들여놓지 않는다. 로렌스 할아버지는 자신을 두려워하는 베스의 마음을 달래주기 위해 묘안을 짜낸다. 베스에게 전혀 관심 없는 것처럼 딴청을 부리면서 베스의 어머니와 대화를 나눈 것이다. 그는 유명 가수를 본 이야기, 아름다운 오르간 소리를 들은 일을 이야기하며, 베스가 엿듣고 있다는 것을 알면서도 모른 척한다. 베스의 흥미를 유도해서 자신에 대한 두려움을 호기심으로 바꾸어놓은 것이다.

베스는 무언가에 홀린 듯 로렌스 할아버지 뒤쪽으로 다가와서 부끄러움에 뺨을 붉히면서도 그의 이야기에 귀를 기울인다. 로렌스 할아버지는 베스에게는 조금도 관심을 주지 않은 채 베스의 어머니에게 이렇게 말한다. "우리 집 피아노를 그렇게 놔두면 못 쓰게 될 게 빤하니 따님들 중에 누가 가끔 우리 집에 와서 피아노를 쳐줄 순 없을까요?" 베스는 뛸 듯이 기쁘지만 너무 떨려서 말을 할 수도 없다. 로렌스 할아버지는 베스의 두려움을 간파하고 이렇게 안심을 시켜준다. "아마도 따님이 우리 집에 있는 동안 누구와 부딪치거나 말할 일은 없을 겁니다. 그저 시간이 날 때 들러서 피아노만 치고 가면 됩니다." 베스가 얼마나 예민하고 내성적인 아이인지 알고 베스의 마음을 있는 그대로 인정해주고 보호해준 것이다. 아이의 마음이 다치지 않도록, 아이가 원하는 것을 두려움 없이 얻을 수 있도록 배려해준 것이다.

베스는 마침내 용기를 내어 고백한다. "저는 베스예요. 음악을 정말 좋아한답니다. 진짜 아무도 피아노 소리를 듣지 못한다면 제가 갈게요. 아무도 방해하지 않는다면요." 베스는 로렌스 할아버지의 친절과 배려에 깊은 감동을 받은 나머지 수줍음조차 잊고 피아노를 연주하러 꼭 가겠다는 의사를 표현한다.

베스의 가족과 이웃은 베스의 내성적인 성격을 향해 그 어떤 비난도 질책도 하지 않는다. 베스가 남들보다 좀 더 천천히 마음을 표현할 수 있도록 한없이 기다려주고, 그녀가 자신의 재능과 마음을 숨기려 하지만 말없이 온몸으로 표현할 수밖에 없는 깊은 속내를 헤아려준다. 비폭력 대화란 이런 것이다. 그 어떤 판단도 조건도 유보하는 것, 그가 언젠가 마음을 표현할 수 있도록 조용히 길을 열어주는 것. 조건 없는 사랑은 두려움을 이겨내고, 차분한 기다림은 어떤 마음의 장벽도 밀어낼 수 있다.

138 FRI 영화의 속삭임 나의 본래 모습을 되찾은 사람의 용기

영화 〈굿모닝 에브리원〉을 생각하면 언제나 기분이 상쾌해진다. 이 영화에는 사람들을 신명나게 해주는 모든 것이 있다. 일에 대한 눈부신 열정과 재능, 사랑의 설레는 시작, 해당 분야의 전문가들만이 알 수 있는 온갖 꿀팁 그리고 모든 것을 잃었다가 모든 것을 새롭게 시작하는 사람의 절망과 희망까지. 침울해지고 기운이 달릴 때, 내가 자주 보는 영화다.

이전 직장에서 해고당한 뒤 어렵게 새 회사에 입사해 아침 프로그램을 시작하는 신참 PD 베키. 그녀는 수준 높으면서도 시청률까지 높은 프로그램을 만들기 위해 동분서주하다가 전설의 뉴스 앵커 마이크를 어렵게 섭외한다. 피바디상, 에미상, 퓰리처상까지 받은 전설의 앵커 마이크의 자존심은 하늘을 찌르지만, 사실 일에 대한 열정을 모두 잃어버린 상태다. 한편 이 방송의 터줏대감인 미스 애리조나 출신 콜린의 텃세도 만만치 않다. 서로 엔딩 인사를 맡겠다고 '굿바이'를 연발하며 프로그램을 끝내지 못하는 두 사람의 모습은 '에고와 에고의 격돌'을 보여주는 좋은 예다. 자존심만 내세우며 마음속 깊이 숨겨둔 진심을 보여주지 않는다면 바람직한 인간관계는 물론 일에서의 성취도도 떨어지게 된다.

바닥으로 떨어진 시청률을 획기적으로 올리지 못하면 프로그램이 폐지될 위기에 몰리자 베키는 필살기를 쓴다. 고든 램지 셰프를 초청해 앵커가 스튜디오에서 요리를 하고, 스타 래퍼를 초청해 아침부터 광란의 콘서트 분위기를 연출하고, 우아하기 이를 데 없는 여성 앵커로 하여금 개구리와 키스를 하게 하고, 스튜디오에서 직접 문신을 하는가 하면, 심지어 앵커끼리 볼썽사납게 자존심 싸움을 하는 장면도 그대로 노출한다.

시청률이 어느 정도 오르지만 프로그램 폐지를 막을 수는 없는 상황에서 이제는 드디어 마이크가 움직인다. "취재하고 싶은 게 있어." 그가 무언가를 취재하고 새로운 의지를 보이자 팀은 비로소 활기를 띠기 시작한다. 마침내 그가 잠입 취재에 성공해 주지사의 엄청난 정치 비리를 보도하는 쾌거를 이뤄내자 시청률은 물론 '프로그램의 본질'이 되살아나기 시작한다. 보도국의 일, 저널리즘의 본질. 그것은 시청자들이 꼭 알아야 할 뉴스, 훌륭한 기자가 취재하지 않는다면 결코 알아낼 수 없는 사건까지도 취재하여 정확하게 보도하는 뉴스를 만드는 일이었다.

"아무도 알아주지 않지만, 난 해낼 수 있는 능력이 있어. 그걸 보여주고 싶었어." 마이크의 고백은 오랫동안 자신의 본래 모습을 잃어버린 뒤 되찾은 사람의 눈부신 용기를 보여준다. 너무 많은 것을 잃었지만, 모든 것을 다시 시작하고 싶은 누군가에게, 이 영화를 추천하고 싶다.

139 SAT  그림의 손길 존재의 비밀을 드러내는 빛을 그리다

페르메이르는 그림을 통해 증명한다. 창가에 스며드는 소량의 햇빛만으로 얼마나 많은 것을 완전히 드러낼 수 있는지. 페르메이르만이 포착해낼 수 있는 빛에 이름을 붙일 수 있다면, 나는 그 빛의 이름을 이렇게 지어주고 싶다. '존재의 비밀을 드러내는 빛'이라고. 페르메이르의 그림에는 '마음먹은 행동'을 백주대낮에는 마음껏 하지 못하는 사람들이 넘쳐난다.

페르메이르의 작품들은 창문을 통해 들어온 빛을 활용해 관람자가 마치 타인의 일상을 훔쳐보는 듯한 느낌을 준다. 욕망을 직접적으로 드러내지 않는 여인들의 사생활은 관객에게 은밀한 호기심을 자극한다. 페르메이르의 인물들은 모두 창가의 빛이나 키 작은 등불에 의지하여 자신의 모습을 신비로이 드러낸다. 면밀히 관찰하지 않으면, 그리고 일부러 엿보지 않으면 포착하기 불가능한 장면들이다. 페르메이르는 그들이 품고 있는 사생활과 욕망의 비밀을 모두 드러내지 않고 조금씩은 남겨둠으로써 '비밀의 여백'을 간직하게 하여 관람객의 마음을 더욱 설레게 만든다.

페르메이르의 〈편지를 읽는 여인〉(약 1659)에서 내 마음을 뒤흔드는 것은 피사체의 희미하게 붉어진 볼을 '감추는 듯, 드러내고 있는' 수많은 미장센이다. 왼쪽 창 위쪽의 커튼은 마치 집안에 갇혀 있기 싫다는 듯, 더 많은 빛을 조금이라도 더 집 안으로 빨아들이고 싶다는 듯이 창문 위쪽으로 아무렇게나 걸쳐져 있다. 열정과 관능으로 설레는 그녀의 마음을 대신하듯 카펫은 물결치듯 구겨져 있고, 그 위로는 탐스러운 과일들이 '이루지 못한 열망'을 상징하듯 와글와글 모여 있다.

더 흥미로운 것은 오른쪽에 길게 늘어져 있는 커튼이다. 현대과학의 힘은 이 커튼 뒤에 숨어 있었던 '큐피드'를 밝혀냈다. 〈편지를 읽는 여인〉을 엑스레이로 투시해본 결과, 놀랍게도 포동포동한 아기 천사가 큐피드의 화살로 그녀를 겨누고 있었다는 것이다. 페르메이르는 분명 큐피드를 그렸다가 지웠다. 그 귀여운 큐피드를 지워버렸기에 이 그림의 은밀한 상징성은 피어날 수 있었다. 그녀는 필사적으로 자신의 모습을 들키지 않으려 하지만, 주변의 모든 사물은 그녀의 현존을 온 힘을 다해 드러내려 하는 듯 보인다. 살짝 열린 창문마저 그녀의 '붉어진 볼'을 비스듬히 비춘다. 편지 위의 글자는 하나도 보이지 않지만, 그녀의 모든 존재를 빨아들이고 있는 저 신비로운 편지에는 분명 금지된 사랑의 언어가 넘실대고 있을 것이다.

140 SUN 대화의 향기 자기혐오라는 감옥 탈출하기

외모 콤플렉스의 무서운 점은 사실 외모로 사람을 평가하는 이 사회가 잘못된 것인데 사람들은 자꾸만 자신을 탓하게 된다는 점이다. 사람들은 사회의 잘못을 비판하기보다는 자신에게 벌을 주는 방식으로 외모 콤플렉스를 더 심화시킨다. 나 또한 외모 콤플렉스가 심하지만, 수많은 작가의 훌륭한 콤플렉스 대처법을 배운 덕분에 이제는 더 이상 나를 의식적으로 괴롭히지는 않으려고 한다.《이젠 내가 밉지 않아》를 쓴 작가 애널리 루퍼스는 '차라리 거울을 보지 않는 행위'를 통해 자기혐오를 극복했다고 고백한다.

애널리는 아침에 화장할 때 보는 손바닥만 한 작은 거울로 얼굴의 부분만을 조금씩 비춰볼 뿐, 커다란 거울에 자기 모습 전체를 비춰보는 일이 없다고 한다. '거울을 본다'는 행위는 자기평가를 낳고, 자기평가는 타인과의 비교를 전제로 하기에, 거울을 보는 행위 자체를 줄임으로써 자기혐오의 가능성을 낮추는 것이다.

애널리는 자기 마음속에 꿈틀거리는 자기혐오의 그림자가 어머니로부터 물려받은 것임을 고백한다. 어린 시절 어머니가 거울을 노려보며 이렇게 말하는 장면을 보았던 것이다. "뚱뚱하고 못생긴 돼지." 거울을 보며 스스로를 학대하는 어머니를 보면서 자란 딸은 자신 또한 그런 콤플렉스를 내면화하여 상처를 대물림한 것이다. 어머니는 거울을 보면서 자신을 향해 '뚱뚱하고 못생긴 돼지'라고 선고하듯 말함으로써 자기혐오를 심화시켰다. 누군가 어머니를 향해 그렇게 놀렸던 기억이 그녀를 평생 따라다니며 괴롭힌 것일까. 어머니는 자신을 혐오하는 마음의 습관을 자신도 모르게 딸에게 물려주고 말았고, 애널리는 자기혐오라는 감옥에 갇혀 트라우마를 대물림하고 말았다. 그런데 어린 딸이 보기에 어머니는 전혀 못생기거나 뚱뚱하지 않았고, 오히려 아름답고 세련된 여성이었다고 한다.

애널리는 자기혐오라는 감옥을 탈출하기 위해 온갖 심리학을 공부하고, 마음챙김을 연구하기 시작한다. 그녀는 자신을 향해 주문을 외운다. 누군가를 만나러 나갈 준비를 하면서, 옷을 입으면서, 집을 나서면서 입으로 이런 말을 주문처럼 중얼거린다. 가식 떨지 말고, 바보 같은 몸짓으로 사람들 주목을 끌려고도 하지 말고, 네 주변의 모든 이들의 즐거움이 너한테 달려 있다고 생각하지도 말라고. 그렇게 자신을 단련하고, 자신을 '더 솔직한 자아'로 만들면서, 그녀는 자기혐오가 아닌 '내가 나를 배려하는 마음'으로 세상을 살아가는 법을 익히고 있다. 나 또한 그저 있는 그대로의 나, 마음과 몸짓과 목소리와 글쓰기로 나를 표현하는 길을 통해 수많은 콤플렉스를 벗어나는 중이다.

141 MON 심리학의 조언

또래압력으로부터의 탈출

나는 타인의 시선 속에서 행복을 느낀 적이 별로 없다. 누군가 나를 칭찬해주는 순간조차도 그 시선이 굉장히 불편하고 어색하게 느껴졌다. 누군가 비난을 한다고 해서 내가 작아지고 누군가 칭찬을 해준다고 해서 내가 커진다면 진정한 나는 어디에 있는 것일까. 비난을 받든 칭찬을 받든 아랑곳없이 그저 나 자신으로 존재하고 싶다. 나는 집필 중일 때가 많아 전화를 거의 받지 못하고 이메일이나 문자메시지만 확인한다. 그것이 꼭 사회적 관계를 '포기'하는 것은 아니다. 이렇게 글을 쓰고, 강의를 함으로써 '모르는 사람들'과 소통을 하고, 직접 만나고, 이야기하고, 차를 마시며 '아는 사람들'과 소통을 하는 노력만으로도 충분히 행복한 삶을 살 수 있다. 내 글을 누군가가 읽어준다는 것은 정말 행복한 소통의 기적이다. 페이스북에서 '좋아요'를 누르는 개수에 따라 우리 의견의 가치가 결정되는 것은 아니다. 내가 옳으면 된다. 내가 좋아하면 된다. 내가 올바른 방향으로 최선을 다할 수만 있다면, 그보다 더 큰 보상은 없다.

'내가 원하는 삶'과 '타인에게 칭찬 받는 삶' 사이에 항상 거리감만 있는 것은 아니다. '다른 사람을 만족시키는 삶'에는 진정한 행복이 존재하지 않았다. 부모님이 내게 원하는 직업은 판검사 같은 것이었지만, 나는 작가의 길을 간절히 원했다. 불안해도 좋았다. 외로워도 좋았다. 글을 쓸 수 있으니까. 거의 20년 동안 부모님의 시선과 싸웠고, 동창회에는 절대 나가지 않았다. 부모님과 나 사이에 평화가 찾아오기까지 무려 20년이 걸렸다. 지금도 완전히 만족하시지는 않는다는 것을 알고 있지만, 지금은 뻔뻔하게 '그래도 내가 행복하면, 엄마도 행복하지?'라는 식으로 부모를 설득하기도 한다.

포기하지 않고 내가 원하는 것을 향해 천천히 걸어간다면, 언젠가는 부모님은 물론 주변의 많은 사람들의 '나를 향한 시선'을 바꿀 수 있게 된다. 그러려면 다른 사람들을 힐끗힐끗 엿보면 안 된다. 나 자신을 봐야 한다. 나는 지금 내가 꿈꾸던 삶을 향해 한 발 한 발 다가가고 있는가. 나는 지금 내가 사랑하는 일을 계속하기 위해 간절한 노력을 하고 있는가. 이 질문이 훨씬 소중한 것이다. '다른 사람들이 바라보는 나'의 이미지는 아주 순간적이고 일시적이다. 나의 삶이 어떻게 바뀌느냐에 따라, '타인의 시선'이라는 무차별 공격에 견딜 수 있는 '영혼의 면역력'이 강화된다. 그리하여 가장 중요한 시선은 '내가 나를 바라보는 시선'이다. 내가 나를 어떻게 바라보느냐에 따라, 결국 언젠가는 타인이 나를 바라보는 시선도 달라지니까.

142 TUE  독서의 깨달음 《랩걸》, 우정으로 상처 치유하기

호프 자런의《랩걸》은 자연과 인간, 공부와 글쓰기에 대한 지극한 사랑으로 자기혐오를 극복한 용감한 여성의 이야기다. 임신했다는 이유만으로 '위험 인물'로 낙인찍혀 연구소에서 방출당한 일이 있을 정도로 심각한 남녀차별을 겪은 한 여성 과학자의 생존과 성공을 향한 분투기. 이 책을 읽으며 그녀의 드라마틱한 삶 못지않게 그의 평생 동료이자 친구인 빌과의 미묘한 관계가 흥미로웠다. 어떻게 이런 관계가 가능할 수 있을까. 사랑이라고 말하기엔 분명한 거리감이 느껴지고, 우정이라고 말하기엔 너무 가깝다. 연인도 친구도 동료도, 세상 그 어떤 관계를 나타내는 명사도 이들의 독특한 관계를 설명할 수가 없다. 여자와 남자 사이에 이런 기적 같은 연대감이 싹틀 수 있다니, 서로의 결점을 완벽히 커버할 수 있는 파트너십이 가능하다니. 서로가 모든 어려움을 다 이야기할 수 있고, 어떤 어려움도 함께 이겨나가지만, 어떤 성적 긴장감도 부담감도 느껴지지 않는 해맑고 투명한 관계가 가능할 수 있다니.

그 무엇으로도 규정할 수 없는 관계를 평생 지속해온 이 두 사람은 교수와 조수라는 고용관계를 뛰어넘어 '서로를 완벽하게 이해하는 관계'가 실제로 이 현실 세계에서도 가능함을 눈부시게 증언한다. 이것은 전적으로 서로의 삶에 대한 깊은 경의와 존중 때문이다. 매일 얼굴을 보며 서로의 모든 콤플렉스와 트라우마는 물론 온갖 부끄러운 모습까지 속속들이 알면서도, 두 사람은 서로를 최고의 파트너로서, 소중한 친구로서, 뛰어난 과학자로서 그리고 무엇보다도 한 사람의 훌륭한 인간으로서 인정해준다.

둘은 사회적 시선으로 본다면 도대체 가족인지 동료인지 무엇인지 판가름할 수 없는 알쏭달쏭한 관계로 보이지만, 두 사람은 서로의 애정생활에 관여하지 않고 각자가 느끼는 행복과 불행의 영역을 있는 그대로 존중해준다. 빌은 자신의 남성성을 어필하거나 마초적 본성을 드러내지 않고, 호프는 여자이기 때문에 더 보호받거나 배려받고자 하는 태도를 전혀 취하지 않는다. 두 사람 모두 전형적인 남성성과 여성성을 벗어나 있다는 것, 그것이 이들의 오랜 인연을 가능케 한 원동력이었다.

빌이 남성성을 내세웠다면, 호프는 결코 그와 진정한 친구가 될 수 없었을 것이다. 또한 호프가 공주처럼 우아하고 어여쁜 모습만 보였다면, 둘은 훌륭한 파트너십을 만들 수 없었을 것이다. 여성임을 내세우지 않는 여성과 남성임을 자랑하지 않는 남성이 모여 최고의 우정과 연대를 쟁취하는 이야기가 나에게는《랩걸》의 또다른 매력으로 다가온다.

143 WED 일상의 토닥임 포기하지 않는 정신의 아름다움

남들이 희망을 포기할 때조차 홀로 자신만의 길을 걸어가는 사람의 특징은 무엇일까. 그들은 주변 환경이 자신에게 유리하게 돌아가지 않을 때조차 그 상황의 아주 사소한 장점이나 실낱같은 희망을 찾아낼 줄 안다. 아무도 알아주지 않는 자신의 강점을 찾아내, 끝내 자신의 꿈을 이루는 사람들의 특징은 '불리한 환경'조차 '유리한 환경'으로 바꾸어내는 놀라운 창조성이다. 노벨상 수상 작가 버나드 쇼는 진정으로 창조적인 사람은 자신에게 절대적으로 불리한 상황에서도 끝내 자신에게 유리한 조건을 적극적으로 창조해낼 줄 안다고 이야기한다. 그러니까 유리한 조건이 전혀 없는 상황에서도 자신에게 희망을 줄 수 있는 어떤 가상의 상황을 창조해낼 수 있는 사람이 진정으로 진취적인 역량을 지닌 것이다.

4세 때부터 심한 자폐증으로 고통받던 템플 그랜딘이라는 소녀가 세계 최초로 '학대 없는 가축 수용 시설'을 발명하여 동물보호운동의 기수가 되고, 콜로라도 대학의 교수로 임용된 것은 물론, 2010년 〈타임스〉가 선정한 세계에서 가장 영향력 있는 사람 100인 중의 한 명으로 선정된 이야기를 영화로 본 적이 있다. 자폐증을 극복하고 '말 못 하는 동물의 고통스러운 이야기'를 가만히 들어주는 따스한 주인공을 연기한 클레어 데인즈가 에미상 여우주연상을 받기도 했던 〈템플 그랜딘〉을 보면서 진정으로 진취적인 사람의 특징을 알게 되었다.

끊임없이 차별받고, 주변 사람들의 놀림을 받았고, 심지어 아버지까지 딸을 정신병원에 보내고 싶어 했지만, 템플 그랜딘은 포기하지 않았다. 세상으로부터 이해받는 일을, 세상을 사랑하는 일을, 세상에서 가장 차별받고 고통받는 동물들의 목소리를 듣는 일을. 언어로 소통하는 데 큰 어려움을 겪었던 템플 그랜딘은 '그림으로 생각하기'라는 기상천외한 탈출구를 발견한다. 언어로 생각을 정리하고 표현하는 길이 막혀버리자, '그럼 그림으로 생각해보자'라는 기발한 아이디어를 떠올리고 그 방식으로 세상과 소통하고 사람들을 이해하고 동물들의 언어를 이해하게 된다. 진취적인 사람들은 이렇듯 뜻밖의 상황에서도 '기적 같은 출구'를 창조한다.

템플 그랜딘은 자폐증에 걸린 사람이라는 사회적 낙인에 갇히지 않고, '내가 사랑하는 일, 내가 잘하는 일'의 소중함에 집중했다. 이렇듯 '나를 기쁘게 하는 존재'를 향한 헌신과 열정이야말로 우울과 고립을 치유하는 최고의 치료제가 아닐까.

144

THU

사람의 반짝임

아픔을 딛고 자기만의 세계를 창조하다

포기하지 않고 꿈을 향해 나아가는 사람들의 이야기는 언제나 용기를 준다. 그들은 남들이 '고통스럽다'고 느끼는 순간에도 가슴 깊은 곳에서 '진정한 내면의 희열'을 발견한다. 진취적 정신을 자신의 삶 속에서 끝까지 잃지 않은 위대한 인물 중에는《잃어버린 시간을 찾아서》라는 명작을 쓴 위대한 소설가 마르셀 프루스트도 있다. 그는 어린 시절부터 심한 천식을 앓고, 침대 밖으로 나올 수 있는 날이 드물 정도로 심각한 고통 속에 살아갔다. 그렇지만 프루스트는 꿈을 저버리지 않았다. 언젠가는 아름다운 소설을 완성할 수 있다는 믿음을 말이다.

《잃어버린 시간을 찾아서》를 완성하기까지 프루스트는 몰려드는 주변의 자극으로부터 자신을 지키기 위해 침실의 벽 사방을 촘촘하게 '코르크'로 막고, 그 어떤 소음도 자신을 침투하지 못하도록 철통 방어를 한 뒤 오직 소설 쓰기에 매달렸다. 그는 약골 취급을 받던 어린 시절의 상처를 이겨내고, 어떤 강인한 사람이라도 결코 쉽게 완수해내지 못하는 무려 여덟 권의 방대한 소설이라는 위업을 달성해냈다. 게다가 단순히 흥미로운 작품이 아니라 세계문학사에서 언제나 한 번씩은 언급되는 중요하고 위대한 작품을 써냈다.

그는 천식으로 인한 고통이 온몸을 휘감을 때마다, 호흡곤란과 기침이 정신을 흐리게 할 때마다, 자신이 사랑하는 소설 속의 인물들, 이야기의 모델로 한 소설 밖의 실제 인물들에 대한 깊은 애정과 추억의 따사로움을 떠올리지 않았을까. 누가 뭐래도 내 꿈의 길을 찾을 줄 아는 사람들의 또 다른 공통점, 그것은 자신의 꿈과 희망을 '함께 나눌 사람들'을 향한 깊은 사랑과 공감 능력이다. 자기 내면의 깊은 희열과 세상이 필요로 하는 가치를 일치시킬 줄 아는 사람, 개인적 열망과 사회의 필요 사이의 절실한 교집합을 찾을 줄 아는 사람. 그렇게 '자신의 열정'과 '사회의 필요'를 일치시킬 줄 아는 사람들이 세상을 바꾸는 진취적인 힘을 지닌 사람들이다. 진취적인 사람들은 자신의 잠재력을 세상을 더 좋은 방향으로 바꾸는 데 쓸 줄 안다. 진취적인 정신은 끝내 '나의 개인적인 열망'을 '이 세상의 절실한 필요'와 일치시키는 뛰어난 공감 능력을 지닌 사람들에게서 우러나온다.

145 FRI 영화의 속삭임 가해자의 트라우마로부터 벗어나기

오직 한 가지 방법밖에 없을 때가 있다. 오직 사과하고, 또 사과하는 것밖에는. 진심으로 사죄하는 것밖에는 상처로부터 벗어날 길이 없을 때가 있다. 영화 〈어톤먼트〉에서는 어린 시절 한순간의 잘못 때문에 평생 죄책감에 시달린 한 소녀의 고백이 펼쳐진다. 나는 이 영화를 통해 피해자뿐 아니라 가해자에게도 트라우마가 있다는 것을 깨달았다. 때로 가해자의 트라우마는 피해자의 트라우마보다 더 치료하기 힘들다. 스스로 심각성을 모르기에. 그 누구의 공감도 얻기 힘들기에.

선한 사람도 때로는 가해자가 된다. 〈어톤먼트〉의 주인공 브리오니는 어린 시절 사촌의 강간범을 잘못 지목하는 실수를 저지르는데, 죄없이 강간범으로 몰린 사람은 바로 친언니 세실리아가 너무도 사랑하는 남자 로비였다. 브리오니가 '저 사람이 강간범이다'라고 잘못된 증언을 함으로써 죄 없는 로비뿐 아니라 그를 사랑하는 세실리아의 인생까지도 완전히 망가지고 말았다. 로비는 감옥에 갇혔고 세실리아는 그를 끝까지 기다리려 했지만, 전쟁이 일어나면서 두 사람은 비참하게 각자의 자리에서 죽음을 맞이하며 영영 사랑을 이루지 못했다.

어린 소녀 브리오니의 마음속에는 복잡한 사악함이 숨어 있었다. 사랑에 빠진 두 연인을 향한 질투, 자신은 결코 로비와 세실리아 같은 아름다운 연인들의 세계에 편입될 수 없음을 깨달은 소녀의 소외감, 강간이 무엇인지도 제대로 알지 못하는 상황에서 언니와 로비의 키스 장면을 훔쳐본 기억이 일종의 방아쇠 역할을 하여 로비를 범죄자로 몰아간 것이다. 어른이 된 브리오니는 속죄를 위해 전쟁 중에 간호병으로 지원을 한다. 피 흘리는 군인들을 하나하나 치유하며 그녀는 자신의 죗값을 치르려 하지만, 자신이 가장 끔찍한 상처를 준 두 사람 로비와 세실리아를 직접 만나 사죄하는 것 말고는 길이 없었다. 하지만 브리오니는 차마 두 사람의 얼굴을 마주할 용기를 내지 못한다.

오랜 세월이 흘러 브리오니는 마침내 꿈을 이루어 유명한 작가가 되고, 그녀는 마지막 속죄의 방식으로 글쓰기를 택한다. 전쟁박물관에 보관되어 있는 로비와 세실리아의 연애편지를 토대로 비극적이면서도 아름다운 사랑 이야기를 소설로 쓴 것이다. 현실에서는 미처 사랑을 이루지 못했지만, 소설 속에서만이라도 그들이 사랑을 이룰 수 있도록. 현실에서는 미처 사죄하지 못했지만, 소설 속에서만이라도 미안하다고, 내 잘못이라고, 부디 용서를 바란다고 고백하고 싶었던 것이다. 글쓰기의 힘은 바로 그런 것이다. 미처 현실에서 이루지 못한 사랑과 용서와 부활까지도, 글이라는 영혼의 씻김굿을 거치면 가능해진다. 브리오니의 소설 속에서 마침내 로비와 세실리아는 사랑을 되찾는다. 아픔을 치유한다. 마침내 영원한 하나가 된다.

146 SAT  그림의 손길 세상의 빛이 시작되는 곳

빈센트 반 고흐의 〈씨 뿌리는 사람〉(1888)을 보고 있으면 '인생에서 정말 중요한 것은 무엇일까'를 생각하게 된다. 그것은 바로 흙에 씨앗을 뿌리는 농부처럼 무언가를 시작하는 마음이 아닐까. 고흐는 농부의 평범한 노동이 자아내는 원초적 에너지를 소중히 여겼다. 이 그림은 햇살과 씨앗과 흙, 농부로 이루어진 세계의 완벽함을 보여준다. 무엇이 더 필요하겠는가. 우리는 바로 이 네 가지만으로도 충분한 존재였던 것이다. 태양이 아낌없이 선물해주는 자연의 에너지, 흙이 키워내는 끝없는 생명의 에너지, 그리고 씨앗을 뿌리는 농부의 충실한 노동. 그것만으로도 이 세상은 더없이 충만했는데, 우리는 지금 너무 많은 것을 원하고 있는 것은 아닌지.

고흐가 그린 태양은 너무 강렬해서 보는 이의 눈을 찌를 듯 아프게 빛난다. 해를 등지고 씨앗을 뿌리는 농부의 모습은 인간과 자연이 맺을 수 있는 가장 행복한 관계를 보여주는 것만 같다. 하늘색, 갈색, 노란색, 주홍색 그 모든 빛이 섞여 미묘한 빛을 내는 고흐의 땅은 언뜻 보면 바다 같기도 하고, 하늘 같기도 하고, 하늘빛이 가득 비추어 새싹마저 하늘색으로 물든 상상의 빛 같기도 하다. 고흐의 눈에는 이 씨 뿌리는 사람의 묵묵한 노동으로 인해 황갈색 땅마저 마술 같은 하늘빛으로 비추인 것이 아닐까.

고흐가 그린 땅은 마침내 꿈을 심는 영혼의 밭, 세상의 빛을 받아들이는 마음의 밭, 이 세상 모든 어두운 곳을 비추고 싶은 염원을 담은 예술의 밭이 된다. 고흐는 우리가 더 편리한 문명을 택했기에 짓밟아버린 땅이 지닌 본래의 무지갯빛 희망을 되찾아준다. 자동차를 타고 다니기에 밟을 수 없는 땅의 온기, 아파트나 고층 건물 위에 살고 있기에 느낄 수 없는 땅의 향기, 땅에서 나오는 먹을 것들을 직접 기르고 캐내어 먹고 사는 법을 잊어버린 사람들의 무의식 깊은 곳에 녹아 있는 야성의 열망을 되찾아준다.

이 그림을 바라보고 있으면 맨발로 흙을 밟아보고 싶어진다. 맨발로 땅을 밟아본 기억이 언제였던가. 가물가물하다. 신발을 신지 않고 땅을 밟을 때, 비로소 우리는 자연과 한층 가까운 삶을 살 수 있지 않을까. 자연의 가장 깊은 곳에 존재하는 가장 소중한 생기, 그것이야말로 고흐가 그리고 싶은 흙과 태양과 물과 공기의 에너지가 아니었을까. 바라보고 있는 것만으로도 내 안의 에너지가 충만하게 차오르는 느낌. 그 느낌이야말로 고흐의 그림이 우리에게 주는 치유의 선물이다.

147 SUN 대화의 향기 대답하기 난처한 질문에 대답하기

니체는 말했다. 인간은 대답할 수 있는 질문들만 듣는다고. 그 말이 오랫동안 가슴에 남았다. 나 또한 대답할 수 있는 질문들만 받아들이며, 대답할 수 없는 질문 앞에서는 자꾸 도망치고 싶지는 않았는지. 그런데 대답할 수 없는 질문들은 곳곳에서 갑자기 튀어나온다. 예전에 한 강연이 끝난 뒤 독자가 이런 질문을 했다. "작가님의 궁극적인 목표는 무엇입니까?" 그 순간 머릿속이 하얘졌다. 처음 만난 사이에서는 선뜻 대답하기 어려운 질문이기도 했고, 내가 나 스스로에게도 대답하기 어려운 질문이었다. 무엇보다 단답형으로 대답하기가 곤란했다. 하지만 그 질문을 곱씹으며 생각해보는 시간이 좋았다. 돌이켜보니, 오래전부터 무언가 궁극적인 목표를 정하고 그곳을 향해 질주하는 삶에 깊은 피로감을 느꼈다. 이제는 매일 조금씩 더 나은 삶을 살기 위해 노력할 뿐, 대단한 목표보다는 매 순간 더 나답게 살아가는 과정이 아름답고 행복하기를 꿈꾼다.

미국에서 공부하던 친구가 한국의 학회에 오랜만에 초대되었는데, 발표 후 토론을 위한 질문을 미리 서면으로 준비하라는 요구를 받고 당황했다고 한다. 왜 토론 질문을 미리 받냐고 묻자, '예상치 못한 질문이 나왔을 때 당황하지 않기 위해서'라는 답이 돌아왔다고 한다. 하지만 질문이란 본래 예측 불가능한 상황에서 튀어나오게 마련이지 않은가. 예상을 뛰어넘는 질문에 대답하면서 토론과 논쟁의 묘미를 느끼는 것이 함께 공부하는 즐거움이 아닐까. 돌발 질문에 대답하는 발표자의 모습을 보면서, 우리는 그 사람의 순발력만 보는 것이 아니라 그 사람이 문제를 풀어나가는 생생한 과정을 바라보게 된다. 질문을 미리 받아놓고 대답도 미리 준비하는 문화에서는 생기발랄한 논쟁의 활기를 기대하기 어렵다. 타인에 대한 존중과 예의를 갖추어 토론할 수만 있다면, 질문은 갑작스러울수록, 대답은 준비가 없을수록 더욱 활기 넘치지 않을까.

어쩌면 삶에서 정말 중요한 질문들은 대답하기 힘든 것들이 더 많다. 예컨대 '나는 그 사람을 왜 사랑할까, 나는 이 일을 정말 해낼 수 있을까, 내가 진실로 꿈꾸는 삶은 무엇인가' 같은 원초적인 질문들이 그렇다. 대답하기 어려운 질문에 어떻게든 더 나은 대답을 내놓기 위해 고민하는 과정에서 우리는 비로소 성장한다. 북토크나 라디오방송에서도 나는 대본에 없는 질문이 튀어나올 때 기분이 좋아진다. 돌발적인 질문들, 생생한 만남의 현장에서 솟아오른 싱그러운 질문들이 더욱 새롭게 뇌를 자극한다. 나에게로 쏟아지는 질문들을 진심으로 즐기기 시작할 때, 우리 마음의 자기치유력과 회복탄력성은 높아질 수 있다.

148 MON

심리학의 조언

소시오패스에 저항하기

오직 자신의 이익만을 위해 물불을 가리지 않는 소시오패스. 예전에는 극히 드물었던 이런 반사회적 인격장애 성향을 보이는 사람들이 늘어나고 있다. 성공과 출세가 자신의 모든 결점을 한꺼번에 덮어주는 황금열쇠라고 믿는 사람들이 많아질수록 소시오패스는 급증할 것이다. 그리고 자신의 영달만을 철저히 챙기고, 타인의 인격은 철저히 무시하는 소시오패스가 급증할수록 오직 순수하다는 이유만으로 존엄을 빼앗기는 사람들은 더욱 늘어날 것이다. 우리에겐 이 상황을 막을 힘과 용기가 아직 남아 있다. 예컨대 선임이라는 이유로 자기 잘못을 후임에게 전가하고, 모든 공과는 자기 것으로 만들고 후임의 재능까지 착취하는 사람들은 소시오패스의 성향이 다분한 것이다. 이런 사람들이 더 높은 자리에 올라가지 못하도록 막아야 하고, 그들이 아직 자신의 실수를 만회하고 뉘우칠 시간이 남아 있을 때, 그들이 더욱 타락하기 전에 악행을 막을 수 있는 윤리적 제동장치가 필요하다.

우리가 사회생활을 하면서 가장 고민될 때가 '잘못된 것을 말해야 하나, 그냥 침묵해야 하나' 하는 순간이다. 나도 때로는 결과가 무서워서, 나보다 나이가 많거나 직급이 높은 사람이 두려워서 침묵하는 경우가 많았다. 그랬더니 결과는 더욱 나쁜 쪽으로 흘러가곤 했다. 지금은 아주 조금씩이라도, 조금은 소심한 모습이더라도 '아닌 건 아니다!'라고 표현하려고 노력한다. 지난 경험에 비춰보면 '아닌 건 아니다'라고 표현했을 때의 결과가 훨씬 좋았다. 나의 솔직한 의견 제시와 비판에 순간적으로 불쾌감을 느끼더라도 서로 그 문제에 대해 오랫동안 상의하고, 문제를 해결하려고 노력한 결과, 오히려 사이가 좋아진 경우도 있다. 반대로 침묵하고, 회피하고, 연기하려고 하면, 관계는 지속되는 듯 보이지만 상황은 훨씬 나빠졌고, 결국은 그 때문에 관계조차 끝나는 경우가 대부분이다.

달걀로 바위를 '한 번에' 부술 수는 없지만, 쉬지 않고 지치지도 않고 끊임없이, 게다가 여러 개가 한꺼번에 계속 떨어진다면, 바위도 조금씩 깎이기 시작한다. 우리의 존엄이 위협받는다고 느낄 때, 혼자만 고민하지 말고 주변 사람들과 아픔을 함께 나누어야 한다. 함께 나누고, 함께 슬퍼하는 과정에서 연대의 힘이 발생하기 시작한다. 때로 완전히 혼자라고 느끼는 순간에도, 정의와 존엄과 자유라는 가장 소중한 가치마저 떠나보내서는 안 된다. 정의와 존엄과 자유를 내 편으로 만들면, 혼자여도 혼자가 아니기 때문이다. 우리는 더 많은 타인과 함께할 준비가 되어 있어야 한다. 정의와 존엄과 자유, 그리고 한 사람을 향한 개인적 사랑이 아니라 모든 인류를 위한 더 큰 사랑을 향해 열려 있는 마음이 절실한 때다.

149 TUE  독서의 깨달음 관계지능의 힘

우정이나 사랑이 오래 지속되면 우리 마음속에는 '그 사람만 있으면 내 인생은 충만하다'는 믿음이 생성된다. 그런 따스한 믿음이야말로 어떠한 고난 속에서도 나를 지킬 수 있는 힘이다. 린다 그레이엄의《내가 나를 어떻게 도울 수 있을까》에서 강조하는 '회복탄력성'이야말로 바로 그런 힘, 즉 어떤 폭풍우 속에서도 나를 지킬 수 있다는 믿음을 함축하는 것이다. 회복탄력성은 아무리 힘들 때라도 각자의 마음 혹은 두뇌 속에서 치유의 가능성을 찾는 것, 즉 자기 안에서 자기를 극복할 힘을 찾는 노력을 가리킨다. 회복탄력성은 온갖 트라우마와 스트레스에 유연하게, 당황하지 않고, 창조적으로 대처할 수 있는 능력이다.

이 책은 일상 속에서 회복탄력성을 증가시키는 다양한 방안을 제시한다. 저자는 신경과학이 그 효과를 입증한 마음챙김 명상법과 공감기법을 대표적인 처방으로 제시한다. 불교의 전통 명상, 마음챙김 수행법과 서양의 대인관계 심리학의 공감기법은 모두 끊임없이 뇌를 긍정적인 쪽으로 자극하여 전전두피질의 기능을 강화한다. 예컨대 아버지를 볼 때마다 분노를 조절하지 못하는 아들이 그때마다 '다정해지자', '너그러워지자'라는 식으로 스스로를 단련하면, 관계지능(relational intelligence)이 향상되고, 부자관계는 물론 자신의 트라우마까지 치유된다. 항상 화를 내고, 분노를 행동으로 표현하며, 조금만 화가 나도 이성을 잃어버리는 식으로 반응하던 사람도 마음챙김과 공감기법을 통해 회복탄력성을 키움으로써 스트레스에 창조적으로 대처할 수 있게 된다.

불교에서 말하는 지혜와 자비, 서양심리학에서 말하는 에고와 공감적 인간관계는 궁극적으로 같은 역할, 즉 인간의 회복탄력성을 높이는 역할을 한다. 불교의 마음챙김과 심리학의 공감기법을 통합한 것이 '공감적 마음챙김(mindful empathy)'이다. 내면 깊은 곳에서 최고의 지혜와 최상의 편안함을 얻을 수 있는 귀의처를 마련할 때 우리는 마음의 천연항생제와 같은 회복탄력성을 키워낼 수 있다. 가까운 공원에서 왠지 마음을 편안하게 해주는 나무를 찾아가 그 아래 하염없이 앉아 있어도 좋고, 돌아가신 부모님이 흥얼거리시던 유행가를 허밍으로 불러보며 내면의 평온을 얻을 수도 있다. 구부러지되 꺾이지 않는 힘, 넘어지되 다시 일어서는 내면의 힘, 회복탄력성은 자기 안에 내재한 최고의 빛을 찾아내어 스스로를 구원하는 힘이다.

150 WED 일상의 토닥임 당신도 나만큼 소중하기에

심리학의 개념을 굳이 끌고 오지 않아도, 우리가 일상 속에서 타인에게 상처를 주지 않는 가장 좋은 방법이 있다. 그것은 '내가 나에게 일어나지 않기를 바라는 일을 타인에게 행하지 않는 것'이다. 내가 원치 않는 일을 타인에게도 일어나지 않게 하는 것이다. '이 말을 들으면 내 마음이 아프겠구나' 싶은 말들을 남에게 하지 않는 것이다. 그 간단한 원칙을 지키는 것이 쉽지는 않다. 게다가 에고의 과잉, 즉 에고인플레이션(ego-inflation)으로 치닫는 사람들은 점점 늘어나고 있다. 나의 존엄을 강조하는 사람들은 급증했지만, 상대방의 존엄도 나만큼 중요하다는 것을 이해하는 사람들은 점점 찾아보기 어려운 세상이다. 모두 자신의 존엄을 지키는 데는 열심이지만 내가 어떤 순간에 다른 사람에게 신경을 쓰지 못하게 되는가를 고민하는 경우는 많지 않다.

몇 년 전 KTX열차를 타다가 깜짝 놀랐다. 40대 중반쯤 되어 보이는 남자 승객이 열차 앞에서 안내하는 여직원에게 무턱대고 반말을 하는 것이다. "3호차 어느 쪽이야?" 너무 기가 막혀 가던 길을 멈추고 말았다. 어떻게 처음 보는 사람에게 무턱대고 반말을 할 수 있을까? 그 여직원의 반응이 더욱 나를 아프게 했다. 아무 일도 없다는 듯, 표정 변화 하나 없이 "예, 손님. 저쪽입니다." 이렇게 대답하며 깍듯하게 오른쪽을 가리키는 것이었다. 그런 어처구니없는 대접을 받은 적이 한두 번이 아니었던 것이다. 왜 처음 보는 사람에게 다짜고짜 반말을 하는 걸까. 그런 사람들은 다른 곳에서도 그런 식으로 행동할 것이다. 서비스 직종에 근무하는 사람들은 하루에도 몇 번씩 이런 상황들, 또는 이를 뛰어넘는 상황을 경험한다.

얼마 전에 한 백화점에서는 반가우면서도 가슴 아픈 팻말을 하나 발견했다. 푸드코트에서 주문을 받는 여직원의 책상 위에 이런 팻말이 놓여 있었다. '이분들은 저마다 누군가에게 소중한 사람들입니다. 소중한 사람들에게 상처를 주는 말이나 행동을 삼가주세요.' 그 문장의 핵심은 '소중함'이었다. 우리가 자신만의 이익과 감정을 생각하다보면, 내 앞에 있는 수많은 사람들 각자의 '소중함'을 잊기 쉽다. 아무리 나를 화나게 하는 사람이라도, 아무리 나를 불편하게 하는 사람이라도, 그 사람이 누군가에게 '소중한 사람'이라는 생각을 하면, 우리의 분노나 갑갑함은 조금이나마 누그러지지 않을까. '소중하다'는 말은 그 단어 자체에 엄청난 치유력이 있다. 나는 소중합니다. 그리고 당신도 소중합니다. 이 두 가지를 잊지 않는다면, 상처로 고통받는 사람들의 아픔은 조금씩 치유되지 않을까.

151 THU  사람의 반짝임 만나기도 전에 나를 울린 사람

읽고 쓰는 일을 오랫동안 하다 보면, 사람보다 먼저 글을 볼 때가 많아진다. 나는 이 사람의 글을 읽자마자 그에게 반했다. 김소민 작가의《가끔 사는 게 창피하다》라는 책에는 이런 장면이 나온다. 이 세상에 나 혼자뿐이라는 생각이 들 때마다, 엄마는 생선을 구워줬다고. 집안 가득 조기 냄새가 풍기고, 홍어를 넣은 된장국과 고사리나물이 밥상에 올라오면, 그녀는 밥이 너무 많다고 투덜거리면서도 꾸역꾸역 그 밥을 다 먹었다고. 절망에 빠진 딸을 어떻게든 배불리 먹이고 지하철역까지 따라나온 엄마를 바라보며, 그녀는 결심했다. 그 작은 여자를 위해서라도 살아보겠다고, 어떻게든 살겠다고. 이 장면을 보며 나는 가장 힘들 때 나를 수렁에서 끌어올린 엄마의 고봉밥을 생각했다.

김소민 작가는 오랫동안 기자 생활을 한 분인데, 이 촉촉한 감수성을 숨기고 팩트로 꽉 찬 건조한 기사를 쓰느라 얼마나 고생했을까 싶을 정도로 '천생 작가'인 분이다. 우리는 만나기도 전에 문자메시지를 주고받으며 서로에 대한 친밀감을 쌓아갔다. 그분은 나에게 책을 보내주셨고, 나는 그 책이 너무 좋아 인스타그램에 리뷰를 올렸는데, 서로에 대한 감사로 연락을 하게 되었다. 그녀의 문자메시지를 읽다가 그만 눈물샘이 터지고 말았다. 내가 코로나 때문에 사람을 못 만나니 '스몰토크의 시간'이 너무도 그립다고 글을 썼더니, 답장이 왔다. "저도 스몰토크가 그리워요. 작가님의 글을 읽으니 제가 잃어버린 스몰토크들이 생각나서 우리 개를 붙들고 울고 싶네요. 책을 낸 지 얼마 안 된 저는 곧 리어카를 대여해서 확성기 들고 책을 팔러 다닐지도 모르겠어요. 우리 개를 데리고." 신인 작가가 자기 책을 팔기 위해 리어카를 끌고 확성기를 들고 개와 함께 거리를 헤맬 생각을 하니, 나도 모르게 눈물이 나왔다. 나도 처음 책을 낼 때는 그런 심정이었다. 항상 데리고 다닐 강아지가 없었을 뿐, 그 절박한 마음은 같았다. "만나기도 전에 사람을 울리시면 어떡해요." 내가 메시지를 보냈더니 이런 답장이 돌아왔다. "작가님, 제가 진짜 나중에 밥 차려드리고 싶어요. 우리 맛있는 거 먹으면서 자질구레한 이야기 해요. 자질구레한 이야기가 몹시 그리워요." 보통은 인사말로 "맛있는 거 사드릴게요"라고 한다. 그런데 김소민 작가는 "진짜 나중에 밥 차려드리고 싶어요"라고 한다. 그 말에 벌써 뭉클해졌다. 밥을 사주는 것과 밥을 차려주는 것의 엄청난 차이 속에, 마음의 크기가, 마음의 깊이가 자리잡고 있었다. 만나기도 전에 나를 울린 사람, 김소민 작가와 또 한 번 가슴 뭉클한 스몰토크를 나누고 싶다.

152 FRI 영화의 속삭임 내 불완전함까지 사랑할 수 있다면

글쓰기에 대한 좋은 책은 많은데 반해 글쓰기에 대한 좋은 영화는 매우 적다. 그리하여 〈스턱 인 러브〉를 발견했을 때 정말 기뻤다. 온 가족이 읽기와 쓰기에 미쳐 있는 것이다. 게다가 이 가족은 서로 매일 보면서도 여전히 미친 듯이 사랑하기까지 한다. 아버지는 이미 수많은 책을 낸 작가이고, 어머니는 늘 책을 읽으며, 큰딸은 신인 작가이고, 고교생 아들 또한 작가 지망생이다. 어머니가 다른 남자와 살고 있기는 하지만, 그 헤어짐이 딸에게 너무 커다란 상처가 되었지만, 그럼에도 이 가족은 서로를 깊이 사랑한다. 때로는 아닌 척하면서, 때로는 관심 없는 척하면서도 결국 서로에게 돌아온다. 하물며 모든 가족이 항상 많은 책에 둘러싸여 있고 아버지가 아이들의 글쓰기를 섬세하게 멘토링 해주는 집안이라니. 다시 태어나면 저런 집에서 태어나고 싶다는 생각이 들 정도로 부러웠다.

물론 이 집 아이들은 아빠가 자신의 글에 관심을 갖는 것을 치 떨리게 싫어하지만, 나는 간섭을 당하는 딸과 아들이 부러웠다. 나는 혼자 읽고 혼자 쓰고 혼자 내 글을 평가해야 하는 분위기에서 자랐기 때문이다. 나는 글쓰기에 대해 이야기를 나눌 만한 사람이 전혀 없었다. 콤플렉스란 이렇게 자신에게 결핍된 것을 평생 부러워하게 만든다. 그러나 지금의 나는 과거의 '콤플렉스투성이 나'로부터 훨씬 자유로워졌다. 이 영화를 바라보는 관점이 부러움에서(아, 나도 저런 집에서 태어나고 싶다) 그리움으로(아, 우리 식구들 보고 싶다) 바뀌었기 때문이다. 전에는 아이들의 글을 꼼꼼하다 못해 과도하게 검토하는 영화 속 아버지의 모습이 부럽기만 했는데, 이제는 내가 책을 낼 때마다 '우리 딸 꼭 잘 되어야 하는데' 하고 간절하게 기도해주시는 우리 부모님이 보고 싶어진다. 이제야 알겠다. 영화 속의 지적인 엘리트형 부모처럼 자식의 생각을 다 알진 못해도, 도대체 무슨 글을 쓰는 건지 잘 이해하지 못하는 큰딸의 삶을 무작정 응원해주는 내 부모의 맹목적인 사랑이 '내 몫의 삶'임을.

콤플렉스는 우리를 질투심에 사로잡히게 할 뿐 우리를 구원할 수는 없다. 나는 이 영화를 보며 언제나 부족한 내 사랑을, 언제나 결점투성이인 내 삶을 있는 그대로 꼭 끌어안는 법을 배운다. 나는 내 불완전한 가족을, 불완전한 내 글쓰기를, 아직 한참 부족한 내 모든 사랑의 기억을 있는 그대로 사랑한다. 나는 사랑하기가 곧 글쓰기이고 그리워하기가 곧 책 읽기인 그런 삶의 아름다움을 생각한다.

153

SAT

그림의 손길

사랑의 모범 답안 같은 멋진 날의 풍경

사랑의 모범 답안 같은 그림이 있다. 라파엘의 〈초원의 성모〉(1505)를 보면, '우리 마음속의 이상적인 사랑이란 이런 것이었지' 하는 생각에 가슴이 따스해진다. 종교의 차이를 뛰어넘는 사랑의 모습이다. 자식을 사랑하는 모든 어머니는 이 그림의 한없이 상냥한 '엄마 미소'를 이해할 것이다. 세례자 요한과 예수 그리고 성모마리아의 완벽한 삼각형 구도는 가히 모성의 이상향이라 할 만한 여성의 자태를 선보인다.

이 비현실적 평화는 어디서 오는 것일까? 일단 주변의 자연환경이 너무도 고요하다. 어떤 장애물도 험난한 기후도 감지되지 않는 평온한 분위기 속에서, 아기 예수는 아직 아기인 세례자 요한과 십자가를 두고 귀여운 신경전을 벌이고 있고, 마리아는 미래에 대한 걱정이나 육아에 대한 부담감은 전혀 느껴지지 않는 자애로운 표정으로 아기들을 바라보고 있다. 현실에서는 거의 불가능할 것만 같은 이 완벽한 평화에는 신성한 아우라가 깃들어 있다. 마리아의 머리 위에 떠 있는 금빛 아우라는 '현실의 잣대로 이 장면을 판단하지 마라'는 주의보 같다.

모성은 저절로 만들어지지 않는다. 모성은 부딪히고, 아파하며, 고민하는 과정에서 조금씩 싹튼다. 그런 의미에서 엄마와 아기를 그린 그림은 언제나 내게 '모성의 다채로운 모순'을 생각하게 했다. 무조건 감동적이기보다는 아주 조금씩 오랫동안 말을 걸어오는 그림들이었다. '엄마란 무엇인가'를 질문한다는 것은 곧 생명이란 무엇인가, 삶이란 무엇인가, 나란 누구인가를 질문하는 것과 맞먹는 무게로 다가왔다. 이 그림을 보며 '어떤 현실의 장벽도 없다면, 우리의 모성도 이렇듯 평화롭고 완벽하지 않을까' 하는 생각에 가슴이 아팠다. 우리 삶은 매일 좌충우돌과 우여곡절로 얼룩져 있지만 정말 아주 가끔씩 기적처럼 찾아오는 순간, '더도 덜도 말고 오늘만 같아라' 하는 순간이 있다. 아기와 엄마가 모두 무사하고 건강한 축복 가득한 날, 어느 멋진 날의 풍경이다.

• 평화롭게만 느껴지는 이 그림 속에도 엄마이기 때문에 겪어야만 하는 고통의 그림자가 드리워 있다. 성모의 뒤편에 피어 있는 붉은 양귀비꽃은 예수의 고난과 죽음, 부활을 암시한다. 앞으로 예수가 흘리게 될 붉은 피처럼 선연한 성모의 의상 빛깔과 양귀비꽃의 불길한 아름다움이 피할 수 없는 아픔을 통해 비로소 하나가 되는 엄마와 아들의 운명을 예감케 한다.

154 SUN 대화의 향기 질문을 통해 더 커다란 나와 만나기

대답하기 힘든 질문이 꼭 고통스러운 것만은 아니다. 얼마 전에는 재미있는 질문을 받았다. "작가님은 읽기가 좋으세요, 쓰기가 좋으세요?" 예전에는 쓰기가 더 좋다고 생각했지만, 지금은 우열을 가릴 수가 없다. 다만 글쓰기란 대답할 수 없는 모든 질문에 대답하려는 인간의 아름다운 몸부림임을 안다. '읽기와 쓰기' 중 더 좋은 하나를 택하라는 것은 마치 '들숨이 좋은가, 날숨이 좋은가'처럼 대답하기 어려운 질문이지만, 그래도 즐거운 질문이다. 읽기와 쓰기는 내가 이 세상에서 한 번도 싫증을 느끼지 않은 유일한 활동이기 때문이다. 사랑에도 우정에도 일에도 실패했을 때마다 읽기와 쓰기만은 끝내 내 곁에 있어 주었다.

대답할 수 없는 질문들에 대답하면서, 또는 대답을 미루거나 침묵함으로써, 나는 그동안 몰랐던 나를 발견한다. 우리를 난처하게 하는 모든 질문에 '나만의 해답'을 준비하는 것은 그 자체로 개성화를 향한 길이다. 규격화된 길, 사회화된 길이 아닌, 나만의 길, 내가 조금씩 만들어가는 개성화의 길이다. 중년 이후에 더욱 활성화되기 시작하는 개성화의 에너지는, 공동체의 일원이 되기 위해 끊임없이 '사회화'를 해야 했던 인생의 전반기와 달리 더 깊은 내면의 성장을 꿈꾸는 정신의 힘이다. 이러한 개성화의 길을 가리켜 칼 구스타프 융은 '품위 있게 무의식으로 가는 길'이라고 일컫는다. 무의식을 잘 보살피지 못한 결과로 인해 히스테리에 사로잡히고 불안증에 시달리는 현대인이 점점 많아지는 요즘, 품위 있게 무의식으로 가는 길이란 곧 평소에 자신의 무의식을 보살펴 얻은 '개성화'의 힘으로 극복할 수 있다.

품위 있게 무의식을 향해 걸어간다는 것은 우리 주변의 온갖 자극과 유혹으로부터 완전히 자유로워지는 것을 말한다. 과도하게 일하고 무감각하게 먹고 소비하며 '중독'으로 치닫기 쉬운 현대인의 삶에서 개성화의 길은 더욱 어려워졌다. 너무 자극적인 미디어와 화려한 상품의 유혹으로 우리는 쉽게 '내 마음의 길'을 잊기 때문이다. 개성화는 내 안에 깊이 숨어 있는 진정한 나와 만나는 길이다. 또한 타인이 규정하는 사회적인 나의 모습이 아닌, 더 깊고 커다란 나와 만나는 길이기도 하다.

그러니 질문이 어려울수록, 질문이 갑작스러울수록 더욱 반가워하게 되었으면. 어떤 질문에도 당황하지 않고, 그 질문이 던지는 성찰의 기회에 반가워하게 되기를. 우리 삶이 부디 대답하기 어려운 질문조차 온몸으로 끌어안는 아름다운 몸부림이 되기를.

155 MON  심리학의 조언 아들러, 협동의 중요성을 강조하다

심리학자 아들러는 인간관계를 이끌어가는 가장 중요한 과제로 '협동'을 꼽았다. 완전히 서로 다른 개성으로 똘똘 뭉친 사람들이 조화로운 공동체를 이끌어가기 위해서는 서로를 이해하고 서로의 아픔에 공감하며 '함께 완성하는 하나의 일'에 대한 관심을 가져야 한다는 것이다. 예컨대 중세 독일의 어떤 마을에서는 부부의 궁합을 점쳐보는 재미있는 미션이 하나 있었다. 아주 무딘 칼을 예비부부에게 하나 주면서, 커다란 나무를 잘라보라고 시키는 것이다. 칼은 잘 들지 않고, 나무는 두껍고 질기며, 지켜보는 사람들은 많은 가운데, 두 사람은 마음을 합쳐 사이좋게 협동하지 않으면 이 중요한 미션을 제대로 통과할 수 없다. 상대방의 심기를 불편하게 하지 않으면서, 상대방의 속도에 맞춰주면서, 하나의 칼로 하나의 나무를 잘라내는 미션을 무사히 통과해내면 사람들은 '아, 저 부부는 잘 살겠구나' 하는 믿음을 가지게 된다는 것이다. 가장 좋은 것은 미션을 함께 헤쳐나가면서 동지애를 쌓아가는 예비부부의 마음 자체일 것이다. 서로에 대한 깊은 관심과 애정이 있다면, 그 소중한 마음을 하나의 일에 쏟아부어 행복한 관계를 만들어가는 일은 단순한 고통이 아니라 '행복을 창조하는 또 하나의 기쁜 과정'으로 거듭날 수 있을 것이다.

내게 협동의 의미를 깨닫게 해준 가장 가까운 사람들은 바로 동생들이다. 함께 살 때는 사소한 일로 싸우기도 했지만, 이제는 늘 서로 돕고 걱정하며 배려한다. 동기간의 진정한 의미를 깨닫게 되는 순간은 모두가 따로 독립하여 이제는 서로 가끔밖에 볼 수 없는 지금인 것 같다. 이 세상에서 나와 가장 닮은 유전자를 가진 사람들, 내 동생들은 별말을 하지 않아도 내 마음을 거울처럼 투명하게 이해해준다. 어려운 일이 닥치는 것은 단지 시련이나 시험만은 아니다. 자매나 형제가 함께 헤쳐나가야 할 힘든 일이 생겼을 때, 그들은 놀라운 응집력으로 서로 힘을 합쳐 역경을 극복해내는 본능을 발휘한다. 시련을 함께 이겨내지 못한다면 모두에게 더욱 힘겨운 미래가 기다리고 있다는 것을 너무도 잘 알기 때문이다. 아들과 딸의 차별이 심했던 어린 시절, '딸부잣집 큰딸'이라는 정체성을 너무 강하게 지닌 채 자라난 나는 어린 시절엔 지나친 부담감 때문에 힘들 때도 많았지만 그 경험이 위기에 닥칠 때마다 소중한 정신적 에너지가 되었다. 서로 함께한 오랜 시간만큼이나 더 질고 깊어진 애정 때문에, 이제 모두가 독립하여 각자의 가정을 꾸리게 된 지금은 동생들이 '그리운 사람들'이 되었다. '내가 최고가 아니다'라는 것을 일깨워주는 모든 사람은 우리의 가장 큰 스승이다. 서로 멀리 떨어져 있어도 '나와 가장 닮은 영혼'을 지닌 동기간은 그렇게 서로에게 가장 친밀한 스승이 된다.

156 TUE

독서의 깨달음

돌이킬 수 없는 상실의 아픔

조앤 디디온의 《상실》은 세상에서 가장 소중한 사람의 죽음을 견뎌낸 작가 자신의 이야기를 들려준다. 조앤과 남편은 모두 작가였고, 둘 다 집에서 작업하는 시간이 많은 만큼 항상 함께했다. 서로의 모든 것을 잘 알았으며, 연인의 장점과 친구의 장점을 모두 가진 이상적인 부부였다. 세상에서 가장 가까운 남편이 어느 날 갑자기 세상을 떠나 버렸다. 그날 아침 남편은 아내의 샐러드를 기다리고 있었고, 아내는 샐러드를 막 버무려 남편에게 건네줄 참이었다. 갑자기 남편의 인기척이 느껴지지 않아 뒤돌아보니, 남편은 이미 저세상 사람이었다. 그때부터 조앤에게는 '마법의 시간'이 시작된다.

마법의 시간이란, 누군가가 세상을 떠났다는 것을 이성적으로는 알면서도 마음 깊은 곳에서는 '그가 언젠간 꼭 돌아올 거야'라고 생각하는 상태를 말한다. 의식적으로는 '그는 세상을 떠났다'는 것을 이해하지만, 무의식에서는 아직도 그를 끝없이 기다리고, 또 기다리는 것. 조앤은 최대한 남편의 죽음을 받아들이려 노력하지만 제대로 먹지도 못하고, 잠들지도 못하며, 남편의 구두를 버리지도 못한다. 남편이 다시 돌아온다면 신발이 필요할 거라는 생각 때문에 차마 구두를 버릴 수 없었던 것이다. 제3자의 시선으로 보면 딱한 상황이지만, 본인의 마음속에서는 너무 절박한 믿음이라 결코 버릴 수 없는 환상. 그것이 마법의 시간이다.

그 끔찍한 마법의 시간을 견딜 수 있게 해준 건 친구의 우정이었다. 조앤이 아무것도 제대로 먹지 못하자 매일 닭고기 수프를 가져다준 친구의 따스한 우정 덕분에, 조앤은 탈진하지 않고 그 아픈 시간을 견딜 수 있었다. 매일 안부를 물어주고, 매일 무엇이라도 먹게 도와주는 친구의 존재가 그녀를 살렸다. 내 아픔을 걱정해주는 존재가 있다는 것, 그런 친구와 변함없는 우정을 나눌 수 있다는 것 자체가 구원의 열쇠였던 것이다.

하루에도 몇 번씩 그의 목소리가 바로 곁에서 들리는 듯한 환청을 느끼지만, 조앤은 그의 떠남을 받아들이고, 그럼에도 계속해야 할 '나의 삶'이 있다는 것을 받아들인다. 조앤은 지혜롭게 '그가 살아 있다면 변함없이 좋아할 삶'과 '그럼에도 불구하고 나 홀로 걸어가야 할 새로운 길'을 합쳐 조화로운 삶을 살아간다. 때로는 마음껏 슬퍼하기도 하고, 때로는 남편 없이 홀로 만들어가야 할 삶의 희망을 받아들이기도 하면서. 그럼에도 불구하고 이토록 눈부신 삶의 아름다움을 받아들이는 것. 그것이 상실의 아픔을 견뎌내는 한 인간의 찬란한 성숙의 과정이었다.

157 WED 일상의 토닥임 자기중심성이 부서지는 순간

자부심이 지나치게 강한 사람들은 위험하다. 특히 한 번도 깨져보지 않은 자신감은 더욱 위험하다. 언제나 내가 최고라고 생각하는 사람들은 인간관계에서 끊임없이 실수를 저지른다. 타인에게 상처 주는 말을 서슴없이 하고 자신이 무엇을 잘못했는지도 모른다. '다른 사람이 어떻게 생각하는가'보다 '내 자존심을 지키는 일'이 더 중요하기 때문이다. 하지만 자부심은 절대적인 개념이 아니다. 타인의 자부심을 지켜주기 위해서는 때로 자신의 자부심을 내려놓을 줄도 알아야 한다. 그것이 결국 진짜 자부심이 된다. 나만을 위해 작동하는 자신감이 아니라 타인과의 관계를 고려하고 타인의 아픔을 배려하는 마음이 더 크고 깊은 자신감이 된다. 때로는 꺾이고, 때로는 스스로 굽히는 자신감이야말로 따뜻한 인간관계를 위해 필요하다.

심리학자 아들러는 동생이 태어나는 순간이 우리의 인격 형성에서 가장 심각한 위기 상황이라고 진단한다. 이 세상에서 내가 최고인 줄 알았던 시절이 지나가고 '내가 최고가 아닐 수도 있다'는 감정을 처음으로 경험하는 순간이기 때문이다. 아이들에게 부모의 사랑은 우주 전체의 크기와 맞먹는다. 세상 전체만큼이나 크게 느껴졌던 부모의 사랑이 갑자기 나타난 갓난아기에게 집중되면 아이는 엄청난 상실감을 느낀다. 내가 최고가 아닐 수도 있구나. 아이들에게는 세상이 무너지는 순간이다. 항상 나만 바라봤던 엄마와 아빠가 낯선 갓난아기를 사랑스럽게 바라보는 순간, 아이들은 엄청난 충격을 받는다고 한다. 우리 엄마의 증언에 따르면, 내 동생이 태어났을 때 나의 질투도 볼 만했다고 한다. 말로는 아기가 '참 예쁘다'고 종알거리면서도 그 어린 것을 몰래 꼬집기도 하고 시도 때도 없이 괴롭히기도 했다고. 심지어 어떤 아이들은 일시적 퇴행을 보이기도 한다. 잘 뛰어다니며 말도 곧잘 하던 아이가 동생이 태어나면 갑자기 말을 더듬거나 오줌을 잘 가리지 못하거나 아기 흉내를 내며 때늦은 어리광을 피우기도 한다. 동생을 흉내 내면서 빼앗겨버린 최고의 사랑을 되찾고자 몸부림치는 것이다.

하지만 '내가 최고가 아닐 수도 있다'는 것을 어린 시절에 깨닫는 것이 아이의 성장을 위해서는 훨씬 좋은 일이다. 살면서 우리는 많은 순간 좌절할 수도 있고 슬픔에 빠질 때도 있기 때문이다. 그럴 때 자기중심성을 일찍이 깨지 못한 사람들은 상황에 지혜롭게 대처하지 못한다. 사랑했던 연인의 이별을 받아들이지 못하고 끝없이 집착하거나, 중요한 일에 실패했을 때 패배감이나 상실감에서 벗어나지 못하기도 한다. '나'는 '언제나 최고여야 하는 존재'가 아니라 '최고이든 아니든 상관없이 스스로 소중히 여겨야 할 존재'라는 것을 더 일찍 깨닫는 사람이 더욱 성숙한 자기 세계를 만들어갈 수 있다.

158 THU  사람의 반짝임 떠났지만 여전히 마음에 남은 사람

나에게 뼈아픈 상실의 아픔을 처음으로 가르쳐준 사람은 바로 우리 막내 삼촌이었다. 사랑하는 가족이 세상을 떠난 것만큼 아픈 이별이 어디 있을까. 그것도 아직 어른이 되어보지도 못한 채 너무나 어린 나이에 세상을 떠난 가족이 있다면 그런 아픔은 견딜 수 없는 것이 오히려 당연하다.

사랑하는 사람이 세상을 떠난 경우 사람들은 '내가 조금만 조심했다면, 내가 그때 다른 선택을 했다면, 내가 그 자리에 있었다면, 그를 구할 수 있지 않았을까' 하는 죄책감에 시달리게 된다. '인간의 힘'으로는 어쩔 수 없는 엄청난 사고나 질병 앞에서, 우리는 사랑이라는 초능력으로 그 불가능한 일을 가능한 일로 바꿔보려는 꿈을 꾸게 된다. 무서운 질병과 싸우는 가족을 위해, 사고를 당한 채 누워 있는 가족을 위해, 기적 외에는 그 어떤 것도 바랄 수 없는 상황이 있다. 의사도 삼촌 본인도 더 이상 희망이 없다고 믿었을 때, 우리 가족은 아무것도 할 수가 없었다. 삼촌은 너무 빨리 세상을 떠났고, 우리에겐 기적이 찾아오기를 기도할 여유조차 없었다. 결혼도 하지 못했고 자식도 없었던 젊디젊은 삼촌의 영정을 내가 가슴에 안고 삼촌의 방을 한 바퀴 돌 때 참았던 눈물이 쏟아졌다.

오랜 시간이 흘러 이제는 삼촌이 돌아가셨을 때보다 내가 더 나이가 많아져버렸다. 나는 삼촌을 자주 기억하고, 함께했던 소중한 시간을 일기에 써보기도 하고, 남들이 없을 때는 혼자 조용히 '삼촌! 삼촌!' 하고 다정하게 불러보기도 한다. 그렇게 하면 저 멀리 내 손이 닿을 수 없는 곳으로 떠난 삼촌이 조금이라도 덜 외롭지 않을까 하는 생각이 들어서. 그 사람의 몸이 죽어도 그 사람과 함께한 추억까지 죽어버려서는 안 된다고 믿기 때문이다.

이제 내가 돌아가신 삼촌보다 훨씬 나이가 많아지니, 이제야 이 모든 사람을 뒤로하고 떠나야만 했던 삼촌의 마음을 조금이나마 알 것 같다. 얼마나 외로웠을지, 얼마나 가슴이 찢어졌을지, 그리고 얼마나 우리를 그리워하고 사랑했을지. 아주 오랜 시간이 지나면, 세상을 떠나 우리를 아프게 하는 바로 그 사람이 우리를 거꾸로 위로하게 된다. 삼촌은 가끔 꿈속에서 이런저런 이야기를 들려준다. 자신을 데리고 멀리 소풍을 함께 가달라고 조르기도 한다. 꿈속에서 만나는 삼촌은 이제 아주 어리고 귀여운 남동생처럼 느껴진다. 어릴 때는 내가 삼촌의 사랑을 받기만 했지만, 이제 내가 삼촌에게 사랑을 드려야 할 때라는 것을 안다. 그 사람이 세상에 없어도, 그 사람을 생각하고 그리워하고 사랑하는 사람들이 아직 살아 있는 한, 이별은 아직 끝난 것이 아니다.

159 FRI 영화의 속삭임

감사의 마음으로 아픔을 치유하다

시간이 갈수록 '감사'야 말로 최고의 치유의 감정이라는 생각이 든다. 마음을 치유하는 감사의 마음은 단지 '내가 뭔가를 확실히 선물받았기에' 느끼는 계산적인 감정이 아니다. 생에 대한 감사, 살아 있다는 것에 대한 감사, 주변의 모든 것들에 대한 감사는 성숙한 사람들만이 느낄 수 있는 마음의 축복이다. 얼마 전 영화 〈아멜리에〉를 보다가 이 영화야말로 '감사'라는 마음을 표현하는 데 가장 잘 어울리는 작품이라는 생각이 들었다. 사랑하는 사람이 세상을 떠난 뒤 너무 외로워서 세상에 도통 감사할 일이라고는 없어 보였던 아멜리에가 삶 자체를 향한 무한한 감사를 배우는 이야기이기 때문이다. 어린 시절 어머니가 돌아가신 뒤 외로운 삶에 우울해하던 아멜리에는 우연히 발견한 고물상자를 주인에게 찾아주면서 '타인을 행복하게 해주는 일'의 기쁨을 느낀다. '나의 아주 작은 배려가 누군가의 삶을 완전히 바꿀 수도 있구나' 하는 깨달음을 처음으로 느껴본 것이다.

아멜리에는 자신의 사소한 행동이 누군가의 삶에 '커다란 선물'이 되었다는 사실을 알고 너무 기쁜 나머지 주변의 사람들을 어떻게든 돕기 시작한다. 눈먼 할아버지가 길을 힘겹게 걸어가는 모습을 보고 갑자기 다가가 세상의 풍경을 하나하나 가르쳐주는 장면, "제가 도와드릴게요. 발조심하고 건너세요. 군악대장 미망인이 지나가네요. 말 동상의 귀 한쪽이 떨어져 나갔네요. 꽃집 주인이 웃고 있고 눈가엔 주름이 많아요. 막대사탕들이 빵 가게에 진열되어 있고요. 냄새 좋죠? 멜론을 맛보기로 나눠주네요. 자두맛 아이스크림이네요. 저희는 지금 정육점을 지나가고 있어요. 작은 치즈는 12프랑, 큰 건 23프랑이에요. 아기는 개를 보고 그 개는 닭을 보고 있어요. 지하철 매표소 앞이에요. 전 이제 가볼게요."

아멜리에가 수다 보따리를 풀어놓으며 온 세상의 아름다움을 속삭이자, 그 짧은 3분여의 시간 동안 할아버지의 인생이 바뀐다. 세상의 빛이 할아버지에게로 쏟아지는 느낌. 이것이야말로 무한한 감사와 축복의 감정이다. 영화 속 아멜리에처럼 서로를 어여삐 여기고 틈날 때마다 누군가를 도울 수 있다면. 할아버지에게 기적 같은 삶의 기쁨이 햇살처럼 쏟아지는 모습은 뭉클했다.

바쁘게 일에 열중하느라 하늘 한 번 쳐다보지 못하는 당신에게, 아멜리에의 발칙한 상상력과 따스한 감사의 미소를 선물하고 싶다. 아멜리에는 우리를 향해 이렇게 속삭이는 듯하다. 세상은 나의 상상보다 훨씬 더 아름답고 눈부시다고. 어서 빨리 신발을 신고 바깥으로 나가 자연의 풍요로움과 아름다움을 마음껏 느껴보라고.

160  SAT 그림의 손길 엄마라는 존재의 슬픔을 그리다

〈론다니니의 피에타〉(1564)는 미켈란젤로의 완성되지 않은 마지막 작품이다. 예수를 일으켜 떠받치는 듯한 성모의 모습은 그 어느 피에타보다 강인해 보인다. 이 조각상에는 어떤 신비로운 불확실성이 있다. 성모는 예수를 포근하게 안아주고 있는 것이 아니다. 두 사람의 자세는 매우 불편하고 불안정해 보인다. 예수는 이제 막 일어서려는 것처럼 보인다. 예수가 분노에 차서 떨쳐 일어나려 하자 성모마리아가 다급하게 말리는 것처럼 보이기도 한다. 이 미완성 작품이 미켈란젤로의 마지막 작품이었다는 사실도 많은 것을 암시한다. 그는 이미 바티칸 박물관에 전 세계에서 가장 사랑받는 모성의 상징 〈피에타〉라는 대작을 남겼지만, 그 '완벽한 성모상'을 뛰어넘는 그 무엇을 꿈꾸었던 것이다.

대략의 구상을 마치고 막 세부 묘사로 들어가려는 찰나, 작가의 죽음으로 안타깝게 완성되지 못한 이 작품은 보는 사람으로 하여금 묘한 감동을 준다. 아들을 잃은 충격으로 주저앉아 있거나 슬픔으로 쓰러져 있는 성모의 모습이 아니라 온 힘을 다해 예수를 떠받치고 있는 듯한 성모의 모습은 그 어느 성모상보다 강인해 보인다. 그녀는 이미 '인간의 목숨'이 다한 아들에게 이렇게 속삭이는 듯하다. 가자, 아들아. 넘어지면 안 돼. 일어나야 해. 부활해야 해. 온 힘을 다해, 내가 너의 곁에 있을게. 나는 슬퍼할 겨를도 없구나. 아파하고 안타까워하고 억울해할 겨를도 없구나. 너를 살려야 하니. 너와 함께 이 어두운 세상에 빛을 가져와야 하니.

이 작품은 어떤 각도에서 보면 '아들을 안고 있는 어머니'의 구도가 아니라 '아들이 어머니를 업고 있는 듯한 포즈'로 보인다. 죽은 아들을 어떻게든 일으켜 세우려는 어머니 대(對) 죽어서라도 어머니를 업어드리려는 아들 사이의 뼈아픈 사랑과 불멸을 향한 영원한 기도가 서려 있는 것처럼. 아들의 부활을 믿는 어머니에게 죽음은 결코 끝이 아니었다. 이 미완성의 작품을 통해 나는 한때 한 여인의 아들이자 인간의 아들이었던 예수가 이제 신의 아들이자 세상 모두의 아들로 다시 태어나는 듯한 아름다운 착시를 느낀다. 그들의 사랑은 영원했다. 닿을 수 없었던 두 마음, 죽은 아들을 어떻게든 다시 살려 일으키려는 어머니의 마음과 죽어서도 어머니를 힘차게 업어드리고 싶어 했던 아들의 마음은 이제 '하나'가 되었으므로. 그렇게 '자식의 입장에서는 어떤 효도로도 도저히 갚을 수 없는 어머니를 향한 사랑'과 '아무리 모든 것을 다 줘도 영원히 모자란 것만 같은 자식에 대한 사랑'은 이제 영원한 하나가 되었다.

161 SUN 대화의 향기 아프더라도 기억하는 것이 낫다

독자로부터 가슴 아픈 편지를 받을 때가 있다. 누구에게도 말하기 힘든 고민과 슬픔을 내게 털어놓는 독자들의 편지를 받을 때마다, 우리가 얼마나 '아픔을 말하기 힘든 문화'에서 살고 있는지를 깨닫는다. 주변의 친근한 사람보다 한 번도 만난 적 없는 작가에게 고민을 털어놓고 싶을 정도로 외로움을 느끼는 사람들이 많은 것이다.

한 독자는 죽은 형에 대해 전혀 말을 하지 않는 가족에 대한 이야기를 들려주었다. "우리 가족들은 언젠가부터 어떤 일에 대해서는 아예 말을 하지 않는 것이 보이지 않는 약속처럼 되어버렸습니다. 우리 형이 어린 시절에 교통사고로 죽은 일에 대해서 누구도 말하려고 하지 않고, 형에 대한 추억을 떠올리는 것도 금기시되었습니다. 저는 그때 너무 어려서 기억이 가물가물하지만, 누나와 부모님은 저와 달리 그날의 기억이 어제 일처럼 생생한 것 같습니다. 제가 언젠가 통팥으로 만든 아이스크림을 보며 '이거 형이 좋아하던 건데!'라고 반가워하자 아버지의 표정이 무섭게 굳어지셨지요. 그때부터 저는 형의 이야기를 가족 앞에서 하지 않게 되었습니다. 그래도 저는 가끔 형에 대해 이야기하고 싶을 때가 있어요. 우리가 기억해주지 않으면 형이 영원히 이 세상에서 사라지는 것 같아서 마음이 아픕니다. 언제쯤이 되면 우리 가족이 죽은 형에 대해서 조금씩이라도 대화를 할 수 있게 될까요."

나는 그에게 '슬퍼할 권리'에 대해 이야기해주고 싶었다. 슬픔을 표현하지 못하는 것, 그리움을 표현하지 못하는 것 또한 억압의 일종이기에 그 감정들을 풀어놓을 공간이 필요하다고. 모든 사람은 자기만의 슬픔을 표현할 수 있는 지극히 편안한 공간을 필요로 한다고. 형이 좋아하던 아이스크림을 먹으며 형을 생각하고, 형이 들려줬던 노래를 불러보며 형을 떠올리다 보면, 어느새 내가 형보다 더 형이 되어 있는 순간, 형을 동생처럼 애틋하고 어린 존재로 바라볼 날이 올 것이다.

이별은 우리가 그 사람이 남기고 간 삶의 흔적들과 함께 살아가게 만드는 또 하나의 시작이기도 하다. '이진아 도서관'이라는 곳에 강연을 하러 간 적이 있다. 그곳은 스무 살도 되기 전, 너무도 어린 나이에 세상을 떠난 딸을 위해 도서관을 만들어 책을 기증한 아버지의 사랑이 가득 담겨 있다. 이진아라는 이름도 일찍 세상을 떠난 딸의 이름이다. 나는 그 도서관에서 '사랑하는 사람과 이별하는 가장 아름다운 길'을 발견했다. 책을 사랑하는 딸을 위해, 영원히 책과 함께할 수 있는 공간을 만들어준 아버지의 마음. 그 사람의 얼굴을 다시 볼 수 없어도, 그 사람의 따스한 몸을 다시는 안을 수 없어도, 그 사람과 영원히 함께할 수 있는 가장 아름다운 애도의 길을 발견할 수 있었다.

162 MON  심리학의 조언 메리 셸리, 고통을 예술로 승화하다

고통을 승화시켜 위대한 예술작품을 창조해낸 작가들의 이야기는 언제나 깊은 치유의 울림으로 다가온다. 승화는 방어기제의 일종이긴 하지만, 가장 강력한 치유의 메시지를 담고 있는 정신의 보상체계이기도 하다. 고통을 잊으려는 대표적인 방어기제인 '망각'은 아픔을 잊게 해줄 수는 있지만, 치유 자체는 되지 않는다. 대부분의 방어기제는 고통을 잠시 멈춰줄 수는 있지만, 고통의 근원 자체를 대면하지는 못한다. 하지만 승화는 고통을 창작의 에너지로 전환하여 마침내 고통 자체에서 무언가를 배울 수 있게 만드는 놀라운 힘을 지녔다. 예컨대《프랑켄슈타인》의 작가 메리 셸리야말로 고통을 창조적 열정으로 승화시킨 대표적 작가다.

메리 셸리는 겨우 19세에 세계 최초의 SF소설《프랑켄슈타인》을 쓴 기념비적인 작가다. 하지만 그녀가 젊은 여성이었다는 사실은 작품의 위대성을 증명하는 데 걸림돌이 되었다. 젊은 시절에는 '위대한 시인 퍼시 셸리의 두 번째 아내'로 더 많이 알려졌던 메리 셸리는 오랜 시간이 지나서야 SF문학의 창시자로서 인정받게 되었다. 메리 셸리는 바이런이나 폴리도리 등 남편 퍼시 셸리의 친구들과의 교분을 통해《프랑켄슈타인》의 중요한 영감을 얻을 수 있었다. 그러나 '바이런과 퍼시가《프랑켄슈타인》에 결정적인 창작의 원동력을 제공했다'는 세간의 평가는 과도하다. 어디까지나 창작의 주인공은 메리였다. 퍼시와 그 친구들은 창작의 방아쇠였을 뿐 창작 자체의 불꽃이 아니었다. 오직 메리만이《프랑켄슈타인》의 진정한 원작자다.

새로운 세계를 창조하는 사람들에게는 늘 비난과 멸시, 경계와 혐오의 시선이 따라다닌다. 메리 셸리도 습작기에는 엄청난 비판에 부딪혔다. "젊은 여성 작가가 썼다고 보기에는 소재가 좀……." "긍정적인 결말로 써보는 건 어때?" 이런 평가들은 메리를 가슴 아프게 했지만, 결코《프랑켄슈타인》의 내용을 바꾸게 하지는 못했다. 훌륭한 작가를 만드는 것은 '좋은 평가'가 아니라 '나쁜 평가에도 불구하고 어떻게 그 비난을 이겨내고 다음에 더 나은 작품을 쓸 수 있는가'이다. 메리는 그것을 해냈다. 세계 최초의 SF소설로 평가받는 이 작품을 처음에는 자신의 이름으로 출간하지 못했지만, 결국에는 메리 셸리의《프랑켄슈타인》으로 남길 수 있었던 것은 그녀의 끝없는 투쟁, 즉 '나만의 목소리'를 찾으려는 투쟁 때문이 아니었을까. 일찍 돌아가신 1세대 페미니스트 어머니에 대한 악평, 글 쓰는 여성에 대한 곱지 않은 시선, 사랑하는 아이의 죽음. 그 모든 것들이 메리 셸리의 치명적인 트라우마였지만 결국 그녀는 그 모든 상처를 끌어안은 채 훌륭한 문학작품을 썼고, 창작의 기쁨으로 삶의 상처를 치유하는 데 성공했다.

163 TUE  독서의 깨달음 만들어진 괴물, 고통의 기원을 묻다

'다들 알고 보면 서로 비슷한데, 나만 다르다'는 느낌. 우리가 사회생활에서 느끼는 가장 커다란 불안은 바로 '나만 다른 존재'라는 소외감에서 온다. 알고 보면 모두가 저마다 다른 삶을 살고 있지만, '사회화'라는 과정을 통해 남들처럼 비슷하게 살아가는 척하는 방법을 배운 현대인들은 '적당히, 남들 눈치 보며, 평균치에 맞춰 사는 삶'이 가장 무난하다고 믿게 되었다. 하지만 '나의 다름'은 그렇게 쉽게 감춰지지 않는다. 남들과 똑같이 살고 싶어도 그렇게 살 수 없는 존재들, 아무리 남들과 비슷하게 살고 싶어도 이미 태어날 때부터 '남다른 존재'로 규정되어버리는 이들이 있다. 무리 속에 적당히 섞여 살 수 없는 존재, 프랑켄슈타인 박사의 괴물은 바로 그런 존재의 뼈아픈 고립감을 감동적으로 그려낸다.

《프랑켄슈타인》은 단지 괴물에 대한 이야기가 아니라 상실과 분노의 이야기다. 프랑켄슈타인 박사가 만든 괴물은 처음에는 과학기술을 향한 무한한 호기심 때문에 만들어졌지만, 만들어지자마자 신의 손, 즉 박사의 관심으로부터 멀어져버린다. 인간, 즉 과학기술문명의 통제자는 그 결과물인 괴물을 버린다. 프랑켄슈타인의 괴물은 사랑받지 못하기에, 최소한의 존중마저 받지 못하기에, 점점 자신을 망가뜨리고 고립되어간다. 가장 소중한 것, 즉 생명이 있는 존재로서 사랑받는 것, 존중받는 것을 잃어버린 존재의 고통. 그리고 가장 원하는 것을 결코 얻지 못한다는 사실을 깨달았을 때의 분노야말로《프랑켄슈타인》의 진정한 원동력이다. 그 상실과 분노의 에너지를 자기파괴가 아닌 창조의 불꽃으로 승화시킨 작품이 바로《프랑켄슈타인》이다.

프랑켄슈타인 박사가 만들어낸 괴물은 '이름'이 없기에, '그것'이라 불리기에 더더욱 무시무시한 공포를 자아낸다. 이름 붙이기라는 최소한의 권리를 부여받지 못했기에 이름조차 불리지 못한 채 더욱 처참하게 버려진 존재. 그가 무엇을 원하는지, 무엇을 꿈꾸는지, 무엇 때문에 아파하는지 아무도 알지 못하는 존재. 프랑켄슈타인의 괴물은 '사랑받고 싶은 열망' 때문에 우리 자신과 닮았다.《프랑켄슈타인》의 책머리에는《실낙원》의 한 구절, 즉 아담이 창조주를 원망하며 절규하는 장면이 등장한다. "창조주여, 제가 간청했나이까, 저를 진흙으로 빚어 사람으로 만들어 달라고? 제가 애원했나이까, 어둠에서 저를 끌어올려 달라고?" 알지 못하는 순간 얼떨결에 태어난 존재라는 점에서, 우리는 어쩌면 처음부터 프랑켄슈타인의 괴물을 닮았다. 창조주에게 간청하지도 않았는데 엉겁결에 태어나버린 우리는, 생의 이유를 알지 못한 채 매일매일 생의 이유를 창조해야 할 의무를 부여받은 것이 아닐까.

164

WED

일상의 토닥임

집착으로부터 벗어나는 연습

우리 마음을 힘들게 하는 감정 중에 '집착'이야말로 가장 끊어내기 힘든 것이다. 사람, 사물, 기억은 물론 모든 것에 집착할 수 있는 우리 마음. 이 집착하는 마음을 극복하기 위해서는 무엇을 해야 할까. 돌이켜보면 집착이 자연스럽게 사라졌던 경험 또한 많다. 어린 시절에 집착했던 장난감에 대한 기억이 남아 있는가. 담요에 집착하는 아이, 기차 모형에 집착하는 아이, 캐릭터 장난감에 집착하는 아이, '애착인형'이 없으면 잠들지 못하는 아이. 우리는 수많은 집착의 대상을 거쳤다. 하지만 성인이 되고 나서는 자연스럽게 그 집착이 사라진다. 어린 시절 가지고 놀던 장난감에 우리가 보이는 태도는 그리움이나 반가움이지 집착은 아니다. 집착이란 이렇게 오랜 시간이 지나면 저절로 사라지기도 한다.

집착을 완전히 없애기는 어렵지만, 집착의 대상이나 감정의 온도를 바꿀 수는 있다. 예컨대 나의 어린 시절 집착의 대상은 인형의 집이었다. 어릴 때 인형의 집을 그토록 사고 싶어 했지만 부모님이 사주시지 않았는데, 그에 대한 섭섭함이 오래도록 남아 있었다. 20대 후반까지만 해도 마트에서 인형의 집을 보면 남몰래 가슴이 두근거렸다. 하지만 오랜 시간이 지나고 나니 인형의 집이 사랑스러워 보이긴 해도, 이제 '인형의 집을 갖고 싶다'는 생각은 들지 않았다.

그런데 인형의 집에 대한 집착이 완전히 사라진 것은 아니었다. 여행을 떠날 때마다 부피를 많이 차지하지 않는 작은 미니어처들을 사 모으는 자신을 발견했다. 대부분 고성(古城)이나 성당, 저택처럼 하나같이 '집'을 형상화하고 있는 것이었다. 나의 집착은 어떤 '협상의 지점'을 발견해낸 것이다. 인형의 집은 너무 크고 관리하기가 불편할 뿐 아니라 '어른의 취미'로 삼기엔 여러모로 곤란하기에, 미니어처 수집이라는 '변형된 욕망, 통제 가능한 욕망'으로 전치된 것이다. 이렇듯 집착은 완전히 없어지기보다는 그 모습을 바꾸어 어느 정도 치유의 형태로 남게 된다.

나는 지금도 힘들 때마다 여행의 추억이 담긴 미니어처를 행운의 부적처럼 만지작거리며 추억에 젖는다. 마침내 집착하는 마음을 건강하게 극복한 것이다. 인형의 집과 수많은 인형을 거느린 채 드레스 자락을 날리는 공주 같은 소녀는 될 수 없었지만, 여행의 추억이 담긴 소박한 미니어처를 수집하며 여행에 대한 글을 쓰는 사람은 될 수 있었던 것이다. 지나친 집착을 조금 더 창조적인 방향으로 승화시켜, 조금 더 큰 그림 속에서 자신을 다독이고 한 걸음 나아가게 하는 방향으로 바꿔보자. 그러면 집착은 더 이상 삶을 질식시키는 고통이 아니라 새로운 삶을 창조할 수 있는 심리적 원동력이 될 수 있을 것이다.

165 THU  사람의 반짝임 타샤 튜더, 자연을 향한 사랑

자연을 향한 무한한 사랑으로 인생의 온갖 상처를 승화하는 삶을 평생 실천한 사람이 있다. 바로 타샤 튜더다. 타샤 튜더가 버몬트 산속에 농장과 정원을 만든 것은 월든에 오두막을 지은 소로의 마음과 비슷한 것이었다. 내가 살고 싶은 삶을 내 손으로 한 번 개척해보는 것. 남들의 참견과 잔소리에서 벗어나, 누가 뭐래도 내가 살고 싶은 삶을 내 손으로 일구기 위한 몸부림이었다. 그녀는 그림책을 그려 번 돈으로 농장을 구입했고, 작가의 삶과 농장주인으로서의 삶을 성공적으로 조화시켰다. 나는 소로처럼 홀로 오두막을 짓고 살 수도 없고, 타샤처럼 거대한 농장과 정원을 가꿀 힘도 없지만, 도시 속의 오아시스 같은 작은 안식처를 만들고 싶다. 월든처럼 너무 인적이 드문 것도 쓸쓸하고, 타샤의 농장처럼 너무 거대한 장소를 관리하고 소유할 능력은 없지만, 내 친구들과 내 독자들이 와서 쉴 수 있는 곳, 그러면서 나의 작품활동도 함께할 수 있는 '정여울표 월든'을 언젠가는 만들고 싶다.

타샤 튜더는 자신이 원하는 삶을 살기 위해 부모님의 뜻을 거역해야 했다고 고백한다. 부모님은 귀족 가문에서 태어난 부잣집 딸 타샤가 보스턴의 화려한 사교계에 데뷔하기를 원했지만, 타샤는 사교계를 극도로 싫어했다. 타샤는 어린 시절부터 농부가 되고 싶어 했다. 그런 소녀의 열망을 부모님은 이해하지 못했다. 타샤는 언제나 농장생활을 동경했는데 삼촌에게 멋진 농장이 있었다고 한다. 타샤가 사춘기 소녀일 때, 그녀는 삼촌 농장의 소를 사고 싶어서 삼촌에게 돈을 보내드렸다. 조카의 편지를 받은 삼촌은 돈은 돌려보내고, 커다란 소 한 마리를 보내주셨다. 타샤는 누구의 도움도 받지 않고 자기 힘으로 소를 키우기로 결심했고 정말 뿌듯했다고 고백한다.

헨리 데이비드 소로가 '간결함'에 초점을 맞추었다면, 타샤 튜더는 '아름다움'에 초점을 맞추었다. 타샤 튜더도 전기를 거의 쓰지 않고 텔레비전도 인터넷도 없이 살았지만, 더 중요한 것은 문명과 담을 쌓고 산 것이 아니라 그녀가 원하는 삶을 누구의 눈치도 보지 않고 살아냈다는 것이다. 꽃과 나무를 사랑하는 삶, 온갖 동물들과 함께하는 삶 속에서 추구한 모든 것들은 타샤 튜더가 '삶을 더욱 아름답게' 만들기 위한 몸짓이었다. 그녀가 만든 인형들, 그녀가 만든 그림책들, 삽화 하나하나까지도. 자신과 관계된 모든 것들을 아름답고 향기롭고 풍요롭게 만드는 것이 그녀가 꿈꾼 삶이었다. 그녀가 생각한 풍요는 물질의 풍요가 아니라 자연과 함께하는 삶에서 우러나오는 풍요로움이었다.

166 FRI 영화의 속삭임 지옥의 공간을 기적의 장소로 바꾸는 힘

케이트 윈슬렛과 카메론 디아즈 주연의 영화 〈로맨틱 홀리데이〉는 '타인의 지옥'이 '나의 낙원'으로 바뀌고, '나의 감옥'이 '타인의 천국'으로 바뀌는 기적을 보여준다. LA에서 영화 예고편 제작회사 사장으로 일하고 있는 아만다는 정말 세상에 부러울 것 없는 조건을 갖춘 알파걸이다. 그녀는 남자친구가 그녀를 배신하고 떠난 뒤 화려한 대저택에 홀로 덩그러니 남아 생각한다. 이 끔찍한 공간에서 벗어나고 싶다. 한편 영국에 살고 있는 아이리스는 영국의 시골 마을에서 아담한 오두막집에 살고 있다. 그녀는 성실하고 재능 있는 출판사 직원이지만, 그녀가 사랑하는 남자는 다른 여자와 약혼발표를 해버린다. 그녀는 집에 돌아와 하염없이 우울한 표정으로 앉아 있다가 아만다와 같은 결론에 도달한다. 이 끔찍한 공간에서 벗어나야 한다. 뭔가 새로운 탈출구가 없을까.

6000마일이나 떨어진 곳에 살고 있는, 영국의 아이리스와 미국의 아만다. 서로의 집을 사이트에 올리고 온라인 채팅을 한 다음, 2주 동안의 크리스마스 휴가 동안 서로의 집을 바꿔 생활하기로 결정한다. 미국으로 날아간 아이리스는 아만다의 총천연색 호화 주택에 감탄하며 즐거운 한때를 보내고, 영국으로 날아간 아만다는 아이리스의 소박한 전원주택에 첫눈에 반하며 행복한 크리스마스를 계획한다. 나에게는 낯익은 공간, 아무런 느낌도 주지 않는 권태로운 공간이 낯선 타인에게는 더없이 참신하고 새로운 장소로 탈바꿈한 것이다.

아만다는 혼자만 여유롭게 지내려 했던 런던의 시골 마을에서 무려 세 사람의 낯선 인연을 만나게 되고, 세 사람과 함께 친해지며 점점 자신에게 결핍된 것이 무엇인지를 깨닫게 된다. 어린 시절 아버지의 외도와 가출로 힘겨운 사춘기를 보낸 그녀는 남자를 믿지 못했고, 사랑을 믿지 않았으며, 아무리 마음이 아파도 눈물을 흘리지 못하는 병을 앓고 있었던 것이다. 그녀는 새로 알게 된 그레엄을 진심으로 사랑하게 되면서 아무리 자존심을 단단히 지키려 해도 누군가를 사랑하기 때문에 어쩔 수 없이 흐르는 눈물의 의미를 깨닫게 된다. 한편 미국에서 혼자만의 크리스마스를 준비하고 있던 아이리스는 아만다의 친구이자 영화음악 작곡가인 마일스를 만나 사랑에 빠진다. 낯선 공간을 푸근한 사람 냄새로 채우는 재능이 있는 아이리스. 타인의 상처받은 마음을 치유하는 데는 도가 튼 아이리스는 정작 자신의 상처 입은 마음을 치유하지 못하고 있었는데, 배려심 많고 이해심 많은 마일스와의 새로운 인연은 그녀에게 자신을 돌보고 사랑하는 마음을 회복시켜 주게 된다. 마침내 아이리스의 감옥은 아만다의 천국이 되고, 아만다의 지옥은 아이리스의 천국이 된 것이다.

167 SAT  그림의 손길 세상의 누구도 사랑에 빠지지 않는다면

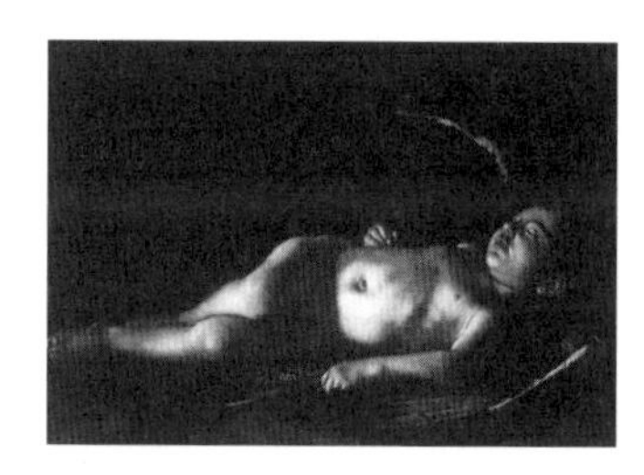

카라바조의 〈잠들어 있는 큐피드〉(1608) 그림은 사랑스럽다. 쌔근쌔근 잠들어 있는 큐피드의 모습은 '사랑의 사랑스러움'을 보여주는 듯하다. 사랑이란 이토록 꼭 안아주고 싶은 마음을 불러일으키는, 포근하고 따사로운 것이라고 속삭이는 것 같다. 그런데 이 그림이 상징하는 것은 꽤 두려운 이야기다. 큐피드가 잠들어버린다면, 그러니까 사랑의 신이 잠들어버린다면, 이 세상의 사랑은 암흑 속에 빠질 수도 있다는 경고인 것이다. 사랑이 끝난다면, 우리의 삶은 저 그림 속 새카만 어둠처럼 막막하고, 무참한 암흑이 되어버리지 않을까.

현대인에게 사랑은 제우스의 끝나지 않는 변신 놀이처럼 '신나는 모험'이 아니라 카프카의 소설 속 인물들이 보여주는 삶처럼 '우울한 열정'이다. 현대인에게 사랑은 너무도 어렵고 힘든 과제가 되어버린 것이다. 하지만 사랑이 과연 처음부터 이토록 힘든 것이었을까. 사랑의 신인 큐피드에게 사랑의 본질은 '놀이'였다. 큐피드는 '맞기만 하면 사랑에 빠지는 화살'과 '맞기만 하면 절대로 사랑에 빠지지 않는 화살'을 둘 다 관장했다. 물론 그가 걸핏하면 쏘아대는 화살은 '사랑에 빠지는 화살'이었지만, 가끔 큐피드를 진노하게 하는 사람들을 괴롭히기 위해 '사랑에 빠지지 않는 화살'을 쏘기도 한다. 그 대표적 사례가 다프네다. 큐피드의 노여움을 단단히 산 아폴로에게는 '사랑에 빠지는 화살'을 쏘고, 그가 첫눈에 반하게 된 다프네에게는 '절대로 사랑에 빠지지 않는 화살'을 쏨으로써, 큐피드는 자신의 개구쟁이 본성을 유감없이 발휘한다.

큐피드의 화살을 그린 그림들이 수도 없이 많지만, 나는 카라바조의 큐피드가 특히 사랑스럽다. 이 그림은 큐피드의 흔한 포즈, 즉 누군가에게 사랑의 화살을 쏘는 포즈가 아니라, 큐피드가 태평하게 잠들어 있는 모습을 포착하고 있다. 이 그림의 메시지는 간명하면서도 도발적이다. 즉 큐피드가 잠들면 이 세상도 멈춘다. 큐피드가 잠들면, 이 세상은 암흑으로 뒤덮일 것이다. 큐피드가 사랑의 화살을 쏘지 않는다면, 그리하여 누구도 사랑에 빠지지 않는다면, 세상은 어떻게 될까. '사랑이라는 마법'에 걸리지 않는다면, 세상은 얼마나 무미건조하고 답답해질까. 사랑마저 없다면, 삶은 얼마나 팍팍하고 삭막해질까. 큐피드의 활이 부러지고 화살은 멀찌감치 치워져 있는 이 그림은, 온갖 즐거움과 열망과 기쁨과 기대가 사라져버린 세계의 절망적인 은유가 아닐까. 사랑이 없어져버린 세계를 상상하게 만듦으로써 잃어버린 사랑의 신비를 다시금 되찾게 만드는 그림이다.

168

SUN

대화의 향기

'나'를 못 믿는 당신에게

때로는 독자의 질문이 나 자신의 고민과 일치할 때도 많다. 얼마 전 한 독자는 '자신을 향한 타인의 집착'을 어떻게 극복해야 할지를 질문했다. "먼 타인이 아닌 가족의 시선이 가장 부담스러울 때가 있습니다. 시어머니는 저를 너무 '어린아이'로만 생각하셔서 모든 일에 일일이 간섭하시는 성향이 심했습니다. 결혼한 지 10여 년이 지나 지금은 제 나이가 적지 않음에도 불구하고 계속 저를 못 미더운 시선으로 바라보시는 시어머니의 눈길이 너무도 부담스럽습니다. 사사건건 저를 무시하시는 시어머니의 모습을 보면, 언젠가는 제가 폭발해버릴지도 모른다는 생각에 괴롭습니다." 나는 독자의 편지에 이렇게 답장해주었다.

"사실 이런 경우가 가장 힘든 케이스지요. '타인의 시선'이 '내 삶'을 규정해버리는 경우가 있습니다. 저도 비슷한 경험이 있습니다. 바로 엄마와의 관계였는데요. 엄마는 저에게 너무 기대가 크신 나머지, 제 생활에 일일이 간섭을 하셨지요. 저는 계속 엄마로부터 도망칠 궁리만 했고요. 사랑하지 않아서가 아니라 너무 사랑해서 문제였던 것이지요. 엄마로부터 진정으로 독립한 후에, 비로소 '엄마의 끝없는 시선으로부터의 자유'를 얻었고, 또 몇 년이 지난 후 '내가 엄마를 바라보는 시선'도 나도 모르게 변했다는 것을 알게 되었습니다. 그 엄청난 잔소리가 그리워질 때도 있고요. 서로에 대한 어느 정도의 '거리감'이 서로에 대한 시선을 성숙하게 만드는 것 같습니다.

시어머니가 며느리에게 못 미더운 시선을 보내시는 것은, 그 시선 속에서 어떤 '만족'을 느끼기 때문입니다. 며느리가 '한없이 어린 존재'로 머무는 쪽이 시어머니께는 유리하지요. '며느리는 아직 어리니까 나의 연륜과 지혜를 필요로 하는 존재야'라고 생각하실 수도 있지요. 일종의 만족감을 줄 수도 있습니다. 시어머님의 관심을 다른 쪽으로 돌려보는 실험이 필요하지 않을까요. 시어머님이 무엇을 좋아하시는지, 함께할 수 있는 뭔가 따스한 '오락거리'가 없는지 고민해보면 어떨까요. 직접적으로 부딪히는 것은 안 좋은 방법입니다. 분노를 폭발시키면, 문제가 개선될 수 있는 가능성마저도 사라집니다. 나에 대한 시어머니의 지나친 관심을 다른 곳으로 돌릴 수 있는 경험을 시작해보세요. 영화를 본다든지, 연극을 본다든지, 이전에는 해보지 않았던 경험을 해보세요. '나'에게로만 향하는 다른 사람의 시선을 '다른 곳'으로 향하게 하는 것이 '서로를 향한 시선과 편견'을 교정할 수 있는 기회가 될 수도 있습니다."

나를 향한 타인의 집착을 또 다른 대상에 대한 긍정적 열정으로 승화시키기. 우리는 그렇게 집착으로부터 자유로워지면서 동시에 새로운 대상에 대한 열정으로 삶을 더욱 환하게 밝힐 수 있다.

169 MON  심리학의 조언 '다 네 탓이야'라는 말의 함정

"너 그때 화난 거 아니었어? 난 네가 화난 줄 알고, 말도 못 걸었잖아." "아니, 화난 게 아니고 중요한 일이 생겨서 잠깐 딴생각하고 있는 거였는데." 이렇게 상대방의 진의를 이해하지 못하고, 엉뚱하게 자신의 감정에 따라 상대방의 감정을 재단해버릴 때가 있다. 그가 전화를 받지 않으면, '그가 나를 싫어해서 그런 거야'라고 생각하고, 그가 약속 장소에 늦으면 '틀림없이 나를 버리려고 그러는 거야'라는 식으로 생각하는 것이 잘못된 감정을 투사하는 것이다. 상대방의 의중을 잘 모를 때는 그때그때 물어보는 것이 상책이다. 물어보지 않고 지레짐작만 하다가, 그의 중요한 감정 변화를 놓칠 수 있으니.

이제는 행복한 척, 괜찮은 척, 멀쩡한 척하느라 보이지 않았던 상대방의 슬픔과 그림자에 귀 기울여주자. 가까이서 바라봐야만 보이는 것들, 애정을 기울여야만 알 수 있는 것들, 천천히 되새기며 잘 들어야만 들리는 것들을 공유하는 사이만이 진정으로 '친하다'고 말할 수 있는 것이 아닐까. 내가 바라보고 싶은 대로 타인을 제멋대로 해석하다가 그 사람의 진의를 완전히 오해하거나 왜곡하는 것, 그것이 관계를 그르치는 가장 무서운 마음의 습관이다. '내가 바라보고 싶은 대로 타인을 해석한다'는 것이 심리학에서 말하는 '투사(projection)'인데 바로 이 '투사'의 메커니즘 때문에 우리는 타인을 오해하고, 관계를 망치고, 사랑 대신 증오를 선택하는 것이다. 성급한 판단이나 헛소문에 동조하기보다는 '그 사람이 집에 가면 어떤 모습일까', '혼자 있을 때는 무슨 생각을 할까,' '그 사람의 고민은 무엇일까' 질문해보는 시간을 가져보자. 판단하는 것보다는 질문하는 것이 우리가 타인을 이해하는 데 훨씬 도움이 된다. 불완전한 정보에 입각해서 타인을 섣부르게 판단하며 오해를 부풀리기보다는 단 한 가지라도 직접 물어볼 때 타인에 대해 훨씬 많이 알게 된다.

오해가 발생했을 때는, 성숙하게 인정해야 한다. 내가 그 사람을 잘 모르고 있었다는 것을. 잘 모르면서 섣부르게 판단했음을. 당신이 괜찮은 척하는 동안, 우리가 애써 행복한 척하는 동안 멀어지는 것들에 대해 생각해보는 시간이 필요하다. 그리하여 어떤 순간에도 빛이 바래지 않는 마음이 있다. 타인에게는 늘 '내가 짐작하지 못하는, 아름다운 생각의 여백'이 있을 거라고 믿어보는 것이다. 타인에게는 늘 '내가 상상하지 못하는 무엇'이 있을 것임을 인정할 때, 우리는 타인에 대한 차가운 의심을 애정 어린 친밀감으로 바꿀 수가 있다. 타인의 마음속에는 내가 결코 짐작할 수 없는 삶의 여백이 있을 것임을 잊지 말자. 누군가를 이해하고 존중한다는 것은, 바로 내 각도에서는 절대로 보이지 않는 타인의 마음속 사각지대를 온전히 받아들이는 것이다.

170 TUE  독서의 깨달음 피그말리온의 욕망 뒤에 숨은 것

친구가 경쟁자로 보이고 학교가 감옥처럼 느껴져 자퇴를 고민하는 학생들이 급증하는 요즘. 나는 '간절히 원하면 이루어진다'는 신화의 상징 '피그말리온 효과'를 의심하고 있다. 부모의 기대 때문에 끊임없이 경쟁에 내몰리는 아이들이 마치 피그말리온 신화의 조각상 갈라테이아처럼 '과도한 기대의 대상'이 되는 느낌이다. 더 많이 칭찬해주고 더 많이 기대해주면, 아이들은 정말 더 훌륭한 존재가 되는 걸까. 그런데 조각상 갈라테이아 입장에서는 '피그말리온 효과'란 곧 피그말리온의 이기심이 아니었을까. 갈라테이아의 시선에서 보면 피그말리온은 처음 보는 남자인데, 선택의 여지없이 자신을 조각상으로 만든 그 남자를 단지 그가 자신의 창조주라는 이유로 사랑할 수 있었을까. 피그말리온 효과는 '누가 내 변신을 간절히 원하는가'라는 욕망의 주체를 숨기고 있는 반쪽짜리 신화다. 부모의 지나친 기대와 억압으로 자신이 원하는 삶을 살지 못한 사람들은 저마다 '진짜 내가 원하는 삶'을 스스로 선택하지 못했다는 안타까움과 억울함을 내면화한다.

내가 인문학 강연 중에 '조각상 갈라테이아는 결코 행복하지 않았을 것 같다'는 이야기를 하자 질문이 날아왔다. "피그말리온 효과는 원래 좋은 것 아닌가요?" 물론 그렇다. 하지만 '누구의 입장에서 좋은 것인가'를 물어야 한다. 이 신화는 철저히 피그말리온의 입장에서만 유리한 것이다. 부모와 자식, 나아가 세상 모든 강자와 약자의 관계에서 피그말리온 효과는 오직 '더 강력한 힘을 가진 존재들'의 입장에서 좋은 것이다. 피그말리온은 아무것도 의심하지 않는다. 조각상을 인간으로 만들려는 무리한 의지가 혹시 조각상 갈라테이아의 마음에 상처를 입히는 것은 아닌지, 피그말리온은 전혀 개의치 않는다. 게다가 피그말리온은 현실 속의 여성을 사랑하지 못하는 마음의 병을 지닌 존재다. 피그말리온의 치명적 결점은 있는 그대로의 존재를 사랑하지 못하고 자신이 만들어낸 이상형만을 사랑한다는 것, 즉 대상의 생생한 실재를 받아들이지 못하고 자신이 원하는 이미지를 억지로 투사한다는 점이다.

아이는 의사가 되길 원하지 않는데 부모가 의사가 되라고 강요하며 학원을 열 개씩 보낸다면, 그 부모는 피그말리온 콤플렉스에 사로잡힌 것이다. 내가 빚어낸 대로, 내가 원하는 대로 너는 성장해야 한다는 강박관념. 너는 내 의지와 기획대로 자라야 한다는 강박이 아이들의 아이다움과 자기결정권을 빼앗아간다. 투사의 압력을 벗어나는 것, 그것은 '타인의 시선에 비친 나'가 아니라 '내 눈에 비친 나'의 모습을 되찾아 마침내 인생의 자기결정권을 쟁취하는 것이다.

171 WED 일상의 토닥임
섣불리 짐작 말고 가까이 다가가 말 걸기

멀리서만 바라보면 미처 보이지 않는 것들이 있다. "그 사람 겉으로 보기엔 멀쩡해 보여서 아무 걱정 안 했는데, 알고 보니 심한 우울증이라잖아." "그 친구는 늘 행복해 보였는데, 알고 보니 많이 아프고 힘들었더라고." 이런 이야기를 들을 때마다, 우리는 주변 사람들을 너무나 제대로 모르고 살고 있구나 하는 생각에 가슴이 서늘해진다. 중학교 동창을 20년 만에 만났는데, 서로 이런 이야기를 나누며 깜짝 놀란 적이 있다. "지금에야 고백하는 거지만, 나는 네가 참 부러웠어. 넌 항상 선생님들의 사랑을 독차지하고, 공부도 잘하고, 온갖 백일장을 휩쓸었잖아." "무슨 소리야, 나는 네가 부러웠는데. 난 항상 외로웠는데, 네 주변에는 항상 친구들이 많았잖아. 넌 햇살같이 환하게 빛나는 아이였어. 난 항상 어두운데." 우린 이런 이야기를 나누며 웃음을 터뜨렸다. 겉으로 미소 지었지만, 마음은 시리고 아팠다. 서로 멀리서 바라만 보며 자신에게 결핍된 것을 부러워하느라, 서로의 아픈 진심 속으로 들어가 본 적이 없던 것이다.

우리는 서로 멀리서만 바라보기를 멈추고, 가까이 가서 서로에게 다정하게 물어보기 시작해야 한다. 걱정거리는 없는지, 아픈 데는 없는지, 밥은 제대로 먹고 다니는지. 타인에게 끝없이 오해받는 느낌만큼 시리고 아픈 것이 있을까. 나는 사람들의 오해와 편견 속에서 오랫동안 소외당한 경험이 있기에, 아직도 그 상처로부터 자유롭지 못한 나를 발견하곤 한다. 언젠가 나에 대한 '뒷담화'를 우연히 알게 되었을 때, 커다란 충격을 받은 적이 있다. 내가 전혀 하지도 않은 일을 만들어서 누군가 '그 애가 그렇게 했을 거야'라고 지레짐작하고, 그 소문은 점점 더 커져서 '그 애는 원래 그런 애야'라는 식으로 헛소문이 돌고 있었다. 나는 그들과 관계를 끊었지만, 마음의 상처는 오래오래 남았다. 내 앞에서 웃으며 친근하게 다가오는 사람들조차 믿지 못하게 되었기 때문이다. 타인을 멀리서 바라보며 서로에 대해 섣불리 지레짐작하는 일을, 우리는 멈춰야 한다. 내 경험에 비춰보면, '저 사람은 나를 싫어할 거야'라는 예상은 대부분 틀릴 때가 많았다. 누군가와 친구가 되고 싶다면, 그에게 다가가 용감하게 말을 걸어야 한다. 섣부른 헛소문만 믿지 말고, 멀리서만 보이는 그의 인상에 속지 말고, 그에게로 가까이 다가가 그의 이야기를 들어보자. 나에게 소중한 것들을 보여주자. 타인의 시선에 길들지 않은 나만의 시선으로, 누군가를 바라보고, 이해하고, 존중하자. 누군가의 진정한 친구가 되는 방법, 그것은 오직 '남들의 눈에 비친 나'의 시선에 굴복하지 않는 것이다.

172 THU  사람의 반짝임 어제보다 더 나은 존재로 변화하기 위해

'인간은 절대 변하지 않는다'는 말을 들을 때마다 가슴이 아프다. 인간은 변할 수도 있는데, 나도 변하고 있는데. 나를 감동시키는 사람들은 변화의 가능성을 믿는 사람들, 늘 변신할 줄 아는 사람들인데. 어쩌면 사람들은 스스로 변하고 싶지 않기 때문에 '인간은 변하지 않는다'는 말을 자주 하는 것이 아닐까.

나는 '인간은 절대 변하지 않는다'는 편견 속에 나를 가두고 싶지 않다. 더 나은 존재로 변신하고 싶다. 엄청난 속도로 확 다른 사람이 될 수는 없어도, 매일 더 좋은 사람이 되기 위해 분투하고 있다. 예컨대 나는 내성적인 성격을 조금씩 변화시키고 있다. 나는 '99.9% 내향성 인간'이라고 믿었지만 심리학을 공부하면서 내 안에 수많은 외향성과 적극성이 살아 숨 쉬고 있음을 깨달았다. 내 강의를 들은 분들은 나를 '전혀 내성적이지 않다, 외향성 그 자체다'라고 평가하기도 했다. 대중 앞에서 강의를 하다 보면 나도 모르게 열정이 폭발하는 순간이 있는데, 그 순간 나는 과거의 수줍음을 완전히 떨쳐내 버린다. 나는 여전히 내성적인 나를 좋아하지만 내 안의 외향성이 폭발하는 순간을 즐기게 되었다. '너는 20대 시절보다 지금 더 밝고 건강해 보인다'는 이야기도 많이 듣는다. 나는 '이게 다 심리학 덕분'이라고 이야기하고 싶어진다. 심리학과 문학, 여행과 글쓰기, 강의를 비롯한 수많은 만남. 그 모든 것들이 나를 매일 더 나은 사람, 더 밝은 사람으로 만들어주었다.

'아이를 낳고 철들었다'는 평가를 듣는 사람들도 많고, '전업주부에서 직장인으로 변신하면서 활기를 찾았다'는 평가를 듣는 사람들도 많다. 내가 심리학을 통해 얻은 것은 '인간은 변할 수 있다, 더 나은 쪽으로'라는 믿음이다. 상담을 통해 훨씬 안정적인 정신 상태로 변화했다고 고백하는 사람들을 많이 본다. 부모나 친구에게도 말할 수 없는 힘겨운 이야기를 심리상담사에게는 털어놓을 수 있었다는 학생들도 만났다. 오히려 상담사는 가족이나 친구가 아닌 절대적 타인이기에 더욱 허심탄회하게, 감정의 얽힘 없이 자신의 이야기를 투명하게 고백할 수 있는 경우도 많다. 변신이 어렵다고 해서 포기하지만 않는다면, 우리는 변신의 기회를 포착할 수 있다. 어쩌면 우리는 저마다 '움직이지 않는 조각상'에서 '살아 움직이는 한 인간'으로 변신할 절실한 기회를 찾고 있는 것이 아닐까. 나를 슬픈 조각상에서 살아 움직이는 인간으로 변신하게 해준 것은 바로 '읽기와 쓰기'였다. 나를 진정으로 변화시킨 것은 글쓰기를 통해 나를 변화시킬 수 있다는, 스스로를 향한 믿음이었다.

173 FRI 영화의 속삭임 강박증을 벗어나는 최고의 비결, 사랑

사랑이 사람을 바람직하게 변화시킬 수 있다는 믿음을 증명해주는 멋진 영화, 〈이보다 더 좋을 순 없다〉. 이 작품의 주인공 멜빈은 성공한 작가지만 사랑에는 관심이 없다. 게다가 강박증 환자인 그는 보도블록의 금 하나도 밟지 못할 정도로 까다로운 성격을 지녔다. 음식점에서 주는 포크와 스푼을 사용하지 않기 위해 일회용 플라스틱 포크를 가지고 다니는 사람. 이웃집 화가가 강도와 린치를 당해 병원에 입원하여 사경을 헤매고 있는데, 그의 강아지를 맡아달라는 부탁을 거절하기 위해 그 강아지를 쓰레기통에 버린 남자. 그는 한마디로 너무 '밉상'인 극단적 에고이스트다. 그런 그가 사랑 때문에 변화하게 된다. 그의 단골 식당 웨이트리스인 캐롤이 그를 변화시킨 것이다. 물론 처음에 그녀는 멜빈에게 전혀 호감을 느끼지 못했다. 하지만 캐롤의 거침없는 솔직함이 멜빈의 얼어붙은 가슴을 녹이기 시작한다. 당신은 정말 피도 눈물도 없고, 기분 나쁜 존재이며, 다른 사람을 배려하지 않는다는 비난. 캐롤에게서 그런 심각한 비난을 듣자, 멜빈은 처음으로 자신에 대해 심각하게 생각해보기 시작한다.

그가 쓰레기통에 버렸다가 어쩔 수 없이 다시 떠맡은 강아지 또한 멜빈의 마음을 약하게 한다. 미치도록 귀여운 이 강아지는 멜빈으로 하여금 때맞춰 밥을 먹이게 하고, 강아지를 위해 피아노를 연주하게 하며, 헤어져야 하는 순간에는 눈물까지 짓게 만든다. "내가 강아지 때문에 울다니!"

멜빈은 캐롤을 비롯한 주변 상황의 변화를 통해 점점 변해가는 자신을 믿을 수 없다. 하지만 그 과정이 무척 즐겁고 신난다. 누군가를 사랑하기 시작하자 그녀를 둘러싼 모든 것들이 신경 쓰이기 시작한다. 그녀의 아픈 아들을 위해 의사를 소개해주고 치료비까지 지원해준다.

강박증 환자 멜빈은 짝사랑에 빠진 후 그녀가 자신을 어떻게 생각할지 고민하다가 '당신을 위해 더 나은 사람이 되고 싶어졌다'고 고백한다. 자기 자신밖에 모르던 철저한 에고이스트였던 주인공이 '사랑하는 사람이 나를 어떻게 바라볼까'를 생각하며, 더 나은 사람으로 변모하는 순간의 기적이 눈부시게 그려진 작품이다. 이런 것이 바로 '타인의 시선'이 우리 삶을 더욱 아름답게 만들어주는 순간이다. 우리는 타인의 시선 때문에 일희일비하지만, 때로는 타인의 시선 때문에 더 나은 사람이 되기도 한다. 나를 사랑해주는 한 사람의 따스한 눈빛, 그것이 우리를 더 좋은 사람으로 만들어주는 기적이 된다.

174 SAT  그림의 손길 사랑의 힘으로 기적을 일으키다

이 그림은 에드워드 번 존스의 〈신이 빛을 비추다〉(1868)라는 작품이다. 그림 속 오른쪽 남자의 이름은 피그말리온, 그리스로마 신화 속 인물이다. 이 세상 누구도 사랑할 수 없는 한 남자가 있었다. 그는 지상의 여인들에게서는 사랑을 느끼지 못했다. 그의 눈에 비친 세상 여인들은 어느 누구도 그의 마음을 채워주지 못했다. 그의 눈은 너무 높았다.

이 세상에서 자신을 만족시켜줄 여성을 발견하지 못한 그는 자신의 모든 꿈과 이상을 담아 한 여인의 조각상을 빚어냈다. 그야말로 완벽한 여인, 어떤 결점도 없는 여인, 이상 속의 연인이었다. 이 외로운 예술가 피그말리온은 꿈꿨다. 이 조각상이 나에게 말을 걸어준다면 얼마나 좋을까. 그녀가 땅을 걷고, 나와 함께 밥을 먹고, 나와 함께 눈을 감고 뜬다면 얼마나 행복할까.

피그말리온은 남몰래 기도했다. 나의 아름다운 조각상 갈라테이아가 진짜 사람이 되어 저와 사랑에 빠지게 해주세요. 피그말리온은 단지 기도만 한 것이 아니었다. 조각상이 행여나 추울까 봐 포근한 담요도 덮어주고, 아무도 엿보지 않을 때 그녀를 살짝 안아주기도 했다. 조각상 갈라테이아를 바라볼 때 그의 눈은 정말로 빛났고, 그의 두 볼은 발그레해졌다.

피그말리온에게 조각상은 더 이상 '그것'이 아니라 '그녀'였고 '당신'이었다. 그에게 갈라테이아는 돌로 만들어진 조각상이 아니라 사랑으로 빚어진 생명체였다. 비너스는 피그말리온의 은밀한 소원을 듣는다. 비너스는 마침내 갈라테이아에게 사랑의 숨결을 불어넣어준다. 생명의 온기를 불어넣어준다. 갈라테이아는 이제 딱딱한 대리석에 갇힌 죽은 영혼이 아니다. 그녀는 드디어 '한 사람의 여자'가 되어 피그말리온의 사랑에 화답할 것이다. 간절히 원하면 이루어진다는 인간의 염원을 절절하게 표현한 이 이야기를 사람들은 오늘도 사랑한다.

번 존스의 그림 속에서 비너스는 차가운 대리석상에 축복의 숨결을 불어넣어준다. 자, 이제 걸어가거라. 자, 이제 너의 심장이 뛰게 될 것이다. 달려가 그에게 입을 맞추어 주렴. 사랑이라는 눈부신 마법, 그것은 차가운 대리석상을 살아 움직이는 분홍빛 볼을 지닌 진짜 인간으로 만들어준다. 피그말리온 신화는 간절히 기원하면 비로소 꿈이 이루어질 것이라는 달콤한 환상의 기원이기도 하다.

175 SUN

대화의 향기

부모님은 저를 사랑하지 않아요

얼마 전 한 독자가 고민을 전해왔다. "제 부모님이 저를 사랑하지 않아요. 부모님이 제게 투자한 교육비에 걸맞은 성공을 하지 못하면, 저를 결코 사랑해주지 않을 거예요. 그런데 저는 부모님이 원하는 그런 성공을 결코 해낼 수 없어요." 그 말을 들으며 가슴이 쓰려왔다. 나 또한 그런 공포를 느낀 적이 있기 때문이다. 내가 공부를 못한다면, 내가 부모님이 원하는 길로 가지 못한다면, 부모님께 사랑받지 못할 것이라는 끔찍한 두려움을 경험한 적이 있다. 하지만 나중에 알고 보니 부모님은 '성적이 떨어진 나'를 사랑하지 않는 것이 아니라, '공부를 제대로 할 기회가 없었던 부모님의 지난날'을 사랑하지 않는 것이었다. 아직 그 사실을 몰랐던 어린 시절에는, 과도하게 내 성적에 집착하는 부모님의 모습이 서운하고, 야속했다. 부모님에게 칭찬을 받고 싶은 수많은 아이가 아직도 이런 깊은 불안을 껴안고 산다. 공부를 잘하지 못하면, 부모님이 날 사랑하지 않을 거야. 성적이 올라야만, 부모님이 날 사랑하실 거야. 하지만 다행히도 우리의 부모들은 저마다 자기를 꼭 닮은 가시를 지닌 저마다의 고슴도치들을 조건 없이 사랑한다. 우리의 가시가 아무리 뾰족하고 못 생겨도, 부모는 우리의 울퉁불퉁한 그 모든 결점들을 있는 그대로 사랑한다.

하지만 부모의 이기심을(내가 투자한 만큼 내 자식들이 성공해야 한다는!) 간파하는 자녀들의 마음 또한 결코 무시해서는 안 된다. 부모가 자식의 성적에 지나치게 집착한다면, 아이 가슴에는 '부모가 내 인생을 이렇게 만들었다'는 원망이 쌓일 것이고, 그 아이가 의사나 변호사가 된다 해도 '나는 내 인생의 진짜 주인공이 아니다'는 절망감에 부모를 증오하게 될 가능성이 높다. '이게 다 널 위해서 그런 거야', '내가 너를 사랑해서 그러는 거야'라는 변명은 더 이상 통하지 않는다.

사랑은 결코 손익분기점을 따지는 투자가 아니며, 내가 원하는 것을 타인에게 강요해 그가 나를 사랑하도록 만들려는 이기심은 결국 진정한 사랑이 아니라는 사실이 언젠가 탄로 나기 때문이다. '부모의 기대'와 '부모의 사랑'은 마치 뫼비우스의 띠처럼 앞뒤가 구분되지 않아 어느 것이 사랑인지 어느 것이 기대인지 구분하지 못할 때가 많다. 사랑의 이름으로 내 이기심을 포장하지 않기, 너를 사랑한다는 이유로 내가 원하는 것을 너에게 강요하지 않기. 그것이 진정한 사랑의 첫걸음이다. 당신의 결핍과 그림자까지 아무 조건 없이 사랑해주는 사람, 그런 사람이 진정한 영혼의 파트너가 될 수 있다.

176 MON  심리학의 조언 내 마음을 토닥이는 아름다움 발견하기

심리학에 관한 지식들만 치유에 도움이 되는 것은 아니다. 예술의 아름다움, 자연의 아름다움, 언어의 아름다움. 이 세 가지가 나에게는 일상 속에서 늘 심리 치유의 효과를 발휘하는 것들이다. 때로는 특정한 심리학 지식보다 아름다운 것들을 바라보는 행위, 음악을 듣는 시간, 자연 속에서 뛰놀기, 그림을 감상하는 일 자체가 마음을 치유하는 데 커다란 도움이 되었다. 미술치료, 음악치료, 문학치료, 원예치료 등의 분야가 점점 각광 받는 것을 보면, 심리학은 확실히 심리학 안에만 갇혀 있는 것이 아니라 점점 확장됨으로써 더 폭넓게 인류에 기여하고 있는 것으로 보인다. 음악치료나 미술치료의 근본 원리도 아름다움을 통해 상처를 치유하는 예술의 힘에 근거한다. 아름다움이 지닌 원초적 에너지는 그 자체로 치유의 힘을 발휘한다.

어린 시절 '예술' 하면 가장 먼저 떠오르는 이미지는 무언가를 열정적으로 창조하는 '천재'의 이미지였다. 사람들이 흔히 떠올리는 천재의 보편적인 이미지는 바로 영화 〈아마데우스〉에 등장하는 모차르트 같은 어릴 적 천재성이 아닐까. 모차르트의 진짜 성격과는 상관없이, 〈아마데우스〉의 철딱서니 없는 모차르트의 이미지는 낭만적 천재의 전형으로 각인되었다. 영원히 철들지 않을 것만 같은, 미워할 수 없는 괴짜 예술가의 이미지. 어른다운 몸가짐이나 골치 아픈 윤리 같은 것은 생각하지 않고, 창조를 심각한 노동이 아닌 신나는 놀이로 생각하는 무한한 자유로움. 나도 한때 그런 태도를 동경했다. 천재의 재능을 따라할 수는 없어도 천재의 성격만은 한 번쯤 모방해보고 싶었다. 뛰어난 예술가는 못 될지라도 하루만이라도 천진난만한 어린이처럼 살고 싶었다. 하지만 곧 하루도 안 되어서 '아, 이건 나와 어울리지 않는 가면이야!'라는 생각이 들었다.

시간이 흐르면서 내게 더 오래가는 감동을 주는 예술가의 이미지는 그런 것이 아님을 깨닫게 되었다. 솔직히 뒤샹이나 앤디 워홀보다는 반 고흐나 베이컨이 좋았고, 통통 튀는 상상력을 자극하는 발랄한 소설들보다는 세월이 지나도 변함없는 진중함을 간직한 무거운 소설들이 좋았다. '사람들이 좋다'고 하는 것보다는 '그저 내가 좋은 것'을 눈치 보지 않고 사랑하는 길이, 불편하지만 행복했다. 나는 오랜 시간 동안 '남들이 좋다고 평가하는 예술'의 압도적인 이미지에 좌지우지 당했지만, 이제는 안다. 내 마음을 어루만지는 예술의 순수한 힘을. 어떤 권위에도 휘둘리지 않고, 내 마음의 소리를 들으면 된다. 상처 입은 마음의 치유를 꿈꾼다면, 당신의 마음을 토닥이는 예술이라면 무엇이든 좋다. 당신의 마음을 따스한 손길로 어루만지는 예술작품이라면, 무엇이든 치유에 도움이 된다.

177 TUE 독서의 깨달음

아름다운 것들을 향한 그리움

내게 '소설의 아름다움' 하면 가장 먼저 떠오르는 작품은 이미륵의 《압록강은 흐른다》라는 작품이다. 《압록강은 흐른다》에는 아버지 몰래 연을 만들다가 혼쭐이 나는 어린 소년 미륵의 천진난만한 모습이 담겨 있다. 미륵의 사촌이었던 수암은 비밀창고에서 밤늦게 무언가를 열심히 만들고 있었다. 그동안 수많은 연을 만들어 자신의 힘을 시험했던 수암은 이제 생애 최고로 커다란 연을 만들어 하늘 높이 날려볼 궁리에 빠져 있던 것이다. 장난꾸러기 수암은 천하의 모범생 미륵을 홀려 자신이 만든 연의 둥근 구멍 아래 나비를 그려달라고 부탁한다. 대나무 살을 깎고, 연실에 먹일 풀을 끓이고, 화롯불에 인두를 달구는 동안 아이들의 꿈은 송글송글 익어간다. 대나무살을 조심스럽게 하나씩 종이에 붙이며 생애 최고의 긴장감을 경험하는 순간, 아버지가 비밀창고의 문을 와락 열어젖힌다. 수암은 연을 황급히 숨겼지만 아버지는 모든 것을 알아차린다.

겁에 질린 아이들 곁으로 수북이 둘러싸인 종이는 바로 글씨 연습을 위해 아버지가 나눠주신 종이였다. 아버지는 버럭 화를 내신다. "둘 다 밖으로 나와!" 착한 수암은 사촌동생 미륵을 보호하기 위해 끝까지 변명을 한다. 미륵은 자기가 하는 걸 보고만 있었다고. 하지만 자기 아들만 쏙 빼놓고 혼을 낼 수 없었던 아버지는 두 사람 모두에게 회초리를 공평하게 때린다. 연을 만든 것은 큰 문제가 아니었으나 글씨 연습을 하기 위해 받은 종이를 함부로 구기고 찢고 버리는 행위가 아버지를 진노하게 만들었던 것이다.

몰래 훔친 자유의 엄정한 대가로 회초리 세례를 맞게 된 아이들은 모든 학생이 숨죽이고 구경하는 가운데 따가운 회초리를 맞게 된다. 뜨거운 눈물이 순식간에 분수처럼 쏟아질 정도로 따끔한 회초리였지만, 언젠가 어른이 되면 그 쓰라린 아픔조차 아련한 추억이 될 것이다. 회초리의 아픔은 금세 가시지만 친구와 함께 온갖 실험정신을 발휘하여 한밤중에 몰래 만들었던 종이연의 기억은 일평생 잃어버린 꿈의 상징으로, 순수의 상징으로 아이들의 영혼 속에 기록될 것이기 때문이다.

연은 자유의 상징만은 아니다. 연이 날아오름에도 불구하고 나의 발은 단단히 땅에 붙박여 있음을 깨닫는 과정이기도 하기 때문이다. 연실을 자유자재로 살살 풀어올리며, 감아올리며, 팽팽하게 당겨보며, 현실과 이상의 거리를, 나와 세계의 거리를 가늠해보는 것. 자유의 머나먼 거리와 현실의 견고한 울타리를 냉정하게 가늠해보는 것. 그것이야말로 영혼의 열매가 탐스럽게 무르익는 시간, 마음의 수심(水深)이 한 뼘 한 뼘 자라는 과정이 아닐까. 이 아름다운 장면을 읽으며, 나는 잃어버린 어린 시절의 충만함을 되찾는 느낌이었다.

178 WED 일상의 토닥임 예술의 아름다움으로부터 배우다

항상은 아니지만, 가끔 여유로운 아침은 이렇게 시작된다. 아침에 일어나자마자 커피나 홍차를 준비하고, 그날의 날씨에 왠지 어울릴 것 같은 음악을 고른다. 햇살 찬란한 날씨에는 쇼팽의 에튀드를, 구름 낀 날씨에는 라흐마니노프의 피아노협주곡을 고르는 식으로, 그날의 분위기에 어울리는 곡을 생각해본다. 창밖으로 펼쳐진 하늘을 바라보며 차를 마시고, 음악을 듣고, 책을 펼친다. 향기로운 차와 따사로운 햇살과 감미로운 음악. 이 세 가지만으로도 삶이 눈부시게 아름답게 느껴진다. 주말에도 월요일에 넘길 원고 마감에 쫓기며 살아가는 작가의 삶이지만, 가끔 이렇게 여유로운 시간이 찾아오면 '이런 게 삶이로구나, 이런 시간을 위해 그토록 바빴던 거구나' 하며 스스로를 위로한다. 여기에 그림까지 더해지면 일석이조다. 클림트의 화집을 펼치고 베토벤의 9번교향곡을 듣는다든지, 모네의 화집을 펼치고 쇼팽의 야상곡을 들어본다. 항상 머리맡에 책과 음악과 그림을 둘 수만 있다면, 우리는 힘든 상황에서도 자기 안의 중심을 찾을 수 있다.

평소에는 글을 쓰면서 음악을 듣지만, 정말 힘들 때는 오직 음악만 집중해서 듣고 싶어진다. 언어의 굴레로부터 자유로워지고 싶기 때문이다. 언어를 다루는 작가의 행복도 자주 느끼지만, 언어로부터 벗어나고 싶을 때도 있다. 한순간도 쉬지 않고 아름다운 언어를 찾아 헤매는 내 모습이 갑갑해질 때, 음악을 향해 머나먼 여행을 떠난다.

음악을 듣는 것도 좋지만 음악을 연주하는 사람을 보는 것은 더 좋다. 나는 슬플 때마다 첼로를 연주하는 재클린 뒤 프레의 오래된 동영상을 찾아보곤 한다. 지직거리는 화면이지만, 재클린이 활을 들고 첼로를 켤 때마다 그녀가 나의 지친 등을 어루만지는 듯한 느낌이다. 재클린의 순수한 열정이 가득 담긴 몸짓을 바라보는 것만으로도 마음의 온갖 우울이 씻겨 내려가는 느낌이다. 음악을 향한 완전한 도취. 음악 속으로 자신을 완전히 던진 것 같은 재클린의 표정은 그 자체로 아름다운 기도 같다. 그녀의 첼로는 가슴을 할퀴고 지나가는 화살이 되었다가, 찬바람 부는 거리에서 누군가가 다정하게 걸쳐주는 코트가 되었다가, 마침내 내 졸린 눈꺼풀을 완전히 감겨주는 따스한 손길이 된다. 재클린이 엘가 협주곡을 연주할 때, 나는 매번 음악에 기꺼이 사로잡힌 즐거운 포로가 된다. 수줍은 표정으로 무대 위에 등장했던 소녀가 마치 온세상을 다 휩쓸어버릴 듯한 격정적인 연주로 관객을 휘어잡는 그 모든 순간을 사랑한다. 언제 어디서든 '지상에서 영원으로' 우리를 데려가주는 음악의 힘이 오늘도 나의 지친 마음을 위로해준다.

179 THU 사람의 반짝임 불안을 씻어주는 음악의 카타르시스

글렌 굴드가 연주한 바흐의 음악을 듣고 있으면, 그야말로 우주선 없이 우주를 탐험하는 듯 짜릿하다. 글렌 굴드의 바흐 연주를 듣다 보면 '이게 내가 알고 있는 바흐 맞아?' 하고 질문하게 된다. 우리가 알고 있는 익숙한 바흐의 느낌을 뛰어넘어 때론 유머러스하고 때론 그로테스크한, 한없이 복잡다단한 바흐를 만나게 되는 것이다.

듣는 것만으로도 몸과 마음의 에너지를 아주 많이 쓰게 되는 음악이 있는데, 글렌 굴드의 바흐 연주가 바로 그렇다. 어떤 사람은 글렌 굴드의 연주를 듣다가 갑자기 방 안에서 악마가 튀어나오는 줄 알았다고 한다. 그건 굴드의 '허밍' 소리 때문이었다. 바흐를 연주하면서 자신의 허밍을 아무렇지도 않게 흘려 넣는 피아니스트의 기괴한 행동에 당시 많은 사람이 경악을 금치 못했지만 지금은 그 허밍이 독특한 아우라를 만들어내는 결정적 역할을 하게 되었다. 글렌 굴드의 음악을 들을 때 허밍 소리가 나오지 않으면 왠지 허전할 정도이니.

글렌 굴드의 허밍은 해석자의 창조적 추임새를 흥미진진하게 보여준다. 피아노 음률과 완전히 똑같은 것도 아니고 정확한 음계를 지킨 화음도 아닌데, 뭔가 무심한 기도 소리 같기도 하고 웅얼거리는 대화 소리 같기도 한 허밍. 이 흥얼거림은 마치 자기 자신과 대화하는 듯한 소리, 바흐와 대화하는 소리, 우리와 대화하는 소리처럼 들리기도 한다. 음악연주는 반드시 소음이 없는 절대적 고요 속에서 이루어져야 한다는 통념을 깨는 소리이기도 하다. 바흐의 음악은 지루하고 어렵다는 편견을 통쾌하게 깨뜨리는 음악, 얼어붙은 바다를 깨뜨리는 도끼 같은 음악이다.

게다가 그의 피아니스트 전용 의자는 얼마나 재미있는가. 자신의 연주 때 꼭 가지고 다녔다는 아주 낮고 받침대가 고무로 되어 있는 독특한 의자는 피아니스트의 움직임에 따라 자유자재로 구부릴 수 있었기 때문에 딱딱한 의자에 앉아 고군분투해야 하는 피아니스트의 육체적 아픔을 완화해주고 마치 바다 위를 표류하듯이 자유롭게 몸을 구부리고 흔들며 연주하는 굴드 특유의 사랑스럽고 구부정한 자세를 만들어준다. 경건하지 않아도 되고 똑바른 자세가 아니어도 되고 절대 고요가 아니어도 되고 오직 '나다운 바흐, 나다운 연주, 나의 영혼과 완전히 일체가 되는 연주'가 되면 된다.

절대로 풀리지 않는 실타래가 머릿속에 가득 들어찬 듯 괴로운 날에는, 굴드의 바흐를 권해본다. 마음속에서 폭포수가 떨어지는 듯한 상쾌함, 머릿속을 세상에서 가장 차가운 물로 씻어내는 듯한 명료함이 당신의 어지러운 머릿속을 깨끗이 씻어줄 것이다.

180 FRI 영화의 속삭임 음악으로 치유되는 트라우마

영화의 스토리도 좋지만 영화 속 음악이 너무 좋아 보고 또 보게 되는 영화가 있다. 영화 〈더 콘서트〉가 바로 그런 작품이다. 이 영화의 클라이맥스는 마지막 15분, 주인공들이 차이콥스키 바이올린 협주곡을 연주하는 장면이다. 차이콥스키의 모든 열정을 한 곡에 쏟아부은 듯한 이 작품을 듣고 있으면 하나의 곡 안에 인간의 모든 생로병사가 녹아 있는 듯한 장엄한 스케일에 가슴을 쓸어내리게 된다.

자신이 아버지임을 숨기고, 훌륭한 바이올리니스트가 된 딸을 사랑스럽게 바라보는 지휘자 알렉세이. 그리고 지휘자가 아버지라는 사실을 모르는 상황에서 그에 대한 온갖 의심을 간직한 채 그럼에도 불구하고 눈부시게 바이올린을 연주하는 딸 안느 마리. 두 사람은 30년 동안 제대로 연주를 하지 못한 오합지졸 오케스트라를 이끌고 기적적으로 아름다운 협주곡을 연주해낸다. 30년 전 이들에게는 무슨 일이 일어난 것일까.

구소련 당시 촉망받던 지휘자 알렉세이는 오케스트라에서 유대인 연주자들을 추방하라는 당의 지시를 어겨 지휘자 자리를 빼앗기게 된다. 그는 음악에 대한 열정을 포기하지 않고 무려 30년 동안 볼쇼이 극장의 청소부로 일한다. 그가 힘든 노동을 견딜 수 있었던 것은 오직 '다시 음악을 시작할 수 있다'는 희망, 언젠가는 딸을 만날 수 있으리라는 희망이었다. 어느 날 알렉세이는 파리의 샤틀레 극장에서 볼쇼이 오케스트라에게 보내온 초대장 팩스를 발견하고 드디어 파리에서 딸 안느 마리와 함께 차이콥스키 바이올린 협주곡을 연주할 기회를 만든다.

안느 마리는 갑자기 다가와 차이콥스키 바이올린 협주곡을 함께 연주하자는 낯선 지휘자 알렉세이의 부탁을 처음에는 거절한다. 그가 아버지라는 사실을 모를 뿐 아니라, 고아나 다름없이 살아왔던 그녀는 낯선 타인에 대한 경계심이 컸다. 온갖 복잡한 사연 끝에 마침내 두 사람이 같은 장소에서 같은 곡을 연주하는 순간, '음악'이라는 공통의 절실한 언어가 지금까지 두 사람을 갈라놓았던 모든 장벽을 완전히 허물어버리고 만다.

30년 동안 오케스트라 단원으로 활동하지 못한 채 저마다 힘든 노동을 견뎌내며 '음악인'으로서의 삶을 잃어버렸던 연주자들. 그들은 알렉세이의 기상천외한 연주회 프로젝트를 성공시키기 위해 그야말로 젖 먹던 힘까지 끌어내 마침내 온갖 우여곡절 끝에 차이콥스키 바이올린 협주곡을 성공적으로 연주해낸다. 저마다의 자리에서 온갖 비참한 생활을 견뎌냈던 연주자들이 30년의 공백을 딛고 훌륭한 연주를 해낼 수 있었던 힘은 무엇일까. 그것은 아름다운 음악이 마침내 그들을 구원할 것이라는 순수한 믿음 때문이었다.

181 | SAT

그림의 손길

아름다움은 우리를 끝내 치유한다

피렌체의 우피치 미술관에서 이 그림을 보기 위해 네 시간이나 기다렸다. 어디도 가지 못한 채 땡볕 아래 입장을 기다리는 것은 힘든 일이었지만 무척 보람찬 일이기도 했다. 산드로 보티첼리의 그림에서는 예술의 아름다움을 위해서라면 영혼까지 바칠 준비가 되어 있는 화가의 순수한 열정이 느껴진다. 아름다움을 바라보는 것만으로 치유되는 느낌은 그 아름다움에 어떤 사심도 깃들어 있지 않기 때문이 아닐까.

나에게 산드로 보티첼리의 〈비너스의 탄생〉(1486)은 아름다움의 탄생 그 자체를 경배하는 그림으로 다가온다. 아무런 질투도 분노도 느껴지지 않는다. 아름다움 그 자체를 온 마음을 다해 축복하는 그 느낌이 참으로 좋았다. 이 그림에는 여신의 태어남을 축복하는 만백성의 환대와 설렘이 가득 담겨 있다. 서풍의 신 제피로스는 비너스가 어서 육지에 닿으라는 듯 입으로 바람을 만들어 불어넣고 있으며, 계절의 여신 호라이는 망토를 들고 나와 여신의 몸을 감싸줄 채비를 하고 있다. 제피로스의 바람결에 나부끼는 망토자락조차 비너스의 태어남을 호들갑스레 축복하는 것 같다. 정작 여신은 수줍다. 조신하게 부끄러운 곳을 가리고 고개를 살짝 비튼 비너스의 몸짓에는 수줍음과 부끄러움이 가득하고, 아직 자신이 얼마나 위대한 존재인지 모르는 데서 나오는 한없는 겸손함이 있다.

그런데 보티첼리의 비너스는 왜 저토록 슬퍼 보일까? 가질 수 없는 사랑의 대상으로서의 비너스, 영원히 이상화된 비너스가 이 그림 속에 형상화되어 있는 듯하다. 안타깝게 바라보기만 할 뿐 만질 수도 안을 수도 없는 비너스의 모습은 다른 화가들의 그림에서 흔히 볼 수 있는 적극적이고 열정적인 비너스, 대상을 한눈에 사로잡는 카리스마로 가득한 비너스와는 거리가 멀다. 보티첼리의 비너스는 애잔하고 쓸쓸하며 안타까운 그리움을 불러일으키는 이미지다. 실제로 피렌체 최고의 미인으로 알려진 시모네타를 모델로 했다는 이 그림은 가질 수 없는 대상을 향한 하염없는 바라봄의 염원이 실려 있는 듯하다. 보티첼리는 평생 시모네타를 짝사랑했고 그녀가 스물세 살 꽃다운 나이에 폐결핵에 걸려 죽은 뒤에도 평생 그녀를 잊지 못했다고 한다. 보티첼리는 비너스의 누드를 통해 사랑이라는 감정의 풀리지 않는 신비와 누구도 쉽게 깨뜨릴 수 없는 신성함을 되새기게 해준다.

182 SUN 대화의 향기 최고의 여행지는 어디인가요

여행에 대한 책을 여러 권 출간하고 나니 자주 받는 질문이 있다. "어디가 제일 좋으셨어요?" "최고의 여행지는 어디인가요?" 정말로 '모든 곳이 다 좋았다'고 말하면 독자들은 실망하지만, 나는 저마다의 장소가 지닌 매력을 차마 등수로 매길 수는 없다. 그때그때 다시 가보고 싶은 곳이 다를 뿐이다. 요즘 다시 가고 싶은 곳은 페루의 이카 사막이다. 사막만이 가진 막막함과 인가의 불빛이 주는 따사로움을 모두 간직한 그곳, 이카 사막. 사막이 아름다운 이유는 그 속에 어딘가 우물이나 오아시스를 품어 안고 있기 때문임을 알지만, 꼭 그렇게 비밀로 가득 찬 미지의 사막만이 아름다운 것은 아니다. 이카 사막은 분명 어디선가 어린 왕자가 튀어나와 "저기, 나 양 한 마리만 그려줘"라는 어처구니없는 부탁을 할 것만 같은 신비로운 사막은 아니다. 끝이 있음을 알겠고, 오아시스가 어디에 있는지 명백하며, 지도를 명확히 그려 어디쯤에 얼마나 커다란 모래언덕이 있는지를 표시할 수 있는 그런 '비밀이 없는 사막'이다.

이카 사막의 오아시스, 와카치나 마을은 내 삶을 향해 눈부신 힌트를 주었다. 나 또한 그런 '오아시스가 어디 있는지 알 수 있는 사막'이 되고 싶었던 것이다. 매일 글을 쓰고, 틈날 때마다 강의를 하고, 간신히 짬을 내어 여행을 다니면서, 나는 분명 과거의 나 자신과 조금씩 달라지고 있었다. 예전에는 '평생 글을 쓰며 살 수만 있으면 소원이 없겠다'는 식으로 자기실현의 꿈에 집착했지만, 지금은 나에게 소중한 것들을 타인과 함께 나누는 삶의 반경을 넓혀가고 싶다. 글을 쓰고, 강의를 하고, 여행을 다니지 않았더라면, 나는 아직도 골방에서 홀로 글 쓰는 일에 만족하는 글쟁이에 그쳤을 것이다.

나도 누군가에게 이카 사막처럼 팍팍한 일상에서 언제든지 찾아갈 수 있는 지도가 있는 사막, 다정하고도 친밀한 사막, 표지판과 이정표가 있는 오아시스를 품은 존재가 되고 싶다. 너무 찾아오기 어려운 오아시스가 아닌, '그 오아시스는 어디어디에 있어'라고 금방 찾아낼 수 있는 일상 속의 오아시스. 오아시스이면서도 환상이나 극한의 상황이 아닌 '일상' 속에 존재하기 위해서는, 지금보다 더 열정적으로 쓰고, 읽고, 듣고, 말하고 그리고 무엇보다도 아직 내 발길이 가닿지 않은 또 다른 세상 속으로 걷고, 또 걸어야 하지 않을까. 세계지도를 짚어보며 '이 사람이 도대체 어디쯤에 갔다 와서 이렇게 수다스럽게 여행기를 쓰고 있나' 궁금해하는 바로 당신이 함께해준다면, 우리가 함께 만들어가는 일상 속 오아시스는 머나먼 유토피아가 아닐 것이다. '혼자 꾸는 꿈'은 몽상이지만, '함께 꾸는 꿈'은 희망이자 연대이자 축제가 될 수 있으니까. 이제 나는 꿈의 씨앗은 혼자 뿌리더라도 꿈의 열매는 누군가와 함께 거두고 싶어졌으니까.

183 MON

심리학의 조언

가족 트라우마를 치유한다는 것

가족의 심리적 문제를 해결하기 위해 심리상담사를 찾는 이들이 늘어나고 있다. 그런데 심리상담사를 통해 아이들을 치료하려 왔다가 오히려 부모들이 치유되는 경우가 많다고 한다. 또 어른들이 치유되면 자연스럽게 아이들이 치유된다는 연구 결과도 많다. 아이들은 아직 '매일 만들어지고 있는 마음'을 가지고 있기에 자신들의 고유한 심리상태를 만들기보다는 '부모의 심리상태'에 하루의 기분을 좌우 당한다. 중요한 것은 아이들이 마치 거울처럼 부모의 트라우마나 장점까지 닮게 된다는 점이고, 마치 스펀지처럼 빠른 속도로 부모의 콤플렉스나 트라우마까지 흡수할 수 있다는 점이다. 부모가 우울하면 아이까지 우울해지고, 부모가 유쾌해지면 아이들은 놀라운 속도로 환한 미소를 되찾는다. 그리하여 나부터 행복해지기, 그것이 바로 가족 트라우마 치유의 열쇠다. 자식의 행복이나 부모의 행복을 위해 오늘 나의 행복을 희생하는 것이 아니라, 나부터 행복해지는 길을 찾아야 가족들도 내 행복을 거울처럼 닮아갈 수 있다.

우리를 가장 행복하게 해주는 곳이기도 하고, 가장 극복하기 어려운 상처를 안겨주는 공간이기도 하다. 우리는 가족이 혈연과 결혼으로 이루어진 집단이라 배웠다. 하지만 꼭 그렇기만 할까. 혈연과 결혼이 과연 행복한 가족의 필수요건일까. 가족의 상처를 꼭 가족 안에서만 치유할 필요는 없다. 때로는 타인을 통해 가족 이상의 연대감을 느낄 수도 있다.

나는 가족에게 입은 상처에서 벗어나기 힘들 때마다 가족과 전혀 상관없는 타인의 도움을 받곤 했다. 나에게 작가의 길을 열어준 S선배는 나의 얼굴도 모르는 상태에서 오직 내가 대학 시절 기말고사 때 쓴 답안지만 보고 '이 친구는 글을 써야겠구나'라고 생각했다고 한다. 나에게 재능이 없다고 생각했던 시절, 선배는 나에게 꼭 글을 쓰라고, 너는 꼭 작가가 되어야 한다고 응원을 해주었다. 내가 이 세상 모두에게 버려진 느낌에 시달리던 시절, 내 친구 K는 '지금 당장 여기 와줄 수 있냐'는 내 질문에 아무런 토를 달지 않고 '지금 당장 갈게, 어디든'이라고 대답해주었다. 때로는 가족이 아닌 타인에게서 이토록 커다란 사랑을 주고받으며 나는 상처를 치유해왔다. 우리가 타인을 향해 넘치는 사랑을 나눠주는 순간, 혈연이나 결혼으로 맺어지지 않은 타인까지도 어엿한 가족이 될 수 있다. 가족이니까 배려하는 게 아니라, 가족이 아님에도 배려하는 사람이 많아질 때, 가족으로 인한 상처는 비로소 치유될 수 있지 않을까.

184  음식, 가족의 사랑을 표현하는 힘

TUE

독서의 깨달음

칼자국이라니. 제목은 너무 날카로운데 그 안에는 너무도 따스하고 말캉한 것이 들어 있다. 김애란의 단편 〈칼자국〉 속의 칼국수는 '우리 엄마표 요리'라는 '단 하나의 아우라'를 지닌 음식이다. 특별히 무시무시한 비법이 있어서가 아니라, 그저 우리 엄마가 만든 음식이기에 더욱 애틋하고 눈물겨운 그런 음식. 게다가 그 칼국수가 가정용 음식만이 아니라 자식을 먹여 살리기 위해 오랫동안 운영해온 음식점에서 가게로 찾아온 모든 손님에게 먹인 음식이라면, 더욱 애틋함과 절실함이 농밀하게 묻어 있는 음식이 아닐까. 평생 칼국수 면발을 썰어낸 엄마의 칼자루, 온갖 식재료를 썰고 또 썰어내느라 종이처럼 얇게 닳아버린 엄마의 칼날. 그것은 가녀린 겉모습과 달리 엄청난 인내와 사랑과 희망의 시간들을 담아낸 강인한 모성의 상징이다. 그리하여 소설 속 딸은 엄마를 이렇게 기억한다. 엄마는 칼을 든 무사였다고. 세상의 헐벗음 속에서 새끼를 지켜내기 위해 스스로 칼을 든 무사가 바로 엄마였다고. 딸은 자신의 온몸에 엄마의 기억, 즉 엄마의 칼자국이 만들어낸 그 수많은 국수 면발의 기억이 새겨져 있음을 깨닫는다. 그 칼자국이 엄마가 떠나고 없는 시간에도 자신을 지켜줄 것임을 아프게 깨닫는다.

반지의 반짝임보다는 식칼의 번뜩임을 쥐고 살았던 엄마의 이야기는 독자의 가슴에 아프고도 따스한 여운을 남긴다. 20년 넘게 손칼국수를 만들어 팔며 세 딸을 키워낸 어머니의 이야기는 오랫동안 잊고 살았던 엄마표 집밥의 애틋함을 일깨운다. 〈칼자국〉의 어머니는 수동적으로 희생하고, 참고 또 참으며 살아가는 착하기만 한 어머니가 아니라서 더욱 매력적이다. 복잡하고 결함 많고 씩씩한 여성, 아들을 낳으라는 주변의 압력을 거부하고 국수 가게를 차려 온 식구를 먹여 살리는 강인한 여성, 본가에 들어와 살림과 농사를 맡으라는 요구를 거절하고 자기 삶을 꾸리는 용감한 여성이었다.

가족을 부양하기 위해 20년간 낡은 식칼 한 개로 국수를 만들어 팔아온 엄마. 식당 앞에서 무서운 개가 딸에게 달려들려고 할 때는 그 식칼을 쥐고 딸을 지켜낸 엄마. 피곤한 몸으로 국수 반죽을 자르다가 손가락 세 개를 한 번에 베였던 엄마. 어머니가 돌아가신 뒤에도, 딸의 온몸에는 칼국수 하나하나를 지나간 엄마의 칼자국이 남아 있는 것만 같다. 우는 여자도, 화장하는 여자도, 순종하는 여자도 아닌, 칼을 쥔 용감한 여자의 이야기. 이 작품은 상처가 탄생하는 공간이자 상처가 치유되는 공간, '집'의 가장 원초적인 기억이 바로 요리와 식사에 얽힌 이야기임을 간절하게 일깨워준다.

185 WED 일상의 토닥임 엄마의 음식이 그리운 날들

어린 시절에는 엄마의 음식보다 '친구네 엄마'의 음식을 좋아했다. 왠지 다른 집의 음식이 우리 집 음식보다 더 맛있어 보였다. 멸치로 맛을 낸 엄마의 심심한 김치찌개보다 참치나 돼지고기를 넣은 친구네 얼큰한 김치찌개가 더 맛있게 느껴지고, 싱싱한 채소가 듬뿍 들어간 엄마의 김밥보다는 햄과 맛살을 빼곡히 썰어 넣은 남의 집 김밥이 더 맛있게 보였다. 조미료를 쓰지 않는 엄마의 음식, 고기를 좋아하지 않는 엄마의 입맛은 어린 딸이 보기에 어쩐지 단조롭고 심심해 보였던 것이다. 하지만 이제는 햄이나 참치가 들어간 걸쭉한 김치찌개보다 엄마의 담백하고 시원한 김치찌개가 그립다. 전국적으로 유명하다는 무슨 맛집의 콩나물해장국보다 그냥 말갛고 멋없이 끓인 엄마의 콩나물국이 그립다. 엄마가 길들인 아이들의 입맛이란 이렇다. 결국엔 '우리 엄마표 음식'이 세상에서 가장 맛있는 음식, 단 하나의 아우라를 지닌 음식이 된다.

먹고 마시고 요리하고 치우는 일의 성스러움이 없다면 이 세상은 하루도 유지될 수가 없다. 가장 평범해 보이지만 가장 성스러운 일이기도 한 음식 만들기 그리고 누군가와 함께 밥상에 앉기. 우리는 그렇게 매일매일 '끼니'라는 이름의 희생제의를 치르고, 요리라는 이름의 위대한 노동의 대가를 향유하고 있는 것이다. 누군가의 힘겨운 돌봄노동으로 인해 우리는 먹고 마시고 행복할 수 있었던 것이다. 요리라는 노동 속에는 얼마나 많은 아픔, 얼마나 많은 추억이 담겨 있는가. 엄마의 식칼, 그 작은 사물 하나는 얼마나 많은 것들을 지켜내는가. 먹고 마시고 요리하고 치우는 일은 인생에서 얼마나 소중한 일인지.

살림과 장사를 모두 척척 해내는 엄마는 그 누구의 칭찬도 제대로 받지 못했지만 매일 거대한 바윗돌을 언덕 위로 들어 올리는 신화 속의 시시포스처럼 묵묵히, 반복을 지겨워하지 않으며, 삶이라는 아름다운 화단을 가꾸어낸다. 겉으로는 날카로워 보이지만 그 안에 수많은 따스함과 다정함을 움켜쥐고 있는 것. 그것이 바로 요리의 소중함이고 엄마의 추억이며 사랑의 본질이 아닐까.

아직도 나는 몸이 아플 때 엄마의 미역국이나 김치찌개가 떠오른다. 직접 가서 엄마의 음식을 얻어먹지 못하더라도, 엄마의 음식을 상상하는 것만으로도 도움이 된다. 내 마음속 깊이 잠들어 있는 어린 시절의 기억 속에는 늘 엄마의 음식이 있었다. 따스한 음식으로밖에 사랑을 표현하는 방법을 몰랐던 우리 엄마를 기억하는 것만으로도 내 몸과 마음의 아픔은 나아진다.

186 THU  사람의 반짝임 나의 숨은 멘토, 막냇동생

우리 집은 바람 잘 날 없는 떠들썩한 집안이기도 했지만, 사랑이 멈춘 적 없는 행복한 집안이기도 했다. 사랑을 세련되게 표현하지 못하는 엄마 때문에, 때로는 사랑 자체를 공격적인 잔소리로 표현하는 엄마 때문에, 상처받기도 했지만, 엄마의 떠들썩한 사랑 없이는 하루도 굴러가지 않는 곳이 우리 집이었다. 우리 집의 좋은 점은 때로는 '과하다' 싶을 정도로 민주적이라는 점이다. 부모님이기 때문에 주눅 들어 말을 못한 적은 거의 없었다. 엄마가 상처받을까 봐 말을 못한 적은 있지만, 엄마가 무서워서 말을 못한 적은 없었다. 우리는 자유롭게 부모에게 그 어떤 의견이든 말할 수 있었고, 그래서 많이 싸우기도 했지만 그리하여 서로의 생각을 아주 깊이 이해할 수 있었다. 우리 가족은 차분함이 부족하고, 결핍도 많고 갈등도 많지만, 전체적으로는 사랑이 훨씬 넘쳐난다. 그래서 이제는 정말로 괜찮다는 생각이 든다. 우리에겐 헤아릴 수 없이 많은 문제가 있지만, 우리의 사랑은 그 문제들보다 훨씬 더 크고 깊으니까.

워낙 위아래를 따지지 않는 집안이다 보니 때로는 나보다 한참 어린 동생에게서 위대한 멘토의 싹을 발견하기도 한다. 얼마 전 내가 좀처럼 풀리지 않는 고민거리 때문에 한 달 넘게 머리를 싸매고 가슴앓이를 하던 중이었다. 친구한테 물어보기도 부담스럽고, 선배에게 물어보자니 부끄럽고. 한마디로 지나치게 꼿꼿한 내 자존심 때문에 누구에게도 상의하기 힘든 문제가 있었다. 나는 고민 상담을 한다기보다는 그저 푸념하는 기분으로 막냇동생에게 내 문제를 이야기했다. 그것도 서로가 너무 바빠 문자메시지로 대화를 나누었다. 나는 그때 거의 '이젠 될 대로 되라' 하는 심정으로 털어놓은 것이었는데, 동생은 놀랍게도 지혜로운 해법을 제시했다.

문제의 핵심은 '내가 현재 다른 사람의 의견을 따르기 싫고 오직 내 생각대로 하고 싶다'는 것, 그러니까 도저히 남의 말을 따르기 싫은 내 마음 상태였는데, 그 당시에는 그 문제가 내 신념의 문제이기도 했다. 남의 말을 따르는 것이 내 오랜 신념을 저버리는 것 같은 느낌 때문에 고통스러웠던 것이다. 그런데 동생은 놀랍게도 '그 사람들이 옳을 수도 있다'고 이야기했다. 무조건 내 편을 들어준 것이 아니라, 때로는 다른 사람의 의견을 따르는 것이 더 커다란 '나의 편'이 될 수도 있음을 일깨워준 것이다. 그리고 동생에게 내 답답한 마음을 털어놓고 나니, 오랜 고질병이었던 내 자신의 문제도 환히 보였다. '진짜 나의 편'이라고 믿는 사람의 말에만 간신히 귀를 기울이는 내 편협함이야말로 내가 '좋은 멘티'가 되는 데 가장 치명적인 장애물이었던 것이다. 그날 나는 일곱 살이나 어린 동생에게서, 내 눈에는 아직 어린애 같은 귀여운 막냇동생에게서, 내 생애 최고의 멘토를 발견했다.

187 FRI 영화의 속삭임 가족의 자격, 가족의 정의를 넘어서기

영화 〈가족의 탄생〉은 가족의 정의, 가족의 자격이란 무엇일까를 조금 다른 각도에서 바라보게 만든다. 이 영화의 주인공들은 걸핏하면 "네가 어떻게 나한테 이럴 수 있어?"라며 서로를 힐난한다. 선경의 불행은 엄마 탓, 애인 탓, 동생 탓이었다. 하지만 그들은 해일처럼 밀려드는 수많은 고통을 견디면서, 내 불행을 가족 탓으로 돌리는 일이 무의미함을 깨닫는다.

선경은 자식이 둘이나 딸린 유부남을 사랑하는 엄마를 도저히 받아들이지 못한다. 딸은 엄마를 매섭게 문전박대한다. "난 엄마만 보면, 이렇게 아무 일 없는 것처럼 나타나는 엄마만 보면, 그냥 확 올라와." 엄마의 애인이 나타나 엄마의 불치병 진단 사실을 알리자 선경의 반응은 싸늘하다. "나, 울어야 돼요?" 죽은 아버지를 그리워하는 선경은 엄마가 다른 남자를 사랑하고 아들 경석을 낳았다는 사실을 받아들이지 못한다. 그녀가 꿈꾸던 가족은 오래전에 붕괴되어버렸다. 그녀는 가족을 버리는 것이 유일한 꿈이다. 일본에 일자리를 알아보는 그녀는 오직 가족으로부터의 탈출을 목표로 삼는다. 죽음을 앞둔 엄마에게, 그녀는 또 한 번 확인 사살을 한다. "엄마가 나한테 675만 원 갚아야 되더라. 그거 해결해줄 거지?"

끝내 엄마와 마지막을 함께하지 못한 선경에게 남긴 엄마의 유품함에는 선경이가 태어나 어른이 되기까지의 모든 과정이 고스란히 담겨 있다. 딸이 아무리 거부해도, 엄마는 변함없이 딸을 사랑해왔음을 증언하는 모든 시간의 흔적들이. 자신이 한사코 밀어냈던 엄마가, 늘 변함없이 자신을 지켜주던 유일한 존재였음을, 선경은 그제야 깨닫는다. 모든 불운을 엄마 탓으로, 남친 탓으로, 아저씨 탓으로 돌리며 투정만 부렸던 선경은 그제야 완벽한 혼자가 되었음을 깨닫는다.

이 영화 속에는 사랑을 모른 척하지만 결국 사랑 때문에 치유되는 사람들, 가족을 무시하지만 결국 가족 때문에 마음의 안식처를 찾는 사람들, 그리고 피 한 방울 섞이지 않았더라도 결국 서로에 대한 깊은 우정과 연대감으로 가족보다 더 가족 같은 사랑의 길을 일구어가는 사람들이 등장한다. 가족을 벗어나고 싶었지만 끝내 벗어나지 못한 사람도, 가족다운 가족을 가져보지 못한 사람들도, 결국 가족을 넘어선 새로운 가족을 가지게 됨으로써 상처를 보듬어가게 된다. 가족주의를 뛰어넘으면서도 가족을 포기하지 않는 사람들의 이 이야기가 참으로 아름답다.

188 SAT 그림의 손길 에곤 실레, 어머니의 아픔

어머니에 대한 에곤 실레의 감정은 매우 복잡했다고 한다. 어머니는 실레가 자식으로서의 의무를 다하지 못했다며 아들에게 불평하기 일쑤였고, 아들의 예술적 성취를 지원하지도 응원하지도 않았다. 실제로 에곤 실레의 〈눈먼 어머니〉(1914) 그림에서 아이는 생명과 창조성을 상징한다기보다는 고통과 걱정거리의 상징처럼 보인다. 제 몸 하나 추스르기도 힘든 눈먼 어머니가 힘겹게 아이를 추스르고 있는 모습은 모성의 따스함이 아니라 모성의 고통을 환기시킨다.

사실 엄마와 아이를 떠올릴 때 우리는 아직 어떤 따스함, 아늑함, 포근함을 먼저 생각하게 된다. 모성의 보편적 이미지들은 대개 한없는 사랑으로 아이를 껴안는 넉넉함이다. 엄마와 아이를 묘사할 때 나는 엄마의 주위로 깃드는 보이지 않는 따스한 빛을 놓치지 않는다. 엄마가 아이를 안고 젖을 먹일 때나 엄마가 아이를 업고 자장가를 부를 때 그 주변에는 투명한 결계가 드리우는 것 같다. 엄마들은 아이에게 젖을 먹이면서도 전사처럼 주위를 경계하며 아이를 보호하고, 자장가를 부르는 순간에도 아이가 혹시나 잠을 깰까 전전긍긍하며 노심초사한다. 그런 엄마들을 바라볼 때 그 주변에 언뜻 비치는 따스한 아우라를 나는 여러 번 목격한 적이 있다. 그건 단지 '분위기'가 아니라 어떤 구체적인 에너지를 지닌 힘처럼 느껴졌다. 그것은 정작 엄마들 스스로는 아기에게 몰두하느라 느끼지 못하는, 일상 속의 작은 기적이 아닐까.

그러나 에곤 실레의 그림 속 어머니들은 하나같이 '고통받는 모성의 얼굴'을 보여준다. 더 이상 구원도 치유도 기대하기 어려운 모성의 리얼리티, 삶의 아픔을 홀로 감내해야 할 어머니의 외로운 자화상 같은 그림들이 관객의 가슴을 아프게 후벼판다. 실레의 그림들은 '모성의 치유'보다 '치유가 필요한 모성, 구원이 필요한 모성'을 일깨운다. 아이에겐 그래도 엄마가 있다. 지금 간신히 생명의 마지막 한 순간을 붙잡고 늘어질 정도의 작은 에너지밖에는 남지 않은 엄마가, 그래도 곁에 있다. 하지만 이 가여운 엄마에게는 아무도 없다. 엄마에게는 이 힘겨운 삶의 무게를 함께 나누어줄 누군가가 필요하다. 엄마에게도 때로는 엄마가 기댈 만한 또 다른 모성이 필요하다. 모성은 단지 엄마에게서 아이로 흘러가는 일방적인 에너지가 아니라, 남녀노소를 가리지 않고 한 존재가 또 다른 존재를 향해 보낼 수 있는 따뜻한 응원의 에너지, '아직은 괜찮다'고 위로해줄 만한 에너지가 아닐까.

189 SUN  대화의 향기 가족이라는 이유로 침묵하지 않기

독자들의 고민을 담은 편지 중에는 '가족과의 갈등'에 관한 내용이 굉장히 많다. "인간관계가 저마다 모두 어렵지만 가족과의 관계가 가장 어렵고 풀기 힘든 숙제인 거 같아요. 친구나 직장동료라면 싫으면 안 볼 수 있지만 가족은 싫다고 안 보고 살 수는 없으니까요. 너무 가까이 존재하고 있기 때문에 함부로 하게 되고 작은 말에도 더 크게 상처받고 자존심을 세우게 되는 경우들이 많은데요. 상처받지 않고 가족들과 좋은 관계를 유지하기 위해서는 어떤 노력이 필요할까요?" 이런 질문을 받을 때마다, 나도 여전히 그 문제를 풀어가고 있음을 먼저 이야기해준다. 심리학을 15년 넘게 공부해왔지만, 가족의 문제는 아직도 최고로 어려운 문제이기 때문이다.

하지만 가장 중요한 것은 무엇인지는 알고 있다. 그것은 바로 침묵을 끝내는 것이다. 가족이라는 이유로 쉬쉬하지 않는 것, 가족이라는 이유로 상처를 숨겨두지 않는 것이다. 가족이라는 이유로 쉬쉬하는 갈등들이 있다. 가족이라는 이유로 그냥 덮어두고, 서로의 잘못을 묻어두는 경우도 많다. 그런데 어떤 문제도 그런 식으로는 해결되지 않는다. 침묵하고, 은폐하고, 간과하는 것은 더욱 문제를 키우는 지름길이다. 게다가 가족 간에도 권력관계가 있는 경우가 있기 때문에, '아버지가 너무 무섭다는 이유로', '엄마가 너무 힘들어하신다는 이유로', '동생의 신경이 너무 예민하다는 이유로' 아예 문제 자체를 이야기하지 않는 경우가 많다. 우리는 문제가 있을 때 적극적으로 나서서 해결하는 법을 배우지 못했다. '더 이상 참을 수 없다'는 상황을 여러 번 겪고 나서야 사람들은 '무언가 특단의 조치를 취해야겠다'는 생각을 하게 된다.

진정으로 문제를 해결하고 싶다면, 우선 행동으로 옮기기 전에 '이 모든 갈등의 시발점이 어디인지'를 고민해봐야 한다. '가족은 싫다고 안 보고 살 순 없으니까'라고까지 말하게 된 깊은 갈등이 무엇인지, 우선 그 원인을 짚어봐야 하지 않을까. 그런데 안타깝게도 '상처받지 않고 좋은 관계를 유지하는 법'은 거의 없다. 문제를 해결하려고 노력하다 보면, 모두가 상처를 받게 되어 있다. 그런데 그 상처는 '나아지고 있다는 증거'이기도 하다. 노력도 하지 않고 문제를 덮어두기만 해서 생기는 상처에 비하면, '치유의 과정 속에서 생기는 상처'는 견딜 만한 가치가 있는 상처가 아닐까. 상처를 대면하는 용기, 가족이 힘들어 하더라도 일단 갈등의 핵심과 부딪쳐보는 용기. 거기서 가족 트라우마의 치유는 시작된다.

190

MON

심리학의 조언

심리적 대모 혹은 대부가 필요한 순간

멘토는 때로 우리 마음을 제대로 아프게 하는 사람이다. 이미 겪은 아픔을 또 한 번 들여다봐야 하는 아픔을 가르쳐주는 존재, 그가 바로 멘토이기 때문이다. 그런 의미에서 나에겐 없지만 끊임없이 동경하는 인간관계 중 하나가 바로 대모와 대부 시스템이다. 친부모는 아니지만 고민이 있을 때 언제든지 대화 상대가 되어줄 수 있는 어른의 존재. 나 또한 어린 시절부터 늘 그런 사람을 찾고 있었으니 말이다. 부모는 자식의 문제에 대해 완전히 객관적일 수 없다. 부모와 진로나 연애 문제로 첨예하게 대립할 때는 대화는커녕 서로의 입장만 끈덕지게 반복하는 치명적인 언쟁으로 치닫기 쉽다. 정작 어른들의 조언이 가장 필요할 때 부모는 '내 자식이라는 이유로' 오히려 가장 억압적인 대화 상대로 군림하기 쉽다. 사랑이 클수록 거리를 두기는 어렵기 때문이다. 부모보다는 조금 더 미적인 거리를 두고 조언을 해줄 수 있는 연장자가 바로 대모와 대부가 아닐까. 특히 엄마에게 너무 많은 의무가 부과된 우리 사회에서 일종의 대안이 될 수 있는 인간관계가 바로 대모 시스템이 아닐까. 대모나 대부가 된다는 것은 친부모에게 위급한 상황이 닥쳐왔을 때 '내가 그 아이의 부모 역할을 해주겠다'는 암묵적인 동의를 포함한다. 언제든 고민을 털어놓을 편안한 상대가 되어주는 것이다. 내 아픔을 들여다보는 고통을 함께해주는 존재, 그가 바로 진정한 멘토이니까. 부모이기 때문에 오히려 말하기 어려운 비밀들을 대부나 대모에게는 좀 더 편안하게 털어놓을 수 있으니.

나는 천주교도가 아니지만 '대모가 있다'는 친구들을 보면 그저 부러웠다. 그렇게 상상 속 대모의 무한한 사랑을 받는 대녀가 되기만을 꿈꾸다가 이젠 누군가의 대모가 되어도 전혀 어색하지 않은 나이가 됐다. 이제는 혼자 고민하고 있는 어린 학생들을 보면, 부족하지만 내가 '어설픈 대모'가 돼줄 수는 없을까 고민할 때도 많다. 종교적 차이를 잠시 접어두고 여성들이 엄마가 되기 전에 '대모 연습'을 할 수 있는 기회가 있다면 여성들은 훨씬 모성의 공포를 덜 느끼게 되지 않을까. 엄마가 된다는 것은 여성에게 가장 두려운 일이다. 평범한 사람들도 실천할 수 있는 사랑의 한 방법으로서 누군가의 '심리적 대모'가 되어주는 것은 어떨까. 마니또처럼, 멘토처럼, 펜팔 친구처럼 편안하게 대모에게 편지 쓰기, 대모로서 답장하기 운동을 하면 어떨까. 개인적 모성을 배타적으로 소유하는 것이 아니라 공동체적 모성으로 모성 자체를 해방시키는 방법, 그것이 바로 대모 시스템이 지닌 무한한 사회적 잠재력이 아닐까.

191 TUE 독서의 깨달음 절망의 시대를 건너는 법을 가르쳐주는 사람

우치다 타츠루의 《절망의 시대를 건너는 법》을 읽으며 나는 나를 감동시켰던 평생의 멘토들을 되돌아보았다. 거대한 시스템으로 조종되는 사회, 개인의 자율성이 존중되지 않는 사회에서 '나와 너'의 직접적인 관계, 그러니까 온라인이 아닌 몸으로 직접 부딪히고 대화하고 눈빛을 바라보며 가꾸는 작은 공동체의 소중함을 그린 이 책에는 사제 관계의 이상향도 흥미롭게 묘사되어 있다.

우치다 타츠루는 사제 관계의 핵심을 그 선생님의 훌륭함을 아는 사람은 나뿐이라고 믿는 행복한 착각이라고 보았다. 다른 아이들은 모르지만 나만이 알고 있는 그 선생님의 훌륭함, 그 발견의 감정이 존경심과 배움의 열정을 강화한다. 다른 사람들은 그 선생님에 대해 낮게 평가할지라도, 나에게는 그 선생님의 훌륭함이 보인다면. 우리는 그렇게 한 사람에게 완전히 몰입할 수 있게 된다. '나만이 저 선생님의 훌륭함을 알아'라고 생각하는 그 학생이 그분의 훌륭함을 증명하는 유일한 길은, 바로 그 선생님께 배운 본인 스스로가 멋진 사람으로 성장하는 것이다.

우리는 흔히 멘토의 위대함을 진정한 사제 관계의 시작으로 생각하지만, 실제로 둘 사이의 교감이 일어나는 순간은 멘티 스스로가 멘토의 훌륭함을 발견하는 순간이다. 즉 아름다운 멘토-멘티 관계의 시작을 위한 열쇠를 쥐고 있는 사람은 멘티, 배우는 사람에게 있다는 것이다. 아무리 훌륭한 선생님이 통찰과 지혜가 가득 담긴 수업을 해도, 받아들이는 사람이 준비가 되어 있지 않으면, 받아들이는 이에게 절실함이 없다면, 멘토와 멘티의 교감은 이루어지기 어렵다.

멘토를 '모든 면에서 완벽한 사람' 중에 찾으려고 한다면, 우리는 평생 멘토를 찾지 못할지도 모른다. 멘토를 '성공한 사람'으로 한정하는 문화도 멘토 찾아 삼만리를 더욱 어렵게 하는 요소다. 중요한 것은 배움 자체이지 멘토의 스펙이나 성공이 아니다.

'내 아이, 내 가족'만 챙기는 사회에서는 아름다운 멘토와 멘티의 관계를 발견하기 어렵다. 부모의 말을 잘 듣지 않는 아이도 자신이 좋아하는 어른의 이야기는 쉽게 들어줄 때가 많다. 항상 보는 사람이 아니라 '제3자의 거리감'이 멘토링의 좋은 환경을 만들어줄 때가 있다. 인간의 신기한 능력 중 하나는 '내 딸, 내 아들'을 챙길 때는 엄청난 집착과 공격성을 보이는 엄마들도 '한 다리 건너' 남의 아들딸을 챙겨야 할 경우에는 굉장히 객관적이고 '쿨해질' 수 있다는 것이다. 우리는 그렇게 내 가족이 아닌 타인에게 따스한 위로와 조언을 해줄 수 있는 '멋진 멘토'가 되어줄 수 있지 않을까.

192 WED 일상의 토닥임 365일, 누구에게나 배울 수 있는 마음

나는 가끔 '열심히 배우기만 해도 충분히 행복할 수 있는 20대'가 부럽다. 배움 그 자체에 몰입하는 것만으로도 사랑받을 수 있는, 인생에서 가장 짧고 찬란한 시기. 이때는 멘티로서의 자질을 키우는 시기이기도 하다. 내 수업을 듣는 스무 살 새내기들에게 "여러분들은 365일 인문학을 배울 자유가 있잖아요. 그게 얼마나 행복한 건데요"라고 말하니 아이들이 피식 웃는다. 수십만 권의 책을 매일 공짜로 볼 수 있는 멋진 도서관과 훌륭한 선생님들, 마음만 먹으면 언제든 들을 수 있는 세계적인 석학들의 강연이 바로 옆에 항시 대기 중인데도, 학생들은 아직 그 '배울 수 있는 기회'의 소중함을 모른다. 바쁜 직장인들은 황금 같은 주말 시간을 간신히 쪼개 인문학을 배우려고 하는데, 막상 365일 인문학에 몰입해도 모자랄 대학생들은 그저 토익 공부와 스펙 쌓기에 골몰한다면, 우리는 어디서 희망을 찾아야 할까.

가르침을 주는 사람과 영감을 주는 사람이 다를 수도 있다. 늘 성실하게 무언가를 열심히 가르침으로써 지식을 얻는 데 도움을 주지만 창조적 영감은 주지 못하는 사람도 있고, 아무것도 배울 것이 없어 보이지만 어느 순간 눈부시게 반짝이는 영감을 불어넣는 사람도 있다. 가르침이 지식의 문제라면 영감은 감수성의 문제다. 그 모든 주고받음의 관계에서 가장 중요한 것은 받아들이는 자의 태도다. 아무리 멋진 지식을 전달해도, 아무리 반짝이는 영감을 불어넣어도, 받아들이는 사람이 심드렁하거나 무관심하거나 시니컬하면 그 모든 메시지가 허공에 흩어져버리고 만다. '저 사람에게는 별로 배울 것이 없어', '저 사람이 과연 나보다 잘났을까?' 하는 의심이야말로 사람들을 열정적인 멘티가 되지 못하게 가로막는 오만과 편견의 덫이다.

멘토를 사람에게서만 찾을 필요도 없다. 자연이야말로 인간에게 마르지 않는 영감의 원천을 제공하는 살아 있는 멘토다. 주인을 향해 헌신적인 사랑을 아끼지 않는 반려견 또한 인간의 이기적인 본성을 깨우치는 멘토가 될 수 있다. 멘토의 훌륭함보다도 멘티의 절실함이 관계를 바꾸기도 한다. 가르치려고 애쓰는 사람의 열정도 소중하지만, 배우려고 하는 사람의 절실함이 없으면 어떤 참스승도 자신의 가르침을 펼쳐낼 수 없다. 삶에 대해 날카로운 질문을 던지는 내 마음이 멘토의 훌륭함을 결정한다. 얼마나 절박하게 자기 삶의 화두를 던지고 있는지, 얼마나 겸허하게 남녀노소 가리지 않고 멘토를 찾으려고 하는지가 중요하다. 심지어 움직이지도 않고 말조차 없는 사물과 미물에게서도 가르침의 메시지를 읽어내려는 사람이 어디서든 멘토를 찾아낼 수 있다. 누구에게나 배우려는 간절한 마음, 그것이야말로 한 사람의 멘토보다 더 중요한 내 안에 숨 쉬는 '멘토의 싹'이다.

193 THU

사람의 반짝임

내게 영감을 준 사람, 멘토

학창 시절을 돌이켜보면 별로 인기 없는 선생님에게 오히려 열광하는 친구들이 있었다. 그 아이들의 표정에는 왠지 모르게 은밀한 자부심이 서려 있었다. '난 다른 아이들이 좋아하는 선생님들에겐 관심 없어. 잘 생기고, 옷 잘 입고, 멋있게 말하는 사람이 아니라, 나에게만 특별한 그 무언가를 가지고 있는, 남들에겐 전혀 매력적이지 않은, 바로 그 선생님을 나는 좋아해.' 바로 이런 '나에게만 특별한 선생님'을 소중히 여기는 마음이야말로 진정한 배움의 비밀이었던 것 같다.

내게도 그런 선생님이 있었다. L 선생님은 늘 혼자인 것 같았다. 다른 사람들과 좀처럼 어울리지 않고, 늘 혼자 책을 읽는 선생님의 모습이 좋았다. 조직 생활은 물론 남들에게 잘 보이는 데는 전혀 관심 없고 오로지 문학만을 신주단지처럼 돌보고 가꾸는 선생님의 수업시간이야말로 가장 행복한 시간이었다. '선생님의 가르침을 평가하는 아이들'이야말로 내가 가장 이해할 수 없는 아이들이었다. 누군 수학을 잘 가르쳐서 좋고, 누구 수업을 들으면 영어 점수가 올라간다는 식의 갑론을박이 나는 싫었다. 내게 진정 좋은 선생님은 '내게 멋진 생각을 할 수 있도록 영감을 주는 사람'에 가까웠다. 돌이켜보면 나 또한 나만의 기준으로 선생님의 '됨됨이'를 평가하고 있었던 셈이다. '잘 가르치고 못 가르치는 것', 즉 사람을 마음씀씀이나 인격이 아닌 기능이나 효율성으로 평가하는 것이 마음에 들지 않았던 것이다.

이제 나는 '배울 줄 아는 마음'을 가르쳐준 모든 사람에게 감사한다. 멘토와 멘티의 관계를 아름답게 만드는 것은 멘토의 절대적인 훌륭함만이 아니라, '배움'이라는 행위 자체에 대한 존중이다. 배움이라는 것이 내 안의 자만심을 씻어내고, 자신의 한계를 진심으로 인식함으로써 극복할 수 있는 최고의 기회가 된다는 것을 이해할 때, 아주 평범한 사람조차 우리 자신에게 멋진 멘토가 될 수 있다.

눈을 씻고 찾아봐도 주변에서 멘토를 지금 당장 찾을 수 없다면 일단은 좋은 책을 읽어보자. 아무리 인생 2모작, 3모작 시대라고들 하지만, '인생을 아무리 열심히 살아도 우리는 오직 1인분의 삶을 살 수 있다'는 진실은 변하지 않는다. 소크라테스는 독서를 이렇게 정의했다. 다른 사람이 힘들게 얻어낸 것을 가장 쉽게 얻어내는 방법, 그것이 독서라고. 저자가 온 힘을 기울여 만든 하나의 작은 소우주를, 우리는 쉽게 얻어낼 수가 있다. 독서라는 지극히 사소한 행위를 통해 타인의 인생이라는 최고의 멘토를 오직 책 한 권으로 맞아들일 수 있는 셈이다.

194 FRI 영화의 속삭임 네 잘못이 아니야

영화 〈굿 윌 헌팅〉의 숀은 상처받지 않기 위해 사랑 자체를 거부하는 윌에게 멘토가 되어준다. 숀은 윌에게 일깨워준다. 아픔을 더 이상 느끼지 않기 위해 격렬한 감정을 차단하기보다는, 아픔의 근원 자체에 용감하게 대면하는 것만이 진짜 치유임을. 네 번이나 파양되고, 자신을 학대하는 양아버지에게 받은 몸과 마음의 상처를 여전히 극복하지 못한 윌. 그는 천재적 두뇌를 지녔지만 그 두뇌를 어떻게 사용해야 하는지를 모른다. 윌의 뛰어난 재능을 발견한 MIT 수학과 교수 제럴드는 그의 재능을 제대로 펼치기 위해서는 먼저 마음의 상처를 치유해야 한다는 것을 깨닫고, 심리학자 숀에게 윌을 소개해준다. 윌은 온갖 천재적 방어기제를 동원해 숀이 자신의 마음속으로 들어오는 것을 가로막으려 하지만, 숀은 초인적 인내심과 뛰어난 공감 능력으로 끝내 윌의 마음에 문을 두드린다.

윌의 가장 쓰라린 상처는 단지 '자신을 버린 사람들을 향한 미움'만이 아니었다. 윌은 자신이 저주받은 존재이기에, 사랑받을 자격이 없는 존재이기에, 결국 버려질 수밖에 없는 존재라고 생각했다. 바로 그런 끔찍한 자기혐오가 윌의 진짜 성장을 가로막는 자기 안의 트라우마였다. 자신을 진심으로 사랑하는 여자에게도 거짓말을 일삼고, 그녀가 자신의 인생 깊숙이 들어오는 것을 가로막는 윌. 그렇게 스스로를 끝없이 학대하는 윌에게 숀은 말한다. 네 잘못이 아니야(It's not your fault.). 너에게 일어난 그 모든 끔찍한 일들은 결코 네 잘못이 아니라고 여러 번 힘주어 말하는 숀의 뜨거운 눈빛에 윌의 마음속 빗장은 무너져내린다. 그 모든 고통이 자기 탓이라고 생각했던 것, 자신이 결코 사랑받을 자격이 없는 사람이기에 그토록 학대받고, 버려지고, 미움받았다고 생각했던 자기 자신과 화해하는 것이야말로 윌에게 가장 절실한 치유의 과정이었던 것이다. 내가 나를 다치지 않게 하는 한 그 누구도 나를 진정으로 다치게 할 수 없다는 것. 숀은 윌에게 바로 그 마음의 진실을 깨닫게 한다. 타인이 내게 준 상처가 아무리 크더라도, 내가 나를 아끼는 마음을 포기하지 않는다면, 아직 길은 남아 있다. '나를 증오하는 나'의 모습이 나를 증오하는 타인보다 더 위협적이라는 것을 깨달을 때, 우리는 자기혐오를 멈출 수 있다. 나의 실체를 알게 되면 아무도 날 사랑하지 않을 거라는 마음속의 저주를 스스로 풀어버리는 순간, 그 모든 것은 결코 내 잘못이 아님을 깨닫는 순간, 더 이상 심리상담은 필요 없다. 진정한 멘토는 아픔을 피하는 법을 알려주는 사람이 아니라 아픔에 용감하게 맞서는 법을 알려주는 사람이다.

195 SAT 그림의 손길 내 인생의 멘토, 프로메테우스

제우스의 독재에 저항한 프로메테우스로부터 외삼촌이자 국왕이자 시아버지가 될 사람이었던 크레온에게 저항한 안티고네에 이르기까지, 신화 속 인물들은 어떤 시대의 변화에도 끄떡없이 '가망 없는 싸움에 도전하는 삶'의 아름다움을 가르쳐준다. 승리할 수 없을지라도 옳은 길을 걸어가는 사람, 내 기억 속에서 그 첫머리에는 항상 프로메테우스와 오디세우스가 있다. 프로메테우스는 나약하고 철없는 인류를 위해 '불'이라는 문명의 도구를 제우스로부터 훔쳐다 주었다. 오디세우스 역시 고향 이타카에 눌러 앉았다면 별 문제없이 살 수 있었지만, 모험을 택함으로써 자신은 물론 그리스의 운명을 뒤바꾼다. 나는 이런 인물들이 여전히 이 갑갑한 사회에 희망의 빛과 영감의 원천을 제공한다고 믿는다. 무엇보다도 나 자신이 매일 그들로부터 '그럼에도, 오늘 또 살아갈 용기'를 얻으니까.

프로메테우스는 인간에게 제우스의 불을 훔쳐다 준 벌로 영원히 독수리에게 간을 쪼이는 고통을 당한다. 프로메테우스는 신들조차 두려워하는 제우스를 두려워하지 않았다. 제우스의 뜻을 어긴 것, '인간에 대한 사랑과 연민' 때문에 고마워할 줄도 모르는 인간에게 과분한 선물을 주었다는 이유로 그는 영원히 독수리에게 간을 쪼아 먹히는 형벌에 처한다. 프로메테우스가 받는 형벌은 그가 신이기 때문에 더 처절하다. 불사의 몸을 지니고 태어난 그는 죽을 수도 없었기에, 제우스의 심부름꾼인 독수리가 매일 프로메테우스의 간을 쪼아 먹어도 그의 간은 다음 날 아침 새살이 돋아난다.

귀스타브 모로의 그림 〈프로메테우스〉(1868)는 온몸을 덮쳐오는 고통조차 뛰어넘는 프로메테우스의 고결함을 그려낸다. 이 그림에 가장 어울리는 접속사는 '그럼에도 불구하고'일 것이다. 그는 누구도 자신을 도와주지 않음에도 불구하고, 사나운 독수리가 자신의 간을 쪼아 먹고 있음에도 불구하고, 제우스에게 용서받을 수 있는 일말의 가능성조차 없음에도 불구하고, 그럼에도 불구하고 이를 앙다문 채 두려움 없이 정면을 바라본다. 아이스킬로스의 비극에서 프로메테우스는 여인들에게 둘러싸여 괴로움을 토로해보기도 하지만, 모로의 그림에서 그는 철저히 혼자다. 아이스킬로스의 비극에서 프로메테우스가 고뇌하는 지식인이자 혁명가처럼 그려진다면, 모로는 그를 탄탄한 근육질의 용맹스러운 전사(戰士)로 그려낸다. 내게 프로메테우스는 승자독식의 역사에 맞서, 제우스 같은 독재자에 맞서, 신념을 위해서라면 어떤 고통도 감내할 수 있는 용기를 가르쳐주는 멘토다.

196 SUN 대화의 향기 당신의 멘토는 누구인가요

"선생님의 멘토는 누구인가요?" 이 질문을 자주 받는데, 나의 멘토는 딱 한 사람이라기보다는 내 주변의 거의 모든 사람이었다. 나는 '어른이 되는 데 필요한 거의 모든 것들'을 친구나 선후배들로부터 배워왔다. 소문난 길치였던 어린 시절의 나는 '길을 잃었을 때는 일단 아무 곳이나 지하철역을 찾으면 된다'는 것을 친구 H에게 배웠고, 혼자 사는 것이 가장 자유롭긴 하지만 누군가와 함께 사는 것도 결코 나쁘지 않다는 것은 내 친구 Y 덕분에 알게 된 삶의 진실이었다. 집세나 은행 잔고에 관련된 각종 문제는 주변 사람들에게 하나하나 물어보면서 알게 된 것들이고, 책을 만드는 과정에 대한 온갖 지식은 직접 책을 쓰면서 만나게 된 편집자들을 통해서 알게 되었다. 이런 것들은 '책이나 학교에서 배우는 것'이 아니라 살아가면서 우리가 소중하다고 믿는 인간관계를 통해서 배울 수밖에 없는 것들이다. 그리고 인간관계라는 '보이지 않는 학교'야말로 우리 삶에서 긴요한 것들을 늘 항상 곁에서 배울 수 있는 소중한 기회다. 만약 학교에서 실용적인 지식들만 배우고, 문학도 역사도 지구과학도 물리학도 배우지 않는다면, 우리는 점점 더 '생존을 위한 인공지능 로봇'과 비슷해지지 않을까.

'함께 무언가를 한다는 것'은 늘 쉽지 않다. 그야말로 손발이 맞지 않을 때, 마음이 맞지 않을 때, 각자의 능력은 훌륭하지만 서로 모여서 일을 하면 불협화음 투성이일 때가 많다. 학교에서 토론수업을 할 때도 아이들은 '협동 생활의 어려움'을 토로한다. 함께 조별 발표를 준비하면 곧잘 이탈자가 생기곤 한다. '토론수업 안 하고 저 혼자 발표하면 안 될까요'라고 물어오는 학생들도 있다. 내가 가르쳐야 할 것은 '글쓰기'이지만 토론수업 때 가르쳐야 할 것은 '좀처럼 마음이 맞지 않는 타인과 함께하는 법'이라는 것을 깨닫게 되었다. 그리고 전혀 마음이 맞지 않는 낯선 타인과 함께 하는 법을 아는 사람이야말로 살아가는 데 필요한 가장 눈부신 지혜를 가진 사람임을 알게 되었다.

능력이 출중한 사람들은 많다. 하지만 서로 다른 이해관계로 부딪히는 사람들, 서로 다른 성격과 취향 때문에 어울리지 못하는 사람들, 자신을 질투하거나 심지어 모함까지 하는 사람들 속에서도 꿋꿋하게 좋은 인간관계를 만들어가며 자신의 뜻을 펼쳐가는 사람들은 극소수다. 우리가 매일 조금씩 갈고 닦아야 할 삶의 지혜는 바로 이 '관계 속에서 참된 자아를 찾아가는 법'이 아닐까. 나의 나다움을 잃지 않으면서도 타인의 개성과 인격을 존중해주는 삶이야말로 이토록 삭막한 현대사회에서 우리가 필요로 하는 인간관계의 핵심이다. 이 세상 모두로부터 그 무엇이든 배우려는 내 안의 의지야말로, 멘토이자 동시에 멘티로 살아갈 수 있는 유연한 마음의 원동력이다.

197 MON  심리학의 조언 관계를 망가뜨리는 보상심리의 덫

오랫동안 사회생활을 하다 보면, '주는 만큼 받는다'는 것이 얼마나 순진한 환상인지를 알게 된다. 결코 주는 만큼 받을 수 없는 게 인간관계다. 그런데 뜻밖에도, 우리가 주지도 않았는데 훨씬 더 많은 것을 받을 때도 있다. 어린 시절 부모로부터 받은 조건 없는 사랑, 자연으로부터 우리가 매일 선물 받는 공기와 물과 푸른 하늘과 아름다운 풍경 또한 우리가 주지도 않았는데 듬뿍 받은 것들이다. 현대인들은 자신들이 받은 것은 쉽게 잊고 '준 만큼 받지 못한 것들'에 집착하곤 한다. '내가 이렇게 많이 주었는데, 왜 내게 돌아오는 것은 이것뿐이지?' '나는 그토록 잘해주었는데, 어떻게 이렇게 나를 홀대할 수 있을까?' 우리는 이런 생각 때문에 수없이 상처받고, 수없이 타인과의 관계맺음에 대한 두려움을 느낀다. 하지만 이런 상처 때문에 움츠러드는 것, 나아가 남에게 절대로 손해보지 않으려는 이기적인 사람이 되어버리는 것이 가장 무서운 결과다.

기브 앤 테이크식 사고방식의 밑바닥에는 인간의 보상심리가 자리잡고 있다. 보상이란 열등감으로 인한 불쾌감, 사회적 지위에 대한 불만 등으로 인한 불쾌감을 다른 곳에서 보충하려는 심리작용이다. 경쟁적인 사회일수록 보상심리가 강화될 위험이 높다. 보상심리가 긍정적인 방향으로 작동하면 콤플렉스는 새로운 인생을 향한 활력소가 될 수도 있다. 반면 보상심리를 지나치게 작동시켜, '내가 너한테 이렇게 최선을 다했는데, 나한테 이것밖에 안 해주는 것인가'라는 마음으로 상대방을 괴롭힌다면, 이는 '과보상', 즉 과도한 보상심리로 인한 심각한 결과를 초래할 수 있다. 중요한 것은 불쾌한 감정이 생길 때 '나에게 보상심리가 작동하는 것인가'라고 자문할 수 있는 예민함이다.

아들러는 열등감을 지나치게 억압하는 것도 위험하다고 경고했다. 열등감을 지나치게 억압하면, 실패에 대한 불안 때문에 더욱 커다란 보상을 꿈꾸게 된다는 것이다. '내가 이만큼 투자했는데 왜 이것밖에 보상이 돌아오지 않는가'에 대한 불만은 더 커다란 보상에 대한 기대로 귀결되고, 사람들은 도박이나 알코올 중독 같은 위험한 쾌락을 향해 자신을 던질 수 있다. 권력과 우월감을 향한 과도한 집착은 결국 병적인 상황으로까지 치달을 수 있다. 자신의 부족함을 극복할 수 있는 실질적 가능성, 즉 '실현 가능한 꿈'을 향해 성실하게 몰입하는 것이 훨씬 현명한 길이다. 보상심리는 개인의 발달을 자극할 수는 있지만 발달의 원동력 자체는 될 수 없다. 열정과 창의성의 진정한 동기는 콤플렉스의 보상심리가 아니라 삶에 대한 아무 꾸밈없는 사랑이다.

198 TUE  독서의 깨달음

보상심리로 망가진 사랑의 비극

앙드레 지드의《전원교향악》은 측은지심으로 시작한 타인을 향한 배려가 지나친 보상심리로 얼룩지는 미묘한 심리적 드라마를 탁월하게 보여준다. 남자주인공 '나'는 스위스 한 마을의 목사로서 뛰어난 목회 활동으로 이름난 존경받는 인물이다. 그는 눈먼 소녀의 딱한 사정을 보고 마음이 움직여 그녀를 자신의 집으로 데려가 키우기로 한다. 그는 소녀의 이름을 게르트루드라고 지어주고 마치 늑대아이를 기르듯 모든 것을 처음부터 가르쳐준다. 자신의 이름조차 알지 못했던 게르트루드는 글자를 배우고, 문학과 역사와 음악을 배우며 점점 성숙한 영혼으로 거듭난다.

목사의 큰아들 자크는 게르트루드에게 피아노를 가르쳐주며 특별한 감정을 느낀다. 목사는 자크와 게르트루드의 아름다운 피아노 연주 장면을 바라보며 묘한 질투를 느낀다. 여기서 목사는 강력한 보상심리를 작동시키고 있다. 내가 가르친 아이니까, 내 아이라는 소유욕이 그의 보상심리를 자극한 것이다. 그리고 어느덧 소녀에서 아가씨로 변모한 그녀의 아름다움에 자신도 모르게 매혹되었던 것이다.

자크와 게르트루드 사이에 싹트는 자연스런 감정을 강제로 차단해버렸던 목사는, 자신이 게르트루드에게 느끼는 감정 또한 완벽하게 숨길 수 있는 것이라고 믿어버린다. 그러나 목사의 아내 아멜리에는 이미 게르트루드에게 향하는 남편의 마음을 눈치챈 후 괴로워하고 있었다. 목사는 자신 때문에 주변의 모든 사람이 힘들어하고 있다는 사실을 까맣게 모른다. 그는 눈을 뜨고 있지만 아무것도 제대로 느끼지 못하고 있는 것이다.

반면 게르트루드는 눈이 보이지 않지만 자신이 가진 모든 감각을 동원해 세상을 누구보다도 잘 이해하고 있다. 그런 그녀에게 행운의 손길이 찾아온다. 바로 개안수술을 받을 수 있는 기회가 찾아온 것이다. 막상 게르트루드가 성공적인 수술로 눈을 뜨게 되자, 충격적인 진실과 마주하게 된다. 자신에게 그토록 친절했던 사모님은 자신에 대한 질투와 남편에 대한 배신감으로 상처받은 마음을 숨기지 못하고 있고, 정작 자신이 '목사님의 얼굴'로 상상하고 있었던 아름답고 인자한 얼굴은 목사가 아니라 큰아들 자크의 얼굴이었던 것이다. 자신으로 인해 평화롭던 가정이 파괴되는 것을 참을 수 없었던 그녀는 마침내 자기파괴라는 극단적인 선택을 하게 된다. 눈먼 소녀를 향한 사랑이 심각한 보상심리로 치닫는 순간, 목사의 '기브 앤 테이크식' 사랑은 비극을 향한 추락을 예비했던 것이다.

199 WED  일상의 토닥임 '착하면 손해 본다'는 말

착하게 살기가 어려워진 시대, 착하면 손해 본다는 말 때문에 착하기도 무서워진 시대가 온 것일까. 사람들은 '착한 것은 매력이 없다'고 생각하기도 하고, '착하게 살면 성공하지 못한다'고 생각하기도 한다. '착하게 사는 것은 바보 같은 것일까요'라는 질문을 받기도 한다. 그런데 착하게 산다는 것은 무엇일까. 내가 조금 손해를 보더라도 나의 이익보다는 '선함'의 가치를 우위에 두는 것이 아닐까. 그러니까 착하게 산다는 것의 의미 안에는 '손해를 감수한다'는 뜻 또한 들어 있다. 착하게 산다는 것의 가장 좋은 점은 '나 자신을 향해 진실해질 수 있다'는 가능성이니까. 게다가 현대사회에서는 '착한 것=별로 매력적이지 않은 것'이라고 인식하는 사람들이 많아지다 보니, 오히려 '나쁜 남자=매력적인 남자'라는 괴상한 이미지가 암암리에 유통되기도 한다.

'착하게 사는 것'의 가장 좋은 점은 '내 마음이 편해진다'는 것이다. 나에게 진실해질 수 있다는 것을 최고의 가치로 둔다면, 고민은 아주 단순해진다. 나쁘게 말하고 나쁘게 행동한 후 후회하는 것이 아니라 좋게 말하고 조금 손해 보는 것이 오히려 '내 마음이 편한 것'임을 알게 되면, 우리는 '착하게 산다는 것=손해 본다는 것'이라는 잘못된 공식을 벗어날 수 있지 않을까. 착하게 사는 것의 가장 좋은 점은 바로 '나 자신과의 관계'가 좋아진다는 점이다. 자기 자신과 제대로 관계 맺지 못하는 사람은 다른 사람과도 제대로 관계 맺기가 어렵다.

'나는 상대방의 부탁을 잘 들어주는데, 상대방은 오히려 나에게서 멀어지려 한다'는 고민을 털어놓는 사람도 있다. '잘해준다'는 것이 과연 무엇일까. 내가 가진 것으로 다른 사람을 행복하게 해주는 일일 것이다. 그런데 잘해주는 것에 어떤 분명한 목적이 있다면, 상대는 부담스러워 하게 된다. '잘해준다'는 말 자체가 '이쪽에서 무언가를 베푼다'는 느낌이 있기 마련이다. 상대에 대한 호의를 표현하는 것이 꼭 잘해주는 것에만 있지는 않다. 오히려 누군가와 정말 잘 지내고 싶다면, 일방적으로 잘해주기보다는 그 사람과 다양한 관심사를 나누거나 함께 있을 때 같이 할 수 있는 일들을 찾아보는 것이 좋다. '내가 너에게 이것을 준다'는 의식을 하는 것이 아니라, '당신과 내가 지금 이것을 함께 하고 있구나' 하는 순간을 만드는 것이 바람직하다. 내가 왜 상대방에게 잘해주고 싶어 하는지를 잘 생각해봐야 할 것 같다. 그저 본능적으로 좋은 사람이 되기 위해서인지, 그 사람이 정말 좋아서인지, 다른 사람의 이목이나 평판을 생각해서인지, 혹은 다른 분명한 목적이 있는지. 그런 자신을 돌아보면 더 정확한 해답이 나오지 않을까. 상대에게 잘해주기만 하는 것은 관계를 개선시키는 데 의외로 도움이 되지 않을 때가 많다. 저쪽에서 뭘 원하는지를, 나에게 어떤 느낌을 가지고 있는지를 아는 것이 훨씬 도움이 된다.

200 THU  사람의 반짝임 나의 눈부신 키다리 아저씨

나에게도 키다리 아저씨가 있었으면 좋겠다고 생각했던 적이 있다. 등록금이 없을 때, 통장잔고가 떨어져갈 때, 누구도 내 재능을 인정해주지 않는 것만 같을 때, 이 세상에 내 편이 없는 것 같을 때. 하지만 오랜 시간이 지나 생각해보니, 나에게는 이미 키다리 아저씨가 있었다. 힘들 때 내가 먼저 SOS를 외친 적은 없지만, 내가 힘들다 싶으면 귀신같이 알고 나에게 전화해준 J선배가 그런 사람이었다. 돌이켜보면 나는 참 많은 사람에게 뜻밖의 사랑을 받았고, J선배 또한 그렇게 예상치 못한 순간에 나에게 안부전화를 할 때가 많았다. "밥은 먹었냐. 또 글 쓰느라 밤샜겠지. 몸을 챙겨야 한다." 그렇게 자주 내 안부를 챙겨주고, 볼 때마다 맛있는 음식을 사주고, 내가 무엇을 하든 완전히 내 편인 '완전한 타인'을 나는 본 적이 없었다. 같은 학교를 다닌 적도 없고, 같은 직장에서 일한 적도 없지만, 우리는 글을 통해 서로를 알게 되었고 글을 통해 '이 사람은 나를 뼛속 깊이 이해해주는 사람이겠구나'라는 행복한 예감을 나눈 친구다. "이 글이 왜 이렇게 재미있나 하고 오랜만에 신문기사를 처음부터 끝까지 다 읽었는데, 알고 보니 네가 쓴 글이더라." 그는 그렇게 멋지게 남을 칭찬할 줄 아는, 내 눈부신 키다리 아저씨다.

돌이켜보니 나는 J선배에게 잘해준 것이 별로 없다. 그냥 내 모습을 솔직하게 보여준 것밖에는. 가끔 내 책이나 선물을 보내드리고, 밥이나 커피를 산 적도 있지만, 그런 것은 참말로 아무것도 아니다. 내가 받은 것이 훨씬 많다. 무엇보다도 조건 없는 위로, 아무런 가식 없는 솔직한 말들, 선배의 박학다식함으로 인한 수많은 통찰력까지. 내가 받은 것은 셀 수 없이 많다.

그러고 보면 오랜 친구로 남은 사람들은 하나같이 '주는 것을 아까워하지 않는 사람들'이었다. 주면서도 주는 줄을 모르는 사람들이었다. '내가 너를 신경 쓰고 있잖아', '내가 너를 챙겨주고 있잖아' 하고 생색을 내는 사람들과는 결국 멀어지게 되어 있다. 생색을 넘어 그루밍으로까지 가는 사람들, 기브 앤 테이크를 넘어 아예 상대방을 착취함으로써 쾌감을 느끼는 사람들이 점점 많아지는 시대에, 이런 보석 같은 친구가 곁에 있다는 것이야말로 삶의 눈부신 선물이 아닐까.

'잘해준다'는 생각조차 없이 누군가에게 자신의 사랑과 지혜를 퍼주는 사람들, '베푼다'는 생각조차 없이 누군가에게 우정과 자비를 베푸는 사람들이야말로 세상을 바꾸는 사람들이다. 나도 그들로부터 배우고 싶다. 누군가에게 '무언가를 준다'는 생각 자체로부터 벗어나는 용기, 그것이 진짜 사랑이고, 진정한 우정이니까.

201 FRI 영화의 속삭임 멜라니, 한없이 주고 또 주는 사람

영화 〈바람과 함께 사라지다〉의 주인공은 스칼렛이지만, 주인공이 아닌데도 마음 속에 더 깊은 울림을 주는 조연은 바로 스칼렛의 경쟁자 멜라니다. 자신의 남편 애슐리와 스칼렛의 미묘한 관계를 눈치챘으면서도 단 한 번도 스칼렛에게 불쾌한 감정을 드러내지 않는 멜라니. 게다가 사람들이 스칼렛의 아무도 못 말리는 탐욕과 애슐리에 대한 감정을 눈치채고 그녀를 미묘하게 따돌릴 때도, 멜라니만은 적극적으로 나서서 스칼렛을 변호해준다. 자신의 남편을 사랑하는 여자에게 이토록 따스하고 친절할 수 있다니, 걱정스럽다가도 모든 사람이 가장 마지막에 찾는 진정한 멘토가 멜라니라는 것을 알게 되면 그녀의 너른 마음씨에 감복하게 된다.

스칼렛이 화려하고 공격적인 카리스마로 주변을 압도한다면, 멜라니는 모든 아픈 사람들을 품어주는 조용한 카리스마로 많은 사람의 사랑을 받는다. 스칼렛이 타고난 매력으로 사람들을 끌어당긴다면, 멜라니는 한없이 너른 공감 능력으로 사람들을 끌어당긴다. 그리하여 레트는 스칼렛을 한 여성으로서 사랑하지만 멜라니는 한 인간으로서 존경하는 것이다.

멜라니는 문학작품 속의 주인공으로서는 매우 드물게, 아무런 콤플렉스가 없다. 있다 해도 독자들이 알 수가 없다. 너무도 완벽한 연기력으로 자신의 모든 결점을 숨기니까. 불쾌한 감정, 나쁜 생각은 한 번도 가져본 적 없는 사람처럼, 멜라니는 모든 사람에게 친절과 관대함을 베풀어준다. 세상 사람들이 멜라니의 10분의 1만큼만 타인에게 친절하다면, 이 세상은 좀 더 따스하고 살 만한 세상이 될 것 같다.

내가 가장 좋아하는 장면은 사랑하는 딸 보니를 잃고 장례식 치르는 것을 거부하는 레트를 멜라니가 설득하는 장면이다. 레트는 아내에게서 얻을 수 없는 완벽한 사랑을 딸 보니에게서 구하려 했지만, 보니를 잃자 아내와 연결되었던 마지막 끈마저 잃어버린 느낌이다. 보니의 시체를 지키며 장례식 자체를 거부하는 레트의 마음을 유일하게 움직일 수 있었던 것은 멜라니였다. 한없는 사랑과 자애로운 마음으로 레트의 아픔을 보듬어주는 멜라니의 따스한 위로 덕분에 레트는 마침내 사랑하는 딸을 놓아줄 수 있는 용기를 내게 된다.

한없이 주고 또 주어 고갈될 것 같았던 멜라니의 사랑은 멜라니가 세상을 떠난 뒤 더욱 크고 깊어진 느낌이다. 멜라니로부터 받은 사랑을 잊지 못하는 수많은 사람의 슬픔 속에서 끝없이 주고 또 주는 사랑만이 지닌 위대함을 본다. 끝없이 베푸는 자들이 결국 이 세상을 바꾸어간다.

202 SAT 그림의 손길 슬픔의 끝까지 걸어간 사랑

죽은 아내 에우리디케를 살리기 위해 저 머나먼 죽음의 세계 하데스로 내려간 오르페우스. 아름다운 노랫소리로 신들마저 감동시킨 그는 딱 하나의 조건만 충족하면 아내와 이승으로 돌아갈 수 있었다. 바로 아내를 데려갈 때 절대 뒤를 돌아보아서는 안 된다는 것. 하지만 아내가 과연 잘 따라오는지, 궁금함을 참을 수가 없었던 것일까. 마침내 뒤를 돌아본 오르페우스는 다시 한번 영원히 아내를 잃고 만다.

오르페우스는 '뒤돌아보기'라는 금기의 파괴를 통해 예술가의 본성을 보여준다. 엄혹한 금기를 깨는 것은 예술가의 특권이자 축복이기도 하다. 금기를 깨지 않는다면 어떻게 새로운 예술의 창조가 가능하겠는가. 오르페우스는 사랑을 영원히 잃는 대가로 예술가의 찬란한 본성을 드러낸 것이 아닐까. 지나가버린 시간에 담긴 비밀을 발설하는 것, 그때 표현하지 못한 욕망과 감정을 끝내 더 아름다운 작품으로 승화시키는 것은 예술의 특권이자 의무이다.

귀스타브 모로의 그림 〈오르페우스〉(1865)는 오르페우스의 '죽음'조차 결국 예술의 피사체로 승화되었음을 보여준다. 아내 에우리디케를 영원히 잃고 슬피 울던 오르페우스가 죽음을 맞이하자, 그의 잘린 목이 헤브로스강으로 떠내려가 음악의 요정 뮤즈들에게 발견된다. 오르페우스의 목은 죽어서도 애절한 노래를 불렀고, 뮤즈들은 오르페우스의 간절한 노랫소리에 담긴 슬픔의 절규를 알아듣는다. 뮤즈들은 이미 죽어버린 오르페우스의 잘린 목을 안아 들고 안타까운 애도의 장면을 연출한다. 뮤즈들은 오르페우스의 머리를 레스보스 섬에 묻었고, 오르페우스의 가호를 받은 이 섬에서 수많은 문인이 배출되었다고 한다. 뮤즈들은 또 오르페우스의 리라를 하늘에 안치했는데, 이것이 바로 거문고자리다.

예술의 입에 재갈이 물렸을 때, 진정으로 찾아야 할 것은 '예술가의 생존'이 아니라 예술을 이해하고 공감하고 다음 세대에 전달해줄 '감상자들'이 아닐까. 오르페우스의 잘린 목 그리고 그 잘린 목의 노래를 듣는 뮤즈는 '진정한 예술가의 죽음'을 향한 애도를 표현하는 것이 아닐까. 그리하여 이 이야기는 궁극적으로 오르페우스의 승리로 귀결된다. 예술가는 죽었지만, 예술은 죽지 않았으며, 예술을 죽지 않게 하는 것은 바로 예술을 사랑하고, 아끼고, 끝내 부활시키는 관객들의 몫이니까. 오르페우스는 아내 없는 세상을 견딜 수 없었지만, 그 사랑의 슬픔은 마침내 음악이 되고, 시가 되고, 그림이 되어 인류의 영원한 선물로 부활했다.

203 SUN 대화의 향기 주기만 하는 사람, 받기만 하는 사람

"도대체 어디까지 배려해야 하는 걸까요? 상대방을 생각할 때 과연 어느 선까지 배려하고 양보하는 건가요? 마냥 양보하고 배려하는 것이 항상 좋진 않더라고요." 이런 질문을 하며 쓸쓸한 표정을 짓는 독자를 만났다. 참으로 어려운 질문이다. 배려를 할 때 우리는 자신도 모르게 '이 배려가 언젠가는 또 다른 배려로 돌아오기를' 바라는 것이 아닐까. 하지만 그런 행운은 아주 가끔만 일어날 수도 있다. 배려를 바라면서 배려를 실천하면, 배려를 지나치게 의식하게 된다.

나는 '배려하고 나서 상처받는 마음'의 속내를 너무 잘 알기에, 이렇게 말씀드린다. 조건 없이 배려하고, 배려의 보답을 바라지 말라고. 그것이 어렵다면, 정말로 배려를 하고 싶을 때만 하라고. 다른 사람을 배려하는 것이 온전한 내 호감의 발로가 아닐 때는, 분명 '생색'이나 '뒷날의 보답'을 바라는 마음이 생기게 마련이다. 순수한 호의로서 배려하고 뒷일은 전혀 생각하지 않는 배려만이 후회를 남기지 않을 수가 있다.

"과연 인간관계에서 양보는 어느 정도까지 해야 할까요? 때로는 정말 양보해주기 싫을 정도로 이기적인 사람도 있답니다." 이런 질문을 하며 속상해하는 독자도 있었다. 진짜 문제는 '얼마나 양보할 것인가'가 아니라 '관계의 깊이'가 아닐까. 나에게 그 사람이 얼마나 중요한지를 생각해보자. '어디까지 양보할 것인가'를 하나하나 생각해야 하는 관계라면, 어쩌면 그만큼 친밀함이 부족한 관계인지도 모른다. 배려가 과도하면 오히려 '친밀감'이 적게 느껴지고, 배려가 부족하면 그에게 '관심' 자체가 적게 느껴지기도 한다. '어느 선까지 양보할 것인가'가 아니라 '내가 얼마나 그 사람을 좋아하고 있는가'를 생각해보는 게 좋지 않을까. 그러면 내 마음에 진실할 수 있는 기회가 열릴 것 같다.

인간관계에서 특히 어려움을 느끼는 이유 중 하나는 '정말 저 사람과 친하고 싶지도 않고, 친할 가능성도 없는데, 잘해줘야 하는 경우'다. 우리 마음속에서 '손익을 계산하고 싶은 욕구'가 일어나는 때다. 때로는 타인이 얄밉더라도 친절하게 대해주자. 내가 정말로 힘든 이유가 무엇인지 스스로에게 물어봐야 한다. 그에게 양보해준 것이 아까워서인가. 아니면 내가 그에게 그것을 양보할 만큼 그를 좋아하지 않았기 때문일까. 그럼에도 불구하고 '타인을 향한 친절'은 어떤 경우에도 나에게 손해이거나 아까운 것은 아니다. 타인을 향한 순수한 친절이야말로 이 험난한 세상을 그래도 살 만하게 만드는 인간의 따뜻함이니까.

204 MON  심리학의 조언 고독할 수 있는 용기

고독에 취약한 사람들은 자신의 일을 홀로 처리하지 못하고 늘 주변에 의존한다. 남에게 의존하는 것도 문제지만, 타인을 '도구'로 삼아 자신의 힘을 표현해야만 직성이 풀리는 사람들의 '갑질'은 더욱 문제다. 그렇게 혼자서는 자신의 소임을 다할 수 없는 사람들, 고독할 줄도 모르는 사람들의 병폐가 세상을 망치고 있다. 심리학자 앤서니 스토의 《고독의 위로》는 '혼자 있는 것'이 삶을 살아가는 데 매우 필수적인 능력임을 강조한다. 고독은 상처를 치유하고, 상실을 극복하고, 개개인을 창조적인 삶으로 이끄는 힘을 지녔다. 이 책은 두려움 없이 고독에 맞서는 능력이야말로 이별, 죽음, 스트레스 등을 극복하고, 내면 가장 깊숙한 곳의 자신을 만날 수 있는 축복임을 강조한다.

고독은 일종의 심리적 능력이다. 남들이 도와주지 않아도 자신이 충분히 '꽉 찬 존재'임을 느낄 수 있는 것이 바로 고독할 용기다. 겉치레에 집착하고, 남들 앞에서 뭔가 대단한 모습을 보여주려는 사람들은 사실 고독을 두려워하는 이들이다. 저자는 이런 사람들을 '페르소나 뒤로 숨는 사람들'이라고 본다. 모든 행동이 가식적인 연기처럼 느껴지는 사람들의 특징은 타인 앞에서 진짜 자아를 보여줄 수 있는 용기가 부족하다는 것이다. 예컨대 부모가 자신을 어떤 상황에서도 사랑해줄 거라 믿는 아이들은 내면에서 스스로의 가치를 인식한다. 하지만 부모의 조건부 사랑에 익숙해진 아이들은, 예컨대 공부를 잘해야 사랑받는다고 느끼는 아이들은 가치관의 기준을 '어른들에게 칭찬받는 것'에 두게 된다. 성공하거나 타인에게 인정을 받아야만 가치 있는 사람이라고 느끼는 것이다. 자녀가 시험을 잘 봤을 때 부모가 과도하게 기뻐하거나 칭찬하는 모습을 보이면, 아이는 '내가 이렇게 해야만 부모님이 좋아한다'는 생각 때문에 더욱 성적에 집착한다. 돈이 많아야 훌륭한 가장으로 대접받는다는 생각도, 능력이 있어야 자식에게 대접받는다는 생각도 이런 '조건부 사랑'의 비극적인 결과물이다.

실패 이후의 고독을 견딜 수 없는 이들은 '지금 이 순간의 실패'가 인생의 전부인 것처럼 행동하며, 좌절감을 견딜 수 없는 나머지 극단적인 선택을 하기도 한다. 거짓 자아의 또 다른 위험은 '황당무계한 뻔뻔함'이다. 자기 이미지를 멋들어지게 치장한 뒤, 그 가면 뒤에 숨어 온갖 악독한 흉계를 꾸미는 사람들은 고독 속에서 아무것도 배우지 못하는 청맹과니들이다. 고독할 수 있는 용기는 역경에 맞설 수 있는 내면의 힘이기도 하다. 고독이란 누가 뭐래도 있는 그대로의 내 자신으로 살아갈 용기인 것이다.

205 TUE  독서의 깨달음 들숨과 날숨, 생명의 리듬

식물을 바라보는 것만으로도 마음이 편안해지는데, 식물에 대한 이야기를 하는 책도 그런 치유 효과가 있다. 식물에 대한 책을 읽는 것만으로도 우리는 숲속이나 정원에 온 듯한 상쾌함을 느낄 수 있다. 루스 이리가레, 마이클 마더의《식물의 사유》는 망가져가는 지구를 살리기 위해 우리 인간의 사유가 근본적으로 변화해야 함을 역설하고 있다. 이제 식물들을 이용만 할 것이 아니라 식물들로부터 적극적으로 배울 때가 되었다는 것이다. 이산화탄소를 들이마시고 산소를 뿜어내는 식물들처럼, 우리도 이 소중한 지구를 위해 더 나은 선택을, 더 아름다운 몸짓을 되돌려줄 때가 되지 않았을까.

식물의 생태를 관찰하면 그 눈부신 미니멀리즘에 찬탄하게 된다. 우리 인간이야말로 식물을 닮아야 하는 것이 아닐까. 오직 흙과 물과 햇빛만으로 단출하게 살아가는 식물들. 물과 햇빛과 흙 말고는 그 어떤 것도 탐하지 않는 식물의 조용한 절제야말로 지구를 살리는 비법이 아닐까. 욕망이 탐욕으로 흐르지 않도록 스스로를 절제하는 것, 내게 필요한 것 그 이상의 것을 결코 탐하지 않는 식물들의 겸허함. 게다가 그 어떤 조건에서도 끈질기게 생존하는 모습, 혹독한 시간 속에서도 조금씩 성장하는 것, 계절마다 모습을 바꾸는 것, 무엇보다도 그저 존재하는 것만으로도 아름다움을 선물한다는 것. 그 모두가 식물들이 우리에게 가르쳐주는 기적 같은 아름다움이다.

이 책을 읽는 내내, 저자들의 따사로운 조언처럼, 나 또한 식물을 닮고 싶어졌다. 너무 많이 욕심내고, 너무 많이 소비하고, 너무 자주 타인과 삶의 속도를 비교하는 나의 조급함을 식물들이 본다면 어떻게 생각할까. 그렇게 급히 뛰어가지 말아요. 너무 조급히 생각하지도 말아요. 이 햇살은 아름다운 것, 이 세상은 아름다운 것, 무엇보다도 살아 있다는 것은 아름다운 것이잖아요. 이렇게 속삭이지 않았을까.

《식물의 사유》를 읽으며 나는 '우리, 동물들'의 탐욕을 돌아보며 가슴 아팠다. 살아 있는 한 무언가를 먹어야만, 식물이든 동물이든 무언가의 시체를 먹어야만 살 수 있는 우리 동물들의 한계를 뼈아픈 심정으로 돌아보게 된다. 식물처럼, 덜 먹고, 덜 움직이고, 덜 소비하며, 그렇게 자연의 일부로, 지극히 차분하고 조용하게 살아가고 싶다. 식물은 원자재나 바이오연료가 아니다. 약초도 나물도 아니다. 식물은 오직 식물, 아니 그 누구도 함부로 이름 붙일 수 없는 자연 속의 존재일 뿐이다. 인간의 권리인 인권뿐 아니라 동물권, 식물권, 나아가 기계권까지 인정되는 세계, 그 어떤 존재도 함부로 다루지 않아야만 이 지구에 살아갈 '거주권'을 받는 시대가 와야만 하지 않을까.

206 WED 일상의 토닥임 글쓰기, 자기치유의 시작

묘사를 거부하는 것들의 아름다움이 있다. 글이 너무 잘 써진다면, 그것은 어쩌면 너무 하기 쉬운 이야기, 이미 능숙해져버린 상투적 언어로 글을 쓰고 있는 것일지도 모른다. 언어로 묘사하기 어려운 것들의 특징이 있다. 첫째, 좋아하는 마음이 지나칠 때, 그 좋아하는 마음이 오히려 묘사의 장애물이 된다. 좋아하기 때문에 더 잘 그리고 싶어서, 사랑하기 때문에 더 아름답게 묘사하고 싶어서, 글쓰기가 더욱 어려워지는 것이다. 둘째, 그것이 언어가 아닌 이미지나 소리 같은 것들로 이루어져 있을 때다. 사람이라면 '그가 했던 말'에 기댈 수 있는데, 사물이나 만질 수 없는 대상인 경우에는 묘사하기가 더욱 어렵다. 하지만 바로 이런 '소재의 저항'이 글쓰는 사람의 모험 정신을 자극한다. 나무가 절대로 대패질 당하지 않기 위해 온 힘을 다해 저항하듯, 글쓰기의 대상도 작가에게 저항을 할 때가 있다.

그럼에도 불구하고 '글쓰기 어려운 것들'이야말로 작가에겐 최고의 스승이다. 쓰기 어려운 바로 그 주제가 평생 발목을 잡아, 결국에는 그것을 제대로 쓰기 위한 길 위에 끊임없이 서 있게 만들기 때문이다. 이럴 때, 발목 잡히는 것은 좋은 일이다. 나를 놓아주지 않는 어떤 한 가지 주제를 향해 마음의 밧줄을 단단히 그러쥐게 만들기 때문이다. 그 밧줄을 놓치지 않고 따라가면 된다. 언젠가는 쓸 수 있다. 언젠가는 쓰게 된다.

묘사할 수 없는 대상, 그러나 자꾸만 당신의 마음을 끌어당기는 바로 그 무엇을 붙잡아라. 그것을 종이 위에 쓰는 순간, 우리는 조금씩 내 상처를 만질 수 있는 사람, 내 상처를 소중히 여길 줄 아는 사람, 마침내 상처를 승화시켜 무언가 다른 존재로 변신시킬 수 있는 사람이 된다. 상처를 절대로 꺼내서는 안 될 과거로 묻어둘 때, 우리 마음속 어딘가는 병들게 되어 있다. 아무에게도 보여주지 않는 글이라도 좋으니, 오직 나를 위해, 나에게 솔직해지기 위해, 답답해하는 나를 위해, 내 가슴 가장 깊은 곳의 슬픔을 꺼내어 햇빛에 말려가며 글을 써보자.

자기 위로는 그렇게 시작된다. 자기 위로는 결코 바보 같은 시간 낭비가 아니다. 타인에게 내 소중한 비밀을 굳이 들키지 않은 채 내 비밀을 소중히 간직하는 방법이기도 하고, 다른 사람에게 이야기했을 때 내 상처가 제대로 전달되지 못하거나 텅 빈 위로를 받으며 더 뼈아픈 상처를 입을 위험을 방지해주기도 한다. 우선 나에게 고백해보는 것, 우선 나에게 털어놓는 것이야말로 자기 치유의 시작이다. 가장 묘사하기 어려운 바로 그 상처를 우선 나 자신에게 털어놓는 용기. 바로 그 자리에서 상처의 치유는 시작된다.

207 THU  사람의 반짝임 알파고가 인류에게 던진 질문

이세돌 9단과 알파고의 대결이 끝난 후, 엄마는 대뜸 내 걱정부터 하셨다. '인공지능이 글도 잘 쓰면 우리 딸은 어쩌나?' 하는 걱정이셨다. 나는 한참 웃은 뒤, 일단 엄마를 안심시켜드렸다. 나는 쓸모없는 생각도 많이 하지만, 인공지능은 효율적인 생각을 원한다고. 엄마를 안심시켜 드리면서도 내 안에서는 궁금증이 생겼다. 만약 나와 관심사와 감정 기복이 똑같은 프로그램을 만들어낼 수 있다면, '또 다른 나'에 가까운 그 인공지능 컴퓨터는 나와 비슷한 글을 써내게 될까. 물론 인공지능 컴퓨터가 글을 쓸 수 있겠지만, 그 글쓰기는 '사람의 글쓰기'와 온전히 같지는 않을 것이다.

'나만의 글쓰기'를 가능하게 했던 것들은 지난 수십 년 동안의 경험과 나도 모르는 무의식의 합작품이었다. 어떤 전산적 데이터로 환원 가능한 '정보'를 입력했기에 이런 글을 쓰게 된 것이 아니다. 보이지도 않고 만질 수도 없는 우리의 영혼을 복제할 수는 없을 것이다. 하지만 알파고와 이세돌의 대국을 보면서 나는 문득 궁금해졌다. 예전 같으면 상상도 할 수 없던 인식의 변화가 찾아왔다. 바둑기사들은 단지 인공지능을 '적수'로만 생각하는 것이 아니라, 알파고를 통해 뭔가 새로운 사유의 방식을 체득하고 있었다. 전문가들도 해설이 어려운 기상천외한 '신의 한 수'를 두는 알파고를 보면서, 나는 두려움과 함께 경이로움도 느꼈다. 바둑기사들이 알파고를 통해 '획기적인 사고의 방식'을 배우는 것처럼, 나 또한 인공지능과 '대화'하며 글을 써볼 수 있지 않을까. 그러니까 인공지능과 사람의 '대결'이 아니라 '협업'이 가능하다면, 어쩌면 우리는 더 흥미로운 창조적 작업을 할 수도 있지 않을까. 예전에는 단순히 '인공지능으로 글을 쓰다니, 상상도 못하겠어'라고 생각했지만, 이제 나는 '인공지능과의 협력'을 상상해볼 수도 있게 된 것이다.

그럼에도 불구하고 우리 인간의 힘으로만 가능한 것들은 무엇일까. 인공지능에게 '그들의 업무'를 맡기고, 인간은 더욱 창조적이고 예술적인 작업에 몰두할 수도 있다. 무엇보다도 '인공지능으로 인해 바뀔 세상에서, 어떻게 살아가야 할 것인가'를 고민해야 하는 주체는 알파고가 아니라 바로 '사람'이라는 점을 잊지 말아야 한다. 다가올 미래 사회에서도 진정한 변화의 주체는 우리 자신이다. 나는 무엇보다도 몽상할 자유, 멍때리기를 할 자유, 아무것도 하지 않는 시간에 비로소 깨닫는 또 다른 나와의 만남을 포기하고 싶지 않다. 아무리 대단한 인공지능의 시대가 와도, 나는 반드시 지키고 싶다. 몽상할 권리, 꿈꿀 권리, 내 무의식의 유일한 주인공이 될 권리를.

208 FRI 영화의 속삭임 안나 카레니나, 히스테리의 전형

누군가 나에게 '히스테리란 과연 무엇인가요'라는 질문을 한다면, 안나 카레니나가 그 전형적 사례라고 이야기해주고 싶다. 화려한 귀족의 삶 속에서 아무런 부족함을 느끼지 못했던 안나는 브론스키의 사랑 고백으로 인해 온 세상이 송두리째 흔들리는 듯한 마음의 지각변동을 경험한다. 그 후로 모든 것이 '부족'해 보인다. 자신을 둘러싼 남편의 사랑도 부족해 보이고, 경제적으로는 풍족하지만 마음은 끊임없이 무언가 부족하게 느껴진다. 무엇보다 '자유'가 부족하다. 나는 왜 이런 생활에 만족했던 것일까. 처음 느껴보는 황홀한 사랑의 감정이 그녀의 인생 전체를 뭔가 심각하게 결핍된 존재로 만들어버린다. 이것은 전형적인 히스테리 증상이다. 내 인생에 뭔가가 부족하다고 생각되면, 모든 것이 불만족스럽고, 남들이 나에게 해주는 모든 것들이 마음에 안 들고, 모두가 나에게 전혀 도움이 안 되는 것 같은 절망적인 느낌. 내 인생은 처음부터 잘못되었다는 느낌, 그동안 행복이라 믿었던 모든 것들이 한순간의 착각으로 변질되어버리는 느낌. 이것이 히스테리의 본질이다.

물론 안나의 생기발랄함을 짓밟는 남편의 집착 어린 사랑도 문제다. 안나를 사랑한다는 이유로 그녀에게서 안정된 결혼생활의 행복마저 빼앗아버린 브론스키의 이기심도 문제다. 하지만 안나 스스로가 자신의 삶에 만족하지 못하는 것이 가장 결정적인 문제다. 누군가의 아내이자 누군가의 어머니로 살아가는 것 외에는 다른 삶의 활로를 찾지 못한 그 시대 수많은 여성의 아픔이기도 하다. 하지만 안나는 단 한 번의 실수로 인생을 망쳐버리기엔 너무도 지혜롭고 재능 있는 사람이었다. 사랑의 폭풍에 휘말려, 아니 '끊임없이 완전한 사랑을 받아야 한다'는 욕심 때문에 자신을 제어하지 못하고 브론스키를 자꾸만 의심하며 마약에 빠지는 안나의 마지막 모습은 독자로 하여금 한없는 안타까움을 자아낸다. 이 방법밖에 없었을까. 이 길밖에 없었을까. 안나는 이보다 훨씬 나은 사람인데. 더 나은 삶을 살 권리가 있는 사람인데. 영화를 보는 내내 가슴을 옥죄는 아슬아슬함이 느껴졌다.

오직 자신만을 사랑하는 남편을 버리고 젊은 청년과 동거한 안나의 파격적인 선택은 분명 '위험한' 것이었지만, 삶을 파괴한 진짜 주범은 안나가 '내 인생이 소중하다'는 감각을 잃어버린 그 순간이었다. 내 사랑은 점점 더 불타오르는데, 그이의 사랑은 점점 식어가고 있다면서, 자신의 삶을 챙기고 보살피는 일을 멈춰버리는 순간. 안나를 지켜오던 삶의 불꽃은 꺼지기 시작한 것이다. 더 많은 것을 탐내기보다는 '이것으로 충분하다'는 마음가짐, 나는 내 삶의 유일한 주인공임을 잊지 않는 강인한 자기인식만이 나를 지켜낼 수 있다.

209 SAT 그림의 손길 이토록 아름다운 마지막을 창조하다

미켈란젤로의 조각에서 우리는 고통을 극복하여 영원으로 나아가려는 인간의 의지를 본다. 〈죽어가는 노예〉(약 1513~1514)에는 덧없고 세속적인 지상의 세계에서 벗어나 영원과 이상이 살아 숨 쉬는 세계를 향해 오직 한 발짝만을 남겨놓고 있는 인간의 찰나적 아름다움이 느껴진다. 미켈란젤로에게 삶은 불완전하고 고통스러우며 벗어나야 할 그 무엇이 아니었을까.

이 마지막은 왜 그토록 아름다운 것일까. 마지막이라 절망적인 것이 아니라 마지막이기에 더욱 아름다운 그 무언가가 느껴지는 이 작품에는 '식어가는 온기'가 아니라 '꺼지지 않는 생명력'이 느껴진다. '죽어가는 노예'라는 제목이 없었더라면, 나는 이 작품을 '환희에 찬 인간'으로 이해했을 것이다. '죽어가는'이라는 형용사와 '노예'라는 명사가 이 작품의 자유로운 이해를 제한하는 것인지도 모른다.

로댕은 〈예술의 숲〉에서 미켈란젤로의 작품을 이렇게 평가했다. "미켈란젤로는 고딕 예술의 최후이자 최고의 존재입니다. 마음의 반성과 고통, 혐오, 물질이라는 사슬에서 벗어나려는 노력, 이런 것이 그의 영감을 형성하는 요소입니다." 미켈란젤로의 작품에서는 생명에 대한 환희와 삶에 대한 절망, 인간적인 삶으로부터의 초월 의지가 동시에 나타난다. 생명은 사랑했지만 삶의 추악함과 세속성은 경멸했던 미켈란젤로의 꼿꼿한 성품이 작품에서도 드러난다. 〈죽어가는 노예〉는 이제 막 육체라는 겉껍질을 벗어 던지고 무한한 자유를 얻기 직전의 인간, 그 초월의 아름다움을 노래한다. 그러나 역설적으로 그가 벗어 던지려는 그 육체라는 겉껍질이야말로 아름다움의 진원지가 아닐까.

미켈란젤로는 직접 지은 시에서 이렇게 말하고 있다. "사람들은 왜 아직도 생명과 환락을 바라는가. 지상의 기쁨은 우리를 유혹하고 우리를 해친다." 미켈란젤로의 우울은 바로 이 지점에서 탄생한다. 그는 지상의 쾌락을 적대적인 대상으로 바라보았던 것이다. 급기야 만년에는 직접 자신이 만든 조각상을 파괴하기에 이른다. 인간인 자신이 창조한 예술을 통해 진정한 만족을 얻을 수가 없었다. 그는 예술을 통해 무한을 추구했지만, 예술은 '인간'이라는 지상의 밧줄에 묶여 있었다. 그가 좀 더 지상의 삶을 사랑했다면, 지상을 탈출의 대상이 아닌 무구한 사랑의 대상으로 여겼다면, 그의 작품 세계는 또 다른 풍경으로 거듭났을지 모른다.

210 SUN 대화의 향기 당신은 이미 치유되었습니다

얼마 전 자신의 성장이 '대학원 면접시험'에 멈춰 있는 것 같다고 고백한 K라는 독자가 있었다. 면접시험에서 자신을 바라보던 교수님들의 차가운 시선, 자신을 향한 침묵이 영원히 마음속을 맴도는 것 같다고, 그래서 대학원을 수료하고도 아직 마음은 엉망으로 치르고 나온 그 면접장에 있는 것만 같다고 괴로워하는 독자의 편지를 받았다. 그런데 그의 '자기 묘사'와는 달리, 그가 쓴 글은 놀랍도록 논리정연했고다. 가끔 이럴 때가 있다. '내면의 자기'는 치유되었으나, '사회적 자아'가 아직 자기 자신이 이미 치유되었다는 사실을 모르는 상태. "저는 아직도 영원히 그 시간에 멈춰 있는 것 같아요." 나는 자신의 숨은 재능을 여전히 잘 알지 못하는 K에게 이렇게 편지를 썼다.

"제가 보기엔 K씨가 여전히 '멈춰 있다'는 생각은 잘못되었어요. 좋은 의미에서요. 정말 그렇게 멈춰 있다면 이렇게 글을 잘 쓰지는 못할 거예요. 성장이 멈춰있는 사람들은, 극심한 스트레스로 인해 마비된 사람들은, 글쓰기에도 큰 어려움을 겪어요. 이만큼 글을 쓸 수 있을 때까지 스스로를 얼마나 힘겹게 단련해왔을지, 그리고 원래부터 K씨에게 존재하는 재능의 씨앗이 얼마나 클지, 새삼 경이로운 눈으로 바라보게 됩니다. K씨는 그 면접시험의 고통 속에 이제 더 이상 갇혀 있지 않아요. 에고가 그걸 주장하는 것 같아요. 퇴행은 일종의 쾌락이기도 하거든요? '내가 그 5분의 침묵 속에 여전히 갇혀 있다'는 퇴행의 문장 속에 '아직 아픈 나'를 가두어두고 있는 것이 아닐까요. 이젠 그 시간의 늪에서 빠져나올 때가 되었어요. 사실 한참 지났어요. 퇴행의 반대말은 성장이고 치유이지요. 이제 그 트라우마를 떨쳐내고 성장하고 치유될 시간입니다.

K씨의 셀프는 이미 아주 많이 성장하고 치유되었어요. 위로하기 위해 하는 말이 아니예요. 오랫동안 문학과 심리학을 공부한 한 사람으로서 객관적으로 분석한 거예요. 이미 잘 해내고 있는 셀프를 여전히 혹독한 시선으로 자기를 분석하는 초자아가 가로막고 있는 거랍니다. 더 여유로운 시선으로 자신을 사랑하기를. 사랑하기가 어렵다면 보살피기부터 시작하기를. 자신을 더 보살피고, 아껴주고, 격하게 '자기공감'을 해주기를. 어려운 미션이지만, 우리 총명하고 눈부신 K라면 잘 해낼 거라고 믿어요. 고마워요. 멋지게 견뎌 주어서. 찬란하게 성장해주어서."

이 편지가 늘 완벽주의를 꿈꾸는 당신, 더 나은 나를 향해 자기 자신을 지나치게 단련하고 단속하는 당신의 마음에도 부디 가닿기를 바란다.

211 MON

심리학의 조언

고독 속에서 나를 발견하기

'고독과 친구가 되라'는 조언을 많이 듣지만, 막상 말처럼 고독을 진정한 벗으로 삼기는 쉽지 않다. 고독사(孤獨死)라는 말이 생겨날 정도로 고독을 질병으로 여기는 사회에서 과연 고독은 참된 위로가 될 수 있을까. '혼술'이나 '혼밥'이라는 신조어가 유행처럼 번지는 사회에서 고독이란 우리에게 어떤 의미가 있을까. 물론 혼자 밥 먹기와 혼자 술 먹기에는 그 나름의 커다란 매력이 있지만 그것이 평생의 습관이 된다면 문제가 있다. 혼자서 무엇이든 잘해내는 것은 좋은 능력이지만 '다른 사람과 함께하는 것이 싫어서' 혼자만의 세계로 지속적 도피를 꿈꾼다면, 그것은 '고독의 위로'라기보다는 '고독을 향한 도피'에 가깝기 때문이다.

어떻게 하면 혼자 있음에 중독되지 않고, 혼자 있을 때도 함께 있을 때도 '온전히 나다움'을 지킬 수 있을까. 고독을 즐길 줄 알면서도 고독의 편안함에 중독되지 않는 것이 바로 고독의 중용일 것이다. 일상 속에서는 어떻게 해야 '고독의 중용'을 지켜낼 수 있을까. 심리학자 앤서니 스토는 '고독을 통해 무엇을 배울 수 있는지'에 주목한다. 그가 주목하는 고독의 효용성은 바로 '나답게 사는 길을 모색하는 시간'이다. 조직을 강조하면 어쩔 수 없이 개인의 창조성이 파괴된다. 오직 조직과 규율만이 최고의 가치로 군림하는 곳에서는 단지 감정만 억압당하는 것이 아니라 자아가 파괴되기 때문이다. 개인의 자아가 집단의 자아로 흡수되면 결국 개인의 자아를 찾을 길은 사라져버린다. 개인의 자아가 미처 발달하기도 전에 '집단의 자아=개인의 자아'라는 공식이 머릿속에 주입되는 것이다.

우리는 '혼자가 좋다, 혼자라도 충분히 해낼 수 있다'는 생각을 충분히 체화하지 못한 채 사회에 내던져진다. '고독을 즐기라'는 조언도 그래서 당혹스럽다. 이렇게 힘든 고독을 도대체 어떻게 즐기라는 것인지. 하지만 고독이란 '개인으로서의 자립'을 지키는 데 필수적인 요소이며, 고독을 견디는 방법에 따라 인생 자체가 달라진다고 해도 과언이 아니다. 고독의 또 다른 효용성, 그것은 '감정을 삭이고 다스릴 수 있는 시간의 확보'다. 고독한 시간에 우리는 각자의 공간에서 그동안 '함께 나눈 시간'을 되새기고 곱씹을 수 있다.

에티켓과 체면을 극도로 중시하던 빅토리아 여왕 시대의 여성들도 일과시간이 끝나면 조용히 혼자 있는 시간을 가졌다고 한다. 사회생활의 무대 뒤에서 어떻게 잃어버린 자신의 에너지를 충전하고 휴식을 즐기고 다음 행보를 모색하는지에 따라 삶은 달라진다. 우리에게는 저마다의 페르소나 뒤로 안전하게 숨을 공간이 필요하다.

212 TUE 독서의 깨달음 길가메시, 우정의 기적

인류 최초의 이야기로 알려진《길가메시 서사시》를 읽다가 깜짝 놀랐다. 인류에게 남아 있는 이야기 중 가장 오래된 이야기의 중심축이 사랑이 아니라 우정이라는 것을 발견한 것이다. 사랑 이야기가 인류 최초의 서사일 거라 짐작한 나의 사고방식도 어쩌면 로맨틱 러브 중심의 현대적 분위기에 물들어 있었는지도 모른다. 목숨까지 바칠 만한 격정적인 사랑이 문헌에서 나타나기 시작한 것도 서양에서는 12세기경이니, 인류 역사 전체에서 사랑이 이토록 중요한 비중을 차지하게 된 것은 비교적 최근의 일인 셈이다. 인류 최초의 이야기에서 '사랑의 흔적'을 찾으려는 오래된 습관을 버리고, '우정의 소중함'에 눈을 뜨니 비로소 오래전엔 지루하다고 생각했던 길가메시 이야기가 새삼 뜨거운 감동으로 다가오기 시작했다.

《길가메시 서사시》의 감동은 오직 자기의 욕망을 채우는 데만 급급했던 철없는 왕 길가메시가 자신과 대적할 만한 유일한 적수 엔키두를 만나 그와 뜻밖의 우정을 나누며 진정한 영웅으로 성장하는 과정에서 우러나온다. 그는 백성의 재산은 물론 첫날밤을 맞은 신부까지 가로채어 자기 욕심을 채우는 무뢰한이었으나 아무도 그와 대적할 만한 힘을 지니지 못했으므로 백성들은 속수무책으로 그에게 당하기만 한다. 그런데 엔키두라는 힘센 거인이 나타나 길가메시의 독재와 전횡에 제동을 걸자 그는 당황한다. 죽을 힘을 다해 서로에게 맞서 싸우던 두 사람은 어느 순간 싸움을 멈추고 '친구'가 된다.

길가메시의 내면에서는 처음으로 '나를 이길 수도 있는 상대를 만났다'는 공포가 싹트지 않았을까. 그는 '계속 이렇게 싸우다가는 우리 모두 죽을 수도 있겠구나' 하는 걱정에 사로잡혔을 것이다. 그는 '언제든 적이 될 수도 있는 타인'을 '친구'로 만드는 것이야말로 생존의 비결이자 인생의 지혜임을 그 절체절명의 순간 깨달은 것이 아닐까. 우정이야말로 인류가 지혜롭게 살아남기 위한 원초적인 방안이 아니었을까. 힘자랑하며 서로 싸우기만 하다가는 둘 다 죽겠구나 하는 공포를 느끼는 순간, 길가메시는 처음으로 나보다 강한 타자의 존재를 깨닫는다. 우리가 싸우는 것보다는 우리가 친구가 되는 것이 낫겠구나 하는 무언의 깨달음이 깔려 있다.

친구는 때로는 가족과 연인보다도 더 절실한 존재가 될 수 있다. 가족의 도움을 받을 수 없을 때, 연인의 사랑을 받을 수 없을 때, 친구는 그 어떤 존재도 줄 수 없는 조건 없는 연대감을 표현할 수 있기 때문이다.

213 WED 일상의 토닥임 나만의 북클럽을 만들자

'독서 모임을 해보고 싶은데 어떻게 시작해야 할지 모르겠다'는 독자들의 질문을 받을 때마다, 나는 '친구 하나만으로도 충분하니, 지금 당장 시작해보시라'고 조언을 해드리면서도 정작 나는 나만의 세미나를 시작하지 못하고 있었다. 시간이 없어서, 내공이 부족해서, 이런 식으로 자기합리화를 하면서 차일피일 미루다 보니 이제야 정신을 차리게 되었다. 사실 정신을 번쩍 차리게 된 이유는 나의 스승이자 절친한 벗, H 선생님의 병환 때문이었다.

나는 막연하게 '언젠가 나만의 향연을 꾸리게 된다면, H 선생님을 꼭 첫 번째 손님으로 초대해야지'라는 생각을 오래전부터 품어왔다. 그러면서도 '아직은 내가 선생님과 대화할 만한 실력이 되지 않는다'는 생각 때문에 미루어왔는데, 어느 날 갑자기 선생님이 큰 수술을 받으셔야 한다는 소식을 들은 것이었다. 그때부터 마음이 바빠졌다. 슬픔과 충격으로 눈앞이 캄캄했지만, 위기가 곧 기회였다. 선생님을 알게 된 지 10년이 넘었는데, 이제야 이런 전화를 할 용기가 샘솟았다.

"선생님, 플라톤의 '향연' 같은 모임을 우리 두 사람만으로도 시작할 수 있지 않을까요? 서울대 교수 추천 고전 100선, 하버드대 교수 추천 고전 100선, 이런 권위 있는 고전 리스트 말고요. 그냥 우리 둘이서 읽고 싶은 고전을 서로 추천하고, 그것에 대해 자유롭게 이야기를 나눠보면 어떨까요?" 혹시나 선생님께서 거절하실까 봐 조마조마했는데, 선생님의 대답은 그야말로 호쾌했다. "그래, 좋지. 둘만으로도 향연은 가능하지." 이렇게 우리의 소박하지만 신명 넘치는 향연은 시작되었다.

두 사람의 향연은 몇 달 뒤 선생님의 수술로 인해 잠시 중단되었지만, 우리는 매달 한두 번씩 모임을 하며 향연의 즐거움을 몸소 실천하고자 분투 중이다. 선생님은 플라톤의 《향연》과 《소크라테스의 변론》, 《파이돈》 등을 추천하셨고, 나는 《제인 에어》와 《폭풍의 언덕》, 《오만과 편견》을 추천하는 식으로 서로의 취향이 매우 다르지만, 바로 이 '엄청난 차이'와 '서로 다름'이 우리의 향연이 지속되는 원동력이기도 하다. 고대철학에 특히 취약한 나는, 선생님과 둘만의 향연을 계속하며 플라톤의 《향연》이 지닌 또 다른 매력을 알게 되었다. 《향연》은 철학자들의 모임이지만 매우 문학적인 서사와 문체의 향기를 지니고 있었다. 우리는 그렇게 서로의 결핍을 보완하며 아름다운 북클럽을 계속 이어가고 있다.

214 THU  사람의 반짝임 30년을 뛰어넘은 우정

내가 H 선생님을 처음 만났을 때는 약간의 두려움이 있었다. 나에게는 세대 차이를 극복할 수 있는 용기나 대화의 기술이 없었기 때문이다. 그런데 30여 년의 나이 차이를 극복하고, 우리가 우정을 쌓기까지는 그다지 오랜 시간이 걸리지 않았다. 선생님은 나에게 먼저 마음을 열어 보여주셨고, 까마득한 후배인 내가 쓴 글을 매번 꼼꼼하게 읽어주시고 격려와 지적도 해주셨다. 나는 선생님의 글과 말을 통해 전후세대의 트라우마를 이해할 수 있었고, 선생님은 나의 글과 말을 통해 여성의 시각과 젊은 세대의 문제의식에 공감할 수 있었던 것이 아닐까 싶다.

나는 아주 오래전부터 이야기하고 싶었다. 삶을 견디게 하고 역경을 이겨내게 하며 마침내 삶을 바꾸는 우정에 관하여. 하지만 자신이 없었다. 나에겐 그런 우정의 재능이 결핍된 것 같아서. 연락이 끊어진 친구도 많고, 마음까지 끊어진 친구도 많은 것은, 걸핏하면 타인의 말에 상처 입는 나의 소심함 탓인 것만 같았다. 하지만 그저 스승이라고만 생각했던 H 선생님이야말로 나의 '절친'이었음을 깨달았다. 친구를 동년배에게서만 찾았던 나의 편협함이 이미 있는 베스트 프렌드마저 못 알아보게 한 것이다.

외톨이 기질이 있는 내가 그 모든 끊어진 인연들에도 불구하고 선생님과는 이렇게 오랜 우정을 유지할 수 있었던 이유는 무엇일까 궁리해보았다. 우리는 그동안 고전과 음악과 영화, 세상살이와 시국과 친구와 지인들에 대해 끊임없이 이야기를 나누었고, 서로의 입장을 침해하지 않고도, 때로는 서로의 차이를 안은 채로 우정을 유지할 수 있는 힘을 길렀던 것이 아닐까. 30여 년의 나이 차이, 자라온 환경과 성별의 차이, 정치적 의견의 차이에도 불구하고 우리가 여전히 친구일 수 있는 이유는 서로의 다름을 존중하고 배려하는 따스한 연대감 때문이었다.

나는 이렇게 친구를 사귀기 힘들어하는 내가 별 힘도 들이지 않고 유지해 온 이 따스한 우정의 힘을 세상과 나누고 싶어졌다. 인류는 끊임없이 적이 될 수도 있는 타인을 친구로 만들며 세파를 견디고 변화에 적응해 왔다는 것을 증명해 보이고 싶다. 적대감과 갈등이 표면적으로는 더 우세해 보일지라도, 결국 우정과 대화의 힘, 토론과 민주주의 힘이 천천히 승리해온 길이었음을 새롭게 재발견하고 싶다. 많은 사람들이 인류의 역사가 적대와 갈등의 역사가 아닌, 끝내 분노와 증오를 이겨내는 사람들의 승리이자 생면부지의 타인을 끝내 친구로 만드는 사람들의 승리임을 알고 힘겨운 오늘을 버텨낼 힘을 얻기를 바란다. 우리가 오랜 우정을 통해, 견딜 수 없이 춥고 외로웠던 생의 한파를 견딜 용기를 얻어온 것처럼.

215 FRI 영화의 속삭임 감정이 사라진 사회는 행복할까

영화 〈이퀼스〉는 감정을 완전히 통제하는 것이 가능해진 미래의 유토피아 사회를 배경으로 한다. 그것이 유토피아인지 디스토피아인지, 관객들은 헷갈린다. 온갖 감정의 높낮이가 다 사라진 뒤, 웃지도 울지도 않는 사람들. 그리하여 살인과 절도 등 온갖 범죄 또한 사라지지만, 사람들의 얼굴에는 절망이 없는 대신 희망도 없다.

어느 날 동료의 죽음을 목격한 사일러스(니콜라스 홀트)는 시체가 발견된 현장에서 니아(크리스틴 스튜어트)의 미묘한 감정의 떨림을 발견한다. 니아는 감정 보균자였던 것이다. 말로는 '자살한 사람을 대신해 대체 노동력을 찾아야 한다'고 말하면서도, 자신의 손가락을 아프도록 찌르는 니아. 니아의 눈꺼풀이 미세하게 떨릴 때마다, 니아의 손가락이 불안하게 움직일 때마다, 사일러스 또한 감정의 동요를 느낀다. 사일러스는 감정을 바이러스처럼 통제하는 사회에서, 결코 행복하지 않은 자신을 발견한다. 그리고 '정상인'으로 보이기 위해서 자신의 감정을 극도로 통제하는 니아를 바라보며 사랑을 느낀다. 두 사람은 첫사랑의 달콤함을, 미칠 듯한 설렘을, 누군가를 껴안고 키스하는 감각의 아름다움을, 모두 처음으로 경험한다. 사일러스는 매일 열심히 했던 퍼즐이 재미없어지기 시작하고, 먼산을 바라보는 시간이 늘어난다. 감정이 생긴 것이다. 니아를 볼 수 없는 순간에는 한없이 그녀가 그리워지고, 한없이 바라봐도 결코 채워지지 않는 격정을 어찌하지 못한다. 사일러스는 샤워를 하며 손바닥 위에 떨어지는 물의 촉감을 느껴보기도 한다. 이것이 살아 있다는 느낌일까. 바로 그 살아 있는 느낌, 그것은 사랑을 통해 다가왔고, 이제 두 사람은 그 사랑을 지키기 위해 '탈출'을 감행하고자 한다.

감정을 '통제'하기보다는 우리가 느끼는 모든 감정을 보석처럼 소중히 다루는 법을 알려주는 것이 내게는 심리학 공부였다. 심리학을 공부하며 나는 매일 '내가 몰랐던 나의 감정'과 만나는 법을 배운다. 낯선 분노, 오래된 짜증, 해결되지 않은 슬픔까지도, 정리와 보살핌이 필요하다. 옷장 속에 쌓인 옷을 하나하나 꺼내서 하나하나 세탁하거나 다리거나 버리며 오래된 옷장을 정리하는 것처럼. 그렇게 내 마음을 보살필 마음의 여유만 있다면 결코 인간에게 감정은 저주나 장애물이 아니다. 나는 이 영화를 보며 깨달았다. 아무리 감정을 통제하는 것이 어려워도, 감정을 느낄 수 있다는 것은 위대한 축복이라는 것을.

216 SAT 그림의 손길 서로에게 힘이 되는 사랑이란

애틋함이란 무엇인가를 묻는다면, 나는 카미유 클로델의 〈왈츠〉(1895)를 보여주고 싶다. 애틋함은 치유적인 감정이다. 더 많이 사랑해주고 싶은데 그러지 못하는 마음, 더 많이 아껴주고 싶은데 현실이 따라오지 않는 느낌. 그 어쩔 수 없음을 잘 표현한 작품이 바로 이 〈왈츠〉가 아닐까 싶다. 지금 춤을 추고 싶지만 이 춤은 필시 마지막 춤일 것만 같은 슬픈 예감. 온 마음을 다해 당신을 사랑하지만 이 사랑을 어쩔 수 없이 여기서 끝나야 할 것만 같은 슬픈 예감을 이 아름다운 조각상은 너무도 생생하게 구현하고 있다.

카미유 클로델은 대상의 현재에 응축된 '이야기'를 포착해낼 줄 아는 사람이었다. 그의 작품 속 주인공들은 살아온 삶의 천변만화한 이야기들을 한순간에 담아내는 깊고 풍부한 표정을 짓고 있다. 아픔을 통과하여 비로소 더 아름다울 수 있는 사람들의 이야기, 나는 그녀의 작품을 통해 그렇게 슬프기에 더욱 아름다운 이야기를 읽는다.

중력을 거스른 채 비스듬히 기울어져 있는 연인의 춤사위는 다급하고 아슬아슬하다. 춤이 끝나면 곧 헤어져 각자의 길로 가야 할 듯 애처롭다. 이 작품을 볼 때마다 나는 그 절묘한 포즈와 시간을 멈춘 듯한 표현력에 감탄하곤 한다. 두 사람은 어느 각도에서 보나 표정이 자세하게 나와 있지는 않지만 얼굴이 아니라 온몸으로 연기하고 있는 듯하다. 가눌 수 없는 슬픔을. 벗어날 수 없는 사랑을. 영원히 끝나지 않을 고통을. 바람에 휘날리는 여인의 치맛자락은 언제 끝날지 모르는 사랑의 비극적인 속성을 간직한 듯 연약하고 위태로워 보인다. 그녀는 사랑의 고통과 이별의 예감으로 곧 쓰러져버릴 것만 같다. 남성 또한 위태로워 보이기는 매한가지다. 그는 여인의 몸을 지탱해주는 것처럼 보이지만 그 또한 비통함에 빠져 있는 듯하다. 여인의 가냘픈 어깨에 키스하는 남자의 얼굴은 자세히 보지 않아도 이미 깊이 슬퍼하고 있음이 느껴진다. 그 또한 그녀의 어깨에 얼굴을 파묻고 그녀에게 기대고 있는 것이다.

그러니 이 기댐은 상호적이다. 두 사람 다 한 사람씩 따로따로 서 있었더라면 그 포즈를 제대로 유지하지 못했을 것이다. 둘이 함께이기에, 더구나 '멈출 수 없는 왈츠'의 순간 속에 있기에 중력을 거슬러 아슬아슬한 무게중심을 잡을 수 있었을 것이다. 그러니 춤을 멈춰서는 안 된다. 이 춤이 끝나면 이 사랑도 끝날 것만 같다. 이 춤이 끝나면 두 사람은 다시는 만날 수 없을 것만 같다. 그럼에도 불구하고 이 사랑은 가슴 시리게 아름답다. 그리고 이런 가슴 저미는 아름다움은 끝내 우리를 치유한다.

217 SUN 대화의 향기 나는 그 사람의 대체제가 아니랍니다

글쓰기 수업을 하다 보면 학생들과 편지를 나누게 된다. 수업 시간에 일대일 멘토링을 하는 데는 한계가 있기에, 더 깊은 이야기, 못다 한 이야기를 이메일로 전하게 된다. 편지는 마음을 털어놓기에 가장 편안한 미디어다. 그중 M은 오랫동안 학생으로만 살다가 처음으로 교사의 삶에 도전하게 된 이야기를 내게 들려주었다. 여러 가지 면접을 볼 때마다, 어떤 조직으로 들어갈 때마다, 셀프는 지워지고 에고가 다시 깨어나는 듯한 느낌이 괴로웠다고. 취직을 위해 현실과 타협하면 간신히 되찾은 셀프가 또다시 지워지고, 사회적 시선에 일희일비하는 에고가 더 강해지지 않을까 두렵다는 이야기도 들려주었다. 하지만 무언가에 처음으로 제대로 도전해보았다는 느낌, 아직 합격 여부를 알 수는 없지만 그럼에도 불구하고 자신이 최선을 다했다는 그 느낌이 너무 뿌듯하다고 고백했다. 그 편지를 읽고 나 또한 기분이 좋아졌다. 처음 글쓰기 강의를 시작했을 때 내 눈을 바라보는 것도 어색해하던 M이 이제는 당당하게 자신의 마음을 표현하는 모습, 새로운 도전을 향해 온몸을 던지는 모습이 참으로 아름다워 보였다.

M은 처음으로 누구의 멘토링도 받지 않고, 홀로서기를 시작하고 있었다. 면접을 시작하기 전에 나의 멘토링을 구한 것이 아니라, 면접을 다 보고 나서 자신의 느낌을 이야기하고 있었다. 이런 것이 타인과의 진정한 '소통'이면서 동시에 타인에게 '의존'하지 않는 '어른의 글쓰기'다. 나에게 의존하고 싶은 열망을 누르고, 나를 진심으로 평등한 대화 상대로 만듦으로써 M은 부쩍 성장하고 있다. 당시 M이 자신의 지도교수를 향한 의존적 관계를 청산하는 과정이라는 점에서 나는 더욱 조심하고 있었다. M이 기존의 스승과 이별하는 과정에서 나를 대체제로 생각할 위험이 있었기 때문이었다. 나는 M의 스승을 대신하는 존재가 아니라 진정으로 평등한 소통을 할 수 있는 친구가 되고 싶었다. 이런 내 마음을 금세 간파한 M은 나에게 부담을 주지 않으면서 동시에 나와 더 깊이 소통하기 위해 편지라는 매체를 택한 것이었다.

나는 M에게 이렇게 답장을 해주었다. "M님은 본인이 글을 쓰면서 많은 것들을 깨달아가는 스타일이기 때문에 글을 쓰면서 점점 더 억눌렸던 감정들을 풀어내고 표현해내는 것이 분명 좋은 역할을 할 거예요. 이제 아름다운 개성화의 길 위에 굳건하게 서계신 거랍니다. 두려워하지 말고 담대하게 앞으로 나아가세요. 지금 충분히 잘하고 있지만, 너무 아픈 감정의 폭풍우에 언제든 빨려들 위험도 가지고 있어요. 그림자를 통해 더 커다란 빛에 도달할 수 있기를 항상 응원할게요."

218 MON

심리학의 조언

마음챙김의 길은 그리 멀지 않다

분노나 질투 같은 '나를 힘들게 하는 감정'이 솟구칠 때, 자기 자신만 알아볼 수 있게 몸에 미세한 불이 켜지거나 작은 사이렌 소리가 나면 어떨까. 우리는 훨씬 화를 덜 내고, 훨씬 사고를 덜 치지 않을까. 분노, 질투, 절망, 원한 같은 감정이 우리를 사로잡을 때, '이건 위험한 감정이구나'라는 자기인식이 가능하다면 우리는 훨씬 더 차분하게 자신의 감정변화에 대처할 수 있을 것이다. 그런 힘겨운 감정을 아예 틀어막을 수는 없지만, 그 감정이 나를 공격할 때마다 '알아차림(awareness)'의 상태를 함께 경험할 수 있다면 감정의 분출로 인한 분쟁이나 사고로부터 우리 자신을 보호할 수 있다. 마음챙김(mindfulness)이 바로 그런 역할을 한다. 내가 어떤 감정 상태를 겪고 있는지, 내 마음속에서 과연 어떤 일이 일어나고 있는지, '제2의 나'가 끊임없이 나를 관찰하고 응원하며 보살피는 상태. 그것이 바로 마음챙김 상태이다.

'도대체 어떻게 마음챙김 수련을 해야 하나' 고민이 될 때마다 나는 좋은 책을 펼친다. 최근에는 스와미 비베카난다의《마음의 요가》라는 책이 도움을 주었다. 이 책은 따스한 구루(guru)이자 위대한 안내자의 언어로 깨달음의 순간들을 그려낸다. 글쓰기 속에서는 우주와 접신이라도 할 것처럼 한없이 다정하고 관대한 내가 왜 일상생활 속에서는 이렇게 실수투성이인지. 이상 속의 나와 현실 속의 나는 왜 이토록 다른지. 그 때문에 자신을 비난하고 책망하곤 했는데, 비베카난다의 가르침 덕분에 나는 유치하고 자제력 없는 '현실의 나'를 토닥이며 '이상적인 나'를 향한 소중한 첫걸음을 시작할 수 있었다.

비베카난다는 말한다. 이상을 품은 사람이 천 번 실수한다면, 이상 없이 사는 사람은 5만 번 실수한다고. 그러므로 이상을 갖는 편이 훨씬 더 좋다고. 우리의 가슴과 뇌와 혈관 속으로 침투하여 모든 핏방울을 자극하고 모든 땀구멍을 적실 때까지. 가슴이 충만해져 입으로 말할 때까지 그리고 가슴의 충만함으로 손이 일할 때까지. 우리는 '이상을 품은 또 하나의 나'에게 귀를 기울여야 한다. 이상을 품고 매일 실수하는 삶이, 이상을 품지 않고 실수조차 부끄러워하지 않는 삶보다 낫다. 푸르른 이상을 안고 살아가면서도 현실에서는 매일 실수하는 우리의 삶이 그래서 더욱 소중하게 느껴진다. 마음챙김 수련은 현실의 나를 이상의 나로 끌어올리는 매일의 몸부림이다. 우리의 이상이 가슴과 뇌와 혈관 속으로 침투할 때까지, 우리의 꿈이 모든 핏방울을 자극하고 모든 땀구멍을 적실 때까지, 이상을 향한 마음의 행진을 멈추지 말아야 한다.

219 TUE

독서의 깨달음

집착 없이 사랑하기

김애란의 소설《달려라 아비》는 부모로부터 정서적 애착을 끊어낸 매우 성숙한 주인공이 등장하여 '진정한 심리적 독립이란 무엇인가'를 생각하게 만든다. 부와 권력을 거머쥔 자들은 '내 자식이니까 내 모든 것을 다 주어야 한다'고 생각하며, 내 자식도 나처럼 모든 것을 다 가진 자, 세상에 무서울 것 없는 존재로 만드는 것이 최종 목표인 것일까. 그들은 사랑과 집착의 경계를 성찰하지 않으며, 사랑이라는 이름으로 모든 부정과 비리를 말끔히 덮어버리려 한다. 그 와중에 멍드는 것은 정직하고 소박하게 아이들을 키우는 부모들, 오직 노력과 진심밖에는 무기가 없는 착한 젊은이들의 마음이다.

이 책에는 집착하거나 연민에 빠지지 않고 건강하게 자식을 사랑하는 멋진 어머니의 이상형이 등장한다. 이 작품을 소리내어 읽으면, 아주 당찬 두 여인이 떠오른다. 아무도 지켜보지 않는 가운데 혼자 가위로 탯줄을 자르며 딸을 낳은 어머니, 그리고 그 어미를 불쌍해하지 않으며 당당히 세상과 맞서 싸워온 총명한 한 소녀의 모습이 떠오른다. 어머니는 택시기사로 일하면서 딸아이를 힘들게 키우지만, 두 사람 사이에는 언제나 은근한 유머와 보이지 않는 배려의 기운이 감돌고 있다. 주인공은 자신이 태어나기도 전에 줄행랑을 쳐버린 아버지의 죽음 앞에서 당황하거나 분노를 느끼지 않는다. 오히려 '가장'이 된다는 것이 너무도 두려워 머나먼 이국 땅으로 도망가버린 못난 아비의 삶을 이해하려 한다.

어머니는 딸에게 자신을 연민하지 않는 법을 가르친다. 아버지 없이 자라는 딸에게 미안해하지도, 딸을 가여워하지도 않는 것. 자기연민 없이 사는 법을 가르쳐준 것이야말로 어머니가 선물해준 최고의 재산이었다. 모든 것을 다 이해해주는 완벽한 관계는 아니지만 언제나 서로에게 당당한 관계. 그것이 모녀가 맺을 수 있는 최고의 관계가 아닐까.

이 작품에 등장하는 어머니는 연민과 집착 없이 딸을 건강하게 키워낸 아름다운 싱글맘으로 독자의 가슴속에 오랫동안 살아남을 것이다. 이 작품을 통해 나는 한 생명을 키워낸 힘, 겉으로 보기엔 지극히 평범해 보이는 한 여인의 위대함을 속속들이 느꼈다. 누군가를 사랑하되 그가 견뎌야 할 세상의 간난신고를 대신 겪어주지는 말자. 누군가를 사랑하되 그 사람의 방패막이는 되지 말자. 아무리 위대한 멘토가 있다 한들, 아무리 훌륭한 대모나 대부가 있다 한들, 마지막 한 걸음은 기필코 자신의 힘으로 건너가야 하기 때문이다.

220 WED 일상의 토닥임 꽃과 나무로 가득한 치유의 공간

가진 적도 없고, 앞으로 가질 수 있는 가능성도 별로 없지만, 그래도 언젠가는 꼭 가지고 싶은 것이 있다. 내게는 그런 불가능한 갈망의 대상이 바로 아름다운 정원이다. 여행마니아가 되고 나서는 정원을 향한 열병이 더 심해졌다. 아름다운 도시에는 꼭 그에 걸맞은 정원이 있었다. 셰익스피어의 고향 스트랫포드 어폰 에이번의 수많은 정원, 헤르만 헤세가 직접 가꾼 몬타뇰라의 정원, 모네의 안식처 지베르니에 있는 화가의 정원에 이르기까지. 아름다운 장소들은 그에 꼭 어울리는 최고의 정원으로 기억되었다.

에밀리 디킨슨은 자신의 시 자체가 머릿속에서 피어난 꽃이라고 생각했다. 루소는 정원 가꾸기의 즐거움을 통해 자신을 비난하는 수많은 논객의 공격으로부터 자신을 보호할 내면의 안식처를 찾았다. 우울증을 심하게 앓았던 버지니아 울프는 남편이 가꾸는 정원을 거닐 때만큼은 더없이 행복한 표정을 지었고, 심한 천식을 앓았고 하루 중 대부분의 시간을 방 안에 은둔하며 글을 썼던 프루스트는 분재를 수집하며 자신의 방 안에 광활한 숲을 초대한다. 그렇게 자연의 경이와 신비를 정원에서 얻는 데 성공했던 수많은 철학자, 작가, 예술가들은 하나같이 정원을 무한한 영감의 원천으로 삼았다.

에밀리 디킨슨에게 정원은 고난으로 가득 찬 일상으로부터의 도피처였다. 아버지의 장례식에도 참석하지 않고 방문을 살짝 열어놓아 장례식에 귀를 기울이는 것으로 애도를 대신했던 이 은둔형 예술가가 온 마음을 다해 기꺼이 손발에 흙을 묻혀가며 일한 공간이 바로 정원이다. 사람들은 그녀가 인간혐오증을 앓고 있거나 사회 부적응자라고 생각했지만, 그녀는 정원을 가꾸며 꽃과 나무와 나누는 대화만으로도, 만남 대신 수많은 손편지를 나누었던 사람들과의 인간관계만으로도 충분했던 것이다.

정원을 언젠가는 가져야만 하는 그 무엇으로 생각하는 것은 내 안의 뿌리 깊은 소유욕이었다. 모두가 즐길 수 있는 '시민의 정원'을 부지런히 찾아다니는 것도 정원을 가꾸는 기쁨 못지않다. 정원을 소유하는 것이 아니라 점유하는 기쁨, 정원을 즐기기만 하는 것이 아니라 정원을 가꾸는 노동과 책임을 생각하는 것이야말로 '나의 정원바라기'에 결여된 관점이었다. 정원을 소유하지 못해도 좋다. 내가 본 모든 정원이 일종의 환상적 콜라주를 이루어 내 마음속에서는 이미 또 하나의 월든으로 내면의 정원 조경이 완성되었다. 그 아름다운 내면의 월든 속으로, 삶에 지친 당신을 초대하고 싶다.

221 THU  사람의 반짝임

소로, 희망의 메신저

20대를 위한 인문학 강연을 시작할 때 나는 이런 질문을 했다. "여러분, 둘 중에 어떤 걸 고르고 싶으세요? 첫째, 기대에 가득 차서 언제든지 실망할 가능성이 있는 삶, 둘째, 아무런 기대도 하지 않아서 실망조차 할 필요가 없는 삶." 젊은이들은 잠시 헷갈리는 표정을 지었다. 첫 번째 삶은 실망할 가능성이 높은 대신, 기대에 가득 차 활기차고 열정적으로 살 수 있는 원동력을 얻을 수 있다. 두 번째 삶은 실망할 가능성이 낮은 대신 쉽게 무기력해지고 시니컬해지며 '내가 뭘 할 수 있겠어, 꿈을 이뤄봤자 뭐가 좋겠어'라는 식의 부정적인 태도로 치닫기 쉽다. 어떤 젊은이는 '머리'로는 첫 번째 삶을 택하고 싶지만, 실제로는 두 번째 삶, 즉 기대도 희망도 없는 삶에 가까워져서 두렵다고 했다. 나는 20대 시절 두 번째 삶, 즉 기대도 희망도 없는 삶이 '훨씬 편하다'고 생각했고, 그 어리석음 때문에 너무 오랫동안 고통받았다고 털어놓았다. 여러분은 절대로 그런 삶을 택하지 말라고, 마음껏 절망하고 얼마든지 실패해도 좋으니 제발 희망과 기대를 잃지 않는 삶을 살아달라고 부탁했다.

우리는 본래 희망과 믿음을 가지도록 설계되었지만 온갖 실패와 타인의 시선 때문에 '기대 자체를 낮추는 쪽'으로 선회하게 된다. 나는《소로의 야생화 일기》를 읽으며 그에게 배워야 할 것이 바로 '믿음과 기대를 잃어버리지 않는 태도'임을 알게 되었다. 소로는 홀로 콩코드의 울창한 숲을 탐사하며 야생화를 관찰하는 식물학자이기도 했다. 어떤 꽃이 매년 어느 날짜에 다시 피어나는지를 마치 은행 장부 관리하듯 정확하게 기록하는 것을 인생의 낙으로 삼았던 그에게는 아무리 혹독한 겨울이 지속되어도 '언젠가는 봄꽃이 피어나리라는 희망'이 절실했다.

그는 하버드 출신의 엘리트였지만 친구들처럼 성공 가도를 달리는 대신 숲속의 현자로 홀로 살아남는 길을 택한다. 그가 괴짜여서가 아니라 '자연과 함께하는 삶'이야말로 스스로의 욕망에 치여 질식사할 위험에 처한 욕심꾸러기 인류를 구원할 수 있는 힘임을 일찍이 깨달았기 때문이다. 소로는 밤이 아무리 길고 무서워도 반드시 새벽이 올 것이라는 기대감을 잃지 않았으며, 겨울이 아무리 혹독해도 이듬해 봄에는 반드시 그가 사랑하는 야생화가 피어날 것을 믿음으로써 고독을 견뎌낸 것이다. 그에게는 도시인에게는 보이지 않는 것, 이를테면 숲속에서는 매일매일, 심지어 매시간 꽃들의 표정과 나무의 빛깔이 다르다는 사실이 보였을 것이다. 그 경이로운 자연의 디테일을 바라보며 매번 경탄하는 마음, 아무리 힘들어도 기대하고, 희망하고, 기다리는 마음이야말로 누구도 빼앗을 수 없는 소로의 순수였으며, 그를 아름다운 숲속의 현자로 만든 원동력이 아니었을까.

222 FRI 영화의 속삭임 무엇이 그녀를 괴물로 만들었는가

주인공 에이미의 실종으로 시작되는 영화 〈나를 찾아줘〉는 '한 인간을 괴물로 만드는 힘이 무엇인가'를 묻게 만든다. 에이미는 철저히 계획적으로 남겨둔 일기에서 자신을 '남편의 손에 살해된 불쌍한 여자, 게다가 임신까지 한 채로 남편에게 버림받은 여자'로 그린다. 그를 위해 자신이 납치되는 정황, 자신이 남편이 휘두른 둔기에 맞아 엄청난 양의 피를 흘린 흔적까지 조작해낸다. 도대체 무엇이 그녀를 이토록 참혹한 괴물로 만들었을까. 일차적으로는 부모의 책임을 물을 수 있다. 아동심리학자인 부모는 모든 면에서 뛰어난 외동딸 에이미를 어린 시절부터 '상품'으로 만든다. 부모가 쓴 동화책 속의 '어메이징 에이미'는 매번 '실제 삶에서의 평범한 에이미'를 앞질러갔다. 그녀가 아무리 용을 써도 엄마, 아빠가 창조해낸 그 '어메이징 에이미'의 발끝에도 미치지 못했다. 부모는 딸을 상품화해 엄청난 수익을 올렸고, 딸이 자신들의 기대를 저버릴 때마다 '소설 속의 에이미'를 승승장구하게 만듦으로써 기이한 대리만족을 즐긴다.

에이미는 언론플레이를 통해 처음에는 아이를 가진 채 남편에게 학대당하는 비련의 여인으로, 나중에는 스토커로부터 강간당한 후 그를 '정당방위'로 죽인 영웅으로 자신을 화려하게 포장해 미디어에 전시한다. 과열된 취재 경쟁이 없었다면, 열광하는 대중이 없었다면 '어메이징 에이미'는 없다. 에이미를 무서운 소시오패스로 완성한 일등공신은 바로 '미디어가 지배하는 세상, 유명해질 수만 있다면 어떤 불이익도 감수할 수 있는 세상'이었다. 에이미의 남편 닉은 배 속의 아이 때문에 아내를 떠날 수 없다고 말하지만, 본질적인 이유는 그가 '평범한 여자'와 살아갈 수 없기 때문이다. 대중은 그녀가 소시오패스라는 사실을 모르며, 그녀가 '더 큰 거짓말'을 할수록 그 화려한 입담과 현란한 이미지에 현혹된다. 그녀는 자기 거짓말의 노예가 됐고, 부모가 만들어낸 '어메이징 에이미'라는 상품을 넘어서서 스스로 창조한 '괴물 에이미'가 된다. 그녀는 남편은 물론 배 속의 아이까지 저널리즘의 상품으로 만든다.

그들이 재산을 잃거나 명성을 잃는 것보다 더 나빴던 것은 그들의 분노가 결국 자신들의 가장 소중한 무엇을 점점 잃게 만든 것이다. 분노가 인간을 파괴할 때 가장 무서운 것은 본래 있었던 좋은 것들, 가장 빛나는 것들을 말살해버린다는 점이다. 분노는 사람에게서 무언가를 끊임없이 빼앗아간다. 당신을 분노하게 만드는 사람이 바로 당신을 정복하는 것이다. 무언가를 향한 끝없는 집착, 그것은 인간은 괴물로 만든다. 그들이 오직 '사랑'만으로 충분했다면, 더 많은 것을 소유하기 위해 집착하지 않았다면, 결코 서로를 통제하며 감시하는 무시무시한 부부관계로 전락하지 않았을 것이다.

223 SAT

그림의 손길

자유를 꿈꾸는 전사, 아라크네

자신의 재능과 열정 속에서 비로소 자유를 찾는 캐릭터, 내가 가장 좋아하는 인물들의 공통점이다. 그리스 신화 속 아라크네야말로 나의 이상형이다. 아라크네처럼 신의 협박조차 두려워하지 않고 자신의 길을 걸어가는 존재가 되고 싶다. 아라크네의 태피스트리는 여성의 숙명적 노동이 아니라 금지된 자유를 향해 끝없이 도전하는 위대한 예술적 무기였다. 베틀의 달인이었던 아라크네는 자기가 여신 아테나보다 아름다운 직물을 짤 수 있다고 호언장담하고, 이를 알게 된 아테나는 노파로 변장해 아라크네의 실력을 엿본다. 벨라스케스의 〈직녀들: 아라크네의 우화〉(1657)가 묘사하는 대목은 바로 노파로 변신한 화면 왼쪽의 아테나가 오른쪽의 젊은 여인 아라크네의 베틀 솜씨에 감탄하는 장면, 그러니까 자신을 뛰어넘는 아라크네의 솜씨를 확인하는 장면이다. 오비디우스의 《변신이야기》에서 신에게 겁 없이 도전한 아라크네에게 대노한 아테나는 아라크네를 거미로 변신시켜 '평생 거미줄이나 짜라!'는 저주를 내리지만, 화가들은 예술가의 입장에서 아라크네의 반란을 은근히 옹호한다.

벨라스케스의 그림에는 화면 뒤쪽에 제우스가 에우로파를 납치하는 장면을 태피스트리로 만들어낸 아라크네의 신출귀몰한 솜씨가 희미하게 그려져 있다. 아라크네는 최고의 신 제우스의 악행을 폭로함으로써 그의 딸인 아테나의 심기를 불편하게 했다. 아라크네는 예술에는 성역이 없다는 것, 신들조차 인간의 예술에는 개입할 수 없다는 점을 주장한 최초의 여성이자 예술가가 아니었을까.

이 그림은 액자 구성을 하고 있어 더욱 흥미롭다. 아라크네와 아테나의 유례없는 '신과 인간의 대결'이 화면 앞쪽을 위태로운 분위기로 가득 채우고 있고, 무대 위쪽에는 이미 완성된 아라크네의 걸작이 희미하게 가로놓여 있다. 에우로파를 강간하는 제우스의 악행을 고발하는 태피스트리는 '신들의 질서' 전체를 위협하는 행동이었기에 아테나는 분기탱천했다. 더욱이 아라크네의 솜씨가 자신보다 낫다는 것을 눈앞에서 확인했기에 분노는 극에 달한다.

아라크네는 비록 거미가 되어버렸지만, 이 이야기에서 '인간의 오만'을 꾸짖는 교훈을 얻기보다 '예술가의 담대한 자유'를 이끌어내는 화가들의 시선이 우리를 더욱 흥분하게 한다. 우리는 아라크네의 도전을 통해 신조차 예술가의 창조적 열정을 막을 수 없다는 것을 배운다.

224 SUN 대화의 향기 밀당과 집착으로부터의 자유

커플뿐 아니라 친구 사이에서도 '밀당'이 존재한다. 심리학에 관련된 수업을 하다 보면 재미있는 질문을 많이 받는데, 한번은 이런 질문 때문에 당황한 적이 있다. "인간관계에서 밀당은 필요한가요?" 기억을 돌이켜보니 나는 '밀당'에 소질이 없고 '눈치'도 별로 없기 때문에 오히려 상처를 덜 받았다. 밀고 당기기에 에너지를 쓰지 않았고, 눈치 보느라 머리를 쓰지도 않았기에, 있는 그대로의 나인 채로 살아갈 수 있었다. 인간관계에서 가장 소중한 무기는 밀고 당기기가 아니라 항상 투명한 진심이다. 밀당으로 꾸미거나 계산할 필요가 없는, 그저 해맑은 진심.

누구나 밀당을 즐기는 것은 아니다. 오히려 밀당을 괴로워하는 사람들이 훨씬 많다. 연인 관계가 아니더라도, 일 때문에 만나는 사이이거나 가족 관계에서도 밀고 당기기가 있다. 바로 '이렇게 하면 저 사람이 어떻게 나올까?' 하고 실험해보는 순간이다. 그것이 정말 관계를 유쾌하게 만들기 위한 장난이라면 문제가 없지만, '내가 이렇게 하면 상대가 어떻게 나올까'라는 식의 사고방식이 계속 유지된다면, 그것은 상대를 시험에 빠뜨리는 것이다.

밀당 없이도 사랑하고, 밀당 없이도 좋은 인간관계를 유지하는 법. 그것은 다른 사람이 나를 어떻게 생각할까'에 지나친 관심을 두지 않는 것이다. 누가 나를 어떻게 생각할지, 너무 계산하고 불안해하지 말자. 밀당 없이도 사랑하는 법, 밀당 없이도 서로를 배려하고 인정하고, 더 많은 칭찬과 더 깊은 따스함으로 서로를 감싸주자.

물질이나 노동으로 마음을 표현하려 하지 말고, 그냥 '당신과 잘 지내고 싶다'는 마음을 따뜻하게 표현해보자. 물질과 노동으로 마음을 표현하려 하면, 나이가 어린 쪽이나 사회적 약자 쪽이 상처받을 일이 생기곤 한다. 그저 담백하게 '잘 지내고 싶은 마음'을 표현해보자. 일단 반갑게 인사하고, 먼저 자연스럽게 웃고, 점심 맛있게 드셨냐고 묻는 것처럼, 아주 작은 말과 몸짓만으로도 관계는 부드러워질 수 있다.

가장 중요한 것은 '누구에게나 내 가장 따뜻한 진심'을 보여주는 것은 나를 위한 최고의 선(善)이라는 점이다. 그건 결코 손해가 아니다. 나 자신이 좋은 사람이 되는 일이니까. 밀고 당기기 없이, '내가 너에게 이렇게 잘해줬는데'라는 계산도 없이, 나의 진심이 제대로 전해지기만을 꿈꾸는 것이 나의 유일한 비결이다. 가끔 실패하지만, 밀고 당기기의 복잡한 고통에 비하면 후회 없이 진심으로 다가가고 상처받는 것이 낫다. 이제는 기브 앤 테이크의 계산형 관계가 아닌, 아무리 주어도 아깝지 않은 관계, 주면 줄수록 오히려 더 내 자신이 크고 깊은 존재가 되는 그런 관계를 꿈꾼다.

225 MON

심리학의 조언

누구에게도 빚지지 않는 삶의 행복

행복은 최고의 치유제다. 행복한 감정을 언제 어디서라도 느낄 수 있는 길을 안다면, 상처를 치유하는 길은 결코 멀리 있지 않다. 더 많이 소유하고 더 빨리 목표를 향해 달려가는 행복이 아니라, 더 느리고 더 소박한 북유럽식 행복의 가치에 대한 관심이 높아지면서 나에게는 중요한 관점의 변화가 찾아왔다. 행복을 '외적 조건'의 문제가 아니라 '내적 자율'의 문제로 바라보게 된 것이다. 예컨대 음식을 통해 누리는 기쁨을 바라보는 관점이 바뀌었다. 이름난 맛집이나 멋진 레스토랑에서 느끼는 '완성된 맛'과 '최고의 서비스'를 향한 동경보다는 '서툴고 어설프더라도, 내가 집에서 뚝딱뚝딱 만드는 요리'를 즐기는 기쁨이 더 오래, 더 자주 지속가능한 행복의 가능성이 아닐까. 진정한 행복은 '탁월함'이나 '여유로움'에서 오는 것이 아니라, '내가 내 삶을 내 손으로 바꿀 수 있다'는 자율성의 믿음으로부터 우러나온다.

《우리는 미래에 조금 먼저 도착했습니다》의 저자 아누 파르타넨은 핀란드에서 태어나 미국인과 결혼하여 미국으로 이주하게 되면서 자신이 당연하다고 믿었던 가치관이 붕괴되는 것을 느꼈다. '내 삶을 온전히 책임질 수 있는 사람이 되어야 한다'는 가치관을 어린 시절부터 체득한 핀란드인들과 달리, 미국인들은 대학등록금과 생활비와 보험료까지 부모에게 의존하고, 중년이 되어서는 늙고 병든 부모님을 보살피느라 엄청난 에너지를 소모한다는 것을 발견한 것이다. 이런 가족 간의 절대적 의존 상태는 안정감과 편안함보다는 심각한 부담감과 장기적 스트레스를 초래한다. 사회적 안전망이 극도로 취약한 상태에서 개인의 능력에만 모든 책임을 떠넘기는 미국식 자본주의의 폐해는 결국 성인이 되어서도 자신의 삶을 온전히 살아낼 수 없는 불행하고 의존적인 개인을 양산해낸다. 한국식 자본주의는 이보다 더 심각하게 가족간의 의존관계를 형성해왔다. 부모라는 이유로, 자식이라는 이유로, 우리는 너무 많은 책임을 져야 하며, 그 부담을 힘들게 여기는 것조차 누구에게도 고백하기 힘들다.

북유럽 라이프의 핵심 개념은, 진정한 사랑과 우정은 독립적이고 동등한 개인들 사이에서만 가능하다는 가치관을 아주 어린 시절부터 몸과 마음에 새기는 것이다. 누구에게도 빚지지 않는 삶, 어떤 서비스와 기업에도 자신의 행복을 의탁하지 않는 삶, 그것이야말로 나의 행복과 나의 사랑을 내 손으로 만들어가는 북유럽 라이프의 시작이자 끝이다. 나를 최고로 행복하게 해주는 사람은 바로 나 자신이다. 이 믿음을 되찾는 것이야말로 자기 치유의 시작이다. 의존으로부터의 완전한 해방이 행복의 시작이다.

226 TUE  독서의 깨달음 그들도 나처럼 아프고 외로웠다

어떡하지? 아직도 난 안정적이지 않구나. 언제쯤 전업 작가가 될 수 있을까. 작가가 된 지 15년이 지났지만, 여전히 걸핏하면 빠져드는 고민이다. 작가로서의 안정감은 경제적인 문제에만 국한되지는 않는다. 경제적인 문제에서 어느 정도 벗어난 뒤에도, '작가라는 존재 자체의 불안'은 사라지지 않았다. 직장이 없는 자유직의 불안뿐 아니라 '과연 내가 내 길을 맞게 걸어가고 있는 것일까'라는 원초적인 불안은 아마도 죽을 때까지 사라지지 않을 것 같다.

《밥벌이로써의 글쓰기》는 '작가와 안정된 삶'의 문제, 즉 '직업으로서의 작가'라는 현실적인 문제에 대한 수많은 작가들의 다양한 입장을 들려준다. 유명한 베스트셀러 작가들조차 알고 보면 엄청난 경제적 어려움을 거의 빠짐없이 겪었던 사람들이라는 사실, 또 그들 중 대부분이 전업작가가 아니라 카피라이터, 강사, 책이나 잡지 편집, 또는 목수 같은 글쓰기와 전혀 상관없는 일을 겸업하고 있다는 사실이 커다란 위안을 준다. 미용실 갈 돈이 없어 직접 머리카락을 자른 작가의 이야기, 베스트셀러 작가가 되었음에도 불구하고 아직 인세가 지급되지 않아 집세를 내지 못하고 카드빚에 허덕여야 했던 작가의 이야기, 대필작가 또는 유령작가라는 자존감을 위협하는 일까지 해야 했던 작가들의 이야기. 이 모든 현장감 넘치는 실화들은 바로 지금 이 자본주의 세계에서 '글을 써서 먹고 산다는 것'이 얼마나 어렵고 힘든 일인지를 온몸으로 증언해준다. 하지만 그들이 입을 모아 말하는 뜨거운 진실은 하나다. 어떤 급박한 상황에서도 '나는 좋은 글을 쓰고 싶고, 쓸 수 있으며, 반드시 쓸 것이다'라는 믿음을 포기하지 않았다는 것이다.

이 책은 단지 제목처럼 '밥벌이로써의 글쓰기'만을 말하는 것이 아니라, 수많은 차별과 불평등이 존재하는 자본주의 사회에서 여성 작가로 살아남는다는 것, 동성애자 작가나 유색인종 작가로서 백인 남성 중심의 문단에서 소외당하며 살아간다는 것에 대한 진지한 성찰을 담고 있다. 꿈과 생계, 창작과 출판, 예술성과 상업성, 그리고 지금 해야 하는 일과 앞으로 하고 싶은 일 사이의 간극. 이 모든 것들이 결국 글쓰기를 꿈꾸는 사람들이 끊임없이 마주해야 할 자기 안의 전투다. 나는 이 힘겨운 글쓰기의 과정을 진심으로 사랑하고 있다. 다른 사람들을 기쁘게 해주기 위해 나답게 살기를 포기하는 '피플 플레저(people pleaser)'같은 작가가 되기는 싫다. 누가 뭐래도 내가 마음 깊이 원하는 글쓰기, 내가 먼저 나를 행복하게 해줄 수 있는 글쓰기로 이 무시무시한 정글의 법칙 속에서도 꿋꿋하게 살아남고 싶다.

227 WED 일상의 토닥임

소박한 행복의 의미를 가르쳐주는 공간

마로니에 공원 근처의 첫 번째 매력. 그것은 무엇보다도 마로니에가 '기다림'에 어울리는 공간이라는 점이다. 누군가를 하루 종일 기다려도 지루하지 않을 정도로 주변의 사물들이 끊임없이 말을 걸어준다. 날씨가 너무 춥거나 덥지 않다면 마로니에 공원은 한없이 누군가를 기다려도 힘겹지 않은 곳이다. 거리 공연을 하는 가수의 노랫소리를 들어도 좋고, 비보이들의 즉흥적인 댄스를 구경해도 좋고, 집회를 구경해도 좋고, 배드민턴을 치는 사람들을 구경해도 좋다. 무엇보다도 내가 무엇을 하든 별로 눈치 보이지 않는 공간이니 타인의 시선을 그다지 신경쓰지 않아도 좋다는 점이 좋다.

마로니에 근처의 두 번째 매력. 이곳은 '첫 번째 데이트'를 하기에 좋은 곳이다. 물론 이것은 지극히 주관적인(?) 경험이긴 하지만, 첫 데이트 장소를 물색하느라 골머리를 앓는 사람들이 있다면 나는 마로니에 공원을 추천하고 싶다. 첫 만남은 어색하고 쑥스럽기 마련이므로 주변의 모든 사물이 친절한 참고문헌이 되어주는 것이 좋지 않을까. 공연 포스터도 많고, 다양한 구경거리도 있으며, 무엇보다도 다채로운 사람살이의 풍경이 따로 또 같이 어우러져 있는 곳이기에 이곳은 '대화 거리'가 풍부하다. 서먹함을 견디기 어려울 때마다, 그 어색한 순간에 수많은 타인의 숨결이 끼어든다. 천막을 친 사주까페로 삼삼오오 들어가는 연인들, 초상화를 그리는 화백들, 공연을 선전하는 사람들이 수많은 화젯거리를 던져주니 말이다. 마로니에 곳곳에 둥지를 튼 수많은 예술가의 열정은 사랑이 시작하는 순간의 설렘을 더욱 증폭시킨다. 저 사람들도 우리처럼 인생에 있어서 가장 중요한 순간을 통과하고 있구나. 이렇듯 수많은 삶의 화두가 꿈틀대는 마로니에 공원은 첫 데이트를 시작하기에 더없이 이상적인 곳이 아닐까.

마로니에 주변의 세 번째 매력. 나는 이것이 가장 마음에 드는데, 바로 아무 일 없이 어슬렁거리기에 좋은 곳이라는 점이다. 데이트도 없고 기다리는 사람도 없는 날에도, 마로니에 근처는 무작정 산책 나가기에 좋은 곳이다. 테헤란로나 여의도 증권가를 혼자 하루 종일 어슬렁거렸다가는 '이상한 사람' 취급받기 딱 좋겠지만, 마로니에 공원 근처는 하루 종일 뱅글뱅글 돌며 똑같은 낯선 사람을 여러 번 마주쳐도 어색하지 않은 곳이다. 텔레비전에서 자주 보는 문화예술인들을 우연히 마주쳐도 나도 모르게 지인을 만난 듯 자연스럽게 '안녕하세요'라고 인사하게 되는 편안함이 마로니에의 매력이다. 아무것도 사지 않아도, 아무런 목적도 굳이 충족하지 않아도 되는 자유로운 야외공간이야말로 서울에 가장 부족한 공간이 아닐까. 정해진 목적도 아무런 실용적 이유도 없이 끊임없이 거닐어도 좋은 곳, 마로니에 같은 '무비용 무부담'의 공간이 서울에 더 많아졌으면 좋겠다.

228 THU 사람의 반짝임 프시케, 인간의 한계를 넘다

프시케는 에로스와 사랑에 빠졌을 때 마치 자신의 존재 자체가 갈가리 찢기는 듯한 고통에 빠진다. 하지만 한 번도 경험해본 적 없는 눈부신 환희도 동시에 느낀다. 내가 다른 존재가 될 수 있을 것만 같은 예감, 내가 나의 한계를 뛰어넘어 완전히 다른 존재가 될 수 있다는 엄청난 자신감이 바로 내가 프시케에서 배우고 싶은 사랑의 에너지다. 그런 의미에서 나를 파괴하는 사랑이 아니라 나를 새롭게 창조하는 사랑이야말로 프시케가 내게 가르쳐준 사랑의 힘이다. 그런데 문제는 나를 새롭게 창조하는 과정에서 필연적으로 나를 파괴할지도 모르는 힘과 싸워야 한다는 점이다. 죽음조차 불사한 위험 속으로 자신을 던지는 프시케의 마음속에는 '이 사랑은 분명 이렇게 나를 던질 가치가 있다'는 믿음이 있었을 것이다.

넘어진 아이가 혼자 일어날 수 있도록, 도와주고 싶은 마음을 누르고 아이가 혼자 일어서는 것을 지켜보는 마음으로, 그렇게 고통에 빠진 사람을 내버려둬야 할 때가 있다. 프시케가 에로스를 잃고 절망에 빠져 있을 때 그녀가 그를 다시 찾기 위해 거쳐야 한 모든 통과의례. 바로 그런 시험의 순간들이 우리가 반드시 혼자 겪어내야 할 운명의 터닝 포인트들이다. 우리는 그렇게 '여성'이 되고, '어른'이 되고, 그리고 사랑하는 사람들에게는 '여신'이 되기도 한다. 프시케는 자신 앞에 던져진 '운명'과 싸우고 또 싸움으로써 진정한 자기 자신이 되었다. 그것은 신의 자리에 오르는 것보다 중요한 사명, 즉 진정한 셀프와 만나는 길이 아니었을까.

프시케가 평범한 '여성'에서 '여신'이 될 수 있었던 것은, 단순히 자아실현에 성공했기 때문이 아니라 자신의 고통스러운 삶을 바꾸고 나아가 타인의 고통까지 치유할 수 있는 여성적 에너지, 곧 성공만을 추구하는 사람에게 결여되기 쉬운 아니마의 실현에 성공했기 때문이다.

프시케는 마침내 자신의 행복을 스스로 쟁취해낸 것이다. 에로스는 신이고 프시케는 인간이니, '인간인 나=프시케'는 결코 신과 맺어질 수 없다고 포기를 해버렸다면, 우리는 이토록 아름다운 신화의 주인공 프시케를 만날 수 없었을 것이다. 목숨을 건 모험에 자신을 기꺼이 던지면서도 동시에 자신을 지킬 수 있는 강인한 힘을 예비할 때 우리는 프시케처럼 마침내 나 자신을 뛰어넘는 존재가 될 수 있다.

229 FRI 영화의 속삭임 영원히 만족을 모르는 존재의 슬픔

허영의 대명사, 보바리 부인은 소설 속 주인공과 닮은 삶을 그토록 살고 싶어 했지만, 실제로는 사람들이 결코 닮고 싶어 하지 않는 소설 속 주인공의 대명사가 되었다. '나는 보바리 같은 여자가 아니에요'라는 말은 보바리처럼 허영과 싸구려 낭만에 빠지지 않겠다는 여성의 독립 선언처럼 들린다. 하지만 동시에 그녀는 '난 저렇게는 되기 싫어, 하지만 저 여자에게서 눈을 뗄 수가 없네'라고 생각하게 만드는 주인공이다. 시대를 초월해 보바리 부인이 잃지 않은 매력은 바로 그 대목, '절대로 닮고 싶지 않지만, 자꾸만 눈을 돌리게 되는' 그를 향한 독자의 부끄러운 쾌감(guilty pleasure)에 있다.

보바리에 대한 가장 일반화된 비판은 그녀가 '자기 아닌 것들'로 자기를 만든다는 것이다. 즉 보바리는 자신의 욕망이 아니라 소설 속 여주인공들을 통해 진정한 삶을 갈망한다는 것, 그녀의 망상이 그녀의 현실을 파괴해버렸다는 비판, 오직 '나는 내가 아니라 다른 사람이다'라는 환상 속에서만 행복할 수 있기에 평생 진정한 자아를 발견하지 못했다는 비판. 그러나 '다른 사람이 되는 상상'이야말로 보바리가 발굴하고 실현한 인간 존재의 무한한 가능성이기도 하다. 평생 '자기' 안에만 머무는 것이 아니라 '타자'가 된다는 상상 속에서 또 다른 내가 될 수 있다는 것이야말로 인간의 무한한 가능성 아닐까. 보바리가 상상한 '나이고 싶은 타자'가 다양하지 못했음은 문제가 될 수 있지만 보바리가 '타자를 꿈꾸는' 것은 지극히 자연스러운 인간의 본성 아닐까.

보바리 부인을 둘러싼 또 하나의 스캔들은 단지 불륜이나 외설 때문이 아닌, 보바리 부인의 가열찬 '쇼핑 중독'이다. 보바리 부인이 비소를 먹고 자살하는 직접적인 이유도 엄청난 쇼핑으로 인해 눈더미처럼 불어난 빚이었다. 아무리 새로운 사랑으로 채워도 채워지지 않는 욕망처럼, 물건을 향한 욕망도 그랬다. 보바리가 '현대인의 초상'이라고 불리는 이유 중 하나는 그치지 않는 구매욕과 그녀의 또 다른 트레이드마크인 '피할 수 없는 권태' 때문일 것이다. 언제나 새로운 사건이 일어나기를, 자신에게 로맨스 소설 같은 아름다운 사건이 일어나기를 기다리지만, 그녀의 간절한 기다림의 속도를 실제 세상은 따라줄 수 없다. 보바리는 분명 투쟁하고 있었다. 행복을 위해. 더 나은 삶을 위해. 여자의 욕망을 향해 굳게 닫혀 있는 사회를 향해 투쟁하는 그녀의 삶은 비극으로 끝나지만, 그녀의 질문은 여전히 유효하다. 스스로 행복을 추구할 권리, 그것을 가로막는 사회와 우리는 어떻게 싸워야 하는가. 이것이 보바리가 여전히 우리에게 던지는 화두가 아닐까.

230 SAT  그림의 손길

사랑에 숨은 온갖 욕망의 비밀들

브론치노의 〈미와 사랑의 알레고리〉(1545)는 '사랑이란 무엇인가'의 대한 모든 해답을 담고 있는 그림이다. 브론치노는 사랑을 '욕망'의 관점에서 바라보고 있는데, 그것이야말로 브론치노의 그림이 지닌 혁명성이다. 1545년에 이 그림이 나왔다는 사실을 감안하면, 브론치노의 그림은 '사랑에 숨어 있는 욕망의 본질'을 포착해 낸 매우 진보적인 그림이라 할 수 있다.

이 그림에는 사랑의 가장 추악한 면과 사랑의 가장 아름다운 면이 모두 담겨 있다. 큐피드와 비너스가 장난스럽게, 그러나 도발적으로 키스를 나누고 있는 장면은 관람자의 눈길을 한눈에 빨아들인다. 금지된 쾌락, 사악한 욕망, 불길한 도발이 동시에 느껴지는 이 그림 앞에 서 있으면, 이 작품의 제목에 '알레고리'가 붙어 있는 이유를 곰곰 생각하게 된다. 비너스는 한 손에는 큐피드의 화살을 들고 있고 한 손에는 사과를 들고 있다. 큐피드의 화살은 '사랑의 향방'을 놀이로 결정하는 신들의 애꿎은 장난기가 느껴지고, 사과에는 이보다 훨씬 풍부한 상징이 따라붙는다. 이브의 선악과로서의 사과라면 이 사과는 '욕망'과 '지식'을 상징할 것이고, 트로이 전쟁에서 여신들끼리의 다툼의 도화선이 된 사과라면 '전쟁'과 '불화'를 상징할 것이다. 어느 쪽이든 사과는 '갈등'을 불러일으키는 방아쇠가 되었다.

꽃잎을 던지며 미소 짓는 어린아이는 '희롱'이나 '농담'을 뜻하고, 가시를 밟고 있으면서도 아픈 기색을 보이지 않는 어린아이는 '어리석음'을 나타낸다고 한다. 어여쁜 얼굴로 화사하게 미소 짓는 소녀는 '기만'을, 괴로운 표정으로 절규하는 듯한 노파는 '질시'를 상징한다. 그런데 이 미소 짓는 소녀의 모습이 독특하다. 꼬리는 뱀의 형상이고, 발은 사자의 형상이며, 한 손에는 심장을 들고 있고, 한 손에는 가면을 들고 있다. 상대의 심장을 쥐락펴락하는 여인, 상대의 마음을 휘어잡기 위해 천변만화한 변장술을 활용하는 여인의 복잡한 내면이야말로 사랑이 지닌 또 하나의 본질, '기만'일 것이다. 모래시계를 등에 지고 있는 남성은 시간, 즉 크로노스를 상징한다고 한다. 사랑에는 이토록 많은 얼굴이 있지만 그 어떤 화려한 변장술도, 복잡한 심리전도 '시간' 앞에서는 무력하다는 의미일까. 이 그림은 오래도록 그림 앞에 서성이며 '사랑의 수많은 얼굴'을 떠올리게 만드는 마력을 지녔다.

231 SUN 대화의 향기 스트레스 완화 훈련

"작가님은 어떻게 스트레스를 푸시나요?" 강연이나 메일을 통해 자주 받는 질문이다. 그만큼 많은 사람들이 스트레스를 푸는 방법을 찾고 있는 것 같다. 나의 방법이 너무 소박하고 단순해서 과연 도움이 될까 걱정스러웠지만, 내가 이런 대답을 했을 때 독자들의 반응은 의외로 따스했다. 스트레스를 푸는 방법이 그리 멀리 있지 않다는 생각 때문이었다.

스트레스를 풀기 위해 가장 자주 쓰는 방법은 내 마음에 꼭 맞는 책을 찾아 읽는 것이다. 그런 사소한 것으로 과연 스트레스가 풀릴까 싶지만, 나에게는 여전히 최고의 스트레스 해소법이다. 온 마음을 다해 책을 읽을 수 있다면, 나는 아무리 힘들어도 '아직 살아 있다'는 느낌이 든다. '내가 이래서 책을 읽는 거구나' 하는 순간이 있는데, 그건 바로 남들에게 참 잘도 숨기고 살았던 감정을, 책 속의 문장을 통해 화들짝 들켰을 때다. 그렇게 숨겨진 내 마음의 후미진 구석을 툭툭 건드리는 책들을 보면, 짜릿한 쾌감을 느낀다. 무엇보다도 '나 자신으로 돌아오는 느낌'을 주는 책들이 좋다. 하루 종일 바깥에 있다 보면 나도 모르게 어떤 상황에 맞추어 '연기'를 하고, '감정노동'을 할 때가 많다. 집에 돌아와 비로소 책을 펼치면, 그제야 나 자신으로 돌아오는 느낌이 든다. 그 느낌이 참으로 소중하다.

두 번째 비결은 '작가의 흔적을 따라가는 여행'이다. 가장 기억에 남는 예술 기행은 빈센트 반 고흐 투어였다. 무려 10여 년에 걸쳐 매년 조금씩 고흐의 흔적을 따라가는 여행을 했고, 그 결과를 책으로도 냈으니, 내 삶을 바꾼 여행이기도 했다. 처음에는 빈센트 반 고흐의 인생에 중요한 전환점이 되었던 몇 개의 도시만 갈 예정이었는데, 점점 작은 지방까지, 관광지로서는 전혀 매력이 없는 작은 시골 마을까지 가보게 되었다. 그러면서 미술에 대한 관심도 늘어났는데, 예술의 아름다움은 반드시 우리를 더 나은 존재로 만든다는 것을 깨달을 수 있는 아름다운 여행이었다.

세 번째 비결은 '소리와 친해지는 활동'인데, 음악을 연주하거나 듣는 것, 또는 소리 내어 글을 읽는 낭독의 기쁨이다. 소리는 형체가 없기 때문에, 형태에서 해방되었기 때문에, 더더욱 우리를 자유롭게 하는 자극이다. 나는 중학교 때부터 지금까지 거의 매일 '소리 내어 읽기'를 하고 있다. 사실 처음에는 '졸음을 몰아내기 위해서'였지만, 지금은 지친 마음을 어루만지기 위해 낭독을 한다. 많이 힘들 때마다, 잡념을 몰아내고 싶을 때마다 소리 내어 읽기를 한다. 휴대폰과 컴퓨터 화면을 통한 시각적 자극에 하루 종일 노출되어 있는 현대인에게 '눈을 감고 아름다운 소리를 듣는 모든 몸짓'은 치유적이다.

232

MON

심리학의 조언

적극적 명상으로 무의식과 만나보기

우리가 무의식의 메시지, 즉 꿈의 이야기를 등한시할 때 '무의식과 교감하고 대화할 통로'는 차단된다. 시험에 합격하거나 이사를 하거나 로또에 당첨되는 것 같은 '커다란 외부적 사건'에 꿈을 의지하라는 것이 아니다. 길흉화복의 차원을 넘어 자신의 인생이라는 커다란 그림을 바라보고, 깨닫고, 앞으로 나아가는 데 꿈이라는 정신의 지형도를 활용할 수 있다면, 우리의 의식은 천군만마를 얻은 듯 든든한 지원군을 갖게 된다. 융 심리학자들은 우리 내면의 진정한 자아와 만나는 길을 찾고자 '적극적 명상'을 추천한다. 적극적 명상은 내면이 우리에게 걸어오는 다양한 말에 의식의 문을 활짝 열어놓는 것이다. 그런데 이때 중요한 것은 '조작'하려 해서는 안 된다는 것이다. 나 자신의 평소 취향이나 의지대로 무의식을 조정해서는 안 된다. 그러니까 내면에서 어떤 뜻밖의 소리가 들려오든, 그 말을 그대로 들어주고, 대화하고, 그 메시지 자체를 받아들이려 노력하는 과정이 중요하다.

내가 적극적 명상을 통해 얻은 나 자신의 무의식은 '거절하는 것에 서툰 나'를 증오하는 감정이다. 20대에는 정말 하기 싫은데도 거절하지 못해 어쩔 수 없이 한 일이 많았다. 지금 돌이켜보면 '하고 싶어서 하는 일'보다는 '거절하지 못해서, 거절할 용기가 없어서' 억지로 한 일이 더 많았다. '나쁜 사람'이라는 평판을 들을까 봐, 때로는 적당한 거절의 말을 찾지 못해, 때로는 '그 사람을 좋아하는 것'과 '그 사람의 부탁을 들어주는 일' 사이의 차이를 알지 못해 거절을 못 했다. 그 사람을 좋아하더라도 그 사람의 부탁을 굳이 들어주지 않아도 되는데, 거절하면 관계 자체가 깨질 것이 두려워 어쩔 수 없이 부탁을 들어준 뒤, 오히려 나에게 그런 일을 부탁한 그 사람이 싫어져 결국 사이가 나빠진 적도 있다.

'이제부터 하기 싫은 것은 정말 하지 말자'고 다짐한 뒤에도 타인의 부탁을 어색하게 거절한 뒤 후회와 번민으로 잠 못 이룬 적도 많다. 적극적 명상을 통해 깨달은 것은, 아주 오랫동안 바로 그 '거절하지 못하는 나' 자신을 엄청나게 증오했다는 것이다. 내가 나를 증오하는지도 모르고 증오하고 있었다. '너는 거절조차 할 줄 몰라, 거절하지 못해 망가진 네 삶을 똑바로 바라봐. 너는 진짜 네 자신이 되는 길을 잃어버리는 거야. 거절해도, 너는 변하지 않아. 오히려 거절을 통해 너 자신이 될 수 있어. 용감하게 거부해 봐. 그래도 괜찮아. 넌 충분히 괜찮은 사람이야.' 적극적 명상을 통해 만난 나는, 나 자신에게 어느새 그렇게 말하고 있었다. 나는 거절할 자유가 있다. 나는 거절할 수 있는 당당함이 있다. 원치 않는 일을 거절함으로써 나는 더 멋진 나 자신이 된다.

233 TUE 독서의 깨달음

어린이에게 숨어 있는 모든 잠재력

어린이들은 과연 어른들의 도움이 있어야만 훌륭한 존재가 될까. 그 의구심을 단번에 날려주는 멋진 주인공이 바로 말괄량이 삐삐다. 어른들의 감시가 없는 곳, 시험도 학교도 숙제도 없는 곳에서 마음껏 뛰놀고 싶은 어린이의 마음을 대변해주는 캐릭터들이 있다. 그중 남자아이의 우상이 피터팬이었다면 여자아이의 우상은 말괄량이 삐삐가 아니었을까. 삐삐가 원숭이 닐슨 씨와 단둘이 살고 있는 '뒤죽박죽 별장'은 피터팬의 네버랜드보다 훨씬 현실적인 천국이었던 것 같다. 굳이 환상 속 네버랜드까지 떠나지 않더라도 '텅 빈 집'만 있다면 그곳이 곧 어린이의 천국이 될 수 있으니 말이다.

뒤죽박죽 별장의 자유분방함과 선원 출신 아버지를 둔 삐삐의 무한한 '이야기 제조 능력'은 소녀들의 가슴을 설레게 만드는 멋진 판타지였다. 삐삐는 이야기를 지어내는 일을 통해 현실의 결핍을 잊어버린다. 걸핏하면 얼토당토않은 이야기를 제멋대로 지어내는 삐삐의 상상력의 원천에는 선원이었던 아빠와 함께 원양어선을 탔던 아저씨들이 전수해준 각종 모험담이 자리하고 있다. 마치 직접 세계 일주라도 다녀온 것처럼 세계 각국의 이름을 대가며 '상상 속 경험'을 이야기하는 삐삐는 옆집 친구 아니타와 토미를 단번에 사로잡는다.

삐삐는 뛰어난 '발견의 재능'을 가졌다. 삐삐는 끊임없이 몸을 움직이며 익숙한 사물의 새로운 쓸모를 발견하고 좋아라 한다. 여전히 전세계 어린이들과 학부모들의 전폭적인 사랑을 받고 있는 삐삐의 모험담은 아이들만이 만들 수 있는 상상력의 천국, 그리고 아이들 안에 숨은 뛰어난 잠재력에 관한 이야기다. 용감하고 기운 센 삐삐는 어른의 도움 없이도 충분히 잘 살 수 있는 아이다. 다 큰 어른의 몸도 한 손으로 번쩍 들어 올리고 거대한 말 한 마리도 가뿐하게 들어 올리는 천하장사 삐삐의 진가는 아이들만 있는 집에 끔찍한 화재가 발생했을 때 유감없이 발휘된다. 아홉 살 소녀가 감당하기에는 너무도 벅찬 두려움을 이겨내고 삐삐는 거대한 불길 안에 갇힌 동네 아이들을 무사히 구해낸다. 삐삐를 버려진 아이, 괴상한 아이로 생각하던 동네 사람들은 그제야 삐삐의 진가를 알아보고 '혼자 살아도 충분히 잘 자라는' 삐삐의 삶을 인정한다.

사랑이라는 이름으로 아이들을 너무 품 안에만 가둬 키우는 부모들에게《내 이름은 삐삐 롱스타킹》을 추천하고 싶다. 그리고 살짝 알려드리고 싶다. 사랑은 가둬 키우기가 아니라 놓아주고 지켜보기라고. 어린이들은 우리가 생각하는 것보다 훨씬 독립적이고, 씩씩하며, 그 누구보다도 자유를 원한다고.

234 WED 일상의 토닥임 내 마음의 피난처, 책

어린 시절 친구네 집에 놀러 갔을 때 가장 먼저 구경했던 것은 친구의 책장이었다. 우리 집에는 없는 동화책이나 위인전이 있는지, 우리 부모님이 읽는 책과 다른 책들이 있는지, 나는 늘 친구의 책장이 궁금했다. 친구들과 소꿉놀이나 고무줄 놀이를 하기로 약속한 것을 잊어버리고 친구의 책장 앞에 주저앉아 넋이 쏙 빠진 채 책을 읽곤 했다. 누군가의 책을 읽는다는 것은 누군가의 숨겨진 마음속에 들어가보는 비밀통로처럼 신비로운 느낌을 주었다. 그러다가 잡은 책을 미처 다 읽지 못하고 집에 가야 할 시간이 되는 순간, 가슴이 콩닥콩닥 뛰기 시작한다. 친구에게 애절한 눈빛을 보내며 '나 이거 하루만 빌려주면 안 될까'라는 말 한마디를 꺼내놓지 못해 발을 동동 구르기도 했다.

지금도 오랫동안 기억에 남는 옛 친구들은 내가 책을 빌린 적이 있거나 빌려준 이들이다. 책을 빌려주고 받는 일은 비밀일기를 돌려쓰는 것처럼 은밀한 기쁨을 안겨주는, 또 하나의 소중한 소통의 체험이었다. 내게 책은 집 안에 있는 어떤 물건보다 더 소중한 영혼의 오브제다. 그러나 그 소중함은 '나만 가지고 싶은 소유욕'으로 평가되는 것이 아니라 '함께 나누고 싶은 마음'을 더욱 크게 만드는 힘을 의미한다.

문학 작품 속에서도 책은 훌륭한 오브제다. 책을 빌리거나, 누군가의 서재에서 독특한 책을 발견하거나, 책을 훔치는 일, 책을 사는 일 등이 소설의 중요한 복선이 될 때가 있다.《책도둑》처럼 책을 훔치는 소녀가 주인공이 된 작품도 있고, 도스토옙스키의《죄와 벌》처럼 주인공 소냐와 라스콜니코프가 서로에게 깊이 끌리는 계기가 책이 되는 경우도 있다. 소냐의 초라한 방에 놓여 있던 성경을 보고 라스콜니코프가 그녀에게 '믿음'에 관한 여러 가지 질문을 퍼부음으로써 두 사람은 서로의 마음 깊숙한 곳까지 들여다보게 된다.

《오만과 편견》에서 항상 책을 최고의 필수품처럼 휴대하고 다니는 엘리자베스의 모습은 얌전하고 수동적인 '정숙한 숙녀'를 기대하는 당시 사람들의 통념을 깨뜨리는 것이다. 여성의 사회활동이 극히 제한되어 있던 그 시대에 엘리자베스의 맹렬한 독서는 남성의 영역을 넘보는 금기의 행위로 보였던 것이다. 독자는 걸어 다니면서도 책을 읽는 엘리자베스의 모습을 보며 그녀의 진정한 아름다움을 담뿍 가슴에 담는다. 누구에게도 순응하지 않는 자유로운 영혼, 엘리자베스. 모두가 선망하는 귀족의 자제 다아시에게도, 그와의 결혼을 반대하는 귀족 노부인에게도 굴하지 않고 자신의 의견을 표현하는 엘리자베스의 힘은 바로 책이라는 멋진 친구를 통해 세상을 바라보는 용기였다.

235 THU  사람의 반짝임 홀로 책 읽는 여인의 아름다움

16세기 이전 유럽에서는 개인의 내밀한 비밀을 드러낸다는 것은 거의 상상하기 어려운 일이었다고 한다. 개인의 내밀한 영역이 서서히 형성되기 시작한 결정적 계기는 바로 '독서'였다. 조용하게 책을 읽는 여인의 모습을 그린 그림이 유난히 많아지는 시기, 그리하여 '독립적인 개인', '저마다의 상상력을 지닌 매력적인 개인'이 태어나기 시작한 것은 16세기 이후라고 한다. 슈테판 볼만의 《책 읽는 여자는 위험하다》는 그 반어적인 제목을 통해 책 읽는 여자들만의 신비로운 아름다움을 이야기한다. 독서라는 멋진 피난처를 통해 혼자 있을 수 있는 그럴듯한 핑계를 얻어낸 여성들의 이야기는 흥미진진하다. 책이란 그녀들에게 자신만이 드나들 수 있는 자유로운 공간이었던 것이다. '나는 어떤 사람이구나'라는 자의식이 형성된 것도 책을 읽는 행위를 통해서였다. 남성들이 원하는 여성의 모습이 아니라 '내가 원하는 나의 모습'을 깨닫게 된 것도 바로 독서를 통한 개인의 탄생 이후의 '내면의 발견'이었다.

책 읽는 여인의 행복은 아주 오래전부터 은밀하게 예찬되고 있었던 것 같다. 유럽의 어느 박물관에 가나 거의 빠짐없이 찾아볼 수 있는 그림의 주제 중에 '수태고지'가 있다. 천사가 성모마리아에게 아기 예수의 탄생을 알리는 그림 속에서 천사의 메시지는 명령과 축복을 함께 담고 있다. "기뻐하소서. 은총이 가득하신 마리아여. 주님께서 그대와 함께하십니다. 마리아여, 당신은 아기를 잉태하게 될 것이지만, 두려워하지 마시길." 청천벽력 같은 소식에 놀란 마리아는 그 엄청난 의무감을 피해가려는 듯 구석으로 상체가 쏠린 그림이 많다. 그런 그녀의 무릎 위나 테이블 위에는 항상 책이 놓여 있다. 그녀의 독서는 천사의 난데없는 방문 때문에 방해를 받은 셈이다. 그녀는 책을 통해 세상과 교감하고 있었음과 동시에 온갖 세상의 잡음들로부터 자신을 보호하고 있었던 것이 아닐까. 책은 아직 처녀였던 성모마리아에게도 세상과 자신을 연결해주는 소중한 영혼의 창이었다.

책을 읽는 행위를 통해 그 시절 수많은 여성들은 여성에게 허락되지 않은 그 모든 세계와 간절하게 교신하고 있었던 것이 아닐까. 그녀들에게 허락되지 않은 자유, 그녀들에게 열리지 않는 기회, 그녀들에게 기회를 주지 않는 세상의 모든 것을 책을 통해 배우고 싶었을 것이다. 책읽기를 통해 여성들은 완벽하고도 아름다운 내면의 요새를 발견했던 것이다.

236 FRI 영화의 속삭임 내 무의식의 잠재력까지 알아봐주는 사람

알프레도, 알프레도! 꼬마 토토가 영사기 기사 알프레도 아저씨를 부를 때마다, 나는 가슴이 뛰었다. 영화를 통해 그 좁은 세계에서 온 세상을 꿈꾸는 법을 배우는 토토에게 알프레도는 분명 영웅이었다. 전쟁터에서 돌아오지 않아 얼굴도 기억나지 않는 토토의 아버지를 '클라크 게이블처럼 멋진 청년'으로 묘사해주는 알프레도. 엄마 심부름으로 가져간 돈을 영화표 사는 데 써버려 토토가 혼이 날 때도 자신의 주머니를 털어 돈을 쥐여주는 알프레도. 무엇보다도 그 작은 시골마을에서는 영사기 기사 그 이상을 꿈꿀 수 없다는 것을 알고, 첫사랑 엘레나를 잊지 못하며 폐인이 되어가는 토토를 로마로 보내며 이렇게 말하는 알프레도. "산다는 건 영화랑은 달라. 인생은 훨씬 더 힘들지. 여기를 떠나라. 로마로 가. 넌 젊어, 세상을 거머쥘 수도 있어. 난 늙었다. 이렇게 너랑 수다 떨기 싫어. 멀리서 네 명성만 듣고 싶다. 절대 돌아보지 마. 절대 돌아오지 마." 향수병 따윈 느끼지도 말라고, 오직 네 꿈을 향해 나아가라고, 만일 그리움을 못 참고 고향에 돌아오면 절대 널 만나지 않을 거라고. 이런 독한 마음을 안고 로마로 가서 영화를 만들기 시작한 토토는 마침내 훌륭한 영화감독이 된다. 돌아오지 않는 사랑의 슬픔에 빠져 허우적거리는 토토에게 알프레도는 '영화라는 꿈'을 향해 높이 날아오를 것을 주문한 것이다.

토토의 인생은 좌절의 연속이었다. 전쟁터로 떠나간 아버지는 끝내 돌아오지 않고, 첫사랑 엘레나의 아버지는 가난한 청년 토토를 끝내 받아주지 않았다. 그런 토토의 상처 입은 마음을 매번 어루만져 주는 이가 바로 알프레도였다. 알프레도는 토토에게 영화라는 꿈을 심어주었고, 영사기에 불이 붙어 알프레도가 죽을 뻔했을 때는 어린 토토가 온몸을 던져 알프레도를 살려냈다. 토토에겐 가족보다도 더 가까웠던 알프레도가 그를 한사코 떼어놓은 이유는 무엇일까. 편안한 고향, 익숙한 장소, 아늑한 환경에서는 결코 새로운 꿈을 추구할 수 없기 때문이다. 토토를 기차역에서 떠나보낼 때 알프레도는 이렇게 말한다. 결코 토토를 보지 않을 결심으로. "마지막에 뭐를 하든 그걸 꼭 사랑하거라. 영사기 만지던 꼬마 토토처럼." 마지막에 무엇을 하든 바로 그것을 마지막 순간까지 사랑하는 사람이 되는 것, 그것이야말로 자신의 삶을 사랑하는 자의 아름다운 뒷모습이다. 그 누구도 알아보지 못한 꼬마 토토의 영화감독으로서의 재능을, 알프레도는 유일하게 알아보았다. 가장 사랑하는 존재를 가장 깊은 슬픔을 안고 떠나보낼 줄 아는 사람. 그가 바로 눈부신 멘토다. 아무도 알아주지 않는 내 무의식의 잠재력까지 알아봐주는 사람, 그가 바로 우리의 멘토다.

237 SAT 그림의 손길 하늘 높이 날아오르는 이카루스의 꿈

예전에는 만용, 객기, 철부지. 이런 단어들이 이카루스와 어울리는 단어라고 생각했다. 하지만 이제 이카루스는 '내 안의 아직 이루지 못한 젊음의 꿈'임을 알겠다. 이카루스의 꿈, 즉 불가능을 향해 목숨을 걸고 도전하는 것은 여전히 포기하지 못한 내 안의 가능성이다. 이카루스 같은 청년들이 있었기에 우리는 예술과 과학을 발전시킬 수 있었던 것이 아닐까. 이카루스의 용맹스러움이 있었기에, 우리는 그 많은 실패에도 불구하고 끝내 수많은 문명의 이기들을 발명할 수 있었던 것이 아닐까.

피터 브뤼헐의 〈이카루스의 추락〉(1560년경)을 보면 '목동과 농부가 저 가련한 이카루스의 추락을 정말 몰랐을까' 하는 생각이 들 정도로 야속한 느낌이 든다. 하지만 이 그림 전반을 흐르는 미묘한 정서는 해학성이다. 다리를 허우적거리며 화면 오른쪽에서 엑스트라로 전락해버린 이카루스는 가련하다기보다는 유머러스하게 그려져 있다. "이 사람이 바로 하늘을 날기 위해 태양에 가까이 가자 밀랍이 녹아서 추락해버린 그 저주받은 영웅이야!"라고 설명해주지 않으면, 아무도 그가 저 유명한 이카루스임을 알지 못할 정도로 어떤 고상한 자태도 찾을 수 없다.

하지만 그림 전체를 감싸는 기묘한 활기와 화사한 분위기는 역설적으로 '이카루스의 도전이 실패했더라도 우리에겐 아직 희망이 남아 있다'는 가능성을 말하는 듯하다.

실패한 당사자만큼 실패를 정확히 기억하는 사람은 없다. 사람들은 목격자와 방관자 사이를 오갈 뿐 진정으로 내 실패를 체험하고, 감당하고, 책임질 수 있는 것은 오직 실패의 당사자, 나 자신뿐이다. 내가 의식하고, 신경 쓰고, 주눅든 만큼, 남들은 나를 항상 관찰하고 있지 않다. 이카루스 같은 황당한 실험을 계속한 사람들이 없었다면, 우리는 영원히 하늘을 날지 못했을 것이고, 평생 저 드넓은 바다를 건너 다른 대륙을 꿈꾸거나, 우주로 나아가는 꿈 자체를 이루지 못했을 것이다. 모두 이카루스를 안쓰러워 하겠지만, 적어도 이카루스는 맨몸으로 저 푸르른 공중을 날아본 최초의 존재였다.

누구도 이카루스 만큼 멀리, 높이 날아가지 못했다. 그것이야말로 이카루스의 모험이 비록 실패했을지라도 '인간의 고결함'을 상징하는 이야기가 될 수 있는 이유가 아닐까. 이카루스는 개인의 실패를 통해 인류의 성공으로 도약해나가는 집단적 희망의 상징이다.

238 SUN 대화의 향기 글쓰기를 통해 되찾은 소중한 친구

오랫동안, 그야말로 오랫동안 연락이 끊겼던 친구 Y가 나의 글쓰기 수업을 통해 다시 인연을 맺게 되었다. 학교 다닐 때 내 옆에 매일 앉는 '짝꿍'이기도 했지만, 나의 수줍음 때문에 학창 시절이 끝난 뒤에는 먼저 연락하지 못했다. 그 친구가 이혼을 하고 미국에 가서 새로운 삶을 시작했다는 이야기를 머나먼 풍문을 통해 들었다. SNS를 통해 그 친구의 사랑스러운 아이들과 재혼한 남편의 얼굴을 보며 '행복하게 살고 있구나, 다행이다'라는 생각을 했다. 언젠가는 말해주고 싶었다. 내 친구, 정말 멋지다고. 본인의 유학 공부도 하고, 아이들도 키우며, 무려 5명이나 되는 가족을 챙기다니. Y의 초인적인 열정과 체력에 감탄할 뿐이었다.

그런데 Y가 온라인 수업을 통해 나의 글쓰기 강의를 듣고 있다는 사실을 알게 되었다. 글쓰기 과제가 워낙 많아서, 웬만한 뚝심 없이는 8회 특강을 마치기 힘든, 하드트레이닝 글쓰기 수업이다. 마흔이 넘은 나이에 학창 시절 짝꿍이 가르치는 글쓰기 수업을 선택하다니, Y의 용기는 사람을 감동시키는 데가 있었다. Y는 나에게 '사랑하는 글쓰기 선생님'이라는 호칭을 쓰며 편지를 통해 어느새 성큼 다가와 있었다. 떨리는 마음으로 Y의 글을 읽어보았다. Y의 글을 통해 그동안 전혀 몰랐던 사실을 알게 되었다. 누구도 자신의 편을 들어주지 않는 상황, '애 딸린 이혼녀가 총각과 재혼을 했다'며 뒤에서 수군대는 사람들 때문에 얼마나 힘들었는지. 나는 그 글을 읽고 뼈아픈 후회의 감정을 느꼈다. 그렇게 힘든 줄 알았다면, 먼저 다가가 친구의 아픔을 들어주었어야 했다는 생각이 들었다.

나는 친구에게 편지를 쓰기 시작했다. "내가 먼저 다가가지 못해서 미안해. 그때 네가 그토록 외로운 걸 알았다면, 내가 너에게 먼저 다가가 넌 최고의 엄마이고, 최고의 친구임을 이야기해주었을 텐데. 너의 글을 읽으면서 어쩌면 우리에게 가장 소중한 것들은 가장 아픈 상처와 연관되어 있는 것이 아닐까 생각해보았어. 나에게 가장 소중한 존재들은 거의 어김없이 나에게 가장 아픈 상처를 주기도 했더라고. 이제 나를 지키기 위해, 내가 사랑하는 것들을 지키기 위해, 나를 괴롭히는 모든 장애물과 용감하게 싸워야겠다는 생각을 자주 해. 참으로 다행스러운 건 내가 글쓰기를 통해서 그 상처를 스스로 조금씩 극복해왔다는 거였어. 친구야, 고마워! 나에게 다시 다가와줘서! 나의 눈부신 친구, 멋지다. 그 힘든 나날들을 꿋꿋하게 버텨주어서!"

239 MON  심리학의 조언 바로 지금 나 자신을 드러낼 용기

'인생에 이제 새로운 것은 없겠구나' 하는 절망감이 찾아올 때가 있다. 대개 마흔쯤 되면 이제 새로운 인생의 패턴을 만들기가 어려워진다. 누구에게나 자기만의 경험적 패턴이 있기 마련인데, 어느 순간 인생이라는 것이 내가 지금까지 간신히 만들어온 어떤 패턴의 반복이라는 것을 깨닫게 된다. 유명한 사람들은 더 유명해지려고 하고, 돈 많은 사람은 더 많아지려 하고. 전부 다 '조금 더, 조금 더' 원하다가 생을 다 허비하는 것 같다. 이게 전부인가. 인생이라는 것이 이게 전부란 말인가.

마크 라이스-옥슬리의 《마흔통》은 바로 이런 중년의 권태와 우울증을 극심하게 겪은 작가 자신의 이야기다. 작가 마크 라이스-옥슬리는 잘나가는 언론인이었고, 행복한 가족이 있었으며, 누구도 그의 성공을 의심하지 않았다. 그런 사람이었기에 자신 앞에 찾아온 중년의 위기, 우울증이 믿기지 않았다. 그는 항불안제에 중독되어버렸고, 그렇게 좋아하던 책을 한 권도 제대로 읽지 못하게 되어 난독증 상태가 되었으며, 평범한 일상을 지속하기 어려울 정도로 우울감이 심해졌다. 우울증에 빠진 중년 남성들은 이런 대화를 나눈다. 나는 우울증을 '보이지 않는 모욕'이라고 부른다고. 아무도 그 병을 눈으로 볼 수는 없다고. 다리가 부러졌다거나 머리에 붕대를 감은 게 아니기에, 확인할 수가 없다고. 하지만 삶이 통제가 안 될 정도로 빙빙 도는데도 아무것도 할 수 없다는 그 느낌이 너무 고통스러웠다고.

저자는 상담치료를 받고, 마음챙김 훈련을 반복하면서 서서히 우울증을 극복해가는 과정을 생생하게 담아냈다. 마음챙김은 느린 대신 부작용이 없다. 마음챙김은 단지 욕심을 줄이라고 강요하는 것이 아니다. 욕심의 빛깔과 향기를 음미하고 그것이 내게 좋은 욕심인지 내게 진정으로 도움이 되는 욕심인지 음미해보는 것이다. 이것이 탐욕이기 때문에 포기하는 것이 아니라 내게 더욱 도움이 되는 더 괜찮은 희망을, 욕심 대신 갖는 것이다.

저자는 마음챙김의 효과를 이렇게 고백한다. 나는 서두르다가 세월을 잃었다고. 마음챙김이 강력한 해결책인 이유는, 마음챙김은 다음 순간으로 서둘러 넘어가는 것이 아니라 순간의 행복에 머무르는 비결이기 때문이라고. 시간의 가속도에 브레이크를 걸어주는 마음챙김의 힘으로, 그는 우울의 늪으로부터 천천히 해방되었다. '난 왜 건강하지 않지?'라고 불평하는 것이 아니라, '지금까지 건강했던 것이 엄청난 행운'임을 깨닫는 일. 내게 남은 이만큼의 건강, 이만큼의 행운, 이만큼의 인연에 무한한 감사를 느끼는 과정에서 우울증으로부터 해방된다.

240 TUE  독서의 깨달음 진정한 사랑의 기억, 용기의 원천

내게 용기의 비밀은 '진정한 사랑을 받은 기억'임을 가르쳐준 작품, 그것이 바로《제인 에어》다. 고아 소녀 제인이 가장 많이 느끼는 고통은 바로 추위와 배고픔, 외로움과 무서움이었다. 누구도 그녀를 따스하게 포옹해주지 않기에 제인 에어는 낡은 인형 하나를 친구 삼아 그 인형을 꼭 껴안아야만 잠이 들 수 있는 혹독한 외로움의 시간을 보낸다. 제인 에어가 기숙학교의 열악한 환경을 견디도록 해준 것은 바로 친구 헬렌의 따스한 포옹과 템플 선생님의 환한 미소였다.

제인 에어가 실수로 석판을 깨뜨렸다는 이유로 심각한 체벌을 받고 전교생이 보는 앞에서 심한 창피를 당한 뒤 잔뜩 움츠려 있을 때, 헬렌 번즈는 마치 '괜찮아, 지금은 힘들지만 언젠가는 너는 꼭 괜찮아질 거야'라고 말하는 것처럼 '무언의 미소'를 보내준다. 헬렌은 아무 말 없이 환하게 웃어주기만 하지만, 제인은 그 아름다운 미소가 탁월한 지성과 진정한 용기의 표현임을 분명하게 느낀다. 폐결핵으로 죽어가고 있었던 헬렌은 빼빼 마른 얼굴에 움푹 들어간 눈을 하고 있었지만, 제인의 눈에는 헬렌의 '천사 같은 미소'가 그 파리한 얼굴을 찬란한 광휘로 물들이는 것처럼 보인다. 템플 선생님은 헬렌의 병세를 알고 있었고, 그녀의 맥을 직접 짚어주며 가슴 아파한다. 제인은 한 번도 가져본 적 없는 엄마처럼, 상상 속에서만 그려보던 엄마처럼 자애로운 미소로 헬렌을 향해 말없이 눈물 흘리는 템플 선생님을 바라보며 그것이 바로 자신이 그토록 갈망하던 진정한 사랑의 모습임을 알아챈다.

말이 필요 없었다. 모두가 자신을 따돌릴 때 용감하게 자신에게 다가와 어깨를 안아주던 헬렌의 손길, 헬렌의 병세를 알고 그녀의 얼마 남지 않은 삶을 안타까워하며 말없이 눈물 흘리던 템플 선생님의 몸짓. 이 두 가지가 제인 에어로 하여금 '함께 있음의 아름다움'과 '당당하게 홀로서기의 소중함'을 가르쳐준 아름다운 비언어적 몸짓이었다. 죽어가는 헬렌을 딸처럼 아끼는 템플 선생님을 통해 제인은 처음으로 진정한 사랑의 몸짓을 체험한다.

'아, 저런 친구와 저런 선생님이 있었다면 나의 유년 시절도 좀 더 행복하지 않았을까' 하는 생각이 들어 가슴이 뭉클해졌다. 나를 위해 말없이 울어주고, 나를 위해 말없이 포옹을 해주는 사람, 우리는 평생 그런 사람을 찾아 인생이라는 험난한 여정을 오늘도 떠나가는 것이 아닐까. 제인은 헬렌과 템플 선생의 깊은 우정을 경험하며 자신에게도 그런 아름다운 인연이 탄생하기를 꿈꾸며, 마침내 그런 인생의 주인공이 된다. 사랑받은 기억, 사랑받는 사람을 바라보는 기억만으로도, 우리는 스스로를 치유할 힘을 얻을 수 있다.

241 WED 일상의 토닥임 괴짜라도 괜찮아, 나답게 산다면

가끔 나도 모르는 나의 모습을 꿰뚫어 보아 나를 놀라게 하는 친구가 있다. 학창 시절 나는 친구를 우리 집에 데려와 영화를 같이 봤는데, 스티븐 소더버그 감독의 〈카프카〉라는 영화였다. 17세의 내가 이해하기는 매우 어려운 영화라 어떻게든 조금이라도 더 집중해보려고 골똘히 생각에 잠겨 영화를 봤는데, 20년이 지난 뒤 친구가 이런 이야기를 했다. 그때 친구는 영화를 보면서 나와 수다를 떨고 싶었는데, 내가 너무 깊은 생각에 잠겨 있어 도저히 말을 걸 수가 없었다고. 고교 시절 나는 자주 그렇게 골똘히 나만의 공상에 빠져 있었는데, 그때마다 너무 멋져 보였다고. 나는 친구의 묘사에 웃음을 터뜨리며, '그게 뭐가 멋지냐'고 대답했지만 그 친구의 따스한 마음에 진심으로 감동을 받았다. 수업 시간에도 자꾸 딴생각에 빠지거나 먼산바라기를 하는 나를 선생님들은 따끔하게 지적하셨지만, 그 친구는 내가 나만의 소중한 공상에 빠져 있음을 알아준 것이다. 이렇듯 나의 엉뚱함이나 특이함을 나의 재능으로, 나의 좋은 점으로 인정해주는 친구들이 있었기에, 나는 지금도 용기를 내어 글을 쓰고 강의를 하며 작가로 살아갈 수 있는 힘을 얻는다.

독특한 삶의 주인공이었던 사람들은 대부분 어떤 기벽(奇癖)이 있다. 이상한 습관, 특이한 취향, 엉뚱한 행동. 독특한 사람들의 기벽은 사람들에게 가십거리가 되지만, 당사자에게는 그런 행동들이 진정한 자기 자신의 모습을 지키는 길이기도 하다. 나는 입시 위주의 수업에 나를 끼워 맞출 수 없어서, 다른 사람들의 정상적인 삶 속에 섞이기 어려워서, 나만의 독특한 생각의 바닷속으로 도망치기를 즐겼던 것이다. 그런 내 엉뚱한 모습까지 비난하지 않고 사랑해준 친구의 존재야말로 우리가 진실한 자기 모습을 잃지 않게 해주는, 눈부신 생의 선물이다.

헨리 데이비드 소로에게도 그런 친구가 있었다. 그는 하버드 출신의 다른 동창생들과 너무도 다른 삶을 살았기에 많은 사람이 그를 이해하지 못했다. 하버드 출신의 수재가 숲속에 혼자 들어가서 오두막을 짓고 산다니, 사람들은 갖가지 억측에 빠졌다. 돈을 못 벌어서 그런 거겠지, 원래 이상한 사람인가 봐, 제정신은 아닐 거야. 그런 가십은 소로에게 어떤 상처도 주지 못했다. 소로는 사회적 시선에 시달리지 않고 오직 자신만의 열정과 의지를 실험하기 위해 월든 호수의 오두막에서 독창적인 생활을 시작한 것이었다. 나는 소로처럼, 누가 뭐라든 나의 길을 걸어갈 수 있는 용기를 배우고 싶다. 그래서 스스로에게 매일 속삭인다. 괴짜라도 괜찮아, 내가 나일 수만 있다면 이상해도 괜찮아, 나다움을 잃지만 않는다면. 외롭고 쓸쓸해도 나만의 길을 걸어가는 용기가 내게는 충분하다.

242

THU

사람의 반짝임

용기의 절실함을 가르쳐준 소녀

영국에 체류 중이었을 때 나는 에딘버러에 머무르며 스코틀랜드 문화의 매력에 흠뻑 빠져 있었다. 하지만 날씨가 워낙 춥고 바람이 불어 자유롭게 쏘다닐 수가 없었다. 그날은 유난히 으슬으슬 몸이 춥고 몸살이 덮쳐 올 듯하여 일정을 하나 취소하고 카페에 들어가 따뜻한 차 한 잔을 시키고 기다리고 있었다. 그런데 창밖으로 심상치 않은 실루엣이 보였다. 열대여섯 살 정도밖에 되어 보이지 않는 소녀가 맹인안내견과 함께 신호등 앞에서 벌벌 떨고 있는 것이었다. 처음에는 그녀가 신호등이 바뀌기를 기다리고 있는 것인 줄 알았다. 하지만 몇 번이나 신호가 바뀌어도 그녀는 그 자리에 그대로 있었다. 나는 그녀가 누군가를 기다리고 있다는 것을 알게 되었다. 이 추운 날 그녀는 누구를 기다리느라 저렇게 오랜 시간 밖에서 떨고 있을까. 걱정이 되어 자꾸만 창밖을 내다보게 되었다.

이윽고 내가 주문한 음료가 나오고, 옆 테이블에서 주문한 파스타와 피자를 손님들이 다 먹을 때까지, 소녀가 기다리는 그 사람은 오지 않았다. 나는 점점 걱정이 되기 시작했다. 앞을 볼 수 없는 어린 소녀를 저렇게 오랜 시간 기다리게 하는 사람이 야속해지기 시작했다. 그녀의 충직한 안내견도 춥고 지루했는지 길바닥에 고개를 늘어뜨린 채 힘없이 주저앉아 있었다. 처음에는 안내견이 그녀를 지켜주는 것 같았는데, 지켜보고 있자니 점점 앞 못 보는 소녀가 오히려 안내견을 지켜주고 있는 것 같았다.

나는 내 목도리라도 꺼내 그녀의 시린 어깨에 감싸주어야 하는 것은 아닌지, 오지랖과 조바심이 함께 발동되기 시작했다. 하지만 낯선 외국인이 다가가 목도리를 둘러준다면, 그녀는 반가움보다 놀라움을 더 크게 느낄 것 같아 선불리 행동할 수가 없었다. 그로부터 5분이 지나도, 10분이 지나도, 그녀는 거기에 그대로 서 있었다. 그녀의 뺨이 추위로 발갛게 부풀어 오르는 것이 보일 지경이었다. 이제 더 이상 참을 수 없겠다 싶어 내가 목도리를 집어 들고 나가려는 순간, 마침내 그녀가 기다리던 사람이 도착했다.

그녀가 기다리던 바로 그 사람이 그녀를 반갑게 포옹하자 나는 그제야 마음을 놓을 수가 있었다. 입 모양만으로도 그녀를 그토록 오랫동안 기다리게 한 그 야속한 사람이 '아임 쏘리'를 연발하는 것을 볼 수 있었다. 내가 다가가서 그녀에게 목도리를 둘러주었더라면 좋았을 텐데. 누구를 기다리냐고 물어봐도 좋았을 텐데. 그녀를 걱정하는 시간 동안 나는 잠시 내가 누구인지, 내가 왜 그곳에 있었는지, 무엇 때문에 낯선 나라를 헤매고 있는지, 나 자신을 향한 그 모든 무거운 질문을 잊을 수가 있었다. 나는 그녀를 돕고 싶다고 생각했지만, 정작 나를 도운 것은 그녀였다.

243 FRI 영화의 속삭임 나다움을 표현하는 용기

가끔 '저 사람이 세상의 풍파에 시달리기 이전, 얼마나 많은 재능과 가능성이 그의 삶을 반짝이게 했을까' 하는 안타까움을 느낄 때가 있다. 그가 시인의 꿈을 포기하지 않았더라면, 그가 자기 안에 숨어 있는지도 모르는 화가의 재능을 발견했더라면, 그가 가족을 먹여 살리기 위해 자신의 꿈을 저버리지 않았더라면. 많은 사람이 너무 일찍 체념한다. 이제는 너무 늦어버렸다고. 잃어버린 꿈을 되찾고, 표현해본 적 없는 재능의 날개를 펴기에는, 우리가 너무 나이 들고, 재능의 씨앗 또한 말라버렸다고. 하지만 억압된 꿈은 반드시 언젠가는 되돌아온다. 젊은 시절 꿈꾸던 삶의 이상적 이미지는 생이 끝날 때까지 우리를 놓아주지 않는다. 더 늦기 전에, 더 몸과 마음의 체력이 떨어지기 전에, 우리는 바로 오늘부터 자기 안의 시인의 목소리를, 화가의 필치를, 음악가의 재능을 끌어내기 시작해야 한다.

영화 〈나의 작은 시인에게〉를 보면서 나는 우리 안에 잠자고 있는 시인 혹은 예술가의 목소리를 끌어내는 것이 얼마나 소중한 일인지를 새삼 깨달았다. 유치원 교사 리사는 자신이 가르치는 다섯 살 소년 지미에게 천재적 재능이 있음을 발견한다. 리사는 지미가 시를 떠올릴 때마다 그의 곁에서 시를 받아 적어주고, 언젠가는 지미의 시집을 출간해주고 싶어 한다. 리사는 자신에게 지미 같은 눈부신 재능이 없음에 절망하지만, 틈날 때마다 작문 수업을 들으며 끝없이 시인의 삶에 다가가려 노력한다. 그러나 리사의 꿈을 아무도 인정해주지 않고, 가족들마저 리사가 헛된 꿈을 꾸고 있다고 생각하며 그녀의 희망을 꺾어놓는다. 게다가 지미의 아버지는 아들의 재능을 키워주려는 생각이 없다. 아버지의 관심은 오직 돈이고, 지미가 가난한 시인이 되기보다는 능력 있는 직장인이 되어 부족함 없이 살기를 바란다.

영화는 점점 지미를 통해 자신의 꿈을 대신 이루려는 리사의 일그러진 욕망을 슬픈 시선으로 비춘다. 그녀의 재능을 누군가 한 사람만 알아주었어도 그녀는 그렇게 깊은 절망의 나락으로 빠지지는 않았을 것만 같다. 아무도 그녀의 재능을 알아주지 않았다. 그녀는 시인의 재능은 부족했지만 시인의 재능을 발굴하는 재능을 가지고 있었던 것이다. 리사는 훌륭한 스승의 재능, 가르침의 재능, 재능을 끌어내는 재능을 가지고 있었던 것이다. 리사가 결국 지미와 함께할 수 없게 되자 절규한다. "세상이 너를 지울 거야. 이 세상은 너를 존중하지 않아. 이 세상에 널 위한 자리는 없어." 하지만 우리 안에는 저마다 생이 끝나는 날까지 돌보고 보살펴야 할 반짝이는 재능이 있다. 그 열정을 키워주느냐 혹은 압살하느냐는 오직 우리의 선택에 달려 있다. 내 안에 있는 가장 아름다운 재능을 세상에 표현할 수 있는 힘은, 바로 우리 자신에게 있다.

244 SAT  그림의 손길 슬퍼해야만 치유되는 아픔

그리스 신화 속 비운의 여인 안티고네를 생각하면 가슴 한구석이 뭉클해진다. 오이디푸스가 스스로 눈을 찔러 장님이 된 뒤 그를 보살핀 것은 딸 안티고네와 이스메네였다. 오이디푸스가 죽고 안티고네가 고향 테베로 돌아와보니, 오빠들은 왕권 다툼의 희생양이 되어 모두 죽고 없었다. 오빠들 중 폴리네이케스는 왕이 된 외삼촌 크레온에게 반기를 들었다는 이유로 장례조차 치르지 못하게 된다. 뿐만 아니라 폴리네이케스의 장례를 치르는 사람 또한 사형에 처하리라는 크레온의 명령이 내려진다.

니키포로스 리트라스의 그림 〈폴리네이케스 앞에 선 안티고네〉(1865)는 안티고네가 죽음을 예감하면서도 오빠의 시체 곁으로 가서 그를 묻어주려고 하는 장면을 포착한다. 주인공 안티고네의 모습은 어둠에 가려 잘 보이지 않고, 마치 살아 있는 듯 젊고 아리따운 모습을 한 오빠의 시체가 화면 앞쪽을 과감하게 압도하고 있다.

안티고네를 감싸고 있는 어둠이 짙은 만큼, 그녀가 감당해야 할 고통은 깊을 것이다. 하지만 그녀에게는 크레온의 명령보다 사랑하는 이의 죽음이 더 숭고한 진실이었다. 그녀는 짐승의 밥이 될 위기에 처한 오빠의 시신을 장례 치러주는 것이 '살아남는 것'보다 중요하다고 믿는다. 안티고네는 '운명과 싸우다 끝내 패배하는 이들'의 죽음이 그럼에도 불구하고 얼마나 아름다울 수 있는지를 증언한다.

안티고네는 어떤 대단한 정치적 업적을 남긴 것이 아님에도 불구하고 독재자를 향한 투쟁의 아이콘으로서 수많은 철학자와 예술가에게 영감의 원천이 되고 있다. 그녀의 실패는 결코 헛된 것이 아니다. 그녀는 힘겨운 도전 앞에서 포기하고 싶어질 때마다 '실패조차 아름다운 도전의 의미'를 증언하는 매력적인 주인공들이다. 그녀는 지엄한 국법과 왕의 명령에 맞서 마침내 스스로에게 가장 소중한 것, '사랑하는 이를 향한 애도의 권리'를 지켜낸다.

나는 가끔 안티고네가 매서운 고독과 칠흑 같은 어둠 속에서 그 여린 맨손으로 땅을 파서 오빠의 시체를 묻는 장면을 상상해본다. 얼마나 두려웠을까. 얼마나 비참했을까. 하지만 그녀의 죽음은 결코 헛되지 않았다. 그녀는 수천 년의 시간을 뛰어넘어 여전히 수많은 예술가와 철학자에게 용기와 희망의 원천이 되고 있다. 사랑하는 이의 죽음을 슬퍼할 권리를 지킨 그녀의 투쟁은 테베의 민중에게 '국법'보다 더 소중한 '나 자신의 감정'이라는 보물의 가치를 일깨워주었다.

245 SUN 대화의 향기 내 삶을 사랑할 용기

글쓰기 수업을 하다 보면 '글을 쓰는 용기'보다 '쓴 글을 남에게 보여줄 용기'를 내기가 더 힘들 때가 있다. 글을 쓰는 것도 어렵지만, 내 글에 대한 다른 사람의 반응을 확인하는 것이 훨씬 고통스러울 때가 많다. 글을 잘 쓰면서도 글쓰기 멘토인 나에게 좀처럼 글을 안 보여주는 분들이 있다. '글쓰기의 괴로움'을 토로하는 사람들은 글쓰기의 부끄러움을 고백한다. 더 나은 글을 쓰고 싶지만, 나를 세상 밖으로 온전히 드러내 보이는 것이 너무 어렵고 힘들다고. "선생님, 꼭 좋은 글을 쓰고 싶은데, 저의 부족한 재능이 드러날까 봐 차마 다른 사람에게 글을 못 보여드리겠어요. 특히 선생님에게는요."

나는 그 마음을 이해한다. 칭찬받고 싶은 사람, 게다가 나에게 호의적인 사람에게 내 글을 보여주었을 때 혹시라도 반응이 좋지 않다면 어떻게 할까. 그런 두려움을 나는 수도 없이 느껴보았다. 하지만 매번 그런 두려움과 싸워 가면서 배운 것이 있다. 지금 쓸 수 없으면, 나중에도 쓸 수 없다는 것. 지금 아주 소박한 나의 글을 쓰는 것이 나중에 엄청나게 대단한 미지의 글을 쓰는 것보다 더 중요한 일이라는 것. 왜냐하면 미래의 대단한 글도 지금의 소박함에서 출발하기 때문이다.

칭찬받지 못할까 봐 움츠러드는 마음보다 더 중요한 것은 '지금 쓸 수 없다면, 지금 내가 느끼는 이 절박한 감정을 표현할 기회가 없다'는 것이다. 지금의 느낌은 내일의 느낌과 분명 다르다. 1년 후, 10년 후의 느낌과는 더더욱 다를 것이다. 지금 내 마음속을 스치는 생각을 용감하게 적는 일. 그것이 글쓰기다. 지금 내 마음속에서 꿈틀거리는 사유의 춤을 있는 그대로 옮겨 적는 일. 그것이야말로 글쓰기에 필요한 용기의 전부다. 그러니 화려한 수사학이 없다고 주눅 들지 말자. 상을 받아 본 적이 없다고, 칭찬을 들어본 적이 없다고 움츠러들지 말자. 움츠러들기, 그것은 글쓰기뿐 아니라 이 세상 모든 소중한 일들의 적이다.

나의 재능을 표현한 결과물을 누군가에게 보여주는 것이 너무 두렵다면 나는 이렇게 말하고 싶다. "여러분을 괴롭히는 삶의 장애물들, 여러분을 아프게 하는 말들, 그 가혹한 불운을 향해 멋진 복수를 하고 싶다면, 지금 여기 살아가는 우리의 삶을 예술작품처럼 아름답게 만들어보는 것이 어떨까요. 그게 꿈같은 이야기처럼 들리지요. 하지만 가능하다고 생각해요. 내 삶을 사랑할 용기, 결점투성이인 채로 내 삶을 사랑하면서 동시에 매일매일 '더 나은 존재'가 될 수 있는 용기가 우리 안에 있다고 생각해요. 그것이 바로 '더 아름답게 살아갈 용기'입니다." 나는 우리에게 궁극적으로 필요한 용기는 '미움받을 용기'가 아니라 '마침내 나 자신으로, 있는 그대로의 나로 사랑받을 용기'라고 믿는다.

246

MON

심리학의 조언

자존감이라는 사슬에서 벗어나기

나는 심리학을 공부하면서 '나를 불쌍하게 여기는 마음'을 '나를 기특하게 여기는 마음'으로 바꾸고 있다. '왜 이것밖에 안 되지'라는 자기혐오를 '그래도 여기까지 달려온 게 어디야'라는 자기공감으로 바꾸고 있다. 아직 나를 궁금해하고, 아직 내가 낯설기도 하지만, 매일 조금씩 나를 더 나은 존재로 '받아들이는'일을 즐거워하고 있다.

우리는 자존감이라는 개념 자체에 지쳐 있다. 그런 단어를 자주 생각하지 않는 것이 좋다. 해맑고 꾸밈없이 내가 잘한 것을 칭찬해주는 것이 낫다. 자존감을 높이는 것보다는 자존감이라는 단어 자체로부터 서서히 벗어나는 것이 낫다. 그 단어 자체에 자기혐오를 향한 방아쇠가 달려 있어 '나는 과연 훌륭한 인간인가'라는 과잉된 자의식을 강화시키기 때문이다.

'자존감'이라는 단어가 현대 심리학의 새로운 키워드로 떠오르면서, '내가 나를 어떻게 평가하는가'라는 것이 삶의 만족도를 좌우하는 기준이 돼 가고 있다. "저는 자존감이 낮아서 고민입니다. 어떻게 하면 자존감을 높일 수 있을까요." 인문학 강연에 나갈 때마다 이런 질문을 던지는 사람도 많아졌다. 그런데 자존감은 꼭 높다고 해서 좋은 것은 아니다. 자존감이라는 개념 자체에 지나치게 마음을 쓰기보다는, 때로는 내가 인정받지 못할 수도 있다는 것을 유연하게 받아들이는 것, 나를 바라보는 나의 시선도 다양하게 바꾸어보는 것이 좋다.

자존감이라는 틀에서 벗어나기 위해서는 아주 섬세하게 '내가 기쁜 순간들'을 늘려가는 것이 좋다. 날마다 자신을 새롭게 바라보는 눈이 있다면, 나를 너무 다그치지 않고, 나를 너무 미워하지 않고, 날마다 조금씩 새로워지는 나를 있는 그대로 반갑게 맞이할 수 있지 않을까. 자존감이라는 단어에는 무거운 피로감이 묻어 있다. 내가 나를 존중하고 사랑하고 인정해야만 한다는 과잉된 압박감이 느껴진다. 자존감이라는 단어를 잊고 살았으면 좋겠다. 내가 나를 너무 높거나 낮게 바라보는 것도 문제지만, 스스로를 너무 많이, 자주 바라보는 것도 에고 중심의 세계관을 더 키우는 것이 아닐까.

자존감의 틀에서 벗어나, 그냥 해맑게 나를 사랑하기 위해서는 나를 향한 유머를 회복해야 한다. 뜬금없이 가족에게 이런 농담을 한다. "그래도 나, 엄청 멋지지 않아?" "오늘따라 완전 멋있지?" 가족들은 황당해하면서도, 나의 밝은 미소에 같이 웃어준다. 나를 향한 사랑이란 이렇게 '나를 향한 가혹한 판단'으로부터 자유로워지기, 나를 향해 한껏 밝게 웃어주는 유머를 회복하는 것이다.

247 TUE

독서의 깨달음

'진짜 내 것'의 정의를 바꾸다

우리에게 이토록 통쾌한 인물이 있었다니. 《최고운전》(조상우 지음, 김호랑 그림)을 읽으면 기분이 한껏 '업'된다. 초등학생 시절에는 '우리나라'라는 개념이 당연하게 여겨졌지만, 나이 들수록 '우리나라'라는 개념은 복잡한 이해관계로 얽혀 있음을 알게 된다. 《최고운전》은 고운(孤雲) 최치원의 실제 면모와 민중의 상상력이 어우러져 만들어진 작품이다.

중국의 황제는 신라에 천재적 문장가가 있다는 소문을 듣고는 그를 시험해보기 위해 갖은 묘수를 짜낸다. 최고의 학자들을 신라에 보내 최치원의 문장을 실험해보기도 하고, 절대로 부서지지 않는 함을 만들어 보내놓고 '이 함에 들어 있는 것을 맞히지 못하면 공격하겠다'는 엄포를 놓기도 한다. 최치원은 중국의 횡포로 신음하던 조국을 여러 번 곤경에서 구해주고, 그것도 모자라 중국의 황제와 독대까지 하여 황제의 코를 납작하게 만들어버린다. 황제의 계속되는 부당한 요구를 참을 수 없게 된 최치원이 중국을 떠나려 하자, 황제는 엄포를 놓는다. 네가 아무리 신라에서 태어났다고 할지라도, 신라는 나의 땅이고, 너의 임금 또한 나의 신하일 뿐인데, 네가 어찌 나를 업신여기느냐고. 그러자 최치원이 마침내 한 일 자(一)를 공중에다 쓰고, 그 글자 위에 뛰어올라 턱 걸터앉아서 황제에게 말한다. 그러면 여기도 또한 폐하의 땅이오? 황제는 그만 혼비백산하여 엎어지면서, 용상에서 내려와 최치원에게 머리를 조아리며 사죄를 한다.

우리 문학에서 이토록 통쾌한 장면이 있었단 말인가. 황제 앞에서 전혀 주눅 들지 않고 자기 할 말을 다 하는, '충성' 따위는 맹세하지 않는 멋진 지식인이 우리에게 있었구나! 최치원이 홀연히 붓을 들어 한 일 자를 허공에 휘갈겨 쓰면서, 그 글자 위에 턱 하니 걸터앉아 '여기도 황제의 땅이냐'고 묻는 장면은 언제 읽어도 압권이다. 이런 거침없는 상상력이 우리의 것이었다니. 여기를 가도 황제의 땅, 저기를 가도 황제의 땅이었던 세상. 그 어디든 마음 놓고 '내 땅'이라 여기며 발 디딜 수 없는 세상. 그런 중화(中華)의 세상 속에서 '진짜 내 것'을 일구기 위해 얼마나 깊은 고민을 했기에 이런 문장이 나올까. 저렇게 많은 집 중에 왜 하필 내 집은 없는 걸까, 하고 서러워질 때 황제를 향한 최치원의 눈부신 도발은 찬란한 위로가 되어줄 것이다.

나는 《최고운전》을 읽으며 '진짜 내 것'의 정의를 바꾸었다. 진짜 내 것을 가진다는 것은 법적으로 내 것, 경제적으로 내 것을 소유하기 위해 안간힘 쓰는 것이 아니라 최치원처럼 황제조차 건드릴 수 없는 '나만의 한 일(一) 자'를 허공에 쓰는 것이라고. 복잡할 것도 없다. 한 일 자 하나 허공에 휘갈겨 쓸 수 있는 담력만 있으면, 우리는 끝내 승리할 것이다.

248 WED 일상의 토닥임 식물에게서 진정한 강인함을 배우다

'그 사람은 식물 같아', '그는 초식동물 같아'라는 말속에는 수동성과 연약함의 뉘앙스가 내포되어 있다. 동물보다 뭔가 연약한 존재, 스스로 움직이는 모든 생명체보다는 뭔가 열등한 존재라는 폄하가 깔려 있는 것이다. 하지만 식물을 오랫동안 관찰하고 연구해온 사람들은 하나같이 '식물은 결코 나약하지 않다'고 입을 모은다. 식물도 욕망하는 생명체이며, 역동적으로 주변 환경에 반응하며, 단지 반응만 하는 것이 아니라 식물의 군락이 생태계 전체의 흐름을 바꾸기도 한다. 또한 나무 한 그루만 가지고 이야기해보아도, 나무는 인간보다 강하고, 웬만한 동물들보다도 강하다. 그렇게 오랫동안 뙤약볕을 견뎌낼 수 있는 생명체도 드물고, 그렇게 오랫동안 엄동설한을 견뎌내는 생명체도 드물다. 나무는 그 존재만으로도 눈부신 영감을 주는 존재다. 그토록 단출한 몸상태, 빈 몸으로 아무런 배낭이나 물통도 매지 않은 상태로, 나무는 사계절을 버텨내고, 심지어 수백 년을 버텨내기도 한다. 수명에 있어서나, 평소의 회복탄력성에 있어서나, 지구상에서 나무를 따라갈 만한 강인함과 환경 적응력을 지닌 생명체는 드물다.

《어린 왕자》의 행성을 온통 잠식해버릴 위험을 지니고 있는 무시무시한 번식력을 지니고 있는 거대한 바오밥나무도 있지만, 그럼에도 불구하고 식물은 동물에 비해 덜 공격적이다. 식물이나 동물은 물론 살아 있는 생명체를 먹어야만 생명을 유지할 수 있는 인간과 달리, 나무는 오직 공기와 물과 햇빛만으로도 광합성을 하고 생명을 유지하며 심지어 거대한 숲을 이룰 수 있을 정도의 번식력을 자랑하기 때문이다. 살아가는 데 동물만큼 많은 에너지를 소비하지 않기에, 식물은 '우리, 어쩔 수 없는 동물'인 인간의 탐욕을 되돌아보게 만든다. 우리는 왜 이렇게 많은 의식주의 준비물을 필요로 하는 것일까. 그냥 내 몸을 누일 공간이 있으면 되는데, 왜 이토록 화려한 집을 꿈꾸는 것일까. 그냥 내 배를 채울 소박한 음식이면 충분한데, 왜 이토록 맛집과 식도락을 탐하는 것일까. 그저 내 몸을 가릴 의복 몇 개면 충분한데, 왜 이토록 아름답고 세련된 패션을 추구하는 것일까. 내가 가진 것들, 너무 많이 가졌지만 여전히 만족하지 못하는 것들에 대한 미안함, 부끄러움을 느끼게 된다. 식물에 비하면, 나는 너무 많은 것을 먹고, 소비하고, 탕진하고 있는 것이다.

어떤 적대적인 환경에서도 결국은 자신의 살 길을 찾아내는 식물들의 용감한 진화과정을 엿보다 보면, 나 또한 식물처럼 강인하고 유연하게, 이 하루가 다르게 변화하는 세상 속에서 바지런한 진화를 멈추지 말아야겠다는 생각이 든다. 식물은 인간보다 항상 더 오래, 더 질기게, 끝내 살아남는다.

249 THU  사람의 반짝임 피아니스트에게서 배우다

글을 쓸 때 가장 자주 틀어놓는 곡은 라흐마니노프 피아노 협주곡 1, 2, 3번이다. 그런데 여러 피아니스트의 연주를 들어보니, 다닐 트리포노프의 자신만만한 표정이 유난히 도드라졌다. 그는 라흐마니노프의 곡을 너무도 쉽게 연주한다. 그는 마치 라흐마니노프를 위한 유전자를 따로 타고난 듯이 너무도 쉽고 자연스럽게 연주한다. 라흐마니노프 2번과 3번을 연주자들은 '락2', '락3'라고 줄여 부른다고 한다. Rachmaninoff의 Rach이라는 줄임말이기도 하지만 바위를 뜻하는 'rock'의 느낌도 있다. 바위처럼 육중한 곡, 넘어서기 어려운 장애물의 뉘앙스도 들어 있는 것이다. 그런데 다닐 트리포노프는 그 어려운 곡을 마치 식은 죽 먹듯 해치웠다. 마치 '기본 중의 기본'이라는 듯 가벼운 표정으로 그 곡들을 연주해냈다. 곡을 완전히 자기 것으로 만들어 남들이 보기에 전혀 어려워 보이지 않을 정도로, 아주 쉽게. 마치 실오라기가 피아노를 가볍게 스쳐 지나가는 것처럼. 손가락의 무게감이 전혀 느껴지지 않을 정도로, 그렇게 가볍게 날아오르는 연주를, 나는 넋이 나간 얼굴로 들여다보곤 했다.

감동을 주는 연주자들은 그 작품 속으로 완전히 자신을 던져버린다. 그 순간 '내가 다른 사람에게 어떻게 보일까' 하는 에고의 욕망은 사라져버린다. 오직 음악과 완전히 하나가 된 내면의 자기, 셀프만이 살아남는다. 뼈와 근육과 세포까지 저마다의 몸짓으로 훌륭하게 연주를 해내고 있다. 마치 피아니스트도 한 사람의 지휘자가 되어 자기 자신의 온몸 구석구석의 신체 부위들을 오직 음악을 위해 지휘하는 지휘자 같다. 그의 온몸은 이 곡을 위해 완벽하게 프로그래밍되어 있어 이 곡에 몸을 던지는 동안에는 그 누구도 그 무엇도 그의 열정을 방해할 수 없을 것 같다.

그들은 음악에 자기를 맞춘다. 음악이 자기에게 맞추도록 하지 않는다. 겉모습에도 신경쓰지 않는다. 오직 음악에만 집중한다. 정말 아름다운 연주 속에 푹 빠져 있는 동안, 나는 사람이 아니라 악기가 된 기분, 오직 음악만을 듣기 위해 태어난 존재가 된다. 이 순간은 그가 나를 연주한다. 그의 손가락 하나하나가 이미 피아노가 된 나의 몸을 연주하고 있다. 그는 마치 뼈라는 것 자체가 없는 것처럼 세상에서 가장 자유로운 물질로 만들어진 손을 가진 사람처럼 연주한다. 이렇게 '나를 잊는 순간'이 필요하다. 자존감도 자기혐오도 도저히 틈입할 수 없는 시간, 오직 나를 완전히 던져 음악과 함께 하는 시간. 이런 망아의 시간이야말로 진정으로 치유적인 마음챙김의 시간이다.

250 FRI 영화의 속삭임 음식, 인간의 원초적 즐거움

어느 해 겨울 영국 여행에서 돌아오는 비행기 안에서 나는 라세 할스트롬 감독의 영화 〈로맨틱 레시피〉를 만났다. 인도 뭄바이에서 태어난 하산은 어린 시절 엄마의 요리하는 모습을 통해 음식의 소중함과 요리의 창조적인 기쁨을 배운다. 최고의 요리선생이자 완벽한 엄마였던 그녀가 불의의 화재로 죽자, 가족들은 지울 수 없는 상처를 안고 유럽으로 이주하여 새로운 삶을 꿈꾸게 된다. '어디서 최고의 인도요리 레스토랑을 낼 것인가'를 고민하던 하산의 아버지는 프랑스 남부의 작은 시골마을에 정착하게 된다. 겉으로는 작은 시골마을이지만 알고 보면 대통령의 단골 맛집이자 미슐랭 별점을 보유한 최고의 식당, 마담 말로리의 레스토랑이 있었다. 최고의 프랑스 맛집 바로 앞에, 그 고장 사람들은 듣도 보도 못한 인도식당이 열리다니. 모두가 아버지를 말리지만, 하산은 아버지를 지지한다.

인도요리의 매력을 모르는 주민들보다 더 서운한 것은 마담 말로리의 온갖 방해공작이다. 말로리는 혹시라도 인도식당에 단골을 빼앗길까 봐 재래시장의 식재료를 몽땅 사들여 하산이 요리를 제대로 준비할 수 없게 만들고, 설상가상으로 말로리 식당 셰프는 하산의 집에 불을 질러 요리사가 유일한 꿈인 하산의 손을 다치게 만든다. 그 과정에서 말로리는 하산이 '절대미각'을 가졌다는 것, 어떤 자격증도 대단한 요리선생님도 없었지만 천재적인 요리의 감각이 있다는 것을 알게 된다. 말로리는 자신의 질투심이 '인종적 편견'으로 치닫게 될까 봐 우려하며 하산에게 멋진 기회를 준다. 인도요리밖에는 모르던 풋풋하고 어리숙한 인도청년 하산을 자신의 요리사로 고용한 것이다.

드디어 하산의 눈부신 요리 신공이 빛을 발하여, 하산의 요리로 인해 하늘의 별보다도 더 따기 어렵다는 미슐랭 별점을 하나 더 받게 되던 날, 마침내 하산은 '세계 요리의 중심, 파리로 가는 티켓'을 얻게 된다. 하지만 온갖 기교를 부리고 온갖 까다로운 입맛을 가진 소비자를 만족시키며 '자신과 가족과 사랑하는 사람들의 입맛'이 아닌 '언론과 대중과 자본의 입맛'에 봉사하는 자신의 부서진 모습을 깨달은 하산은 마침내 다시 말로리의 레스토랑으로 돌아와 제2의 인생을 시작하게 된다.

나는 하산의 눈부신 성장기를 바라보며 인간의 아주 원초적인 즐거움, 음식을 만들고 먹고 그 요리에 대해 수다를 떠는 즐거움이야말로 인종적 편견, 문화적 충돌, 그리고 지친 여행자의 영혼의 피로까지 씻어줄 수 있는 최고의 카타르시스임을 깨달았다.

251 SAT 그림의 손길 자존감 없는 사랑의 비극

올림푸스 12신은 모두 최고의 재능과 자부심을 자랑하는 신인 줄 알았는데, 의외로 신들에게도 콤플렉스가 있다. 바로 대장장이의 신 헤파이스토스(불칸)다. 그는 올림푸스 12신 중 최고로 지질한 신이다. 아름다운 아내 아프로디테(비너스)를 사랑하면서도 그녀를 사랑으로 사로잡지 못한다. 의처증이 심한 올림푸스 12신이라니, 도무지 신들의 체면이 말이 아니다. 헤파이스토스는 사랑의 여신에게 사랑을 주는 것이 아니라 오직 그녀를 감시만 하려 한다. 그의 자존감 없는 사랑은 집착과 망신의 에피소드로 이어진다. 사랑의 마음을 있는 그대로 표현할 수 없었기에, 사랑은 피곤한 집착이 되어버리고 폭력이 되어버리고 마침내 최악의 스토킹이 되어버린다.

아프로디테는 자신을 감시하는 남편을 사랑하지 않는다. 게다가 둘의 결혼은 처음부터 사랑으로 맺어진 약속이 아니었다. 제우스의 강압에 의해 억지로 한 결혼이 기쁠 리 없었던 아프로디테는 전쟁의 신 아레스(마르스)와 사랑에 빠졌다. 야콥 틴토레토의 그림 〈비너스와 마르스, 그리고 불칸〉(1551)은 이들의 삼각관계를 보여준다. 헤파이스토스는 아내의 불륜 현장을 잡기 위해 눈에 보이지 않는 신비로운 그물을 만들어 두 사람의 밀회 장소를 덮친다. 자신을 거들떠보지도 않는 아내에 대한 증오와 분노 그리고 자신은 결코 안을 수 없는 아내를 독차지하고 있는 아레스에 대한 질투가 그를 이토록 참혹하게 괴롭힌 것이다.

이렇듯 사랑은 질투와 탐욕, 광기와 분노를 낳기도 한다. 헤파이스토스는 자신을 그토록 아프게 했던 아내를 분명 사랑하고 있었던 것 같다. 차라리 당당하게 말했더라면 어땠을까. 당신을 깊이 사랑한다고. 그러니 다른 남자는 만나지 말았으면 좋겠다고. 당신이 나를 사랑할 수 있을 때까지 기다리겠다고. 그랬다면 사랑의 여신 아프로디테는 남편에게서 '사랑의 불꽃'을 찾기 위해 조금이라도 노력하지 않았을까.

헤파이스토스의 행동은 자존감 없는 사랑의 전형을 보여준다. 오직 상대를 감시하고 통제함으로써 지속을 꿈꾸는 갑갑한 사랑. 사랑이라기보다는 소유욕일 수밖에 없는 상태. 누군가를 사랑할 때 내가 아닌 다른 사람으로 향하는 상대의 눈빛 때문에 고통스러운 적이 있다면, 우리 안의 헤파이스토스가 꿈틀거리는 순간이었을 것이다. 그 질투심을 접고 용감하고 당당하게 소유욕이 아닌 사랑을 표현할 때, 사랑의 가능성은 커질 것이고, 자존감 없는 사랑의 비극은 끝날 수 있을 것이다.

252 SUN 대화의 향기 스승을 향한 원망으로부터 벗어나기

훌륭한 스승도 제자에게 고통을 줄 수 있는가? 물론 그렇다. 그의 지나친 훌륭함에 제자가 의존할 위험이 있기 때문이다. '누구의 제자'라는 것만으로도 자부심을 느끼는 사람들, '나의 멘토가 누구누구'라는 생각만으로도 뿌듯함을 느끼는 사람들은 스승의 명성에 휘둘릴 위험이 있다. 제자도 의식적으로는 스승으로부터 독립하고 싶어 하지만, 독립한 뒤 과연 자신이 혼자서 세상을 잘 헤쳐나갈 수 있을지 확신이 없다. 때로는 스승에게서 진정으로 독립하는 것이 좋은 스승을 찾는 것보다 더 어려운 일이다. 스승으로부터 독립하기 어려운 제자들의 진짜 문제는 '그 사람 없는 나'를 상상하기 어려울 정도로, 자신의 가치를 그 사람과 동일시한다는 것이다. 스승으로부터 충분히 배웠고, 이제 독립하여 자신만의 세계를 개발하는 것이 훨씬 나은 순간에도, 그들은 스승의 명성에 의지하고, 나의 장점은 모두 스승에게서 유래된 것이라 믿는다.

나에게 고민을 이야기한 K도 그런 의존에서 벗어나려 애쓰고 있었다. 문제는 K가 스승을 너무 좋아한 탓에 그의 눈에 들기 위해 필사적으로 노력했다는 점이다. 공부는 우선 자신을 위한 것인데, 스승으로부터 칭찬을 받기 위한 공부에는 사심이 들어갈 위험도 있었다. 더 큰 문제는 K가 심한 자존감 결핍에 시달리고 있다는 점이었다. K는 스승이 운영하는 세미나에 필사적으로 들어가고 싶어 했는데, 스승은 K를 거부했다. 그 사건이 K에게 지울 수 없는 상처를 남겼고, 점점 자기혐오의 나락으로 빠지는 중이었다. 사실 K는 굳이 그 세미나에 들어갈 필요가 없었다. 이미 훌륭한 글쓰기의 재능을 지니고 있었고, 이제 열심히 쓰기만 하면 되었다. 누군가의 지도를 받지 않아도 될 만큼 실력이 뛰어난 학생이었다.

K에게 편지를 썼다. "K씨에게는 세 가지 능력이 있어요. 첫째, 자신에게 일어난 일을 정확하고 설득력 있게 묘사하는 힘. 글쓰기의 재능이지요. 둘째, 다른 사람의 고민을 들어주고 그 고민에 진심으로 공감해주는 능력도 있지요. 셋째, 자신의 일을 사랑하고 그 일에 대한 전문성을 가지는 것입니다. 이 세 가지를 모두 가지기는 쉽지 않아요. 안타깝게도 스스로는 그것을 잘 인식하지 못하고 있는 것 같아요. 스승을 향한 집착이 K씨를 힘들게 하는 것이 아닌가 싶습니다. 스승을 향한 분노와 원망이 K 씨의 좋은 능력이 뻗어나가는 것을 가로막고 있다는 생각이 듭니다. 사람보다는 '일'을 통해 진정한 만족을 얻는 연습을 해보세요. 사람을 향한 집착의 시간을 줄이고, 내 일에 대한 사랑의 시간을 늘려보세요."

편지를 받은 K는 스승을 향한 집착을 끊고 자신의 길을 당당하게 걸어가고 있다.

253 MON  심리학의 조언 나의 회복탄력성을 촉진하는 것들

회복탄력성은 내 안의 치유력이다. 그 무엇도 빼앗을 수 없는 내 안의 정화력. 슬픔을 씻어내고, 아픔을 덜어주는 내 안의 눈부신 에너지, 그것이 회복탄력성이다. 의사나 약품의 도움 없이도 스스로를 낫게 할 수 있는 심리적 에너지다. 나의 회복탄력성을 촉진하는 세 가지 비결은 심리학, 문학, 음악이다. 문학은 우리를 어디로든 데려갈 수 있는 마법의 타임캡슐이다. 문학을 통해 나는 아직 가본 적 없는 그 모든 장소로 여행을 떠날 수 있다. 우리는 셰익스피어의《로미오와 줄리엣》을 통해 중세 이탈리아의 아름다운 도시 베로나의 구석구석을 여행할 수 있으니.《일리아드》와《오디세이》를 통해서는 고대 그리스 시대의 온갖 파란만장한 모험의 세계로 떠날 수도 있다. 이렇게 문학은 우리가 갈 수 없는 모든 세계를 향해 언제든지 활짝 열려 있는 이야기의 창문이 되어준다.

한편 음악은 우리에게 시공간의 온갖 제약을 완전히 뛰어넘어 완전한 기쁨을 전해준다. 언젠가 유럽의 야간열차를 타면서 비틀즈의〈오 마이 러브(Oh My Love)〉를 들은 적이 있다. 마치 생애 처음 사랑이 시작되는 느낌, 그 사랑의 느낌이 영원토록 지속될 것 같은 행복한 느낌이 얼마나 아름다웠는지. 한 번도 비틀스를 실제로 본 적은 없지만, 덜컹거리는 유럽의 야간열차에서 비틀스의 음악을 듣고 있자니 마치 우주의 한가운데서 비틀즈를 만난 것 같은 행복한 착시가 느껴졌다. 음악은 이렇게 우리로 하여금 마음껏 상상의 나래를 펴게 하고, 삶의 눈부신 축복을 더욱 생생하게 느끼도록 해준다.

마지막으로 심리학은 우리에게 좀처럼 알 수 없는 타인의 내면으로의 여행을, 그리고 분명히 내 것인데도 여전히 잘 모르는 우리 자신의 마음속으로 떠나는 황금열쇠다. 우리 마음속에는 좀처럼 지워지지 않는 트라우마도 있지만 우리 자신도 미처 써보지 못한 무한한 잠재력도 있다. 심리학은 의식이 알고 있는 나, 즉 사회적 자아(에고)보다 무의식에 가까운 나, 즉 내면의 자기(셀프)가 훨씬 크고 깊은 또 하나의 나임을 가르쳐 주었다. 그러니 우리는 우리 자신이 알고 있는 것보다 훨씬 강인하고 지혜로운 존재가 아닌가. 성공과 경쟁을 추구하는 사회적 자아보다는 보다 깊고 풍요로운 정신의 성장을 꿈꾸는 내면의 자기를 더욱 정성 들여 돌보는 것이 우리의 행복을 위해 더욱 이로운 일이 아닐까.

당신 안의 회복탄력성은 무엇으로 이루어져 있는가. 자기 안의 회복탄력성의 뿌리를 찾아보자.

254 TUE 독서의 깨달음

무해한 사람이 되고 싶습니다

최은영의 소설《내게 무해한 사람》은 '무조건적인 따뜻함'이 아니라 '사려 깊고, 예민하며, 지혜로운 따뜻함'을 지닌 인물들의 아름다움을 증언한다. 그의 소설을 읽고 있으면 소설 속 인물들이 자아내는 '요란하지 않은 따스함'에 중독된다. 아픔을 묘사할 때조차 친절하고 따사로운 최은영의 인물들은 우리가 저마다 힘겹게 통과해온 과거에 대한 아련한 노스탤지어를 불러일으킨다. 그리고 깨닫게 된다. '오랫동안 나도 모르게 이런 소설을 찾아왔구나' 하고.

자극적인 스펙터클과 강력한 스토리텔링을 자랑하는 미디어의 서사에 중독된 어른들은 최은영의 소설을 읽으며 마치 '자극의 청정구역'을 조용히 산책하는 듯한 해맑은 아우라를 느끼게 될 것이다. 아무런 인테리어 장식 없이도 아름다운 집처럼, 조미료를 전혀 치지 않고도 맛깔스러운 성찬처럼, 최은영의 소설은 꾸밈없는 강인함으로 독자들의 마음에 노크를 한다.

최은영의 소설에는 떠나가거나 헤어진 사람들의 빈자리를 오래오래 응시하며 그가 남기고 간 빈자리의 허전함을 곱씹는 사람들이 등장한다. 그들은 망설이고 서성거리고 두리번거리며, 더 효율적인 삶으로 직진하지 못하고 아주 천천히 에움길을 돌아 느릿느릿 부유한다. 헤어진 동성 애인을 잊지 못하고 그녀가 자신에게 남긴 상처가 아니라 자신이 그에게 남긴 상처를 곱씹는 여성의 이야기, 어릴 때 자신을 키워준 숙모를 잊지 않고 기억하며 삼촌의 죽음으로 이제는 '아무 관계도 아닌 사람'이 되었지만 마음 속에서는 여전히 소중한 사람, 의미 있는 사람으로 남아 있는 숙모를 그리워하는 사람의 이야기. 그들은 눈을 크게 뜨고 귀를 깊이 기울여야 알아차릴 수 있는 사람들, 튀거나 돋보이지 않을지라도 삶을 더욱 아름답게 연주할 줄 아는 사람들이다.

최은영 소설의 중심에는 너무 섬세해서 더욱 상처받는 사람들, 너무 자주 상처받아서 더욱 외롭지만, 그럼에도 생의 강인한 의지를 놓아버리지 않는 여성이 있다. 그들이 지켜온 따스함의 저편에는 삶을 견뎌온 용기와 희망, 인내와 지혜가 깃들어 있음은 물론이다. 그들은 이 세상에서 더 많은 '파이'를 차지하지는 못하지만 삶을 더욱 향기롭게 빚어내는 법을 알고 있다. 그들이 뿜어내는 아우라는 결코 어둡거나 슬프지 않다. 최은영의 소설에는 끝내 아픔을 견뎌낸 사람들이 빚어낸 시간이 뿜어내는 희망의 향기가 있다. 최은영의 소설을 읽다 보면 독자는 자신도 모르게 굳게 닫힌 타인의 마음의 문을 향해 살그머니 노크를 하고 싶어진다. 저도 당신에게 무해한 사람이 되고 싶습니다. 제 뜻밖의 방문을 받아주실 수 있는지요.

255 WED 일상의 토닥임 흉터조차 사랑할 용기

첫 책을 내고 가슴 설레던 순간의 일이다. 교수님께 내 첫 책을 선물로 드렸는데, 나로서는 큰 용기가 필요한 일이었다. 교수님 연구실에 노크를 하는 것조차 정말 큰 도전이었다. 한 번도 칭찬을 들어본 적이 없기에, '이번에도 역시 좋은 반응은 아니겠구나' 하는 예감은 적중했다. 하지만 내 생애 첫 책을 안 드릴 수도 없는 상황이었기에 간신히 용기를 내어 찾아갔다. 교수님의 반응은 예상보다 더 싸늘했다. 책장을 들춰보는 척도 안 하셨다. 더 견디기 힘든 것은 수업 시간에 정확히 나를 지목하시며 이렇게 말씀하시는 것이었다. "겨우 석사과정 마치고 감히 책을 내다니. 네가 도대체 뭘 안다고. 참으로 개탄스럽다." 이런 취지의 말씀이었다. 그때 깨달았다. 언어란 창이나 칼보다도 더 끔찍한 무기가 될 수 있구나. 많은 사람이 모인 자리에서 무방비상태로 당한 수모이기에, 더 오랫동안 뼈아픈 트라우마로 각인되었다.

이렇게 평생 가슴속에 지워지지 않을 참혹한 흉터로 남을 '무기로서의 언어'가 있는가 하면, 지극히 간단하고 단순하지만 즉각 마음의 온도를 높여주는 '선물로서의 언어'도 있다. 내가 먼저 인사하기 전에 먼저 나에게 말을 걸어주는 다정한 학생들의 "안녕하세요!"라는 인사말, 나에게 뭔가 긴히 부탁할 것이 있을 때만 애교 섞인 목소리로 말을 거는 내 동생의 "언니야!"라는 친근한 호칭, '선생님'이나 '작가님'이라는 공식적인 호칭이 아닌 '여울아'라고 내 이름을 불러주는 사람들의 따스한 부름. 이런 언어야말로 화려한 수사학 없이도 삶을 가치 있게 만들어준다. "네가 무얼 하든, 네가 어디 있든, 엄마는 반드시 네 편이야"라는 고백은 자녀에게 세상 모든 역경을 기필코 이겨낼 최고의 용기를 선사해준다.

상처를 극복하는 지혜는 상처와 싸우는 실전을 통해서도 길러지지만, 상처를 이겨내는 타인의 삶을 애정 어린 시선으로 바라보는 데서도 길러진다. 나는 힘들 때마다 나보다 더 힘든 상황에서 사랑하는 것들을 지켜낸 사람들을 생각한다. 예컨대 고(故) 장영희 작가의 어머니는 몸이 성치 않은 딸을 업어서 등교시켜주는 엄청난 일을 해내시면서도 불평 한마디 없으셨다고 한다. 장애를 지닌 딸이 굳게 닫힌 세상의 문을 두드리며 고통스러워할 때마다 어머니의 마음을 얼마나 더 깊이 무너져 내렸을까. 그런데도 그 어머니는 자식들이나 손주들이 다치거나 힘들 때마다 이렇게 말씀하셨다고 한다. "뼈만 추리면 산다. 애들은 뼈만 추리면 산다." 그 말이 오랫동안 내 마음속에서 '길'을 만들었다. 나도 매일 나의 뼈를 추스른다. 몸의 뼈가 아닌 마음의 뼈를 추스른다. 그리하여 나는 살아 있다. 나는 나를 아프게 한 모든 말의 상처를 매일 새롭게 이겨내는 전사이기에.

256

THU

사람의 반짝임

바라보는 것만으로 마음이 깨끗해지는 사람

강요배 작가의 그림은 '풍경 뒤의 또 다른 풍경'을 상상하게 만든다. 우리가 보고 있는 풍경은 다만 풍경의 가장 바깥에 있는 껍질일 뿐, 그 풍경 속에 담겨 있는 '이야기'를 끌어내는 것이야말로 예술가의 재능이 아닐까. 강요배 작가의 그림을 보고 있으면 구름 속에 숨은 사연, 바닷속에 숨은 이야기, 나무와 꽃과 새의 마음속에 숨은 온갖 속내가 궁금해진다. 그는 화가의 일이 순수한 영감을 통한 창조가 아니라 온갖 이질적인 체험들 속의 긴장과 갈등 속에서 '내가 미처 모르는 나'를 찾아내는 과정이라고 믿는다. 완성된 형태의 사유를 드러내기보다는 지금 이 순간도 생성되고 있는 듯한 살아 있는 사유의 힘이 느껴지는 그림이다.

작가의 글을 읽다 보면 그림 그리기와 글쓰기는 매우 닮았다. 소가 끊임없이 되새김질하듯, 묘사의 대상이 자기 안에 들어와서 5년이든 10년이든 숙성되는 것. 그리하여 그 묘사의 대상이 마음속에 가장 커다랗고 생생한 풍경으로 부풀어 오를 때, 화가는 그림을 그리고 작가는 글을 쓴다. 마음속에 담긴 대상이 더 커다란 말을 걸어올 때까지, 희미한 안개처럼 꿈틀거리던 이야기가 내 마음속에 살아 있는 나의 이야기가 될 때까지, 예술가는 기다리고, 탐구하며, 끊임없이 실패를 감수하며 묘사를 멈추지 않는 존재다. 또한 예술가는 자연의 풍경을 바라보면서 그들이 '대화'하는 소리를 듣는다. 바람 속에 흔들리고 있는 고목을 바라보며, 그는 고목과 바람의 대화를 들으려 한다.

자신의 글과 어우러지는 강요배 화백의 그림을 보면, 정말 바람과 나무가 끝도 없이 대화하는 느낌, 나무가 바람을 통해 자신을 드러내고, 바람이 나무를 통해 자신을 드러내는 느낌이 생생하게 전해진다. 강요배 화백의 그림은 또 하나의 붓이자 보이지 않는 약손이 되어 독자의 마음을 어루만지는 것 같다. 그의 그림과 글을 함께 바라보면 한차례 맵찬 바람이 지나간 뒤 섬의 중심에 의연히 앉아 있는 새하얀 산, 한라산의 한가운데 우리가 서 있는 듯한 느낌이다. 그림과 글은 마치 피아노와 첼로의 하모니처럼, 소리꾼과 북소리의 하모니처럼, 우리 안에서 새로운 멜로디의 조화를 이끌어낸다. 그림과 글의 하모니는 시간 속에 흘러가는 사건을 포착하는 데 훌륭한 팀플레이를 해낸다.

강요배 작가처럼, 나이 들수록 더 어눌해지고 어설퍼지는 것, 좀 더 단순하고 소박해지는 것, 어린아이처럼 천진난만해지는 것이 좋다. 마음의 잡티가 사라져가는 것, 욕심을 내려놓고 점점 자연과 가까워지는 것, 산을 잘 올라가는 것보다는 산을 무사히 내려오는 것이 더 어렵고 중요한 일임을 알게 되는 것이야말로 나이 들수록 더욱 절실한 마음챙김의 길이 아닐까.

257 FRI 영화의 속삭임 끝내 선물이 되는 말을 꿈꾸며

드니 빌뇌브 감독의 영화 〈컨택트(Arrival)〉를 보면서 '무기로서의 언어'와 '선물로서의 언어'의 결정적인 차이를 깨달았다. 말이 전혀 통하지 않는 외계인들이 무려 12개국의 상공에 동시 출현하자 세계는 경악한다. 세계인들이 동시에 떠올린 가능성은 '외계인의 침공'이다. 외계인이 방문을 하거나 여행을 했을 거라는 생각은 좀처럼 하지 않고, 외계인이 어떻게든 우리를 해치고 지구를 빼앗으러 왔을 거라고 생각하는 지구인의 피해망상. 언어학자 루이스는 통역도 사전도 없는 상태에서 외계인에게 지구의 언어를 가르치고, 자신은 외계인의 언어를 배운다. 그 일차적 목적은 우선 "당신들은 무슨 목적으로 지구에 왔습니까?"라는 질문에 대한 외계인의 정확한 대답을 듣는 것이었다. "무기를 전하기 위해서"라는 외계인의 대답을 알아듣게 되자 전 세계는 혼란에 빠진다. 역시나, '무기'라는 단어 자체가 공포를 불러일으킨 것이다.

언어의 복잡한 맥락을 항상 고려하는 루이스는 '무기'의 의미가 다의적이니 외계인을 자극해선 안 된다고 주장하지만, 외계인이라는 '낯선 존재'를 '적대적 존재'로 바라보던 전 세계 지도자들은 이것이야말로 외계인을 박멸할 기회라 믿는다. 외계인의 언어로 꿈까지 꾸게 된 언어학자 루이스. 그녀는 언제 지구인들이 외계인들을 죽일지 모르는 절박한 상황에서 외계인이 말하는 '무기'는 인명살상을 일삼는 흉기가 아니라 '언어라는 선물'을 의미하는 것임을 깨닫게 된다. 외계생명체는 지극히 난해하고 복잡한 외계어를 지구인에 선물함으로써 먼 미래에 자신들이 위기에 처했을 때 외계인과 지구인이 진정으로 소통할 수 있기를 바랐던 것이다.

언어학자 사피어 워프는 우리가 쓰는 언어가 생각하는 방식은 물론 사물을 바라보는 시각조차 바꾼다고 주장했다. 이것은 단지 '어떤 나라의 언어를 모국어로 할 것인가'의 문제만이 아니라, '나 자신에게 진정 어울리는 언어적 습관'을 어떻게 만들고 가꾸어야 할지를 고민하게 만드는 지점이다. 인터넷에 모세혈관처럼 속속들이 퍼진 심각한 악성 댓글들, '나만 아니면 되지, 뭐'라는 복불복의 정서로 가득한 조직문화의 정글을 헤매다 보면, 우리의 언어 또한 '무기'나 '흉기'가 되어버리지 않을까. '무기로서의 언어'는 적대감이 없는 선량한 타인조차 '박멸의 대상'으로 만들고, '선물로서의 언어'는 아무리 절박한 상황에서도 결국 진심 어린 소통의 길을 찾아낸다.

258 SAT 그림의 손길 사랑의 미소, 최고의 치유책

웃음은 최고의 피로 회복제다. 사랑하는 사람의 환한 미소를 바라보는 것만으로도 상처 입은 우리의 마음은 위안을 찾을 수 있다. 곤히 잠들어 있는 연인의 얼굴을 바라보는 것만으로도 우리 안의 회복탄력성은 살아 숨쉬기 시작한다. 산드로 보티첼리의 〈비너스와 마르스〉(1483) 속의 비너스는 사뭇 여유롭고도 애잔한 표정을 짓고 있다. 사랑하는 사람의 잠든 얼굴을 바라보는 여인의 눈빛이야말로 사랑이 지닌 가장 따뜻한 표정일 것이다.

마르스는 결코 환영받는 신이 아니었다. 또 다른 전쟁의 여신 아테네가 '지혜의 상징'으로 사랑받는 반면, 마르스는 파괴와 증오의 화신으로 늘 배척받았다. 그는 분명 신이었지만 신들의 사랑을 받지 못했다. 하지만 그를 사랑해준 여신은 공교롭게도 사랑의 화신 비너스였다.

모두의 경탄을 자아내는 아름다운 사랑의 여신과 모두의 미움을 한몸으로 받는 전쟁의 신이 사랑에 빠진 것은 올림푸스 신들 사이에서 커다란 스캔들이었다. 파괴와 증오와 분노의 화신 마르스는 이렇게 사랑의 여신 곁에서 잠들었을 때만은, 그 모든 갈등과 고통을 잊었을 것이다. 마르스의 표정 속에는 그 어떤 전쟁의 흔적도, 미움의 불꽃도 찾을 수 없다. 달콤한 사랑의 감정에 푹 빠져 곤히 잠들어 있는 전쟁의 신은 더 이상 분노의 아이콘이 아니라 사랑과 휴식의 아이콘으로 보일 정도다. 이 사랑의 그림 속에는 어떤 고뇌도 갈등도 번민도 없어 보인다. 오직 사랑에 빠진 두 남녀의 달콤한 숨소리, 격정 뒤의 휴식, 기쁨과 희열의 향기만이 살아 숨 쉰다. 사랑은 이렇듯 갈 곳 없는 영혼에 찰나의 휴식을 준다. 행복하게 곯아떨어진 마르스의 머리 위를 뱅뱅 도는 말벌은 어쩌면 이 달콤한 사랑의 희열 뒤편에 도사린 고통과 불안의 기미를 상징하는 것인지도 모른다. 비너스와 마르스의 사랑은 금지된 열정이었다. 비너스의 남편 불칸은 아내에 대한 증오와 분노, 마르스에 대한 질투로 참혹함을 겪었다. 누군가의 사랑은 본의 아니게 누군가의 질투와 탐욕, 광기와 분노를 낳기도 한다.

나는 마르스와 함께 있는 바로 이 비너스를 사랑한다. 그럼에도 불구하고 사랑의 따스함을 선택하는 비너스, 그럼에도 불구하고 사랑에서 위안을 찾는 마르스를 어여삐 여긴다. 사랑으로 인해 이 두 사람은 잠시나마 영혼의 휴식을 얻었기에. 최고의 회복탄력성은 곧 사랑받은 기억에서 나오기 때문이다.

259

SUN

대화의 향기

칭찬보다 질책을 준비하는 당신에게

글쓰기 수업을 하다 보면, 칭찬에 목마른 수강생도 많지만 질책을 원하는 수강생도 만나게 된다. 자신의 슬픔을 묘사하는 글쓰기에 매우 커다란 재능을 발휘했던 H는 나에게 칭찬을 듬뿍 들은 뒤에 이런 답장을 썼다. "선생님은 칭찬을 너무 많이 해주세요. 저는 채찍을 맞을 준비가 되어 있습니다. 전 꼭 책을 쓰고 싶어요. 제발 저를 호되게 질책해주세요." 그 편지를 읽고 가슴이 아팠다. 이런 생각 속에는 어떤 전제가 깔려 있는 걸까. '칭찬보다는 질책이 훨씬 교육적이다'라는 생각. 질책을 견뎌낼 수 있어야 더 훌륭한 사람이 될 수 있다는 생각. 그리고 호된 비판을 감수할 수 있어야 더 좋은 글을 쓸 수 있다는 생각도 깔려 있었다. 나는 한참 고민했다. H를 향한 따가운 질책을 해야 할까. 더 좋은 글을 쓰기 위해 '이것도 고치고, 저것도 고치고, 하여간 다 고치라'고 심하게 이야기를 해야 할까.

그건 나의 진심이 아니었다. 누군가를 그렇게 질책하고 싶지도 않았다. 내가 누군가를 질책한다면 그건 정말 심각한 상황일 때뿐이다. 그런 심각한 상황으로 관계를 몰아가고 싶지 않았다. 왜 비판을 해야 더 좋은 글쓰기 선생님이 된다고 생각하는 걸까. 나는 그런 호된 가르침의 주인공이 되고 싶지 않다. 나에게 힘을 발휘했던 가르침은 모두 내 안에 나도 모르는 재능을 일깨워주었던 따스한 칭찬의 말들이었다. 비판 속에도 깊은 애정이 담긴 말들, 단점을 꼬집는 것이 아니라 '이 부분만 보완하면 되겠다'는 조심스러운 가르침을 담은 말들. 그런 말들만이 내게 실질적인 치유와 격려의 힘을 발휘했다. 게다가 H는 정말로 글쓰기의 재능이 있었다. 필요할 때마다 좀 더 세심한 조언을 해줄 수는 있지만, 전혀 그녀를 질책할 상황은 아니었다.

나는 이렇게 답장을 썼다. "누구의 질책도 필요 없어요. 오직 지금처럼 나아가면 됩니다. H 님은 묘사력이 아주 뛰어나요. 그동안 표현하지 못한 것들을 매일 글쓰기로 표현해보세요. 그리고 일정한 목차를 정해서 하나의 완성된 책이 될 때까지 쉬지 않고 정진하시면 됩니다. 한 권의 책을 완성할 때까지, 글쓰기에 가장 많은 에너지를 집중하겠다고 마음먹으시면 됩니다. 지금처럼 하시면 돼요. 채찍질은 하지 않아도 됩니다. 오히려 더 많이 자신을 아껴주시고, '진짜 나의 편'이 되는 연습을 하셨으면 좋겠습니다."

'나는 글을 못 쓴다'는 생각을 떨쳐버린다면, 나는 충분히 훌륭하지 못하다는 생각을 떨쳐버릴 수 있다면, H는 더 높이 날아갈 수 있을 것이다.

260 MON 심리학의 조언 근본적 수용의 아름다움

세계적 명상치유 전문가 타라 브랙은 고통보다도 고통과 관계 맺는 법이 중요함을 일깨웠다. 타라는 강조한다. 우리의 두려움이 비록 크긴 하지만, 우리가 서로 연결되어 있다는 진실이 훨씬 더 크다는 사실을. 나만 아프고 나만 두려운 것이 아님을 깨닫는 것. 나의 고통이 개인적인 것이 아님을 깨닫는 것. 트라우마가 특별히 나에게만 일어난 것이 아님을 깨닫는 것이 고통의 치유 과정에서 중요한 인식의 전환점이다. 상처조차 나의 온전한 일부임을 깨닫는 것은 자기를 관찰하는 오랜 여정 끝에 일어나는 눈부신 경험이다.

나는 얼마 전 내 트라우마의 어두운 면이 내 장점과도 연결되어 있음을 깨달았다. 내가 오랫동안 고치지 못한 마음의 병은 '멀리 있는 것을 사랑하는 병'이다. 사람도 장소도 아름다움도 모두 멀리 있는 것들이 지나치게 좋았다. 살아 있는 대상이 아니라 절대로 닿을 수 없는, 때로는 이미 죽어버린 대상을 향한 내 헛된 사랑은 빛났다. 어린 시절 사랑은 이루어질 수 없는 그 무엇과 동의어였다. 아득히 먼 대상에 대한 대책 없고 속절없고 목적 없는 그리움을 나는 사랑이라 불렀다. 먼 곳을 향한 그리움, 다가갈수록 멀어지는 존재에 대한 그리움에 집착하는 것. 그것은 어쩌면 영원히 내가 진정으로 원하는 것을 지금은 하지 않기 위한 알리바이였을지도 모른다. 원하는 것을 미루기 위해, 원하는 대상을 가지기 위해 노력하는 것을 멈추기 위해, '나는 아주 멀리 있는 것을 사랑한다'고 정당화한 것이 아닐까. 이루어질 수 없는 사랑의 아름다움을 예찬하던 버릇 또한 끝내 이룰 수 없는 사랑을 향해 돌진하는 용기가 없는 나의 변명이 아니었을까. 그리하여 가까이 있는 것을 정성스레 가꾸는 일의 아름다움을 너무 늦게 발견한 것은 아닌지.

그런데 이런 나의 어두운 그림자는 끝없이 멀리 있는 대상을 탐구하고, 그리워하고, 글로 쓰는 나의 삶의 원동력이기도 하다. 나는 역사 속으로 사라져간 것들, 머나먼 그리움의 대상들, 이제는 볼 수 없는 것들에 집착하지만, 바로 그런 성향이 글쓰기에는 영감을 주었다. 나와는 전혀 상관없어 보이는 머나먼 존재들을 끝내 내 사랑의 대상으로 만들어 글을 쓰는 과정들, 예컨대 헤르만 헤세와 빈센트 반 고흐의 삶을 발자취를 따라가는 여행을 하고 그에 대한 글을 쓰는 과정은 바로 나의 그림자(먼 곳을 향한 사랑)를 빛(글쓰기)으로 만드는 과정이었다. 이제 나는 내 그림자조차 사랑하기로 했다. 내 그림자야말로 내 빛의 일부였으니. 이것이 바로 근원적 수용(radical acceptance)의 아름다움이다.

261 TUE  독서의 깨달음 | 페른베, 먼 곳을 향한 그리움의 힘

너무 멀리 있는 것을 사랑하는 내 성격의 기원은 어쩌면 어릴 때 읽은 전혜린의 에세이에 있지 않았을까. 먼 곳을 향한 그리움이 지닌 소름 끼치는 아름다움을 두 팔 벌려 예찬하는 버릇은 전혜린의 에세이 탓이 컸을 것이다. 먼 곳에 있어 비로소 아름다운 것, 내가 어찌할 수 없는 것에 대한 속절없는 그리움의 나무에 물을 주기 시작한 것도 아마 사춘기 시절 전혜린의 에세이를 읽으면서부터였던 것 같다. 전혜린의 글을 읽으며 나는 뮌헨을 향한 알 수 없는 그리움을 키웠다. 전혜린의 유학 시절 아시아에서 온 유학생은 오직 그녀뿐이었다고 한다. 그런 엄혹한 시절에, 한겨울 난방할 돈도 없어 고생을 하며 문학 공부에 미쳐 있던 전혜린의 유학 시절에 대한 에세이는 슬프기보다 짜릿하고, 안쓰럽기보다는 눈부시게 느껴졌다. 서울대 법대에 입학할 정도로 성적이 뛰어났지만, 뒤늦게 법학이 아닌 독문학을 선택한 전혜린. 아무리 힘들어도 자신이 원하는 것을 향해 용감하게 나아갔던 여성, 전혜린의 글쓰기는 여전히 나에게 '남들과 다른 삶을 살아갈 용기'의 기원이 되어준다.

전혜린의 모든 글이 흥미롭지만 특히《그리고 아무 말도 하지 않았다》에 실린 '먼 곳에의 그리움(Fernweh)'이 마음 깊은 곳에 둥지를 틀었다. 그것이 헛된 일임을 알면서도, 헛된 동경과 기대를 버리지 못하는 인간의 마음에 대한 글이기 때문이다. 만날 수 있다는 기대가 무너져버린 뒤에도, 그리움은 슬프고도 아름답다는 것을 전혜린은 내게 가르쳐주었다. 글 속에서, 새해가 다가올 때마다, 나에게 제발 엄청난 일이 일어나게 해달라고 기도하는 젊은 전혜린의 모습 또한 아름다웠다. 그녀는 엄청난 일, 무시무시할 정도로 자신을 압도하는 일, 매혹적인 일, 한마디로 기적 같은 일이 일어나기를 꿈꾼다. 그런 모험 끝에는 허망함이 기다릴 것을 알면서도, 그런 힘겨운 도전 끝에는 피곤만이 기다릴 것임을 알면서도, 먼 곳을 향해 끝없이 모험을 떠나고 싶은 자신의 갈망을 그 누구도 가로막을 수 없다고.

독일의 시인 잉에보르크 바흐만의 시 속의 한 장면처럼, 식탁을 털고 일어나, 머리카락을 하늘하늘 나부끼며, 아무 곳이나 떠나고 싶은 마음. 먼 곳에의 그리움. 그 마음은 모르는 얼굴과 마음과 언어 사이에서 혼자이고 싶은 마음을 뜻한다. 위가 텅 빈 채로, 오직 먼 곳을 향한 향수만을 간직한 채, 돌로 포장된 음습한 길을 걷고 또 걷고 싶은 욕망. 그것이 먼 곳에의 그리움이다. 아무튼 낯익은 곳이 아닌 다른 곳, 모르는 곳에 존재하고 싶은 열망. 그 먼 곳에의 그리움을 심어준 전혜린의 글을 나는 아직 사랑한다. 내 아픈 그림자의 출발점에, 전혜린의 아름다운 글이 있었다.

262 WED 일상의 토닥임 '감사'의 눈부신 의미를 배우는 계절

가을이 오면 하늘은 더 높고 푸르러지고, 감나무의 열매는 주홍빛으로 영글어가고, 세상 모든 사물이 더욱 선명한 제 나름의 빛을 뿜어낸다. 며칠 전까지만 해도 '아휴, 더워'라고 중얼거리던 사람들이 '이제 저녁이 되면 벌써 서늘해졌어'라고 속삭이기 시작한다. 그리고 내 마음속에서는 배리 매닐로우의 노래 〈시월이 가면(when October goes)〉이 떠오른다. 아련해서 더욱 서글픈 피아노 선율과 가수의 달콤한 목소리가 어우러져, 쓸쓸히 시간이 저물어가는 소리가 마음을 가득 적시기 시작한다. 또한 장석주 시인의 아름다운 시 〈대추 한 알〉이 떠오른다. 대추 한 알이 저절로 붉어질 리는 없다고, 그 안에 태풍 몇 개, 천둥 몇 개, 벼락 몇 개가 들어 있음이 분명하다고 느끼는 시인의 마음. 그것이 바로 자연에 대한 무한한 감사의 마음이며, 기적을 알아보는 눈길이다.

풍요와 낭만으로 가득 찬 가을의 정취는 저절로 여행을 향한 설렘을 자아낸다. 가을 하면 가장 먼저 떠오르는 여행지는 순천만 습지다. 무려 160만 평에 이르는 거대한 갈대밭은 그 자체로 '가을이란 무엇인가'를 보여주는 풍경을 선물해준다. S자로 뻗어 나가는 광대한 물길은 굽이굽이 이어지는 인생의 여정을 닮은 것 같다. 순천만 습지를 걸어가는 동안, 나는 한동안 말을 잃고 자연의 장엄한 파노라마에 시선을 빼앗겼다. 끝없이 이어지는 갈대군락을 바라보고 있으면 '우리, 인간'이라는 존재가 한없이 작아지는 느낌이다. 그런데 그 느낌이 너무 좋다. 함께 있음으로써 한없이 커다란 존재가 되는 갈대들처럼, 우리도 갈대를 닮아 서로 꼭 어깨를 붙이고 공감하고 연대하며 살아야 하지 않을까. 갈대는 코스모스처럼 청초하지도 않고 장미처럼 화려하지도 않지만 자기만의 고유한 아우라를 가지고 있다. 하나하나의 아름다움으로 승부하기보다는 함께 있어 아름다운 갈대의 수더분함이 좋다. 그 수더분함이 거대한 물결을 이루어 마침내 장엄한 군락을 이루는 순천만의 절경은 이제 한국의 가을을 대표하는 풍경으로 자리 잡았다.

익어가는 벼 이삭부터 시작하여 온갖 과실수들이 저마다의 가장 향기로운 열매를 선사하는 가을. 가을에 가장 어울리는 감정은 쓸쓸함보다는 '생에 대한 감사'다. 끝없이 우리에게 무언가를 주고 또 주는 자연에 대한 무한한 감사, 모든 우여곡절과 혹독한 여름날에도 불구하고 어김없이 가을을 맞이한 우리 모두를 향한 감사. 그 무엇이라도 예전보다 더 아름답고 눈부신 몸짓으로 다가오는 계절. 나에게 가을은 그런 계절이다.

263 THU

사람이 가장 무섭다는 사람들

불필요한 인간관계를 모두 정리하면 우리는 행복해질까. 우리를 힘들게 하는 모든 인간관계를 깔끔히 정리하면 스트레스가 완전히 줄어들까. 사회생활에서 특히 인간관계가 힘들다는 사람들의 호소가 점점 늘어나고 있다. 하지만 인간관계를 정리한다는 것이 말처럼 쉽지 않다. 돌이켜보면 '나를 힘들게 하던 사람'이 내게 엄청난 가르침을 준 적도 있다. 아주 훌륭한 사람은 아니었지만 소중한 멘토가 되어준 사람도 있었다. 사회관계의 쓸모라는 것은 흔히 생각하는 것처럼 그렇게 단순하지가 않다. 교과과정은 참고서에 다 있는데 꼭 학교생활이 필요하냐는 생각을 하는 학생들도 많다. 하지만 실제로 바로 그 '귀찮은 인간관계'에서 배운 것이 참 많았다.

얼마 전에 독일의 한 고등학생이 '학교에서 배우는 지식의 불필요함'을 주장하는 파격적인 선언을 해 논란이 된 적이 있다. 학생의 주장은 이런 것이었다. "나는 온갖 서정시들을 매우 능숙하게 분석할 수 있다. 그것도 네 가지 언어로. 하지만 정작 살아가는데 필요한 지식들을 나는 전혀 모른다. 부동산, 집세, 주식, 세금, 이런 것들에 대해서 가르쳐주는 사람은 아무도 없다. 이제 곧 독립해야 하는데 과연 이런 지식은 어딜 가서 배워야 할까."

이러한 주장은 무척 충격적으로 다가왔다. 어떤 면에서는 일리가 있었다. 그의 요지는 '학교에서 배우는 것은 실제 인생에서 쓸모가 없다'는 것이었다. 물론 미적분, 소설이나 시 분석, 지구과학과 물리학 지식은 '능력 있는 직장인'이 되는 데는 큰 도움이 되지 못한다. 그렇다고 해서 학교에서 배우는 것이 전혀 쓸모없는 것은 아니다. 나는 지금도 중고등학교 때 배웠던 시들이나 소설들을 펴보며 위안을 찾고, 밤하늘의 별들을 바라보며 지구과학 시간에 배웠던 별들의 운행 원리를 되새기곤 한다. 그런 것들은 '실용적'이진 않지만, 우리 삶의 고통을 치유하는 데 커다란 도움이 된다. 그 학생이 원하는 부동산, 집세, 주식, 세금에 대한 실용적인 지식은 '인간관계' 속에서 자연스럽게 배우는 것들이다. 그것은 가족들뿐 아니라 친구, 선배, 직장 상사, 일 때문에 만나는 다양한 전문가들을 통해서 성인이 된 후 배워도 늦지 않다.

오히려 살아가면서 '배움'이 절실할 때는 '나의 삶 자체가 송두리째 흔들리고 있다'는 생각이 들 때다. 그런 삶의 위기 속에서 필요한 것은 때로는 한 줄의 시구절일 때도 있고, 음악 시간에 배웠던 추억의 동요일 때도 있으며, 수업 시간에 친구와 몰래 주고받았던 쪽지들 속에 담긴 순수했던 시절의 추억일 때도 있다. 그러니까 지금 학생들이 배우는 지식의 진짜 필요성은 '지금'이 아니라 '미래'에 발현된다. 실생활에 필요한 수많은 지식은 '인간관계' 속에서 배우는 것이 가장 좋다.

264 FRI 영화의 속삭임 콤플렉스로부터의 눈부신 자유

결점으로 가득한 내 모습을 사랑하기는 왜 이토록 어려운 것일까. 영화 〈어느 날 인생이 엉켰다〉의 주인공 바이올렛은 어린 시절부터 흑인 특유의 강한 곱슬머리에 대한 콤플렉스를 학습한다. 곱슬곱슬한 머리가 내 눈에는 예쁘기만 한데, 주인공은 자신을 '백인이 아니다'라는 이유로, 백인 아이처럼 금발의 직모가 아니라는 이유로 부끄러워한다. 백인 바비 인형을 가지고 놀며 그런 외모를 동경하는 아이. 그런 아이를 말리지 않는 엄마는 아이의 머리를 항상 뜨거운 쇠빗으로 달구어 직모로 펴준다. 아침마다 뜨겁게 달군 쇠빗으로 머리를 펴야 하는 노동을 감수하며, 바이올렛은 '나의 머리는 꼭 반듯하게 펴야만 아름답다'는 자기 이미지를 강화한다. 백인 아이처럼 단정해야 한다는 생각은 언제나 그녀를 힘들게 한다. 백인 아이들은 헝클어진 머리에 맨발로 놀았고, 음식이 얼굴에 묻어도 신경 쓰지 않았지만, 바이올렛은 수영장에서도 마음껏 수영을 하지 못한다. 물에 젖는 순간, 머리카락은 엉망이 되어버리니까. 곱슬머리 흑인 여성에게 우아하게 편 긴 생머리는 신분 상승의 꿈을 상징하는 것이기도 했다. 가부장제 사회에서 능력 있는 남자의 선택을 받는 여성이 되기 위해 단 한 번도 곱슬거리는 자신의 본래 머리를 보여주지 않는 바이올렛. 아이들이 신나게 헤엄치고 노는 수영장에 가서 '곱게 편 머리카락이 망가질까 봐' 수영을 못하게 하다니.

우린 거울 앞에서 너무 많은 시간을 보내온 것이 아닐까. 거울 앞에서 괴로워하는 시간, 거울 앞에서 내가 원하는 이상적인 얼굴이 아닌 '내가 견뎌야 할 콤플렉스'를 발견했던 그 수많은 시간들. 나 또한 외모 콤플렉스로부터 한 번도 자유로운 적이 없었다. 이 영화를 보며 완벽한 외모를 향한 여성들의 강박이 너무 고통스럽게 다가왔다. 흑인들의 고유한 곱슬머리를 펴기 위해 흑인 여성들이 지출하는 돈과 소비하는 시간은 상상을 초월한다. 사랑하는 남자친구에게도 자신의 진짜 자연스러운 곱슬머리를 보여주지 못하는 여주인공. '머리스타일'이 왜 이토록 많은 여성을 괴롭히는가 하는 생각이 들었다. 엉킨 머리도 심각한 곱슬머리도 상관없이 나를 사랑해주는 사람을 찾기가 왜 이렇게 힘든가.

아름다운 외모를 가꾸기 위해 너무 많은 시간과 돈을 쓰는 자신이 너무 실망스러워 결국엔 우여곡절 끝에 머리를 밀어버리고 만다. 그녀는 머리를 밀어버리고 나서 더욱 행복해 보인다. "머리 생각을 안 하니까 시간이 생겼어." 나 자신에 대해 생각할 시간. 내가 진짜로 원하는 삶에 대해 생각할 시간. 남자에게 완벽하게 보이기 위해 나 자신을 과도하게 치장할 시간에, 삶을 좀 더 내가 원하는 쪽으로 스스로 만들어갈 시간을 만드는 것. 얼마나 지혜로운 '셀프 케어'인가.

265 SAT  그림의 손길 소유하려 하지 않는 사랑의 용기

존 윌리엄 워터하우스의 〈아폴론과 다프네〉(1908)에는 남녀의 어긋난 사랑의 눈빛이 선명하게 아로새겨져 있다. 아폴론은 끝없는 갈망의 눈빛으로 다프네를 바라보고, 다프네는 두려움과 거부의 눈빛으로 아폴론을 바라본다. 그리스 신화를 읽다 보면, 신들은 '내가 소중한 만큼 인간들도 소중하다'라는 생각이 전혀 없음을 알 수 있다. 바람둥이 제우스뿐 아니라 천하의 로맨티스트 아폴론도 마찬가지였다. 아폴론이 자신을 소중히 여기는 만큼 다프네도 소중히 여겼다면, 아름다운 요정 다프네가 월계수로 변하는 비극은 결코 일어나지 않았을 것이다. 왜 수많은 남성이 '정말 당신이 싫다'는 여성들의 말을 믿지 않는 걸까. 여성의 'NO'를 진짜 거절로 받아들이지 않는 남성들의 폭력은 그리스 신화 시절에도 여전했나 보다.

아폴론의 오만함에 기가 질린 큐피드는 아폴론을 골탕 먹일 천상의 묘안을 생각해낸다. 아폴론은 물론 어떤 올림푸스의 신들도 피해가지 못한 운명의 화살, 에로스의 화살을 쏜 것이다. 얄궂게도 다프네에게는 절대로 사랑에 빠지지 않을뿐더러 사랑 따위에는 관심조차 두지 않게 만드는 단단한 납화살을 쏘아버린다. 다프네는 아폴론의 맹목적인 추격에 기가 질려 필사적으로 도망을 친다. 자신감 넘치는 신이었던 아폴론은 처음으로 절망을 느낀다. 내 뜻대로 되지 않는 존재가 있구나. 나는 의술의 신인데 정작 내 마음의 병, 이 멈출 수 없는 사랑을 고칠 수는 없구나.

아폴론의 실수는 자신의 사랑을 있는 힘껏 표현하느라, 자신이 얼마나 대단한 존재인지를 강조하느라, 다프네가 사랑을 거부하는 이유를, 다프네가 그 누구도 사랑하지 못하는 이유를 궁금해하지 않은 것이었다. 자신의 사랑에 집착한 나머지 사랑의 대상에 대한 진정한 관심을 가지지 못한 것이 아닐까. 우리는 많은 순간 사랑의 대상보다 사랑 그 자체를 더욱 사랑한다. 그 순간 파괴되는 것은 단지 사랑만이 아니라 사랑받는 사람의 내면일 것이다. 아폴론의 절망을 이해하면서도 이제는 그의 어리석음이 더 커다랗게 확대되어 보이는 것은, 이제 더 이상 아폴론 같은 실수를 되풀이하지 않으려는 우리의 다짐 때문일 것이다. 당신이 사랑하는 대상은 당신을 당신처럼 사랑하지 않을 수 있다. 늘 그 가능성을 잊지 말아야 한다. 그것은 두려움이 아니라 배려다. 내가 사랑하는 사람이 나를 사랑하지 않을지라도, 그를 '소유'하려 하지 않을 용기. 그것이야말로 사랑에 필요한 첫 번째 용기다.

266 SUN 대화의 향기 내 곁에 있어준 사람에게

이제 저는 터무니없이 먼 곳, 덧없이 멀리 존재하는 사랑을 숭배하는 열정을 조금씩 지금 이곳을 가꾸는 일에, 지금 내 곁에 있는 사람을 사랑하는 일로 옮겨 붓기 시작했습니다. 좀 더 현실적인 인간으로 탈바꿈하는 징후이기도 하고, 더 이상 사춘기적 정열에 머무를 수 없는 삶의 나이테 탓이기도 합니다. 맹목적인 대상을 향한 덧없는 열정은 아름다운 만큼 허망했습니다. 그리고 무엇보다도 그런 사랑은 철저히 자기중심적일 수밖에 없습니다. 타인에 대한 진정한 관심이 아니라 나의 이상향을 투사하는 낭만적 열정이기 때문입니다. 내가 사랑하는 대상은 내가 그리는 그 이상적 이미지와 다릅니다. 그 다름은 내 사랑의 이상형을 타인에게 덮어씌우기 때문이지 그 사람의 탓, 그 대상의 탓이 아니지요.

그런데 이제 제가 시작한 사랑법은 환상의 베일이 벗겨진 대신 일상의 구석구석을 소중하게 비추는 낯설게 하기의 재미로 가득합니다. 먼 곳을 향한 눈먼 사랑의 열정을 지금 이곳을 향한 바지런한 가꿈의 시간으로 바꾸는 기적. 여신처럼 날개옷을 떨쳐입은 환상적인 대상을 향한 사랑이 아니라 된장찌개를 끓이고 수챗구멍을 청소하는 우렁각시의 사랑이 지닌 아름다움에 눈을 돌리기 시작했기 때문입니다. 더 이상 '이곳은 내가 잠시 정박하는 곳이야. 여기는 내가 있을 곳이 아니야'라고 생각하지 않기 위해서입니다. '설사 다른 곳으로 가더라도 지금 이곳이 나에게는 유토피아야'라고 믿는 삶의 기쁨이 더욱 달콤해졌습니다.

깊어가는 가을밤, 지금 내 곁에 있는 당신에게 쓰는 편지가 이토록 수다스러워질 줄은 몰랐네요. 참새처럼 재잘대는 내 떠들썩한 사랑을 받아준 당신에게 감사합니다. 이제 당신을 봐도 예전처럼 심장이 터질 듯 두근거리거나 입술이 바싹바싹 마르지는 않습니다. 가끔은 당신 얼굴에 돋은 작은 점 하나가 수박씨보다 커 보일 때도 있지요. 그러나 이제는 더 이상 어린 날의 내 이상형과 당신의 오만 가지 단점을 놓고 심각하게 저울질해보지는 않습니다. 이상형에게는 있지만 당신에게는 없는 것이 아니라, 그 어떤 이상형에게도 없지만 오직 당신에게만 있는 것을 발견하는 재미가 새록새록 합니다. 내일은 매일 바라보면서도 게으름 때문에 차마 올라가지 못하는 동네 뒷산을 산책하는 건 어떨까요. 아직 오르지 못한 머나먼 에베레스트를 그리워하기보다는 우리 동네 뒷산의 숨겨진 아름다움을 느끼는 삶을, 내일, 그리고 또 다른 내일도 당신과 함께 하겠습니다. 이렇게 수많은 결점으로 가득한 나를, 변함없이 아껴주어서 고맙습니다.

267 MON  심리학의 조언 자기자비, 나를 향한 친절

시도 때도 없이 전화를 해서 자신의 고민을 마음껏 토로하는 친구 때문에 괴롭다는 분들이 많다. 자기 고민을 이야기하지는 못하고, 친구의 고민을 들어주기만 하는 분들의 사연을 볼 때마다, 나는 말씀드린다. "먼저 내 삶을 우선순위에 두세요." 친구가 토라지면 어떻게 하냐고, 친구의 안부를 먼저 걱정하는 분들도 많다. 그럴 때 나는 그분들에게 말한다. "왜 내 편부터 들어주지 않으시나요. 내가 나의 편이 되어야지요."

내가 나의 편이 되는 것, 이 쉬운 일을 잘 못 해내는 분들이 의외로 많다. 착하고 내성적인 사람들, 남의 이야기를 들어주기에 바빠 정작 자기 자신의 고민을 이야기할 곳은 없는 사람들이다. 문제는 이런 사람들이 우울증에 빠질 확률도 높다는 것이다. 자기자비(self-compassion), 즉 자신을 향한 친절과 공감을 시작하지 않으면 정신건강의 적신호가 온다. 나를 돌보기 위해 전화기를 '무음'으로 설정할 용기, 나의 삶에 집중하고 싶을 때는 단호하게 전화기를 꺼놓는 용기가 필요할 때다.

나를 위한 버킷리스트를 짜는 것은 살 날이 얼마 남지 않은 사람들에게만 필요한 것이 아니다. 바로 지금 나를 위한 일상의 버킷리스트를 만들어보는 것이 좋다. 죽기 직전의 절박함이 아니라 건강할 때 나를 돌볼 수 있는 마음의 여유를 가지고 아주 소박한 버킷리스트를 만들어보자. 예컨대 쉬는 것 자체를 잘 못 하는 사람들은 '원 없이 제대로 쉬는 것'을 버킷리스트에 포함시켜야 한다.

마음의 건강을 찾는 최고의 방법 중 하나는 '내 자신의 소원 들어주기', 즉 나의 버킷리스트 실천하기가 아닐까. 사람들 마음속에 도사린 절박함에 호소하는 이 리스트들은 상업성이 짙지만, 그럼에도 불구하고 거부할 수 없는 매력이 있다. '나 자신을 향한 물음'을 던지도록 몰아붙이기 때문이다. 나는 죽기 전에 꼭 해야 할 일들을 계획해본 적이 있는가. 항상 죽음을 생각하는 삶은 얼마나 절박한가. 언제 죽을지 모르는 삶에서, 바로 오늘 죽더라도 조금이나마 후회를 덜 수 있는 버킷리스트는 무엇일까. 결국은 죽음을 항상 염두에 두는 삶이 스스로에게 가장 진실할 수 있는 길이 아닐까. 준비할 수 없는 마지막 시간이 다가온다 하더라도, 최대한 내 삶을 향한 후회의 감정을 줄이는 것. 우리가 '나만의 소박한 버킷리스트'를 만들어야 하는 이유는 결국 '나 자신을 행복하게 해주기'야말로 가장 확실한 마음챙김의 길이기 때문이다. 먼훗날 시간이 생겼을 때의 버킷리스트가 아니라 오늘부터 실천할 수 있는 마음돌봄의 버킷리스트를 실천해보자. 진정한 자기자비의 시작이다.

268  트라우마로부터 벗어나려는 의지

TUE

독서의 깨달음

어떤 트라우마는 인간에게 뜻밖의 성장의 화두를 던져주는 계기가 될 수 있지만, 어떤 트라우마는 영원히 지워지지 않는 흉터로 남아 삶 자체를 집어삼킬 수 있다. 김금희의 《경애의 마음》은 참혹한 트라우마에 갇혀 화석처럼 굳어버린 마음을 안고 사는 주인공들을 통해 '인간은 트라우마로부터 벗어날 수 있는가', '트라우마를 극복하는 힘은 어디서 비롯되는가'라는 묵직한 화두를 던져주는 작품이다. 고교 시절 불의의 화재로 소중한 친구들을 한꺼번에 잃고 혼자 살아남았다는 죄책감을 안고 살아온 경애. 화재 사건에서 사랑하는 친구를 잃어버린 채, 그 후로는 한 번도 누군가에게 진심으로 이해받아 본 적이 없는 쓸쓸한 삶을 살아온 상수. 둘의 이야기는 서로 전혀 상관없어 보이지만 사실은 삶의 곳곳에서 뿌리 깊은 인연의 사슬로 묶여 있는 타인과 타인이 나눌 수 있는 뜻밖의 소통, 그리고 그 소통이 빚어낸 불가해한 치유의 아름다움을 증언한다.

작품 속에서 좀처럼 가까워지지 않는 두 사람, 경애와 상수의 공통점은 의외로 많다. '아무도 나를 이해해주지 않는다'는 뼈아픈 소외감을 안고 살아왔다는 것, '이제 다시는 누군가를 온전히 사랑할 수 없을 것 같다'는 뿌리 깊은 공포를 안고 살아간다는 것, 같은 회사를 다니며 온갖 감정노동에 시달리고 있는 것. 상수는 세상 누구와도 진정한 파트너십을 경험해본 적이 없고, 경애는 무심해 보이는 표정 속에 자신의 잠재력을 애써 감춘 채 살아간다. 한주를 향한 사랑이 트라우마로 얼어붙은 마음을 녹여줄 뻔했지만, 한주의 배신으로 인해 오히려 더욱 끔찍한 기다림과 외로움의 시간을 견뎌온 경애.

어쩌면 경애의 희망은 경애가 가장 무심한 눈빛으로 바라보았던 존재, 주변 모두가 잉여 인간쯤으로 취급했던 상수의 분신, '언니'에게 있었던 것이 아닐까. 상수는 낮에는 무능한 회사원으로 핍박받지만 밤에는 온라인 세계에서 '언니'로 활약하며 세상 모든 실연의 아픔에 화답하는 지혜로운 존재로서 경애의 상처를 위무한다. 경애는 그 사실을 전혀 모른 채 '대낮의 상수'에게 절망한다. 하지만 독자는 '경애의 희망'을 판도라의 마지막 내용물이 담긴 상자를 열 듯 두근거리는 마음으로 바라본다. 현실의 팀장일 때보다도 온라인의 '언니'일 때, 남자일 때보다 여자일 때 더욱 진정한 자기자신으로 변신하는 상수의 공감 능력이야말로 구원의 열쇠다. 우리는 '경애의 마음'을 남몰래 엿보며 새삼 기쁜 마음으로 깨닫는다. 어쩌면 우리가 무심하게 지나친 그 모든 하찮은 마주침 속에 우리의 생을 구원할 수 있는 최고의 찬란한 기회가 숨 쉬고 있을지 모른다는 것을.

269 WED 일상의 토닥임 사소하지만 눈부신 버킷리스트

'죽기 전에 꼭 봐야 할 명소 베스트 100', '죽기 전에 꼭 들어야 할 음악 1000', '죽기 전에 꼭 봐야 할 영화 1000' 등의 어마어마한 리스트를 실천하는 것은 쉽지 않다. 너무 거창할 뿐 아니라 그 리스트를 지키는 일 자체가 또 하나의 스트레스가 되니 말이다. 이 세상의 수많은 버킷리스트들을 지켜보면서, 나만의 버킷리스트는 무엇일까를 고민해보았다. 내 삶의 온도를 바꾸었던 순간들을 되돌아보면, 대단한 계획이 아니라 뜻밖의 우연으로 이루어진 사소한 경험들이야말로 인생의 결정적인 전환점이었다. 그래서 많은 돈을 쓰지 않고도, 많은 시간을 들이지 않고도, 일상 속에서 실천할 수 있는 작고 소소한 버킷리스트들을 고민하게 되었다. 매우 사소하지만 우리 삶의 빛깔과 향기를 바꾸는 버킷리스트는 어떤 것일까.

내가 처음으로 실천한 '마음속 버킷리스트'의 첫 번째 경험은 바로 낯선 사람의 초대에 응하기다. 긴 여행을 떠날 때 아쉬운 것은 '아는 사람'이었다. '현지에 아는 사람이 한 명이라도 있으면 좋겠다'는 생각이 들 때가 많았던 것이다. 물론 낯선 장소, 낯선 문화를 경험하는 것은 언제나 가슴 설레는 일이지만, 아무리 열심히 현지의 문화를 공부하고 예술작품을 감상해도 '나는 이방인이구나' 하는 생각을 떨쳐내기 어려울 때가 있다. 그럴 때 '낯선 장소를 향한 숨 막히는 거리감을 잠시나마 해소해줄 수 있는 다정한 길잡이가 있으면 얼마나 좋을까'라는 생각을 하게 된다. 헤르만 헤세의 고향 칼프에서는 '헤세의 친척집'이라도 알고 있는, 그래서 헤세의 어린 시절 이야기를 들려줄 수 있는 현지인이 있었으면 좋겠다는 상상을 했고, 아테네에서는 그리스 신화를 재미있게 들려주는 나이 지긋한 그리스인 할아버지가 곁에 있으면 좋겠다는 생각을 했다. '그 장소를 잘 아는 현지인'에 대한 로망은 여행자가 떨쳐내기 힘든 환상이다.

'현지인 친구'가 가장 아쉬운 것은 국내 여행을 할 때였다. 몇 년 전부터 제주도의 매력에 푹 빠진 나는 갈 때마다 '제주도에 아는 친구가 있었으면 좋겠다'는 생각을 했다. 그런데 얼마 전에 내 오랜 소원을 풀게 해줄 뜻밖의 초대를 받게 되었다. 내 칼럼을 읽은 독자 한 분이 편지를 통해 나를 초대해주신 것이다. 제주도는 내게 항상 아름답고 매혹적인 여행의 장소였지만, 낯선 사람의 초대에 응해 그곳에 간 적은 없었다. 하지만 3년 전 나는 독자의 초대에 선뜻 응했고, 제주도에 볼 일이 있어 가는 길에 독자의 집에 방문했다. 낯선 사람의 초대를 두려워하는 나로서는 처음 있는 일이었다. 독자의 편지 속에 담겨 있는 따스한 환대의 마음, 그리고 이 사람은 정말 좋은 사람이구나 하는 어떤 믿음이 나를 움직였던 것이다. 조건 없는 환대의 마음, 그것이야말로 굳게 닫힌 마음의 문을 활짝 여는 만능열쇠다.

270 THU  사람의 반짝임 | 낯선 곳에서 '새로운 나'를 만나다

패키지여행의 아쉬움은 '어디어디에 간다'는 목적지는 중요하되 '그곳에 가서 무엇을 할 것인가'에 대한 성찰이 없다는 점이다. 마치 파리에 가면 에펠탑과 루브르박물관만 가보면 만사형통이라는 듯, 유명한 장소만 그야말로 '찍고 돌아오는' 식의 여행 패턴은 여행의 진정한 즐거움 중 하나, '현지인처럼 살아보기'의 즐거움을 빼앗게 된다. 인증샷도 좋고 여러 나라를 도는 것도 좋지만, 조금 더 천천히 장소의 깊이를 느끼면서 여행을 다닌다면 더욱 좋겠다. 내게 처음으로 명소만 관광하는 번갯불에 콩 볶아먹기 식의 여행이 아닌 '현지인처럼 살아보기'라는 여행의 즐거움을 가르쳐준 곳은 베를린이었다. 베를린에서 보낸 6주 동안 나는 그동안의 내 여행이 얼마나 속도 중심, 목적지 중심, 효율성 중심이었는지를 깨닫게 되었다.

나는 베를린 유학생이 방학 동안 한국에 돌아와 있는 동안 비워놓은 방에 들어갔다. 가구와 집기가 다 갖추어져 있고, 널따란 마당도 쓸 수 있고, 한국에서 이민 오신 주인 아주머니가 빨래도 해주시는 정겨운 하숙집이었다. 나는 그날부터 그야말로 베를린의 구석구석을 돌아다니기 시작했다. 지하철이나 버스를 타고, 때로는 하염없이 걸으며, 배고프면 눈에 띄는 식당에서 식사를 하고, 목 마르면 노천카페에 앉아 느릿느릿 커피를 마시는, 그야말로 내 맘대로 나의 하루를 요모조모 조각할 수 있는 자유로운 여행.

내한공연 당시에서는 너무 표가 비싸 망설였던 베를린 필하모닉 오케스트라의 공연도 부담 없이 볼 수 있었고, 아예 한 달짜리 '베를린 박물관 투어 티켓'을 끊어서 베를린 곳곳의 박물관과 미술관을 부지런히 다닐 수 있었다. 예전에는 '이곳에 가고 싶긴 하지만 시간이 없어서 안 되겠다'고 포기했던 수많은 장소들도 하염없이 오래오래 앉아 있을 수 있었다. 물어물어 브레히트의 묘지를 찾아가 한참 동안 무덤 속의 브레히트와 도란도란 이야기를 나누기도 하고, 브레히트 묘지 곁에 헤겔의 묘지가 있다는 것을 우연히 알고 '꺅'하고 소리를 지르기도 했다. 히틀러의 회의 장소로 유명했던 반제(Wannsee)를 산책하며 다시는 반복되어서는 안 될 잔혹한 나치즘의 흔적을 하염없이 바라보기도 했고, 페르가몬 뮤지엄 안에 있는 제우스의 대재단에서 '1000년 전의 지구'를 향해 시간 여행을 떠나온 듯 넋을 잃고 할 말도 잃은 채 몇 시간을 앉아 있기도 했다. 그 모든 시간들이 바삐 움직이는 단체여행에서는 미처 경험해보지 못한 느리고 한적한 여백의 묘미를 느끼게 해주었다. 잠시 잠깐 둘러보는 여행과 한 달쯤 살아보는 여행의 결정적인 차이는 내가 '다른 사람'이 된 것 같은 즐거움을 좀 더 오래, 좀 더 깊이 느껴볼 수 있다는 것이다.

271 FRI 영화의 속삭임 희망과 자유를 노래하는 영혼의 무기

영화 〈헝거게임〉에서 활을 든 소녀 캣니스 에버딘은 미래사회에서도 변함없이 민중의 무기로 활약하는 화살의 소중함을 보여준다. 어린 소녀 캣니스는 아버지가 돌아가신 후 어머니와 동생의 생계를 책임지는데, 그녀가 가족들의 배고픔을 해결하는 방식은 바로 사냥이다. 그녀는 동물들을 쏠 때도 정확히 눈을 겨냥해서 맞힐 정도로 활쏘기 실력이 출중하다. 동물들을 사냥해서 내다 팔고, 그 돈으로 간신히 입에 풀칠을 하는 캣니스에게 더 커다란 불행이 밀어닥친다. 바로 그녀의 동생 프림로즈가 헝거게임이라는 무참한 살육극에 동원된 것이다. 헝거게임의 규칙은 단 하나였다. 최후의 일인이 살아남을 때까지 '만인의 만인을 향한 살인'이 용인되는 것이었다. 미래사회의 각 구역에서 추첨으로 뽑힌 어린 소년소녀들이 거대한 아레나에 모여 온 국민이 미디어로 지켜보는 가운데 서로를 살육하는 처참한 게임. 그것은 '반란의 대가'였다. 과거에 백성들의 반란 사건을 잔혹하게 진압한 국가는 다시는 반란이 일어나지 않도록 '반란의 새싹'을 미연에 잘라내기 위해 이토록 잔혹한 살육의 퍼포먼스를 자행하고 있는 것이다.

캣니스는 불행에 굴하지 않는다. 프림로즈 대신 그 잔인한 헝거게임에 자발적으로 지원한 것이다. 어릴 때부터 철저히 전사로 길러진 다른 참가자들과 달리, 캣니스의 유일한 무기는 사냥 실력으로 다져진 화살뿐이었다. 캣니스는 날카로운 화살보다 더 예리한 눈길로 헝거게임으로 위장된 거대한 국가 판엠의 위선을 알아차린다. 판엠은 헝거게임식의 공포정치로 백성들을 무사히 통제하는 것처럼 보이지만, 권력자들은 아직도 '반란의 기억'으로 괴로워하고 있다는 사실을. 그들은 남을 죽여야만 내가 살아남는 잔혹한 생존경쟁의 원리로 백성들을 효과적으로 통치하려 하지만, 백성들은 헝거게임을 보며 단지 권력을 두려워하는 법만을 배우지 않는다. 공포에 질려 벌벌 떠는 여동생을 대신해 헝거게임에 자원한 캣니스의 존재 자체가 고통받는 민중에게는 희망과 배려의 상징이 된다.

그녀는 화살로 적들의 심장을 뚫고, 마침내 '너를 죽여 내가 산다'는 헝거게임의 원칙이 아니라, '너와 내가 공존할 수 있는 희망의 길'을 찾으려 한다. 화살은 총처럼 복잡하지도, 칼처럼 직접적이지도 않다. 누구나 배울 수 있고, 누구나 쉽게 구할 수 있는 원시적인 무기였다. 하지만 화살은 원거리에서 적의 심장을 꿰뚫는 경이로운 파괴력으로 때로는 희망을, 때로는 자유를 노래하는 영혼의 무기가 되어준다. 화살은 날카롭다. 하지만 화살을 쏘는 궁수의 눈빛은 더욱 날카로워야 한다.

272 SAT 그림의 손길 매일 보는 도시 풍경의 애잔한 위로

매일 바라보는 풍경의 아름다움이야말로 마치 공기처럼 물처럼 우리를 항상 지켜주는 회복탄력성의 일부다. 내가 이토록 아름다운 풍경 속에 둘러싸여 살아가고 있구나, 하는 안도감. 엄청난 절경이 아니어도 좋다. 내가 사는 곳 가까이에서 볼 수 있는 소박한 아름다움. 아늑한 벤치의 따스함. 아름드리나무의 다정함. 그런 것들이 우리를 지켜주는 공간의 힘이다. 휘슬러의 작품은 어두운 도시의 밤풍경이 지닌 기적 같은 아름다움으로 우리를 인도해준다. 밤하늘과 도시 풍경의 어우러짐을 이토록 눈부시게 그려낼 수 있다니. 휘슬러의 작품은 분명 2차원의 정지된 화면인데, 3차원의 동영상처럼, 마치 눈앞에서 벌어지는 불꽃놀이처럼 도시의 밤풍경을 생동감 넘치게 복원해낸다.

페르메이르의 풍경화가 느리고 섬세한 관찰의 미학으로 완성되는 것이라면, 휘슬러의 풍경화는 찰나의 순간적 관찰을 통해 가능한 속도의 미학을 제시한다. 〈검은색과 금색의 야상곡〉(1875)을 비롯해 그때그때 변해가는 도시의 순간적인 풍경을 담아낸 휘슬러의 작품들은 특히나 그렇다. 인물화에서는 지극히 정적이고 섬세한 표현을 즐겼던 휘슬러는 풍경화에서는 빛과 온도와 바람의 변화에 따라 수시로 변화하는 풍경의 찰나성에 주목하곤 했다. 이것은 어쩌면 '의지'로 통제할 수 있는 인간과 '의지'로는 결코 통제할 수 없는 '자연'의 차이에 기인하는 것인지도 모른다. 모델에게 자신이 엄격하게 선택한 의상과 장시간의 정적인 포즈를 요구했던 휘슬러는 시시각각 변화하는 자연의 풍광 앞에서는 속수무책의 감정을 느꼈을 것이다.

그는 도시와 자연, 그 속의 인간을 묘사하면서 바로 그 '변화'의 속성 자체를 적극 활용한다. 도시의 밤풍경 속에서 빠르고도 희미하게 스쳐가는 인물들의 실루엣을 그려내는 휘슬러의 몸짓은 '나타남'과 '사라짐'을 동시에 포착하고 있다. 인물들은 나타나자마자 사라지는 환영처럼 아련하게 존재한다. 인물들은 강한 눈빛으로 우리를 노려보는 것이 아니라 보일 듯 말 듯 아스라하게 흔들리며 그림자처럼 존재한다. 이 그림에서 실체와 그림자는 분리되지 않는다. 실체 자체가 그림자인 듯, 인물들은 이 세상에 존재함과 동시에 곧 사라지려 하고 있다. 곧 사라질 것만 같은 찰나의 아름다움, 그 속에 잡힐 듯 잡힐 듯 잡히지 않는 생의 눈부신 활기가 살아 숨 쉬고 있다.

273 SUN 대화의 향기 가장 아픈 상처, 가장 큰 구원의 시작

나에게 이런 편지를 보내온 독자가 있었다. "텔레비전 오디션 프로그램에 출연했다가 소위 악마의 편집을 당했습니다. 진실과 다르게 나온 일부 내용 때문에 그동안 잘 지내던 친구들이 저와 연락을 끊었습니다. 그때 스태프들은 저에게 잘해주는 척하면서 다른 사람과 이간질을 시키고 저를 좋아하는 척 연기하면서 저를 이용했습니다. 그래서 이제 사람들을 볼 때 예전처럼 순수하게 생각할 수가 없게 되어버렸습니다. 어떻게 해야 인간관계에서 예전의 순수함을 되찾을 수 있을까요?" 이런 사건은 꼭 오디션 프로그램에 출연했기 때문에 일어나는 것은 아니다. 누구나 한두 번쯤은 그런 아픈 경험을 한다.

나는 독자에게 이런 답장을 보내주었다. "저도 이런 경우에 처한 적이 있었습니다. 그 상처에서 빠져나오는 데 거의 10년이 걸릴 정도로 아픈 경험이었지요. 지금도 가끔 그때를 생각하면 마음 한구석이 아예 폐허가 되어버려 어떤 씨앗도 자랄 수 없을 것 같은 황량한 기분이 되곤 할 정도입니다. 하지만 그 상처를 극복하는 과정이 '나는 누구인가, 나는 앞으로 어떻게 살아야 할 것인가'를 결정한 것 같습니다. 어쩌면 가장 아픈 상처가 가장 커다란 구원의 시작일 수도 있다는 것을, 저는 그 경험을 통해 알 수 있었지요.

어떤 힘든 사건이 터졌을 때 내 곁을 떠나가는 사람들이 있지요. 마음은 아프지만, 그런 사람들과는 인연을 지속할 수 없습니다. 내 인생을 송두리째 뒤흔드는 사건이 터졌을 때마다, 저를 떠나는 사람들도 많았지만 제 곁에 머물러주는 사람들도 있었습니다. 그 어려운 일로 인해 우연히 새로운 인연을 만나 오랜 친구가 되는 경우도 있었지요. 그리고 오랜 시간이 지나 저는 생각해봅니다. '나는 잘못한 것이 전혀 없었을까? 물론 내가 의도한 바가 아니었다 하더라도, 오해의 빌미를 나도 모르게 제공한 것은 없었는가?' 이런 생각을 하게 되기까지 10년이 걸린 셈이지요. 그리고 스스로에게 질문합니다. 그 사람과 인연을 끊고서도 나는 괜찮을까. 그 사람에게 어떤 도움도 받지 않고도 나는 잘해낼 수 있는가. 그 사람들이 없어도, 세상 모든 친구들이 내게 등을 돌려도, 나는 살아갈 수 있을까. 이런 질문들에 하나하나 대답하다 보면, 비로소 내가 어떤 사람인지, 내가 앞으로 어떻게 살아가야 할지, 그 희미한 미래의 설계도가 조금씩 그려지기 시작합니다. 가장 아픈 트라우마는 가장 큰 성장의 기회이기도 하다는 것을 잊지 말았으면 합니다."

274 MON 심리학의 조언 페르소나, 진짜 나를 감추는 가면

"그 사람 겉보기와는 달라, 의외로 똑똑하고 재미있는 사람이더라고." "천길 물속은 알아도 한 길 사람 속은 모르는 법이야." "그렇게 착해 보이는 사람이 그런 짓을 할 줄 누가 알았어?" 이런 말들은 사람의 '겉'과 '속'이 얼마나 다른지를 보여주는 것들이다. 심리학에서 볼 때 '속'과 전혀 다른 이 '겉'이 바로 페르소나다. 사람들은 타인을 볼 때 주로 겉으로 보이는 모습, 말투, 대화, 인상 등에 치중하기 때문에 페르소나를 완벽하게 치장하는 사람들은 '속마음'을 알 수 없는 존재가 되기 쉽다. 남에게 보여줄 수 있는 내 모습, 때로는 속마음과 다른 모습으로 치장하고 연기를 해서라도 '바람직한 내 이미지'로 만들고 싶은 모습, 그것이 바로 페르소나이기 때문이다. 그렇다면 페르소나의 화려한 가면에 짓눌려 우리가 보여주지 못하는 진짜 내 모습은 무엇일까. 그것이 바로 심리학에서 말하는 그림자다. 남에게 보여주기 싫은 내 모습, 그러나 울퉁불퉁하고 휘청거리는 그 모습 자체가 바로 진정한 나 자신에 가까운 그런 내 모습. 그것이 바로 그림자다.

페르소나와 그림자의 거리가 멀면 멀수록 우리 마음은 깊은 고민에 빠진다. 말하자면 내 연기력이 나의 진심을 억누르게 되는 셈이다. 사람들에게 '보여주어야 할 모습' 때문에 정작 '내가 진심으로 느끼는 것들'이 소외될 수 있다. 항상 아이들에게 바람직한 모습을 보여주어야 하는 선생님들은 이런 '페르소나'가 아주 모범적이고 엄격한 모습으로 만들어지기 쉽다. 겉으로는 매우 명랑하고 유쾌한 페르소나를 보여주는 선생님들도 알고 보면 남모를 스트레스에 속앓이를 하는 경우가 많다. 날이 갈수록 복잡하고 어려워지는 교육 환경 속에서 선생님들은 '페르소나'와 '그림자'가 점점 멀어지는 마음고생을 경험하곤 한다. 그런데 그림자는 결코 나쁜 것이 아니다. 페르소나를 얌전하고 바람직하게 유지하느라 정작 우리는 내 마음의 진심이 더 많이 모여 있는 곳, 그림자가 깃들어 있는 무의식을 등한시한다. 그림자는 콤플렉스와 트라우마, 억압된 기억과 감정이 모두 모여 있는 무의식의 거대한 창고 같은 것이다. 그림자를 돌본다는 것, 그것은 자신의 상처를 지혜롭게 어루만져주는 것이며, 자신의 아픈 마음속에서 내면의 진실을 찾을 줄 아는 혜안을 기르는 것이다. 좀 더 아프고 번거로울지라도, 불완전한 나 자신에게 솔직해지는 것. 그리하여 페르소나를 완벽하게 치장함으로써 상처를 숨기는 데 급급할 것이 아니라 자신의 그림자와 진정으로 친밀해질 수 있는 사람이야말로 타인의 아픈 그림자마저도 존중할 줄 아는 깊고 너른 마음의 주인공이다.

275 TUE

독서의 깨달음

내 안의 '벨 에포크'를 찾아서

예술의 아름다움은 굳게 닫은 마음의 빗장을 연다. 우울과 불안이 몰려올 때, 나는 아름다운 것들에 탐닉한다. 아름다운 것들에 몰입하고 있는 시간 동안에는 불안도 우울도 저 멀리 달아나버리기 때문이다. 그래서일까. 메리 매콜리프의 책《벨 에포크, 아름다운 시대》의 제목과 부제를 읽는 순간, 이미 이 책에 매료되었다. 벨 에포크라는 말만 들어도 '아름다운 것들의 전성시대'라는 내 마음속의 이미지가 떠오른다. 그리고 부제는 '모네와 마네, 졸라, 에펠, 드뷔시와 친구들'이라니. 생각만 해도 심장이 쿵쾅거렸다. 아름다운 것들이 모두 모여 보름달 아래서 무지갯빛 옷깃을 날리며 신명나게 강강술래를 하는 느낌이었다. 아름다운 것들을 생각하는 것만으로도 영혼이 고양되고 우울이 씻은 듯이 가라앉는 느낌. 그 느낌이 좋았다.

게다가 이 책은 내가 아주 좋아하는 '작가의 태도'를 보여준다. 느낌과 감상에 주력하는 것이 아니라 자료 자체에 탐닉하는 것이다. 역사와 인물과 시간과 공간에 관련된 모든 자료를 탐색하고 그 탐색 속에서 길어 올린 풍요로운 사유를 표현하는 것이야말로 내가 꿈꾸는 글쓰기 방식인데, 이 작가가 바로 그렇게 하고 있었다. 독자가 내 마음을 이해할까, 독자들은 내 글을 좋아할까, 이런 생각 때문에 눈치 보지 않기. 자신이 오랫동안 사랑하고 탐구하고 열정을 기울여 온 대상에 대해 남김없이 열정을 불태워버리는 글쓰기가 좋다. 이 책은 나의 가면을 벗기고, 그 누구의 눈치도 보지 않은 채 오직 내가 사랑하는 것을 향해 나를 불태우는 글쓰기를 꿈꾸게 했다.

당대를 주름잡았던 예술가들의 모험의 결과는 '벨 에포크'라는 아름다운 시대의 탄생이었지만, 과정은 쉽지 않았다. 예술가들은 끊임없이 가난과 싸우고 편견과 싸워야 했다. 나는 이 책을 통해 고통스럽게 아름다움을 향한 가시밭길을 걸어간 예술가들을 만났다. 낙선을 거듭하면서도 포기하지 않고 살롱에 출품했던 마네의 용기, 오랫동안 실패를 거듭하다가 당시로서는 매우 늦은 나이였던 서른다섯에 이르러서야 살롱전에 입선했던 로댕의 도전. 그 모두가 명성이라는 가면을 벗고 만난 예술가의 진정한 아름다움이었다. 거듭되는 실패로 인생의 쓴맛을 고스란히 맛보았지만, 열정과 진심이라는 최고의 무기로 진정한 자기와의 만남을 포기하지 않았던 예술가들의 더 깊은 아름다움과 만났다.

276 WED 일상의 토닥임 페르소나에 가려진 나를 사랑하는 사람

아이들에게 '바른생활의 모범'이 되기 위해 자신의 그림자를 완벽히 숨기는 선생님이 좋을까, 아니면 가끔 솔직하게 자신의 그림자도 보여주면서 좀 더 인간적인 소통을 추구하는 선생님이 좋을까. 나는 좀 더 자연스럽고 솔직하게 자신의 그림자와 소통하는 선생님이 정신적으로 더 건강한 상태라고 본다. 그림자를 억압하고 숨기면 건강해지는 것이 아니라 오히려 스트레스와 콤플렉스가 더 심화되기 때문이다.

"선생님도 너희들이 그렇게 가슴 아픈 말을 하면 상처받는단다." "선생님도 인간이니까 똑같이 마음 아프고, 우울할 때도 있단다." 이렇게 말하는 것은 전혀 교사로서의 권위를 떨어뜨리는 것이 아니다. 오히려 아이들에게 좀 더 친밀하게 다가가는 계기가 될 수도 있다. 말썽부리는 학생들에게도 마치 우리 인격에 '그림자' 따위는 없는 것처럼 '바람직한 페르소나'만을 강조하는 것보다는 '선생님도 예전에 너 같은 생각을 한 적이 있었어' 하고 솔직하게 인정하는 것이 훨씬 더 치유의 가르침이다. 꽉 끼는 교복처럼 답답한 교육 방법이 좋은 것이 아니라, '이 선생님 앞에서는 뭐든지 솔직하게 털어놓을 수 있어'라는 편안함을 느끼게 하는 것이 훨씬 아이들에게도, 선생님 자신에게도 훌륭한 교육이다.

페르소나가 '사회화'와 연결되는 부분이라면, 그림자는 '개성화'와 연결되는 부분이다. 우리 사회는 지나치게 '사회화'를 강조하느라, 나답게 되기, 진정한 나 자신으로 살기라는 '개성화'의 과제가 도외시되고 있다. 인간에게는 사회화와 개성화 사이의 균형감각이 중요하다. 사회와 연결되는 것도 중요하지만 그림자로 대변되는 '진정한 내면의 자기'와 만나는 작업도 중요하다.

페르소나는 '다른 사람에게 내가 어떻게 보일까'를 생각하며 발달되는 인격의 가면이고, 그림자는 '페르소나로 연기를 하느라 억눌리고 소외되는 감정과 기억들'로 이루어진다. 《지킬 박사와 하이드》에서 지킬 박사가 페르소나라면 하이드는 그림자에 해당된다. 완벽한 페르소나를 만들기 위해 그림자를 억압하고 숨기려고만 했을 때, 하이드 같은 괴물적 인격이 생겨날 수 있다. 하지만 자신의 그림자를 정성껏 돌보고, 그림자와 '대화'를 시도하는 사람들은 오히려 페르소나만 번듯한 사람들에 비해 훨씬 더 성숙하게 자신의 개성을 발전시킬 수 있다. 내 아픔을 털어놓을 수 있는 사람, 더 이상 복잡한 가면을 쓸 필요가 없는 사람, 내 그림자를 솔직하게 드러내어도 날 미워하거나 무시하지 않는 사람. 바로 그런 사람이 우리의 진정한 친구이자 스승이 될 수 있다.

277 THU  사람의 반짝임 | 아름다움을 알아차리는 감식안

오직 예술가들만이 줄 수 있는 기쁨이 있다. 과학적 발견이나 경제적 이득이 없을지라도 삶을 보다 아름답게 만들어내는 힘, 일상을 보다 향기롭게 가꾸는 힘이 바로 그것이다. 영화 〈미드나잇 인 파리〉를 다시 보면서, 파리의 아름다움을 만들어낸 일등공신들은 바로 '예술가들', 그리고 그 예술가들을 보물보다 더 사랑하는 '파리지엔들'이라는 생각이 들었다.

1900년 이후의 파리는 풍요로운 문화적 발전과 예술가들의 교류를 바탕으로 새로운 전성기를 맞게 된다. 몽마르트르 언덕이 예술가들의 아지트가 된 것도 이 시기다. 이사도라 덩컨, 스트라빈스키, 샤갈, 장 콕토 같은 수많은 예술가가 파리의 몽마르트르 언덕에 즐비하던 싸구려 목조 공동주택 '바토 라부아르(세탁선)'로 모여들어 예술과 사랑, 우정과 혁명을 이야기했다. 파블로 피카소, 막스 자코브, 모리스 드 블라맹크, 키스 반 동겐, 모딜리아니 등 수많은 예술가가 가난에 굴하지 않고 예술을 향한 열정을 불태우며 파리를 더욱 아름다운 빛의 도시로 만들었다.

이사도라 덩컨은 훌륭한 미적 감식안을 가진 관객들을 위해 공연하는 한편 파리 소녀들을 가르쳤는데, 그녀에게 배우고 싶어 하는 지망자가 얼마나 많았던지 클래스를 세 개로 나눠야만 했다고 한다. 그런 무리한 수업은 분명 체력을 고갈시켰지만, 그렇게 해야 집세를 낼 수 있었다. 가난했지만 예술가로서의 재능만큼은 하늘을 찔렀던 이사도라의 열정, 그것은 오직 춤의 근본원리를 발견해내고야 말겠다는 의지였다.

이사도라는 말했다. 예술이 꽃이라면, 삶은 뿌리라고. 삶이라는 뿌리로부터 제대로 잉태된 예술만이 진정으로 당당한, 예술가의 자부심이었다. 파블로 피카소는 열아홉 살에 저 유명한 1900년 파리 만국박람회에서 자신의 그림이 걸려 있는 것을 발견한다. 그때 이미 세계적인 화가의 반열에 오른 것이다. 예술을 미친 듯이 사랑하는 사람들, 예술가를 왕처럼 떠받들던 파리지엔들이 만들어낸 세계 속에서 피카소의 나이 따윈 중요하지 않았던 것이다. 피카소는 자신의 자서전에 자랑스럽게, '나, 왕'이라고 쓰기도 했다. 이런 나르시시즘조차 밉지 않은 것은 예술을 보물처럼 아끼는 파리지엔들의 든든한 응원이 늘 함께하기 때문이다. 힘들 때마다 찾아가고 싶은 내 마음 속 타임머신, 〈미드나잇 인 파리〉. 그것은 위대한 예술가들의 이야기에 그치는 것이 아니라 예술을 신처럼 떠받드는 파리지엔과의 만남이기도 하다.

278 FRI 영화의 속삭임 언젠간 꿈을 이룰 당신을 위해

영화 〈원데이〉를 보다가 깜짝 놀란 장면이 있다. 작가의 꿈을 아직 이루지 못하고, 초등학교에서 학생들을 가르치고 있는 엠마(앤 해서웨이)에게 덱스터(짐 스터게스)가 하는 말.

"할 수 있는 자는 행하고, 하지 못하는 자는 가르친다(Those who can, do. And those who can't, teach.)."

안 그래도 자신의 재능을 확신하지 못하는 친구가 힘들어하는데, 열심히 학생들을 가르치며 천천히 미래를 준비하는 그녀에게 그런 끔찍한 말을 하다니. 게다가 그 말은 틀렸다. 저 문장에 생략된 단어는 '재능'이나 '능력'이다. 재능과 능력이 출중한 사람은 이미 그 일을 하고 있고, 재능과 능력이 부족한 사람은 가르친다는 것. 하지만 인생은 그렇게 단순하지 않다. 재능이 뛰어난 사람은 그 일을 하면서도 다른 사람을 가르치기도 하고, 가르치기만 하던 사람들도 언젠가는 훌륭한 예술가가 된다. 영화 속 엠마도 천신만고 끝에 보란 듯이 작가로서 성공한다.

엠마는 가르치는 일을 결코 소홀히 하지 않았고, 가르치는 일을 하는 동안에도 글쓰기를 게을리하지 않았다. 바로 그런 열정이 엠마를 훌륭한 작가로 만들어준다. 가르치는 것은 결코 행하는 것보다 가치가 떨어지는 행위가 아니다. 가르침이야말로 재능을 실험하고 열정을 키울 수 있는 소중한 기회다.

글쓰기를 가르친다는 것은 '그게 과연 가능할까'라는 내 마음의 장벽과 싸우는 일이다. 글을 쓰는 것은 나 혼자 열심히 하면 되지만, 가르치는 것은 학생들과 내가 함께 진정으로 교감해야만 가능하기 때문이다. 모두가 '함(doing)'을 좋아하지만, '가르침(teaching)'은 누구나 견딜 수 있는 긴장이 아니다. '함'이 곧 '가르침'이 되는 경지, 굳이 가르치지 않아도 나의 '함'이 곧 누군가에게 나 자신도 모르게 '가르침'이 될 수 있다면 얼마나 좋을까.

피아니스트 시모어 번스타인의 말처럼, '삶을 더욱 아름답게 연주(Play life more beautifully)'하기 위해, 삶을 더욱 눈부시게 가꾸기 위해. 오늘도 나는 '함'과 '가르침' 사이에 존재한다. 나는 가르칠 수 있는 용기를 지닌, 실천할 수 있는 실력을 지닌 작가가 되고 싶다.

279 SAT 그림의 손길 시원한 가창력을 그림으로 그린다면

드가의 그림과 조각 하면 주로 떠오르는 이미지는 춤동작을 선보이는 여인들의 아름다운 몸짓이었다. 춤 동작을 머릿속에서 그려보며 조금씩 자신의 동작을 가다듬는 그림들, 아름다운 무대의상을 입거나 벗는 모습, 목욕을 하거나 몸단장을 하는 모습 등을 즐겨 그렸던 드가는 '여성의 숨은 아름다움' 혹은 '뜻밖의 아름다움'을 포착해내는 데 특출한 재능을 발휘하곤 했다. 그런데 〈장갑을 낀 여가수〉(1878)는 드가의 다른 여성들과는 매우 다른 이미지로 다가온다. 여성의 뒷모습이라든지 군무 중의 발레리나를 멀리서 포착해 얼굴은 거의 보이지 않고 '실루엣'만 보였던 다른 그림들과 달리, 〈장갑을 낀 여가수〉는 깜짝 놀랄 만큼 가까운 거리에서 여인의 '표정'을 클로즈업하고 있다. 이 '당황스러운 가까움'은 오히려 멋진 결과를 낳았다.

'소리를 빛으로 그려낸다면 이런 빛이 아닐까' 싶을 정도로, 이 그림은 여가수가 뿜어내고 있을 아름다운 멜로디를 선명한 빛의 대조로 그려내고 있다. 목구멍 안쪽까지 속속들이 그려낼 기세로 드가의 붓은 그녀의 아름다운 목소리의 뿌리, 목구멍 깊은 곳까지 시선을 드리우고 있다. 마치 멀리서 들려오는 메아리처럼 가까워지다가, 때로는 조금씩 멀어지며 페이드아웃 되는 소리의 울림처럼. 그녀의 목소리는 멀리서 시작해 아주 가까이까지 울려 퍼지고, 가까워지는 듯하다가도 조금씩 멀어져 간다. 빛의 농담으로 소리의 울림을 표현한 듯한 이 다이내믹한 그림은 드가의 또 다른 경지를 보여준다. 여가수는 찬란한 무대 불빛 속에서 검은 장갑을 낀 자신의 손을 높이 들어 올림으로써 자신의 목소리가 지향하는 아득한 높이를 가리키는 것이 아닐까. 판다의 검은 눈두덩처럼 그늘진 여인의 눈초리는 깊은 산속의 동굴처럼 먼 곳에서 흘러나왔다가 먼 곳으로 사위어가는 소리의 생로병사를 아득히 상상하게 만든다. 여가수의 얼굴은 화면 전체를 압도하며 웅장한 울림을 이끌어내는 스피커처럼 소리를 이미지화한다. 역사책이나 위인전에 나오지 않는 사람들, 하지만 화가의 화폭에 담김으로써 진정 '특별한 존재'가 된 이들의 숨가쁜 일상이야말로 현대인에게 '기록되지 않은 평범한 삶의 소중함'을 따스하게 일깨워준다.

280 SUN 대화의 향기 사람들의 소문에 상처받은 당신에게

"사람들의 소문이 정말 싫어요. 아무도 나를 모르는 곳으로 숨어버리고 싶어요." "왜 사람들은 제가 하지도 않은 일을 만들어내서 가십거리로 만드는 걸까요." 이런 이야기를 털어놓으며 괴로움에 눈물 흘리는 독자가 있었다.

나는 그에게 이런 편지를 보내주었다. "내 탓이 아닌데 내가 비난받을 때가 있습니다. 내가 잘못한 것도 아닌데 억울하게 내가 소문의 대상이 될 때도 있습니다. '그 사람들이 잘못했어. 난 아무런 잘못이 없어'라고 생각하는 것은, 설사 사실이 그렇다 하더라도 문제 해결에 도움이 안 됩니다. '혹시 내가 잘못한 것은 없을까'라고 생각하는 것이 문제 해결의 시작이 될 수 있다는 것을, 당시에는 몰랐습니다. 오랜 시간이 흘러 다시 생각해 보니, 나는 그때 나를 오해하고 미워했던 사람들과 한 번도 마음을 터놓고 이야기를 해 본 적이 없었습니다. 지금은 제 자신을 자주 돌아봅니다. 나의 행동 중에서 정말로 타인의 미움을 살 만한 것이 있었는가. 그렇지 않다고 떳떳하게 대답할 수 있을 땐, 과감히 소문과 결별하세요. 악성댓글은 읽지 않는 것이 낫고, 나쁜 소문은 모르는 척하는 것이 나을 때가 있습니다. 나를 지키는 최고의 수문장은 바로 나 자신이 되어야 하니까요. 본인이 떳떳하다면 절대 굴하지 마세요. 소문의 권력에 결코 굴복하지 마세요."

우리가 어떤 집단에 속하게 될 때는 개인의 자율성과 진심이 왜곡될 수밖에 없는 상황에 처할 때가 많다. 예컨대 누군가 오디션 프로그램에 참여하는 순간, '대중성'이라는 기준으로 자신의 모든 삶을 재단당할 위험에 처하게 된다. 그 위험을 감수해서라도 그 일을 꼭 하고 싶을 정도로, 그렇게 강인한 마음가짐이 있을 때 비로소 그 일을 시작해야 한다. 누군가 회사생활을 시작하는 순간, 각종 조직 생활을 시작하는 순간, 개인의 순수한 의도와 노력이 항상 왜곡당할 위험에 처하는 것이다. 그것을 감수해야만 사회생활을 지속할 수 있다. 그렇다고 해서 '조직이나 대다수의 결정을 무조건 따르라'는 뜻은 전혀 아니다. 대다수의 횡포나 어처구니없는 오해에 맞설 수 있는 나만의 자존감을 찾는 작업을 끊임없이 해야 한다.

이것은 일종의 '내면 작업'이다. 외적으로 나를 가꾸는 것이 아니라 내 마음을 스스로 챙기는 자존감의 요새를 만드는 일. 그것은 자신이 가장 좋아하고, 자신을 가장 기쁘게 만드는 일에 온전히 집중하는 것, 그리고 감정적으로 즐겁지는 않더라도 이성적으로 '옳다'고 믿는 일을 행하는 것이다. 누구도 건드릴 수 없는 나만의 소중한 내면의 요새를 만들어갈 필요가 있다. 나는 나를 지키는 최고의 전사다. 나는 나를 고통스럽게 하는 그 모든 장애물과 싸울 용기를 지닌 존재다. 나는 이렇게 스스로를 다독이며 오늘도 앞으로 나아가고 있다.

281 MON  심리학의 조언 빈 둥지 증후군, 상실의 트라우마

무언가를 잃어버림으로써 겪는 아픔, 그 상실감은 누구도 피할 수 없는 것이다. 우리는 태어날 때부터 '어머니의 배 속 세상'이라는 작은 낙원을 잃어버린다. 젖을 떼면서 '엄마의 품'으로부터 점점 멀어지는 연습을 하고, 친구를 사귄다는 것은 곧 친구를 잃어버릴 미래의 상처를 예비하는 것이기도 하다. 하지만 이런 상실감보다 훨씬 더 심각한 아픔, 그것은 바로 가장 사랑하는 존재를 언젠가는 잃어버려야 한다는 슬픔이다. 애지중지하던 자녀가 마침내 독립했을 때의 아픔, 빈 둥지 증후군(Empty Nest Syndrome)은 상실의 원초적 체험이 지닌 본래적 트라우마를 드러낸다.

빈 둥지 증후군 혹은 공소 증후군(空巢 症候群)을 앓는 사람들이 늘어나고 있다. 예전에는 어머니들이 주로 겪었지만 지금은 아버지들도 빈 둥지 증후군을 겪는다. 노년이 길어지고, 자녀들 없이 부부만 함께 살아가는 시간이 길어졌기 때문이다. 아이들이 성장해 자신의 품을 떠나면서 '도대체 나는 누구인가'라는 질문에 황량하게 맞닥뜨리는 부모들이 겪는 엄청난 공허감. 마치 텅 빈 둥지를 아무런 보람 없이 지키고 있는 듯한 허전함과 절망감. 이것은 대부분의 어머니들이 겪지 않으면 안 될 인생의 통과의례이기도 하다. 이 세상 수많은 어머니들은 신화 속 데메테르의 고통처럼, 딸을 사위에게 빼앗긴 어미의 고통을 겪는다. 자식이 결혼이나 취직, 유학 등으로 자신 곁을 떠날 때, 묘한 질투심과 공허함을 느끼지 않는 부모가 있을까.

빈 둥지 증후군의 원초적 상실감을 가장 뼈아프게 경험한 데메테르. 죽음의 신 하데스가 사랑하는 딸 페르세포네를 납치해가 버린 뒤, 데메테르는 딸이 돌아오지 않는 한 이 지구상에 그 어떤 생명체도 제대로 살 수 없게 하겠다는 모진 마음을 먹고 여신의 파업 투쟁에 들어간다. 데메테르는 훌륭한 엄마이긴 했지만 딸을 잃자 자신의 임무를 헌신짝처럼 버릴 정도로 이성을 잃어버린다. 이는 데메테르만의 잘못은 아니다. 그녀 또한 너무도 중요한 임무를 맡은 위대한 여신이었지만 다른 올림푸스 12신들은 아무도 그녀를 도와주지 않았던 것이다. 유일하게 데메테르의 아픔에 절절히 공감하여 그녀가 페르세포네를 찾을 수 있도록 진심을 다해 도와준 여신이 바로 달의 여신 헤카테였다. 모든 엄마에게는 이렇게 '모성의 또 다른 멘토'가 되어줄 수 있는 조력자, 헤카테가 필요한 것이 아닐까. 가족은 물론 친구와 동료와 주변의 모든 사람이 이 '무거운 모성'을 함께 나누어야 하지 않을까. 이제 가족은 물론 친구와 동료와 주변의 모든 사람이 이 '무거운 모성'을 함께 나누어야 하지 않을까. 엄마도 딸도 연인도, 이제 서로를 향한 집착의 끈을 놓고 서로를 자유롭게 해방시키는 새로운 사랑을 시작해야 한다.

282 TUE  독서의 깨달음 잃어버리니 비로소 보이는 것들

신기하게도 슬픔은 또 다른 슬픔의 힘으로 다스려진다. 내가 앓고 있는 아픔이 나 혼자만의 고통이 아니라는 사실을 깨달을 때, 나아가 나의 아픔보다 더 깊고 쓰라린 타인의 고통을 절절히 공감할 때, '오직 내 것'이라고 생각했던 슬픔은 비로소 '우리의 것'이 된다. 《동생 알렉스에게》(올리비아 드 랑베르트리)를 읽을 때 나도 슬픔의 한가운데 있었다. 남에게 털어놓을 수도 없고, 내 슬픔을 어찌해야 할지도 모르는 상황에서 이 책을 무작정 읽기 시작했다. 참으로 이상하게도, 그녀의 슬픔이 나의 슬픔을 치유하기 시작했다. 타인의 슬픔이 나의 슬픔을 어루만질 때, 비로소 '나 같은 고통을 앓는 사람은 나밖에 없어'라는 고립감은 사라진다. 남동생을 영원히 잃어버린 슬픔을 그 무엇으로도 다독일 수 없었던 저자는 오직 '이제 누나의 책을 써봐'라고 조언했던 남동생의 말을 구원의 동아줄로 삼아 글을 쓰기 시작한다.

"모든 것을 의심하는 나에게는 너무도 중요한 그 유산, 감히 시도해보라는 너의 그 말"이라는 대목을 읽으면서 울컥하는 무엇이 밀려왔다. 다가오는 죽음을 인식하면서도 사랑하는 누나에게 '너만이 쓸 수 있는 글을 쓰라'고 조언해줄 수 있는 남동생의 사랑이 고스란히 전해졌다. 타인의 고통을 속속들이 공감하는 길 위에서 비로소 내 고통의 밑바닥을 만져보는 생생한 깨달음의 희열을 느낄 수 있었다.

고통받는 우리는 각각 저마다 '자기만의 방'에 갇혀 있기를 멈추고, 신발을 신고 밖으로 나가 삶의 전장 속으로 뛰어들어야 한다. 슬픔에 빠진 나를 던질 열정의 대상, 무언가 창조적인 일을 찾아내야 한다. 나는 이 책을 통해 슬픔 속에서도 계속 사랑할 용기, 우울 속에서도 계속 '나만이 할 수 있는 그 무언가'를 감히 시도하는 용기를 얻었다. 슬픔에 빠진 당신에게, 그럼에도 불구하고 계속 사랑할 용기, 계속 '나'이기를 포기하지 않을 용기를 주는 책이다.

자신의 상처를 극복하고 정화시켜 훌륭한 예술작품을 만드는 대부분의 예술가들이 바로 이 '그림자'를 오히려 성숙한 내면의 에너지로 승화시킨 사람들이다. 카프카의 경우, 그의 콤플렉스는 아버지와의 불화였다. 모든 것을 자신의 뜻대로 해야만 직성이 풀리는 독재적인 성향의 아버지 앞에서 카프카는 늘 나약하고, 무능력해 보이고, 마음에 들지 않는 아들일 뿐이었다. 그런 악조건 속에서 오히려 카프카는 아버지와의 그 심각한 불화를 《변신》이나 《아버지께 드리는 편지》 같은 독창적인 문학작품을 통해 극복해냈다. 카프카가 만일 자신의 그림자를 외면하기만 했다면 이런 작품을 쓰지 못했을 것이다. 스스로의 아픈 그림자와 끊임없이 대화하고 협상함으로써 예술가들은 마침내 훌륭한 작품이라는 형태로 '상실감의 치유'를 경험한다.

283 WED 일상의 토닥임 이별 훈련, 서로를 자유롭게 풀어줄 기회

데메테르의 입장에서 하데스는 최악의 사윗감이다. 납치라는 최악의 방법으로 딸을 훔쳐갔으니 말이다. 그러나 이 모든 상황을 모성의 근원적 딜레마로 바라본다면 이 신화는 조금 다르게 읽히지 않을까. 어차피 이 세상에서 어떤 '엄친아'가 나타나도 자기 딸이 가장 아까운 모든 엄마의 입장에선, 아무리 대단한 사윗감도 하데스처럼 괘씸하게 보이지 않을까. 데메테르의 모성은 절절하지만 그녀는 딸 하나를 위해 지구 전체를 버릴 수도 있는 '모성의 어두운 그림자'를 증언하는 캐릭터이기도 하다. 모성애라는 삶의 중심이 생기면 그 어떤 인간관계나 기존의 의무 같은 다른 감정들은 깡그리 망각될 수 있다. 오직 내 아이만을 생각하기에 타인은 굶어 죽거나 다치거나 꼴등을 해도 나 몰라라 할 수 있는 것이다.

데메테르와 페르세포네는 연인 못지않게 친밀하고 애틋한 엄마와 딸의 관계였다. 영원히 끝나지 않을 것만 같았던 이 달콤한 모녀관계에 '흠집'을 낸 하데스는 곧 '엄마에게서 세상에서 가장 소중한 딸을 앗아가는 지상의 모든 사위'의 은유 아닐까. 이 신화에서는 딸 잃은 엄마 데메테르의 우울증을 다루느라 페르세포네의 상처 입은 마음은 거의 부각되지 않는다. 그러나 만약 페르세포네의 입장에서 이 신화를 재구성해본다면 어떨까. 페르세포네는 어쩌면 자신을 너무 사랑하는 엄마로부터 독립하고 싶었을지도 모르니까. 페르세포네는 하데스와의 만남 이전까지 데메테르라는 완벽한 모성의 보호관찰 아래 평화롭게만 살아왔다. 이 완벽한 엄마와 딸 사이의 친밀감을 방해하는 그 무엇도 존재하지 않는다. 하지만 그녀가 평생 그렇게 살아갈 수 있었을까. 아마 그녀가 하데스에게 납치라도 당하지 않았으면 평생 엄마의 그늘 밑에서 '이것이 세상의 전부'라고 생각하며 안온하게 살아갔을지도 모른다. 페르세포네는 평생 엄마의 보호망을 뚫고 나가지 못하는, '과잉보호'의 희생양을 상징하는 원형적 딸의 이미지를 지닌 것이다.

특히 데메테르와 페르세포네처럼 오직 서로의 얼굴만을 바라보고 살아가는 존재들은 더욱더 독립의 길이 요원해진다. 제우스와의 관계 이후 연애 따윈 담 쌓고 지낸 듯한 데메테르와 엄마의 과잉보호로 인해 '남자'에 대해서는 전혀 무지했던 페르세포네. 하데스와 원하지 않는 결혼을 하는 페르세포네는 처음에는 하데스를 공포의 대상으로 생각했겠지만 점차 '어머니 바깥의 새로운 세계'에 눈을 뜨기 시작했을 것이다. 엄마와 딸의 지극한 사랑은 물론 소중하지만, '서로를 자유롭게 풀어줄 기회'를 주는 것이야말로 언젠가 기어이 맞이할 수밖에 없는 상실의 아픔을 미리 체험하는 '이별 훈련'이 아닐까.

284 THU  사람의 반짝임 페르세포네, 새로운 독립을 꿈꾸다

데메테르와 페르세포네의 이야기 속에서 페르세포네의 목소리가 너무 작은 것이 아쉽다. 데메테르도 하데스도 모두 페르세포네를 자기 곁에 두려고만 한다. 특히 어린 소녀 페르세포네를 납치하여 아내로 만들어낸 하데스의 폭력은 그 어떤 사유로도 정당화될 수 없다. 하지만 페르세포네는 하데스의 아내도 아니고, 데메테르의 딸도 아닌 제3의 자리가 필요했던 것이 아닐까. 페르세포네가 미처 해내지 못한 위대한 딸들의 자유와 독립의 이야기를, 이제 우리가 시작해야 하지 않을까.

엄마의 관심이 지나친 경우 딸들은 스스로 문제를 해결하는 능력을 기르지 못하고 강자에게 기대어 간접적으로 욕망을 성취하는 기술을 습득하게 된다. 자신의 욕망을 깨닫는 데 너무 오랜 시간이 걸리기에 타인이 만든 상황에 갇혀 우울증에 빠지기 쉬운 것도 페르세포네형 소녀다. 페르세포네는 엄마 몰래 남자친구와 첫날밤을 보내고 온 소녀처럼, 얼굴을 붉히고 쿵쾅거리는 심장박동을 느끼며 엄마에게 거짓말을 하기 시작할 것이다. 페르세포네가 일기를 썼다면 아마도 이런 문장을 발견할 수 있지 않았을까. 하데스의 납치는 불가항력이었지만 석류 씨를 먹은 것은 나의 자발적인 선택이었다고. 하데스의 달콤한 유혹이 담긴 석류 씨는 엄마가 내게 한 번도 허락하지 않은 종류의 쾌락이었다고 말이다.

페르세포네가 어머니인 데메테르와 다시 만났을 때 어머니의 첫 질문은 "너 지하에서 아무것도 먹지 않았느냐?"였습니다. 페르세포네는 "몇 개의 석류 씨를 먹었다"고 대답하고는, 하데스가 강제로 먹였기 때문에 할 수 없이 먹었다고 거짓말을 한다. 그녀는 자신의 운명에 대해서 아무런 힘이 없고 따라서 책임을 질 수 없는 듯한 인상을 풍기지만 실제로는 자신의 운명을 결정하는 것이다. 씨를 삼킴으로써 페르세포네는 일정 시간을 하데스와 같이 보내는 것을 보장받게 되는 것이다.

데메테르와 페르세포네 그리고 하데스의 관계는 영원히 끝나지 않는 삼각관계처럼 보인다. 데메테르는 딸에 대한 사랑을 영원히 포기하지 못하고, 하데스는 납치하여 자신의 것으로 만들어버린 아내에 대한 집착을 영원히 포기하지 못한다. 이제 데메테르의 딸 페르세포네가 진정으로 독립해야 할 순간이 찾아온 것이 아닐까.

- 신화에 따르면, 페르세포네는 하데스가 준 석류 씨를 먹은 까닭에 1년 중 4개월 동안은 지하세계에서 머물게 되었다. 그 기간 동안 곡물과 땅의 여신인 데메테르가 상심에 빠져 겨울이 오게 되었다고 한다.

285 FRI 영화의 속삭임 사랑하는 이의 죽음을 지켜본다는 것

세상에서 가장 자존심 강한 아내와 세상 그 누구보다 아내를 사랑하는 남자의 사랑 이야기. 나는 〈아무르〉를 그렇게 기억한다. 아내는 죽음 앞에서도 꼿꼿한 자존심을 지키려 했고, 남편은 죽음 앞에서도 변치 않는 사랑을 지키려 했다. 나는 이 작품이 단지 '죽음'의 이야기가 아니라 '죽음보다 더 깊은 사랑'의 이야기라 믿는다. 사랑하는 사람과 함께 이 영화를 보면 한 번 더 서로의 등을 쓰다듬어주고 싶은 그런 영화. '아직 살아 있는 오늘'의 눈부신 소중함을 되새기게 만드는 영화다.

영화의 시작은 '누구나 꿈꾸는 행복한 노년'이었고, 영화의 결말은 '아무도 원치 않는 참혹한 죽음'이었지만, 나는 이 영화가 끝내 아름다운 사랑 이야기라고 믿는다. 영화 속 아내와 남편이 '누구나 꿈꾸는 행복한 노년'의 주인공이었던 것은 그들이 누리고 있는 변함없는 사랑뿐 아니라, 그들의 젊은 시절이 행복했기 때문이었다. 그들은 훌륭한 음악가였고, 제자와 후배들로부터 존경받는 스승이기도 했다. 하지만 아내가 반신불수가 되자 삶의 품격은 급격히 추락하기 시작한다. '다시는 병원에 가지 않겠다'라고 선언한 아내의 말에 따라 직접 간병을 맡은 남편의 삶도 함께 절망의 나락으로 빠진다. 늘 꼿꼿하고 당당했던 아내는 점점 자존감을 잃어가는 자신의 모습을 누구에게도 보여줄 수 없었다. 처음에는 기억이, 나중에는 의식이, 끝내는 '자기 자신'마저 사라져가는 아내를 보며 조르주는 '아내를 위한 선택', 아니 그 두 사람의 '사랑을 위한 선택'이 무엇인가를 생각하게 된다.

나는 막연히 오랫동안 '내 죽음은 지극히 평온하고 침착하리라' 그려보곤 했지만, 이 영화를 보고 생각이 바뀌었다. 그 다짐조차 나의 선택은 아니라고. 어떤 모습으로, 어떻게 죽을 것인가를 자발적으로 선택할 수 없는 우리는 '어떻게 죽을 것인가'를 고민하기보다는 '어떤 모습으로 죽더라도, 살아 있는 동안만은 자존감을 잃지 않을 방법'을 고민해야 하지 아닐까.

내 죽음은 매우 평화롭고 우아하길 바라던 마음 또한 일종의 자만심이었음을 이 영화를 통해 깨달았다. 진정 고칠 수 없는 우리의 병, 그것은 내 삶과 죽음을 내가 직접 선택할 수 있다고 믿는 장밋빛 환상이 아닐까. 그럼에도 불구하고, 나는 투쟁하고 싶다. 죽음의 순간, 그 마지막 들숨과 날숨의 향기마저도 평생 지켜온 사랑과 우정과 열정이 깃든, 그런 뜨거운 삶이기를.

286 SAT 그림의 손길 소중한 사람의 마지막 모습

클로드 모네 하면 화사하고도 풍요로운 색채를 먼저 떠올렸던 나에게 이 그림은 충격이었다. 내가 알기로, 이건 모네의 색감이 아닌 것만 같았다. 자연광이 뿜어 올릴 수 있는 가장 영롱한 빛을 골라 그리는 것만 같았던 모네의 화사하고도 부드러운 색채는 이 그림에서 전혀 찾아볼 수가 없었다. 그림 제목을 보니 이제야 비로소 이해가 되었다. 〈죽은 아내 카미유의 침상〉(1879). 이것은 모네가 느낀 절망의 색채였다. 모네의 아내 카미유가 죽어 있던 그 침대, 그 침대 속에 푹 파묻혀 있던 사랑하는 아내의 모습을 그린 것이었다. 어찌 절망하지 않을 수 있겠는가. 모네는 병으로 죽은 아내의 침상을 지키며 얼마나 깊은 고뇌에 빠져야 했을까.

지베르니에 정착한 이후로는 전심전력으로 그림만 그리던 모네에게, 아내의 죽음은 '시간의 멈춤'과 같은 것이었다. 이렇듯 너무 소중한 존재를 잃어버리면, 우리 마음속에서는 모든 감각의 시계가 정지해버린다. 계절도 멈춘 것 같고, 시계도 멈춘 것 같고, 희노애락을 느끼는 모든 감각의 시계도 멈춰버린 것 같다. 모네는 그 뼈아픈 상실감의 그림자를 너무도 간결한 필치로 무심한 듯 그려내고 있다.

이 그림을 본 뒤 나는 한동안 아무 말도 하지 못하고 한참을 멍하니 앉아 있었다. 모네가 그린 절망의 그림자, 모네가 느낀 상실감의 뿌리가 그림 속에서도 느껴졌기 때문이다. 왕성한 작품 활동으로 생애 최고의 전성기를 구가하고 있었던 모네에게도, '우선 멈춤'의 시간이 찾아왔다. 그 어쩔 수 없는 멈춤의 시간은 바로 아내의 죽음으로 인한 충격 때문에 찾아온다.

가족이란 그런 존재다. 누군가 많이 아프거나 죽음이 가까워지면, 내 모든 일과를 다 놓아버려야 하는 존재. 자연의 빛깔을 자신의 마음보다 더 크게 그리곤 했던 모네는 이 그림에서 거의 처음으로 '자신의 마음'을 대상의 색채보다 더 크게 그려놓은 것 같다. 이 그림은 아내 카미유의 침상을 그린 것이지만 실제로는 모네의 절망, 모네의 상실감이야말로 진정 숨은 주인공이 아닐까.

287 SUN 대화의 향기 불안과 슬픔보다 기쁨이 더 크리라

보다 명징하게 자신을 들여다보기 위해서는 강력하게 자기 자신의 편이 되어야 한다. 자꾸 자책이 습관이 되어버린 사람들의 특징은 본인조차 자기 자신의 온전한 '편'이 되지 못한다는 것이다. 자기를 사랑하지 않는 것, 나아가 자기혐오에 빠지는 것이야말로 우리를 가장 아프게 하는 맹독이다. 스스로를 더 나은 방식으로 위로하고 격려하는 것, 자신의 좀 더 강력한 파트너가 되는 것이 자기돌봄의 기술이다.

우리는 남에게 보이는 겉모습에 집착하느라 오직 나에게만 보이는 내면의 자신을 제대로 보살피지 못할 때가 많다. 매사를 상황 탓으로 돌리는 것이 나쁜 것처럼 자신만을 탓하는 것도 좋지 않다. 내 안의 가장 눈부신 빛을 알아보는 혜안이 필요하다. 내 안에 이미 존재하는 사랑과 우정의 힘을 소중히 여길 필요가 있다. 자신을 똑바로 바라본다는 것은 자신이 미처 발휘하지 못한 잠재력까지 알아보는 것이며, 자신의 한계에 갇혀 미처 도전하지 못한 꿈들조차 복원해내는 용기다.

재산이나 명예나 인기 같은 것이 아니라 열정과 용기와 재능처럼 진정으로 나에게 속한 것만이 나를 바꿀 수 있다. 타인의 판단에 휘둘리는 가치들이 아니라 오직 내가 키우고 격려하고 위로할 수 있는 내 마음만이 진정으로 나에게 속한 것이다. 내 삶의 통제 요인이 내 바깥에 있는 것인지 내 안에 있는 것인지 결정하는 것은 매우 중요하다.

나는 오늘도 나를 격려한다. 나를 슬프게 하는 것들이 나를 뒤흔들지 않도록, 나를 아프게 하는 것들이 나를 속박하지 않도록, 우울과 불안이 나를 침범하지 못하도록, 아름답고 소중한 문학과 예술의 힘으로 내 마음의 방패막을 만들곤 한다.

지나친 걱정, 지나친 조심성 때문에 도전하고 싶은 꿈을 포기한다면 인생은 얼마나 수많은 미련으로 가득할 것인가. 혼자서 배낭여행을 떠나고 싶은데 용기가 없다고 고백하는 독자가 있었다. 그녀는 떠나고 싶지만 떠날 용기를 내지 못하는 자신에게 힘이 되는 한 문장만 써달라고 부탁했다. 나는 이렇게 써주었다. "기쁨이 더 크리라." 불안과 슬픔보다 기쁨이 더 클 것이다. 스스로를 바꿀 수 있는 아주 작은 용기만 낸다면, 걱정과 아픔보다 행복이 더 클 것이다. 스스로의 결점조차 끌어안을 용기가 있다면, 슬픔보다 기쁨이 더 클 것이다.

288 MON 심리학의 조언 마음에도 건강염려증이 있다

'여가를 즐긴다'는 개념 자체가 낯설었던 시대에 비해 현대인들은 분명 더 열심히 휴가를 즐기고, 여행을 가며, 맛집을 순례한다. 하지만 현대인들이 느끼는 스트레스는 날이 갈수록 심각해진다. 어린 시절, 나는 우울증, 외상후 스트레스 장애, 다중인격, ADHD 등 수많은 정신 질환이 날마다 뉴스에 오르내리는 세상에서 살 것이라고는 상상도 못 했다. 멀쩡한 사람들도 걸릴 수 있는 병 아닌 병인 건강염려증은 이제 정신건강을 향해서까지 그 걱정의 촉수를 뻗쳐나가고 있다. 사람들은 이제 스스로의 정신건강에 무슨 문제가 없는지 시도 때도 없이 걱정하기 시작했다. '나 우울증 아닐까?', '우리 아이가 ADHD 아닐까?' 이런 질문들은 더 이상 영화나 소설 속의 특별한 주인공들이 아니라 보통 사람들의 일상적 문제가 되어버렸다.

정말 많은 이미지, 참 다양한 자극이 우리를 괴롭힌다. 영상 미디어의 엄청난 발달로 우리는 머나먼 나라에서 일어나는 일까지 마치 눈앞에서 보는 듯 생생하게 경험한다. 그런데 이것은 경험이라는 것의 차원 자체를 바꾸는 일이기도 하다. 책을 읽는 행위를 통해 느끼는 간접 경험이 정서적 동질감을 낳는다면, 인터넷이나 영화를 통해 바라보는 동영상의 이미지는 훨씬 강렬한 육체적 동질감을 낳는다. 이것은 경험이라는 단어 자체의 정의를 위협하는 일이기도 하다. 본질적으로 내 몸으로 직접 뛰어든 경험이 아닌 것은 진정한 경험이라 할 수 없었던 아날로그 시대에 비해, 지금은 영화나 인터넷에서 본 것을 자신의 직접 경험보다 더 많이 이야기하는 사람들이 늘고 있기 때문이다. 바로 이 '간접화된 경험'이 우리를 망치고 있다. 내 몸으로 느끼고, 내 몸으로 움직이고, 내 몸으로 살아본 삶만이 우리에게 더 강력한 자기치유의 힘을 발휘할 수 있다.

병원에 가야 할 정도의 심각한 정신질환이 아니라면, '삶의 감각을 회복하는 훈련'을 통해 충분히 증상이 호전될 수 있다. 아침이 시작되는 순간, 스마트폰을 확인하지 말자. 대신 향기로운 차를 끓여 아주 천천히 음미해보자. 내 몸에 혀와 코와 입술이 있다는 것, 따뜻한 찻잔을 그러쥐는 손가락이 있다는 것, 차 한 모금 한 모금을 소중히 음미하여 따사로움을 느낄 수 있는 마음의 거처가 있다는 것을 느껴보자. 하늘을 창문 너머로 바라보지만 말고, 직접 밖으로 나가 환한 햇살의 빛과 내 살갗에 닿는 햇살의 감미로움을 느껴보자. 내 몸의 잃어버린 감각을 되찾는 것이야말로 회복탄력성을 일상 속에서 강화할 수 있는 최고의 방법이다. 나를 치유할 수 있는 최고의 도구, 그것은 바로 나 자신의 살아 있는 몸이다. 몸의 생생한 감각을 회복하는 것이야말로 누구나 도전할 수 있는 치유의 시작이다.

289 TUE 독서의 깨달음

사랑을 향한 오만과 편견

《오만과 편견》 속의 여성들은 결코 우리가 사는 시대보다 행복하다고 할 수는 없지만, 나는 서로를 목숨처럼 아끼는 자매들의 우정을 보면서, 둘째딸 엘리자베스를 자신의 살아 있는 분신처럼 사랑하는 아버지를 보면서, 한 여자를 사랑하는 일 때문에 자신의 모든 특권과 습관과 가치관이 흔들리는 상황을 온몸으로 감수하는 다아시를 보면서, 우리가 잃어버린 순수의 시대를 되찾는 느낌이었다. 나는 이제야 엘리자베스가 지닌 불굴의 용기가 보인다. 그것은 단지 '부잣집 도련님'과 결혼하여 신분상승을 꿈꾸는 단순한 열망이 아니었다. 엘리자베스는 여성과 남성의 차별이 당연한 진실로 받아들여지던 시대에, 남녀의 차별은 물론 계급의 장벽까지 뛰어넘어 '인간 대 인간'으로서의 평등하고 역동적인 관계를 창조해냈던 것이다. 지체 높은 귀족 가문 사람들을 향한 그녀의 거침없는 농담, 흙길을 터덜터덜 걸어갈 때조차 치마가 더럽혀지든 말든 읽고 있던 책에서 눈을 떼지 않는 그녀의 모습은 얼마나 사랑스러운가.

어린 시절에는 그다지 큰 감동을 느낄 수 없었던 《오만과 편견》이 이제 와서 뜨거운 감동으로 다시 다가오는 이유는, 내게 당연히 주어질 것이라고 믿었던 행복이 실은 일평생을 싸워야 얻을 수 있을까 말까 한 희귀한 종류의 축복이었음을 이제야 깨달았기 때문일 것이다. 나는 가족끼리의 화목, 사랑하는 사람과의 행복한 시간, 내 자존감을 유지해줄 정도의 안정된 직업과 원만한 사회생활 등은 어른이 되면 나에게 당연히 주어질 줄로만 알았다. 나는 그만큼 내가 유능한 사람이라는 착각, 더 나아가 이 사회가 나에게 아주 호의적일 것이라는 엄청난 착각에 빠져 있었던 것이다. 이제야 깨닫는다. 그것은 나의 무의식적 오만이었음을. 어린 시절 내가 《오만과 편견》을 읽었을 때 '나는 이런 오만과 편견에 빠지지 않을 거야'라고 스스로 자만했던 그 모든 순간이 부끄럽다. 내가 '당연한 것'으로 여겼던 그 모든 행복의 요소들은 그 어느 하나도 내게 당연히 주어지지 않았고, 나는 오늘도 그 사소한 축복을 누리기 위해 내 모든 자존심을 걸고 싸우고 있다. 이 소박한 깨달음이 나에게 오늘도 수많은 참혹한 순간들을 견디게 만드는 용기의 엔진이 되어준다.

엘리자베스가 자신의 전 재산인 자존심을 걸고 싸워야 했던 사회적 편견들이, 오늘날 더 강고한 장벽이 되어 우리 앞을 가로막고 있다. 나는 문학을 통해 '내가 몰랐던 세계'를 향해 눈뜨기도 하지만, 문학을 통해 '내가 안다고 믿었던 세계'에 대한 나의 철저한 무지를 깨닫기도 한다. 내가 그동안 시퍼렇게 눈뜬 장님이었음을 깨닫게 만드는 문학으로 인해, 용기를 내어 세상을 향해 한 발짝 나아가게 만드는 데 장애물이 되는 내 스스로의 쓰라린 결핍을 성찰하게 된다.

290 WED 일상의 토닥임 고통과 치유를 동시에 머금은 공간

사람들은 끊임없이 주말 캠핑 장소를 물색하고, 템플스테이나 성지순례 사이트를 탐색하며, 연인들은 아무도 모르는 둘만의 비밀장소를 갖고 싶어 한다. 삶의 일부이면서도 일상의 수레바퀴를 벗어나는 공간에 대한 끊임없는 열망을 미셸 푸코는 '헤테로토피아'라는 용어에 응축한다. 유토피아가 이상향의 밝은 면을, 디스토피아가 어두운 면을 강조한다면, 헤테로토피아는 빛과 어둠이 공존하며 삶의 모든 복잡미묘한 측면들을 끌어안는 혼종성의 공간이다. 유토피아가 어원 그대로 '지상에 없는 곳'이라면, 헤테로토피아는 지상에 분명히 존재하면서 인간의 꿈을 담는 실제적 공간이다. 지상에 존재하면서도 천상의 아름다움을 품은 눈부신 정원들, 엄마의 회초리를 피해 숨어 있던 비좁은 다락방도, 시골 마을 한가운데 푸짐한 나무 그늘이 드리워진 멋들어진 공터도 헤테로토피아가 될 수 있다.

유토피아가 불가능한 이상향으로서 아름답다면, 헤테로토피아는 삶의 가장 어두운 모습까지 끌어안음으로써, 삶의 의외성과 우연성마저 포용함으로써, 삶으로부터의 도피가 아닌 삶 자체의 긍정으로 나아가는 공간이다. 나는 그리스 아테네에서 헤테로토피아를 가슴 깊이 이해했다. 8월 말 연일 35도를 웃도는 끔찍한 더위 속에서도 파르테논 신전과 디오니소스 극장, 아크로폴리스는 그동안 내가 유럽의 수많은 박물관에서 느꼈던 감동을 모두 합친 것보다도 더 깊은 감명을 주었다. 불에 달군 거대한 송곳 같은 뜨거운 햇살이 정수리를 꿰뚫는 것 같은 아픔을 참으며 파르테논 신전으로 올라가는 동안, 나는 이곳에 오기까지의 모든 우여곡절과 고통을 잊었으며, 마음속의 모든 걱정거리를 날려버렸고, 내 지친 몸이 이 언덕을 오르는 것이 아니라 무언가 설명할 수 없는 힘이 나를 번쩍 들어 올려주는 듯한 든든함을 느꼈다.

타는 듯한 더위와 갈증은 물론이고, 베니스에서 호되게 도둑을 맞아 정든 노트북과 지갑까지 몽땅 털린 참담한 심정을 끌어안고 올라갔던 파르테논 신전은 내게 도저히 논리적으로 설명할 수 없는 신성한 위로의 손길을 느끼게 해주었다. 그것은 '너의 아픔을 내가 다 이해해'라는 식의 소소한 공감형 위로가 아니라, 삶의 가장 끔찍한 부분까지 끌어안아야 비로소 시작되는 더 깊은 구도의 길로 나아가야만 한다는 뼈아픈 자각이었다. 잃어버린 내 자신의 흔적에 대한 상실감으로 가득한 아테네에서, 나는 그 모든 소지품을 몽땅 도둑맞아도 결코 빼앗길 수 없는 나 자신의 소중한 운명과 만났다. 어떤 도둑도 훔쳐갈 수 없는 내 마음의 헤테로토피아를, 어떤 고통도 무너뜨리지 못하는 나 자신의 소중한 운명과 만난 것이다.

291 THU  사람의 반짝임 한 나라의 국민으로 산다는 것

한 나라의 국민으로 같은 국토에서 살아간다는 것은 무엇을 뜻할까. 이토록 많은 사람들이 이렇게 다른 욕망과 다른 견해를 가지고 한 나라 안에서 이리 치이고 저리 치이며 살아가는 일은 과연 우리에게 어떤 의미가 있을까. 아주 일상적인 의미부터 시작해본다면, 첫째, 한 나라의 국민은 날씨의 공동체다. 아무리 친하지 않은 사이라도 날씨 이야기를 하다 보면 우리 사이에는 어느새 공감의 기운이 싹튼다.

둘째, 한 나라의 국민으로 산다는 것은 또한 걱정의 공동체, 분노의 공동체, 나아가 감정의 공동체 안에서 살아간다는 의미이기도 하다. 연일 끊이지 않는 각종 강력범죄 등에 대해 우리는 결코 모른 척할 수 없는 공감의 공동체 안에 살아가고 있다. 견해와 입장이 다르더라도, 어느 순간 서로를 철천지원수로 바라보는 때가 있더라도, 우리는 한 나라 한 국토에서 이 모든 감정의 스펙트럼을 '함께' 경험해야 한다.

셋째, 한 나라 안에서 살아간다는 것은 무엇보다도 '모국어의 공동체'를 함께 경험하는 일이다. 우리는 서로 다른 의견과 이해관계로 충돌할지라도, 바로 그 충돌마저 '하나의 모국어'로 경험한다. 민족주의 이야기가 아니다. 애국하자는 이야기도 아니다. '불가피하게 한 나라의 국민으로 함께 살아간다는 일'의 의미에 관한 이야기다. 설사 이 나라가 너무 싫어 떠나고 싶은 마음이 굴뚝같을지라도, 우리는 그 말조차 한국어로 해야만 한다. 그래야 진심으로 누군가 공감하고 이해해주기 때문이다. 한 나라의 국민으로 같은 땅에서 살아간다는 것은 모국어를 공유하는 사람들끼리의 뿌리 깊은 소통의 공동체를 의미한다. 우리는 공격도 방어도 저항도 비판도 모두 꼼짝없이, 어쩔 수 없이, 모국어로 표현해야만 한다. 아무리 아픈 말들도, 비할 바 없이 아름다운 말들도, 결국 모국어의 공동체를 통과해야만 한다.

우리가 함께 몸담게 살아가고 있는 이 나라는, 저마다 자기 한 몸의 영광을 얻기 위해 싸우는 각박한 각자도생의 공간이 아니라 누구나 자신의 기막힌 사연을 모국어의 품 안에 담아 넣을 수 있다는 가슴 시린 가능성을 믿게 만들 수 있는, 무한한 공감의 공동체가 되어야 한다. '개떡같이 말해도 찰떡같이 알아듣는' 모국어의 공동체. 더 깊이 서로의 아픔을 보듬어줄 수 있는 모국어의 공동체, 그곳이 국가가 되기를 꿈꾸며.

292 FRI 영화의 속삭임 누군가와 함께 밥을 먹는다는 것

만화로 시작되어 드라마와 영화로도 만들어졌던 〈심야식당〉을 보며, 누군가와 함께 밥을 먹는 일의 소중함을 생각했다. 몸이 노곤하고 배 속은 출출할 때, 그런데 요리할 기운은 없고 냉장고엔 아무것도 없을 때. 그럴 때 찾아갈 수 있는 아늑한 심야식당이 있다면 얼마나 좋을까. 이 영화의 주인공들은 저마다 신산스런 삶의 사연을 안고 있지만, 이곳 심야식당에서는 누구도 외롭지 않다. 언제든지 맛있는 음식을 만들어주는, 무뚝뚝해 보이지만 배려심이 가득한 요리사의 따뜻한 음식. 그리고 누가 들어오든 저마다의 사연을 털어놓지 않을 수 없게 만드는 그 묘하게 친근한 분위기야말로 심야식당의 핵심적 양념이다. 밥과 술을 곁들이며 결국은 자신의 아픔을 털어놓지 않고는 못 배기는 그 따스한 기운. 누군가와 함께 술잔을 기울이며 밥을 먹어야만 만들어지는 그 따스함이야말로 혼밥으로는 결코 누리지 못하는 행복이 아닐까.

어린 시절 매일 아침 눈 비비며 일어나면 '어서 세수하고 양치질하고 밥 먹으라'는 엄마의 목소리가 들렸다. 심지어 아버지는 '아침을 안 먹으면 학교를 보내지 않겠다'는 무시무시한 엄포를 놓으셨다. 늦게 잠든 아침에는 입맛이 없기 마련인데, 부모님의 성화에 못 이겨 마지못해 한술 뜨고 나면 그제야 무거운 눈꺼풀이 반짝 떠지곤 했다. 주변 사람들에게 물어보니 '가족끼리 함께 아침을 먹는 것'을 엄격한 생활규칙으로 삼았던 가정이 꽤 많다.

하루 일과를 꼭 가족과 함께, 그것도 함께 밥을 먹는 것으로 시작하는 것은 지금 생각해보면 일종의 제의(ritual)였다. '우리가 아직은 함께'라는 사실의 눈부신 확인. 그것이 아침을 먹는 일의 숨은 의미 아니었을까. 너무 바빠서 아침을 거르고 아침과 점심을 대충 얼버무린 '아점'을 먹거나, 가끔 '브런치'라는 핑계를 대며 점심도 저녁도 아닌 그 어딘가에서 간식도 아니고 정식도 아닌 모호한 끼니를 메우는 현대인들. 우리는 아침을 함께 먹는 가족과 멀어짐으로써 점점 외로워지고 허약해진 것은 아닐까.

이 세상에 존재하지 않는 그 아늑한 심야식당에 가보고 싶어진다. 영화세트장이 아니라, 우리 마음속에 존재하는 그 이상적인 심야식당. 메뉴판에 없는 음식도 재료만 있으면 뚝딱뚝딱 만들어주는, 무심한 척하면서 속으로는 식당에 오는 손님들의 마음 하나하나를 헤아려주는 따스한 주인장. 화려한 인테리어장식도 없고 텔레비전에 나오는 맛집도 아니지만, 온갖 노동에 지쳐 문득 출출해질 때 언제든 찾아갈 수 있는 심야식당. 바로 그런 상상 속의 심야식당 같은 곳이야말로 우리의 상처입은 마음을 치유하는 심리상담소가 아닐까.

293 SAT  그림의 손길

그 어떤 상황에서도 나를 지키는 용기

구혼자들에게 "시아버지의 수의를 다 만들고 나면 결혼하겠다"던 페넬로페는 낮에는 열심히 수의를 만들고 밤에는 그 옷감을 풀어가며 남편을 향한 끝없는 기다림을 이어간다. 만일 페넬로페의 한결같은 기다림이 없었다면, 오디세우스는 과연 집으로 돌아와서 무사히 그 부서진 가정의 '진정한 주인'이 될 수 있었을까. 페넬로페가 그 수많은 구혼자 중 한 사람과 결혼을 했더라면, 또는 그중의 한 사람에게라도 이성으로서의 호감을 느꼈더라면, 오디세우스의 귀환은 페넬로페에게 기쁨이기보다는 고통이 되지 않았을까. 낮에는 열심히 옷감을 짜고, 밤에는 다시 그 옷감을 풀어내는 노동을 반복하면서, 페넬로페는 이제는 얼굴조차 희미한 남편을 기다리고 또 기다렸다.

조셉 라이트의 작품 〈자신이 짠 직물을 도로 풀어내는 페넬로페〉(1783~1784)는 수많은 의심과 걱정 속에서도, 밤이 되면 남몰래 오디세우스의 모습을 그리워하며 잠든 아들의 머리맡에서 회한에 잠기는 페넬로페의 심경을 아름답게 그려냈다. 그 사람이 없어도 그 사람의 빈자리를 결코 채우지 못하는 마음. 그것이 가족의 진정한 의미가 아닐까. 텅 빈 아버지의 빈자리를 대신하여 고군분투하는 이 세상 모든 엄마의 슬픔과 외로움을 대변하는 페넬로페는 끊임없는 실을 잣고 옷감을 짜는 노동으로 그 고통의 시간을 견뎌냈다.

신화 속에서 구혼자들의 청혼에 지칠 대로 지친 페넬로페는 묘안을 짜낸다. 시아버지의 수의를 다 만들고 나면 당신들의 요구에 대답해주겠다고. 시아버지의 수의를 완성하고 나면, 구혼자들 중 한 명과 결혼을 하겠다고. 이윽고 페넬로페는 낮에는 열심히 수의를 만들고 밤에는 몰래 그 옷감을 풀어내버리는 시시포스의 노동을 반복한다. 그 누구와도 재혼하지 않기 위해, 다만 오디세우스를 기다리기 위해 그 가망 없는 노동을 반복했던 것이다. 그녀의 외로운 밤을 아름다운 오디세우스의 조각상이 마치 등대처럼 환하게 비춰주고 있다. 달빛이 잠든 아들의 얼굴을 비추는 동안, 페넬로페는 끝없는 상념과 그리움에 잠겨 있다. 이제 그 누구도 자신의 편이 없는 것만 같다. 곤경에 빠진 페넬로페의 모습은 오히려 역설적으로 '온전한 가족'을 향한 간절한 그리움과 집념을 보여준다.

294 SUN 대화의 향기 가장 가깝기에 가장 상처받는 관계

심리학 강연에서 자주 받는 질문 중의 하나는 바로 이것이다. "가족으로 인한 트라우마를 어떻게 해결해야 하는가요?" 수많은 사람이 가족 때문에 상처받고, 가족 때문에 절망한다. 세상에서 가장 따스한 공동체여야 할 가족이 세상에서 가장 커다란 상처를 나에게 준다면, 일단은 가족으로부터 일정한 거리를 두는 것이 중요하다. 하지만 완전히 인연을 끊을 결심이 아니라면, 언젠가 함께 만들어가야 할 새로운 가족의 밑그림을 그려보았으면 좋겠다.

수많은 영화나 드라마에서 끊임없이 반복되는 스토리임에도 불구하고 볼 때마다 뜨거운 극적 긴장감을 자아내는 소재. 그것이 바로 죽은 줄로만 알았던 주인공의 귀환이다. 이때 감동의 매개체는 바로 가족들의 간절한 기다림이다. 모두 당신의 가족은 죽었다고 희망을 버리라고 말하는 분위기 속에서 끝까지 희망을 버리지 않는 사람들. 아들은 '과연 아버지가 살아 계시기는 한 걸까' 의심하고, 그토록 돌아오지 않는 위대한 아버지보다는 별 볼일 없는 평범한 아버지가 낫다고까지 생각하지만, 아들은 끝까지 아버지를 기다리고 마침내는 아버지와 상봉하게 된다.

뱃사람을 아버지로 둔 가족들이 수두룩했던 그리스 사람들에게 오디세우스는 그럼에도 불구하고 반드시 살아오는 아버지에 대한 찬란한 믿음의 상징이 아니었을까. 가족의 해체를 말하는 사람들이 넘쳐나지만 여전히 우리 가슴속에는 언젠가 반드시 되찾고 싶은 그 단란한 저녁 식탁에 대한 원초적 그리움이 남아 있다. 완벽한 가장과 자애로운 어머니가 아니라도 좋다. 말썽꾸러기 아이들과 영원히 철들지 않는 엄마만이라도 좋다. 아이들이 없어도 일평생 소꿉놀이하듯 깨가 쏟아지는 노부부도 좋다. 굳이 혈연으로 묶이지 않아도 그저 서로 아끼고 걱정하고 토라지면서 그저 함께이면 충분할 사람들. 한 지붕 아래 하나의 식탁이면 남부러울 것이 없다.

하나가 아닌 둘 이상의 공동체, 결혼이나 혈연이 아닐지라도 서로를 향한 끝없는 이해와 공감으로 끝내 헤어질 수 없는 공동체에 대한 갈망은 아무리 끊어내려 해도 끊어낼 수가 없다.

어쩌면 우리가 진정으로 그리워하는 것은 가족이라기보다 가족애가 아닐까. 수많은 사람에게 가족은 있지만 가족애란 끝없이 노력하고 기다리고 투쟁하는 사람들에게만 주어지는 너무도 특별한 축복이기에. 우리의 온갖 기쁨이 시작되는 곳, 우리의 온갖 슬픔도 함께 시작되는 곳. 그곳이 가정이다. 가장 가깝기에 가장 사랑하는 듯하지만, 또 사랑이라는 이유로 상처 또한 가장 많이 받는 관계. 그 가족의 그물 속에서 우리는 끊임없이 넘어지고, 끊임없이 다시 일어선다.

295 MON  심리학의 조언 이것 저것 재지 말고 끝까지 가보자

이것도 하고 싶고 저것도 하고 싶지만 그래도 실패는 두려운 마음. 그 마음 때문에 나는 멀티태스킹을 즐겨 하곤 했다. 그런데 돌이켜보니 멀티태스킹 또한 방어기제의 일종이었다. 하나의 올인했을 때 왠지 언젠가는 후회할 것만 같은 마음. 하나를 끝까지 밀고 갔을 때 왠지 손해 볼 것만 같은 마음 때문에 이것저것 여러 가지에 마음을 두는 일이었다.

멀티태스킹은 원래 컴퓨터가 여러 개의 작업을 한꺼번에 수행하는 것을 가리키는 말이었지만 이제는 사람에게 더 자주 쓰이는 말이 되었다. '그 사람은 멀티태스킹 능력이 뛰어나다'라는 칭찬은 한 번에 여러 가지 일을 수행하는 다중적 사고가 가능하다는 뜻으로 쓰인다. '나는 멀티태스킹이 안 되더라'고 고백을 하는 사람들은 자신도 한 번에 여러 가지 일을 하고 싶지만 잘 안 된다는 식으로 답답함을 호소한다. 하지만 우리의 뇌는 실질적으로 멀티태스킹을 잘 해내지 못한다. 인간이 진정으로 멀티태스킹에 능하다면, 운전 중 휴대전화 사용으로 해마다 수많은 교통사고가 일어나지 않을 것이며, 대화 중 상대방이 휴대전화를 힐끗거릴 때마다 우리가 상처받는 일도 일어나지 않을 것이다. 데이비드 크렌쇼의 《멀티태스킹은 없다》에 따르면, 우리는 사실 '멀티태스킹'이 아니라 '스위치태스킹'을 하는 것에 불과하다고 한다. 즉 두 가지 업무를 놓고 스위치를 이쪽저쪽으로 누르듯이 왔다 갔다 할 뿐이며, 그 속도가 워낙 빨라 그것을 알아차리지 못할 뿐이라는 것이다.

한꺼번에 여러 가지 일을 하고, 동시에 여러 가지 걱정을 하는 우리의 두뇌 속에서는 어떤 일이 일어날까. 우리가 멀티태스킹을 하고 있다고 믿는 동안, 실은 그 어떤 일에도 완전히 순수하게 집중하지 못한다. 이 일을 하는 동안에도 사실은 저 일을 걱정하고 있기에, 이 일에도 저 일에도 완전히 마음을 주지 못하게 되는 것이다. 그러다 보니 '뭐든지 한 번 끝까지 가본다'라는 느낌을 가지기 어렵다. 돌이켜보면, 완전히 마음을 주었을 때에만 끝까지 가볼 수가 있었다. 누군가를 사랑할 때도, 무언가를 좋아할 때도, 사람이든 사물이든 '끝까지 가본 것들'은 미련 없이 사랑하고 불타오르다가 더 이상 타오를 마음의 연료가 없어질 때까지 모든 걸 쏟아부었다. 나도 때로 멀티태스킹을 한답시고 컴퓨터 화면을 여러 개로 나눠서 사용해 보니 따로따로 나눠서 할 때보다 시간만 더 걸리고 한 가지 일에 온전히 집중할 수가 없었다. 일도 그럴진대, 사람과 마음과 세상은 어떻겠는가. 가끔은 하루 종일 한 가지 일만 생각해보자. 이 사람과 함께할 땐 오직 이 사람에게 온 마음을 쏟자. 남김없이 불태우고, 후회 없이 사랑하고, 미련 없이 나를 던질 수 있는 그 무언가를 찾자.

296 TUE  독서의 깨달음 마치 한 마리 나비가 된 듯이

아무도 그에게 수심(水深)을 일러 준 일이 없기에
흰 나비는 도무지 바다가 무섭지 않다.

청(靑)무우밭인가 해서 내려갔다가는
어린 날개가 물결에 절어서
공주처럼 지쳐서 돌아온다.

삼월(三月)달 바다가 꽃이 피지 않아서 서글픈
나비 허리에 새파란 초생달이 시리다.

-김기림, 〈바다와 나비〉

바다가 아무리 넓더라도 나비는 포기하고 싶지 않았을 것이다. 바닷물에 날개가 젖어 온몸이 찢어질 것만 같아도, '청무우밭인가 해서' 내려가 보았더니 완전히 딴 세상이 펼쳐진 그 푸르른 바다의 무한한 가능성을 놓치고 싶지 않았을 것이다. 새로운 경험을 향해 용기를 내어 도전할 때, 우리는 모두 이렇게 '바다'라는 거대한 청무우밭에서 향기로운 꽃을 찾아헤매는 나비의 심정이 되는 것이 아닐까. 설령 꽃을 찾지 못해도 실망하지 않으련다. 처음부터 바다에는 결코 꽃이 피지 않음을 알고 있을지라도, 나비는 '아무것도 모르는 세계를 향한 동경'을 멈출 수 없다. 알 수 없는 세계를 향한 멈출 수 없는 동경이야말로 진정한 용기의 엔진이니까.

드넓은 바다를 바라볼 때마다 나는 김기림의 시 〈바다와 나비〉에 등장하는 한 마리 나비가 된 것 같았다. 아무도 그 수심을 일러주지 않았기 때문에, 바다가 얼마나 깊은지, 바다가 얼마나 넓은지, 전혀 모르는 작은 나비가 되어버린 기분. 그것은 단순한 놀라움이 아니라 '내가 가늠하지 못하는 드넓은 세상'을 향해 온몸으로 뛰어드는 느낌이었다.

이 시를 읽을 때마다 나는 한 마리 나비가 되어 저 광대한 바다를 날아오르는 느낌이다. 한없이 자유로운 느낌, 그 어떤 두려움도 모르는 느낌, 두려움을 모르기에 비로소 자유로운 영혼으로 거듭나는 느낌. 힘들 땐 이 아름다운 시를 소리 내어 읽어보자. 푸른 바다 위를 사뿐히 날아오르는 아름다운 나비의 날갯짓이 지친 당신의 어깨를 토닥일 것이다.

297 WED 일상의 토닥임 기다림의 달인이 되다

배낭여행을 오래 하다 보면 기다림의 달인이 되어간다. 열차나 비행기가 지연되는 일도 다반사, 각종 매표소 앞에서 차례를 기다리는 일도 부지기수다. 기다림의 비결 중 가장 시간이 잘 가는 것은 독서였는데, 한번은 베니스역에서 책에 집중하다가 배낭을 통째로 도둑맞은 일이 있었다. 그때 '뜨거운 맛'을 본 후로는 독서로 기다림을 대체하기보다는 기다림 그 자체에 온전히 집중하려 애쓴다. 그제야 집필 계획만 생각하느라 곁눈질할 겨를이 없었던, 사람 사는 풍경이 눈앞에 펼쳐지기 시작했다. 응애응애 우는 아기를 둥개둥개 달래는 엄마, 어린 아들을 혼자 기차에 태워 멀리 떠나보내는 엄마의 눈물, 헤어지기 싫어 마치 세상이 끝날 것처럼 간절히 부둥킨 채 떨어지지 않는 연인들.

진정한 기다림은 그 순간을 온전히 살아내는 일이다. 삶을 바꾸는 기다림은 그 자체로 적극적인 창조의 몸짓이 되어야 한다. 나는 이육사의 〈청포도〉야말로 기다림의 아픔이 예술로 승화된 최고의 사례라고 생각한다. "내 고장 칠월은/청포도가 익어가는 시절"이라는 1연을 듣는 순간, 이 시의 상큼한 울림에 매혹되었다. "이 마을 전설이 주저리주저리 열리고/ 먼 데 하늘이 꿈꾸며 알알이 들어와 박혀" 있는 청포도라니, 내 마음속에서 청포도의 정의는 그 순간 완전히 바뀌어버렸다. 사랑하는 고향마을의 전설이 주저리주저리 열리는 청포도, 꿈꾸는 듯한 머나먼 하늘이 알알이 들어와 박힌 청포도라니. 난 한 번도 그렇게 슬프도록 아름다운, 사연 많은 청포도를 먹어본 적이 없다.

"하늘 밑 푸른 바다가 가슴을 열고/ 흰 돛단배가 곱게 밀려서 오면" "내가 바라는 손님은 고달픈 몸으로/ 청포(靑袍)를 입고 찾아온다고 했으니", "내 그를 맞아, 이 포도를 따 먹으면/ 두 손은 함빡 적셔도 좋으련." 손님은 얼마나 눈부신 존재이기에, 이토록 소중한 청포도를 아끼고 아꼈다가 대접하는 것일까. 대형마트에서 손쉽게 청포도를 사 먹는 우리는 오직 한 철, 귀한 손님이 오셔야만 자랑스레 내놓는 청포도의 절실한 맛을 알까. 청포도가 가장 향기롭게 영그는 단 며칠을 위해 1년 내내 기다리는 마음, 청포도를 한사코 은쟁반에 받쳐 대접하는 송구스런 마음을 영영 잃어버린 것이 아닐까. 반드시 그 사람과, 반드시 그 계절에만 먹을 수 있는, 그 하나뿐인 순간의 맛을 음미하기 위해 얼마나 길고 아픈 기다림이 필요한지. 돌이켜보면 내 기다림은 항상 목적에 바쳐졌다. 결과가 신통찮을 기미가 보이면, 냉큼 기다림을 철회했다. 이제는 목적 없이 무언가를 하염없이 기다리고 싶다. 사랑하는 이들이 모여 활짝 웃는 순간, 푸르른 바다를 바라보며 심호흡 한 번 크게 할 수 있는 순간을.

298 THU  사람의 반짝임 삶의 피로를 씻어주는 이야기의 힘

살아남기 위해 견뎌야 하는 노동만으로는 삶을 채울 수 없다. 때로는 무의미하게 그저 흘러가기만 하는 삶을 견딜 수 있는 내면의 요새가 필요했다. 문학은 평상시에는 죽마고우처럼 편안한 존재이다가 유사시에는 둘도 없는 구원자가 된다. 20대의 끝자락에서 심각하게 방황하고 있었을 때, 나는 그날도 졸린 눈을 부비며 고등학생에게 언어영역 문제집을 풀어주고 있었다. 그 여고생은 어린 시절 미국에서 오래 살아 한국어에 늘 자신이 없었고 문학에는 더더욱 관심이 없었기 때문에 과외 시간에 항상 우울한 표정으로 힘없이 앉아 있곤 했다. 그런데 언어영역 문제지 지문에《나르치스와 골드문트》가 나왔다. 내 눈에서 갑자기 빛이 뿜어져 나왔다. 나는《나르치스와 골드문트》를 처음 읽었을 때의 감동, 정반대의 성격을 지닌 두 사람이 평생에 걸쳐 최고의 우정을 나누는 장면들의 반짝임에 대해 열변을 토하기 시작했다.

그 시간이 '언어영역 문제집 풀이'를 위해 할당된 시간이었음을 깜빡 잊었다. 나는 문학을 향한 내 열정을 표현하느라 '노동의 피로'를 깜빡 잊었고, 내가 가르치는 학생은 나의 반짝이는 두 눈을 보며 이야기를 듣느라 '공부의 지루함'을 깜빡 잊었다. 나도 내가 왜 그랬는지 모르겠지만, 돌이켜보면 그토록 모든 문학작품에 철저히 무관심한 이 여고생을 위해 '문학이 전혀 필요 없어 보이는 세상'에도 '문학적인 감동'은 소중하다고 이야기하고 싶었던 것 같다. 네가 문학과 전혀 상관없는 길을 가더라도, 언젠가 중년의 나이가 되어 사는 게 아무 의미 없는 것처럼 느껴질 때,《나르치스와 골드문트》의 한 장면에 푹 빠져 살짝 정신 나간 표정으로 장광설을 토하던 한 사람의 간절한 눈빛과 목소리를 기억해주었으면 한다고, 말하고 싶었던 것 같다.

오랜 시간이 지나 그 아이의 이름은 잊었지만, 그 아이의 눈이 처음으로 '낯선 사람의 알 수 없는 이야기'에 대한 신비와 호기심에 가득 차 빛났던 순간을 기억한다. 문학은 그렇게 나와 전혀 상관없어 보이는 세계를 향한 눈뜸을 가능하게 만든다. 그것은 일종의 '세속의 계시'처럼 다가온다. 종교적 깨달음이 아닐지라도, 신앙을 통한 계시가 아닐지라도, 이 '세속의 계시'는 삶을 견딜 만한 것으로 만들어준다. 삶에 생존을 뛰어넘는 그 무엇이 반드시 있어야 함을, 그렇지 않으면 우리는 아무리 화려한 문명을 누리고 살아도 '호모 사케르(벌거벗은 인간)'의 지경으로 떨어지고 말 것임을 일깨워준다.

299 FRI 영화의 속삭임 한때 '완전한 사랑'을 받았던 기억

영화 〈허공에의 질주〉는 내 인생의 영화다. 영화를 볼 때마다 눈물을 글썽이게 만드는 대목이 있다. 영화 속 대니 가족은 FBI의 추적을 피해 도망 다닌다. 엄마아빠가 베트남 전쟁 당시 미군의 네이팜탄 사용을 막기 위해 무기연구소를 폭파시킨 전력이 있기 때문이다. 네이팜탄이라는 무시무시한 살상무기를 민간인에게 사용한다는 사실을 알고 있었던 알렉산더와 애니는 연구소를 폭파시켜서라도 무기 사용을 막고 싶었지만, 그 일로 인해 평생 도망자 신세가 된다. 문제는 그 일과는 상관없는 아들 대니와 해리까지 함께 도망을 다닌다는 사실이다.

그러던 중 대니가 몰래 줄리어드음대 입학시험을 본 사실을 알게 되자 애니는 결심한다. 대니를 독립시켜주기로. 이를 위해 애니는 자신의 아버지를 떠올린다. 딸을 20년 넘게 보지 못한 아버지의 마음은 천 갈래 만 갈래로 찢어진다. 그토록 아름답고 총명하던 딸이 반전운동의 주모자가 되어 평생 FBI의 추적을 받는 것도 고통스러운데, 딸과 손자마저 이산가족이 되어 쫓겨 다녀야 하다니. 할아버지가 대니를 맡게 되면 애니는 수십 년 동안 아들도 만나지 못할 것이다. 대니가 줄리어드 음대생이 되면 근거지가 확실해지고, 그러면 FBI는 항상 대니를 따라다닐 것이기에.

알고 보니 대니의 엄마는 자신이 미처 펼치지 못한 피아니스트의 재능을 아들에게 물려준 것이었다. 어떤 유명한 피아니스트의 가르침도 받지 못한 대니가 그토록 눈부신 실력을 가진 것도 엄마 덕분이었다. 엘리트의 길을 걸어온 아버지를 '배부른 제국주의자'로 몰아붙이며 반전운동에 뛰어든 딸을, 그럼에도 불구하고 아버지는 목마르게 그리워했다. 클래식 음악계를 부르주아의 사치스러운 특권의 각축장으로 바라보던 딸. "참 아이러니하구나. 네가 그토록 도망치고 싶어 하던 세계 속으로 네 아들을 보내려하다니."

아버지는 대니를 맡으면 따라올 온갖 위험과 감시를 생각하면 괴롭다. 딸은 눈물을 흘리며 고백한다. 부모님이 너무 그리워서 큰소리로 엄마, 아빠를 부르며 운 적도 있다고. 너무 많이 사랑하지만 한 번도 고백하지 못한 그 마음을 딸이 보여주자, 아버지는 깨닫는다. 수십 년간 만나지 못했어도, 딸을 향한 사랑은 멈춘 적이 없었음을. "내가 대니를 맡으마." 단 한 번도 제대로 만나지 못한 손주를 자식처럼 키우게 된 할아버지를 딸은 간절한 그리움의 표정으로 바라본다. 우리가 한때 받은 적 있었던 바로 이 조건 없는 사랑이야말로, 우리가 평생 견뎌야 할 고통을 치유할 수 있는 최고의 힘이다.

300 SAT 그림의 손길 시에스타, 낮잠의 치유력

그토록 찾아 헤매던 달콤한 휴식의 유토피아. 내가 빈센트 반 고흐의 그림 〈시에스타〉(1890)를 볼 때마다 느끼는 치유의 가능성은 바로 그것이다. 힘든 노동 속에서 유독 달콤하게 느껴지는 휴식의 아름다움. 그것이야말로 치유적인 움직임이기 때문이다. 인물의 표정이나 풍성한 수확물도 없이 가을의 풍요와 여유를 이토록 잘 표현한 그림이 또 있을까.

가을은 축복받은 수확의 계절이지만, 그 수확이야말로 엄청난 노동이다. 아무리 풍성한 수확의 계절이 되어도, 그 많은 열매와 곡식들을 하나하나 채취할 수 있는 사람들이 없다면 어떻게 되겠는가. 고흐는 풍성한 가을의 이면에 숨어 있는 뜻밖의 표정을 발견해낸다. 고흐는 노동하는 사람들을 일종의 풍경으로 다루지 않는다. 그는 평범한 노동 속에서 인간의 신성함과 위대성을 발견하려 한다. 그림 속 농부들은 잠깐의 낮잠이 곧 천국의 휴식 같은, 그런 찰나의 축복을 누리고 있다. 이토록 바쁜 계절이 아니었더라면, 이 평범한 낮잠이 이토록 달콤하지는 않았을 텐데. 그렇게 힘겨운 노동이 아니었더라면, 이 잠깐의 휴식이 이토록 눈부시지는 않았을 텐데. 고흐의 그림에는 이런 안타까움 속의 간절한 축복의 열기가 느껴진다.

이 그림은 사실 겨울에 그려졌다. 고흐가 생 레미 드 프로방스에 머물던 그해 겨울, 색채의 탐험가 고흐에게는 다른 계절에 비해 단조로울 수밖에 없는 겨울의 풍경이 지루했을 것이다. 1889년에서 1890년으로 넘어가는 시기, 고흐는 다양한 작가의 모작을 하면서 색채 감각을 연구했다. 단순히 명작을 베낀 것이 아니라, 그 안에 자신만의 감성과 색채의 뉘앙스를 넣으려 노력했다. 고흐의 세계관, 고흐다운 붓질, 고흐적 색감을 찾으려 노력하는 과정에서 이런 그림이 나왔다.

고흐는 이 그림을 그리면서 마치 시에스타 같은 달콤한 휴식을 느끼지 않았을까. 가지런히 벗어놓은 신발, 소중하게 내려놓은 농기구, 그리고 '이 순간만은 얼굴 없는 사람으로 살겠다'고 결심한 듯 얼굴을 한사코 가린 수건. 모두가 이 그림이 자아내는 달콤한 휴식의 분위기를 돋우어준다. 이때 그린 그림들은 동생 테오가 가장 좋아하는 작품들이기도 했다. 열정과 광기의 대명사였던 형 고흐에 비해, 언제나 차분하고 다정했던 동생 테오가 그토록 원하던 따스한 색감, 평화로운 분위기가 스며 있기 때문은 아니었을까. 이 그림에는 고흐가 그토록 찾아 헤매던 달콤한 휴식, 찰나의 축복, 살아간다는 것 자체의 눈부신 기적이 깃들어 있다. 우리가 가을에 느끼는 본능적인 '감사'의 느낌 또한 이런 느낌이 아닐까.

301 때로는 무조건 믿어야 할 때가 있음을

SUN

대화의 향기

가끔 청개구리 같은 성격, 즉 '들은 것과 반대로 하는 기질' 때문에 큰 손해를 입을 때가 있다. 웬만하면 타인의 말을 잘 따르지만, 마음속의 두려움 때문에, 뭔가 위험한 일이 있을지 모른다는 조바심 때문에 타인의 말을 믿지 못하곤 한다. 이 또한 방어기제 중 하나이다. 낯선 타인의 말을 들었다가 혹시 위험에 빠지지 않을까 하는 공포심. 그것은 주어진 나의 상황을 부정함으로써 익숙한 나만의 습관 속으로 빠지려 하는 마음속의 방어벽이었다. 그런 나의 성격이 여지없이 드러난 에피소드가 있다. 10여 년 전 유럽 여행 초보 시절, 함부르크에서 코펜하겐까지 가는 기차 안에서 맞이한 뜻밖의 풍경이었다. '여행 시간이 꽤 길 테니 잠을 좀 자두어야겠다!'고 생각하고, 책을 조금 읽다가 깊은 잠에 빠져들었다. 얼마나 지났을까. 갑자기 시끄러운 방송 소리가 나자 승객들이 웅성거리며 일제히 기차에서 내리는 것이었다. 웬 날벼락인가 싶어 무작정 '여행자의 분신'인 무거운 캐리어를 낑낑거리며 들고 내렸다. 사고가 생겨 기차를 바꿔 타야 하는 상황으로 착각한 것이다. 그러나 웬걸, 나만 무거운 여행 가방을 양손에 쥔 채 땀을 뻘뻘 흘리고 있었다. 알고 보니 함부르크와 코펜하겐 사이에는 드넓은 바다가 가로놓여 있었고, 10량이 넘는 커다란 기차가 그보다 훨씬 더 거대한 페리 속으로 들어가는 상황이었다. 페리 안에는 놀랍게도 기차 레일이 깔려 있었다. 자느라 제대로 듣지 못한 방송은 바로 '걱정하지 말고 짐은 모두 두고 내리라'는 내용이었다.

사람들은 나를 보며 키득키득 웃었다. 나만 바보가 된 느낌이었다. 커다란 기차들이 그보다 더 커다란 페리 속으로 들어가는 장면은 마치 요나가 고래의 배 속으로 들어가는 것처럼 장엄한 광경이었다. 나는 페리 바깥으로 펼쳐진 눈부신 바다의 정경을 바라보았다. 그곳에서 그토록 광활한 바다를 보게 될 줄이야. 내 무지함에 얼굴이 새빨개질 정도로 부끄러웠지만, 이내 그 낯뜨거운 부끄러움은 뜨거운 감동으로 바뀌었다. 전혀 예상치 못한 곳에서 바다를 발견한 순간은 뜻밖의 경이로움으로 가득 찼다. 그 순간 거짓말처럼 쌍무지개가 피어오르기 시작했다. 바다 위에 화려하게 드리운 쌍무지개의 위용은 하늘로 올라가는 총천연색 깃발처럼 눈부셨다.

파퀴아 쾨르너는《저니맨》에서 이렇게 말한다. "인간은 두 번 태어난다. 한 번은 어머니의 자궁에서, 또 한 번은 여행길 위에서. 이제껏 한 번도 여행을 떠나지 않았다면, 모두에겐 또 한 번의 탄생이 남아 있는 셈이었다." 나는 그 순간 내 눈앞에 펼쳐진 바다 위에서 다시 태어난 기분이었다. 그 위에서 나는 비로소 깨달았다. 때로는 타인의 말을 무조건 믿어야 할 때가 있음을. 마음속의 방어벽을 이제 내려놓아야 함을. 방어벽을 내려놓아야 비로소 보이는 세상의 아름다움이 있음을.

302 MON

심리학의 조언

상처 입은 내면아이와 작별하기

헬리콥터맘, 캥거루족이라는 유행어는 '성인이 된 자식에게 여전히 집착하는 엄마'와 '성인이 되어서도 독립하지 못하는 자식'의 고유어가 되었다. 그런데 이것은 단지 경제적인 독립을 하지 못한 자녀들의 문제에 그치지 않는다. 자기 문제를 스스로 해결하지 못하고 점집을 드나들거나 주변 사람들의 '감 놓아라 배 놓아라'식 참견에 의존하는 사람은 평생 '자기 자신'이 되지 못한다. 그런 사람들은 고독을 견디지 못하는 나약함으로 평생 정신의 독립을 이루지 못한다. 그렇다면 우리는 어떻게 정신의 독립, 정서적 독립을 이룰 수 있을까.

처음으로 '나만의 방'을 구해 부모님으로부터 독립한 그날. 나는 '드디어 해방되었다'는 생각과 함께 '앞으로 어떻게 살아야 하나' 하는 걱정이 동시에 밀려들었다. 그날 마치 약속이라도 한 것처럼 '정전'이 되었다. 내가 월세방을 얻은 그 건물만 정전이 아니라 거리 전체가 정전이었다. 촛불도 없고 랜턴도 없었다. 아무런 예고도 없었던 걸 보면 사고였던 것 같다. 나는 일단 무서움을 무릅쓰고 터벅터벅 밖으로 나갔다. 거리 전체가 어두우니 내가 마치 '이상한 나라의 폴'이 된 것처럼 느껴졌고, 시간이 멈춘 느낌까지 들었다.

멀리 큰길 건너편을 바라보니 다행히 불빛이 보였다. 나는 길을 건너 불이 켜진 첫 번째 편의점에 들어가 양초를 샀다. 단지 '양초'가 아니라 마치 '어둠을 밝히는 희망'을 구하는 느낌이었다. 버지니아 울프가 여성의 진정한 독립을 위해 필요하다고 말한 '자기만의 방'을 드디어 얻은 첫날, 내게 가장 필요한 것은 그 어떤 화려한 인테리어 소품도 아닌 소박한 '촛불'이었다. 촛불을 켜놓고 방안에 들어앉으니 외로움을 오래오래 참을 수 있을 것 같았다. 그곳이 나의 첫 '독락당'이었다. 홀로 있어도 더없이 기쁜 곳. 누구에게나 그런 장소가 필요하다. 마음 깊은 곳의 고독이 쉴 수 있는 곳. 외로움을 참고 자신만의 작은 세계를 창조할 수 있는 고즈넉한 내면의 요새가 필요하다.

항상 자신의 일을 모두가 대리해서 처리해주는 사람들은 겉으로는 엄청난 권력자로 보이지만 자신의 일을 스스로 해내지 못하는 꼭두각시에 불과하다. 그들에게 고독할 수 있는 자유, 고독을 통해 진짜 성인이 되는 시간을 보내주고 싶다. 자기만의 방을 찾으면 행복할 것 같지만 사실 진정으로 혼자가 되었을 때 가장 먼저 밀려드는 감정은 무력함이다. 막상 그토록 원하던 혼자가 되니 두려움이 앞설 것이다. 하지만 그 순간이 바로 위기이자 기회이다. 우리 마음속에 영원히 자라지 않는 내면아이와 작별할 시간인 것이다.

303 TUE

독서의 깨달음

나보다 아픈 사람에게서 배우다

'의연한 사람'이 되기가 참으로 어려운 시대다. 연일 충격적인 뉴스로 마음이 진정되지 않는 요즘이 더욱 그렇다. 세상이 이토록 시끄러운데, 저마다 차분한 마음을 가지기는 얼마나 어려운가. 이렇듯 무엇으로도 위로가 되지 않을 때, 나는 나보다 훨씬 큰 고통을 감내했던 사람의 글을 읽곤 한다. 예컨대 고(故) 윤성근 시인이 대장암으로 투병을 하며 지은 시들을 읽다 보면 내가 겪고 있는 지금의 충격이나 슬픔이 상대적으로 작아지는 것을 느끼게 된다.

윤성근의 시 〈고통의 마스터〉는 우리에게 묻는다. 고통의 대가가 되는 법을 아느냐고. 가슴이 덜컥 내려앉는다. 고통을 아무리 많이 겪어도 고통의 대가가 될 수는 없을 것 같다. 시인은 자식을 먼저 보낸 고통, 근육이 사라지는 앉은뱅이 누이의 아들, 보행기에 의존해서 걷는 게 싫다는 아이를 때리면서 함께 우는 엄마의 이야기를 들려준다. 아무리 고통을 겪어도 고통에는 익숙해지지 않는 인간의 본성을 깨닫는다. 다 죽어가는 아들을 살릴 수도 죽일 수도 없어, 그래도 숨이 붙어 있어 코에 산소호흡기를 끼고 있는 아들을 바라보는 한 아버지. 이런 환자들을 바라보며 시인은 그들이야말로 고통의 마스터이자 고난 극복의 천재들이라고 전한다. 그들도 아프지만 않았다면, 눈부신 꿈을 가졌을 텐데. 더 나아지리라는 희망 없이 살아가는 이들은 고통의 마스터, 고난 극복의 천재가 되어 하루하루를 견디고 있다.

〈나 한 사람의 전쟁〉이라는 시에서는 아무리 옆에서 도와주더라도, 결국 '나 한 사람의 전쟁'처럼 지독한 외로움에 시달린다. 〈꺼진 불〉이라는 시는 더욱 아름답다. 시인은 죽음에 대해 농담도 하고, 의연하게 인격을 지키고 통증을 다스리고 싶지만, 초연하고 싶고, 물러나 있고 싶고, 객관적으로 보고 싶은데, 잘 안 된단다. 칭찬받는 환자가 되고 싶은데, 난처한 물음도 안 던지고, 회진이 늦어도 불평하지 않고 싶은데, 자꾸만 초조해지고 불안해진다고. 왜 의연하고 차분해지는 것이 이토록 어려운 걸까. 몸이 안 좋아질 때마다 토라지고, 차도가 있다는 말을 듣기를 간절히 원하는 자신을 발견한다. 쿨하지도 못하고, 농담도 못 받아넘기는 자신이 참 싫다지만, 그렇게 솔직한 언어로 고백하는 시인의 마음이 참으로 해맑다. 아프지도 않은데 아픈 척하는 '악어의 눈물'이 너무 많은 세상에서, 아프면서도 아프지 않은 척 의연한 사람들은 얼마나 아름다운가. 나는 의연해지고 싶다. 아픔 때문에 주눅 들거나 무릎 꿇고 싶지 않다. 우리가 느끼는 이 시대의 아픔 또한 반드시 지나가기를. 그 멀고 험한 길 위에서 부디 우리 모두 좀 더 의연하고 의젓해지기를.

304 WED 일상의 토닥임 내려올 때 더욱 눈부신 사람

한창때 피어나는 것보다 오히려 어려운 것은 '제때 잘 내려오는 일'이 아닐까 싶다. 인생의 '전성기'와 '쇠퇴기'를 모두 지혜롭게 보내는 사람들은 극히 드물다. 인생의 참모습이 숨김없이 드러날 때는 오히려 절정에서 내려오는 순간이다. 한창때 눈부신 것은 당연한 것이니, 내려올 때 눈부신 사람이야말로 진정한 내면의 빛을 지닌 사람이 아니겠는가.

외부 상황이 바뀔 때에야 비로소 내려오면 이미 늦어버린다. 퇴직을 하거나, 이미 노인이 된 이후에 내려올 준비를 하면 늦다. 오히려 젊었을 때부터 '어떻게 하면 인생의 황혼을 잘 견뎌낼 수 있을까'를 고민해야 한다. 자신을 낮추는 것을 두려워하지 않는 사람, 언제든 내려올 준비가 되어 있는 사람이야말로 마음챙김의 달인들이다. 바닥에서부터 생각할 줄 아는 사람, 내려와서 생각할 줄 아는 사람이 올라갈 때나 내려올 때나 한결같이 본분을 지킨다. 이형기의 시 〈낙화〉에서처럼 결별조차 축복으로 받아들이며, 지금은 가야 할 때임을 아는 사람. 머지않아 열매 맺는 가을을 향하여 꽃답게 사라지는 사람은 얼마나 아름다운가.

모두 인생의 앞모습만 보고 살다 보니, 인생의 뒷모습을 신경 쓸 겨를이 없는 것 같다. 인생의 앞모습이 '남들에게 보여주는 이미지'라면, 인생의 뒷모습은 '아무도 없는 한밤중 내가 나를 마주하는 순간'이다. 인생의 앞모습은 '경쟁'과 '성공'을 향해 달려가곤 하지만, 인생의 뒷모습은 '고독'과 '불안'일 때가 많다. 인생의 앞모습과 뒷모습은 심리학에서 말하는 페르소나와 그림자를 닮았다. 앞모습은 타인에게 노출되는 이미지이지만, 뒷모습은 나도 모르는 내 상처와 그림자의 이미지다. 앞모습이 화려한 이들은 많지만, 뒷모습이 저절로 아름다운 사람은 드물다. 거울에 비춰볼 수 있는 앞모습과 달리, 뒷모습은 '나를 바라보는 사람들'의 정직한 눈을 통해서만 비춰지기 때문이다.

사라져가는 인생의 뒷모습조차, 그가 남긴 인생의 그림자조차 아름다운 사람이 되려면 매 순간 최선을 다하는 수밖에 없다. 최고의 음식은 식어서도 그 향기로운 풍미를 잃지 않듯이, 본래 아름다운 인생을 살아온 사람은 절정에서 내려온 뒤에도 그윽한 향기를 남긴다. "가야 할 때가 언제인가를 분명히 알고 가는 이의 뒷모습은 얼마나 아름다운가"라는 구절은 언제 읽어도 가슴을 날카롭게 할퀴고 지나간다. 그것은 나의 사랑, 나의 결별을 진정으로 받아들이는 사람만이 누릴 수 있는 축복이고, 내려옴조차 아름다움으로 탈바꿈시킬 수 있는 강인한 사람만의 특권이기 때문이다. 저 타는 저녁노을처럼 장엄하게 사라져갈 수 있는 용기를 지닌 사람이야말로 멋진 인생의 주인공이 아닐까.

305 THU 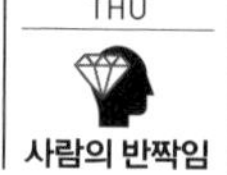 사람의 반짝임 특별하지 않아도 빛나지는 않아도

언제부턴가 '셀러브리티'라는 외래어가 미디어에 오르내리면서, '유명인'이라는 본래 단어의 자리를 위협하게 되었다. 뜻은 비슷해도 단어의 뉘앙스는 달라서, '유명인'이라고 하는 것보다 '셀러브리티'라고 하면 왠지 좀 더 화려하고 주목받는 느낌을 주게 되어버렸다. 사람들은 '셀러브리티'와 '일반인'이라는 구별을 아무렇지도 않게 사용하고 있으며, 유명인의 시시콜콜한 사생활, 공항패션과 헤어스타일은 연일 실시간 검색어에 오르내리며 마치 그것이 '오늘의 급박한 뉴스들'과 비슷한 중요도를 지닌 것처럼 취급받는다. 셀러브리티의 시대로 접어들며 유명인의 일거수일투족이 '대세'로 자리 잡으면서 우리가 잃어버린 것들은 무엇일까.

우리는 시각적 이미지에 현혹되어 '눈에 잘 띄지 않지만, 분명히 빛나는 것들'을 바라보는 감각을 잃어버린 것이 아닐까. 박노해의 시 〈민들레처럼〉을 읽다가 '그래, 우리는 이런 감수성을 잃어버렸구나' 하는 생각에 가슴을 쓸어내린다. 감옥에서 단식투쟁을 하고 고문까지 견디며 파란 수의에 검정고무신을 신고 끌려가고 있던 박노해 시인에게 누군가가 민들레 한 송이를 쥐여주었다고 한다. 굴비처럼 포승에 줄줄이 엮어 끌려가는 수인들 사이에서, 누군가가 힘내시라며 노란 민들레꽃 하나를 손에 쥐여주었다고 한다. 포승줄에 묶인 손에 잡힌 노란 민들레가 무기징역의 가혹한 형벌 앞에 고통받았던 시인의 마음을 환하게 밝혀주었다. 어두컴컴한 감치방에 갇혀 있을 때, 시인은 민들레를 볼에도 대어보고 코에도 대어보고 꽃 한 송이에 담긴 생명의 향기에 취해 홀로 중얼거렸다고 한다. 산다는 것은 정녕 아름다운 것이라고.

그토록 절망적인 상황에서 시인은 노란 민들레 한 송이의 힘으로 '아름다운 것을 아름답다고 느낄 권리'를 되찾은 것이다. 그는 꽃 한 송이 몰래 품고 와 시인의 손에 쥐여준 그분의 속뜻을 되새기다가, 이런 결론에 다다른다. 민들레처럼 살아야 한다고. 특별하지 않아도 빛나지는 않아도, 흔하고 너른 들풀과 어우러져 거침없이 피어나는 민들레처럼. 그렇게 살아야 한다고. 논두렁이든 아스팔트든, 자리를 가리지 않고 강인하게 피어나는 민들레처럼 살아가는 것. 민들레의 강인함은 화려하게 꾸미지 않는 정직함, 귀한 자리 천한 자리를 가리지 않는 공명정대함이 아닐까. 우리가 잃어버린 내면의 빛을 생각하는 시간. 감옥의 구석진 자리에서도 찬란한 봄을 피워낸 민들레의 빛을 본받고 싶어진다. 특별하지 않아도 빛나지는 않아도, 나에게 주어진 단 한 번의 시절, 내가 지닌 힘으로 피워 올릴 나만의 빛이 있을 거라는 희망을 품에 안고서.

306 FRI 영화의 속삭임 '남자다운 남자'라는 일그러진 환상

최근 매력적인 남성을 가리키는 표현으로 '상남자(남자 중의 남자)', '츤데레(겉은 무뚝뚝하지만 속은 따뜻한 남자)' 등의 단어가 대중매체에서 무분별하게 사용되는 것을 보며 걱정이 앞선다. '꽃미남' 같은 표현은 남성의 외모에 대한 은근한 상품화를 전제로 하고 있으며, '상남자' 같은 표현은 남자다운 남자에 대한 우리 사회의 편견을 더욱 강화시키는 측면이 있다. '츤데레'는 일본어식 표현에서 따온 것이라 더욱 찜찜하다. 나쁜 남자처럼 보이는 남자가 알고 보니 굉장히 따뜻하고 여린 감수성을 지녔는데, 그가 잘생기기까지 했을 때, 여성들이 그에게 열광한다는 식의 전형적인 스토리텔링을 함축하고 있는 단어다. 과연 이런 단어들이 현실의 남성들을 제대로 묘사하는 것일까. 미디어가 여성성은 물론 남성성까지 길들이고, 제도화하고, 상품화하기 위한 전략이 아닐까.

이런 생각을 하다 보니 '남자다운 남자'에 대한 잘못된 편견이 어디서부터 시작되는가 하는 의문이 들었다. 이문열 원작소설을 영화화한 〈우리들의 일그러진 영웅〉이 가장 먼저 떠올랐다. 과격하고, 공격적이고, 소유욕 강하고, 자신이 최고로 군림하지 않으면 한시도 참을 수 없는 소년 엄석대. 그는 요샛말로 하면 소시오패스에 가깝다. 서울에서 전학 온 주인공 한병태가 유일하게 엄석대에게 강력한 저항을 시도해보지만, 처참한 실패로 끝나고 만다. 하지만 오랜 세월이 지나 한병태가 엄석대를 다시 만났을 때, 그는 수갑이 채워진 채 형사들에게 끌려가고 있었다. 소년들은 물론 어른들도 엄석대의 악행을 바로잡지 못했기에 끝내 그는 감옥에 갇히는 신세가 되고 만 것이다.

〈우리들의 일그러진 영웅〉에서 엄석대는 비뚤어진 남성성의 화신이다. 그는 선한 행동으로 사람들의 호감을 이끌어내는 것이 아니라 사악한 행동으로 자신을 두려워하게 만듦으로써 권력을 획득한다. 그러나 이런 '강하지만, 사랑과 배려가 없는' 남성은 결코 바람직한 남성성의 모델이 될 수 없다. 모두가 그를 두려워하지만 아무도 그를 진심으로 사랑하지 않으니까.

다가오는 시대의 남성상은 '나쁜 남자'와 '강한 남자'에 대한 환상을 벗어난 현실적인 이미지, 좀 더 타인을 향한 '공감 능력'이 뛰어난 이들이 되었으면 한다. 목표를 성취하는 것도 중요하지만 목표에 '어떻게' 도달할 것인가를 더 중하게 여기는 사람들이 미래의 남성 리더가 되었으면 좋겠다. 우리는 군림하고, 지배하고, 통제하는 남성성에 너무도 지쳤으니까. 그릇된 방식으로라도 '힘'을 표현하지 않으면 견디지 못하는 남성들에게 너무도 지쳤으니까. 남의 아픔에 귀 기울일 줄 아는 사람, 타인의 슬픔에 눈물 흘릴 줄 아는 사람, 사람들의 아픈 어깨를 따스하게 보듬어줄 수 있는 '공감 능력'이 미래의 남성상이 되기를 간절히 꿈꿔본다.

307

SAT

그림의 손길

나를 멀리하는 존재조차 사랑할 용기

'신의 영역'에 올라선 예수님과 인간 막달라 마리아 사이의 거리감일까. 사랑의 본질이란, 너에게서 달아나려 하는 바로 그 존재를 사랑해야 한다는 것이다. 지오토의 작품 〈나를 만지지 마라〉(1304~1306)를 보면, 십자가에 못 박혀 죽은 예수가 부활한 첫날, 막달라 마리아는 예수님을 알아보고 기쁜 마음에 그를 붙잡으려 한다. 그러자 예수님은 이렇게 말한다. "나를 만지지 마라." 〈요한복음〉의 이 장면 또한 화가들에게 수없이 사랑받았던 대목이다. 이 대목을 읽으며 사람들은 신과 인간의 돌이킬 수 없는 차이를 발견하기도 하고, 이제는 '인간의 모습'을 완전히 벗어던진 채 마침내 '신의 영역'에 올라선 예수님과 인간 막달라 마리아 사이의 극복할 수 없는 거리감을 느끼기도 했다.

그토록 다정했던 예수님은 왜 막달라 마리아의 지극히 인간적인 반가움의 표현마저 거부했던 것일까. 철학자 장 뤼크 낭시는《나를 만지지 마라》라는 책에서 바로 그것이 사랑의 본질임을 주장하고 있다. 가장 사랑하는 것을 붙들려 하지 말라는 것. 가장 사랑하는 것을 차라리 놓아주라는 것. 진정으로 누군가를 사랑한다면, 너에게서 달아나려 하는 바로 그 존재를 사랑해야 한다는 것을. 장 뤼크 낭시는 이렇게 말한다. 너는 아무것도 잡고 있지 않다고. 너는 누구도 잡거나 붙잡을 수 없다고. 바로 그게 사랑하는 것이라고. 너에게서 빠져 달아나는 이를 사랑하라. 가버리는 이를 사랑하라. 떠나고자 하는 이를 사랑하라. 바로 그것이 더 크고 깊은 사랑의 길이다.

이 장면은 인간의 입장에서는 못내 서운한 장면이기도 하고, 이제 신의 반열에 오른 예수의 입장에서는 어쩔 수 없는 '거리 두기'의 제스처이기도 하다. 하지만 막달라 마리아는 예수를 향한 사랑조차 놓아주는 것은 아니다. 예수님을 놓아주면서, 더 이상 우리와 다른 존재임을 이해하면서, 막달라 마리아는 예수님을 향한 더 크고 깊은 사랑을 시작한 것이 아닐까. 우리 또한 사랑하는 사람에게 때로는 그런 차가운 말을 들을 때가 있다. 가까이 오지 마. 날 좀 내버려 둬. 혼자 있고 싶어. 내 이름 부르지 마. 그런 차가운 말들이 때로는 사랑을 끝내는 말들이기도 하지만, 때로는 더 성숙한 사랑의 시작이 될 수도 있다. 거리를 둔 채로도 사랑하는 방법을 아는 것, 멀리 있는 채로도 사랑을 포기하지 않는 법을 아는 것. 그것이야말로 욕심을 내려놓은 채 누군가를 해맑고 투명하게 사랑하는 마음챙김의 기술일 것이다.

308 SUN

대화의 향기

마음속에 '나만의 월든' 짓기

"저는 일중독자입니다. 어떻게 하면 쉬지 못하는 이 병에서 벗어날 수 있을까요." 이런 질문을 하는 독자들도 많아지고 있다. 번아웃과 워커홀릭은 동전의 양면 같다. 나는 독자에게 이런 편지를 보내주었다. "완전한 휴식을 취하기 어렵다면, '일이 아닌 다른 것들'에서 즐거움을 찾는 연습을 해보시는 것이 좋습니다. 막연히 꿈만 꾸던 취미활동을 시작해보는 것도 도움이 됩니다. 악기를 배운다든지, 꽃을 키운다든지, 요리를 해본다든지, 그림을 그려보는 취미활동도 좋습니다. 일이 아닌 다른 부분에 관심을 기울이는 순간, 삶이 풍요로워지고 스트레스가 완화되기 시작합니다. 인문학 강연이나 북콘서트에 참여해보시는 것도 도움이 될 것입니다. 인터넷 화면을 켰을 때 시작화면이 포털 사이트로 되어 있다면, 시작화면을 아예 다른 것으로 바꿔보시는 것도 괜찮습니다. 저는 시작화면을 인터넷서점으로 바꾸어보았는데요. 포털사이트가 아닌 인터넷 서점을 시작화면으로 설정해 두면, 뉴스 중심의 인터넷 기사가 아닌 '책'에 대한 정보를 늘 볼 수 있기 때문에 그것만으로도 업무가 아닌 다른 쪽으로 관심을 돌리는 데 도움이 됩니다.

우리가 헨리 데이비드 소로처럼 숲속에 나만의 오두막을 지을 수는 없지만, '마음속에 나만의 월든'을 지을 수는 있습니다. '내면의 오두막'을 지어보는 것인데요. 저는 내면의 오두막에 좋아하는 책과 음악, 영화와 가고 싶은 여행지들, 죽기 전에 꼭 한번쯤 도전해보고 싶은 마음속 버킷리스트들을 저장해 놓았습니다. 조금씩 그 내면의 오두막을 '내가 진정으로 좋아하는 것들'로 채워놓기 시작한다면, 일에 집착하는 마음, 일로 인정받고 싶은 마음, 실수하면 안 된다는 강박도 줄어들기 시작합니다. 이렇게 열심히 업무시간을 넘어서까지 일에 대해 걱정하시는 분이라면, 지금 맡고 있는 일을 잘 해내고 계시는 분일 거라는 생각이 듭니다. 좀 더 스스로를 따뜻하게 칭찬해주시고, 배려해주세요. 10년 후의 내 모습을 그려보면서, 더 행복하고 조화로운 삶을 살기 위해 나에게 가장 필요한 것들이 무엇인지를 떠올려 보시면 어떨까요. 일만 생각하는 에고가 아니라, 일을 빼고도 충분히 조화롭고 풍요로운 삶을 살 수 있는 또 하나의 셀프를 보살피는 삶을 시작해보시기를 바랍니다. 일에만 집중하느라 미처 돌보기 어려웠던 내면의 오두막을 조금씩 '내가 진정으로 사랑하는 것들'로 채워 넣는 연습을 해보시기를 권해드립니다. 우리 마음속에 결코 부서지거나 무너지지 않는 내면의 오두막을 짓는 연습을 통해 더 행복하고 풍요로운 삶을 꿈꾸어보시기를 바랍니다."

309 MON

심리학의 조언

셀프의 목소리를 듣는 연습

에고는 우리를 향해 '더 빨리, 더 많이 가질 것'을 주문한다. 에고는 이렇게 말을 건다. "이 정도로는 부족해. 더 많이 벌어야 하고, 더 열심히 일해야 하고, 더 많이 인정받아야 해. 에고는 가시적 성과, 양적 성공을 추구한다. 하지만 셀프는 언제나 '의미'를 추구한다. 셀프는 숫자보다는 깊이를, 분량보다는 의미를 사랑한다. 남들이 보기에 성공적으로 보여도 본인이 그 일에 만족하지 못한다면 에고는 승리했으나 셀프는 위축된 상태다. 에고가 성공으로 환호작약하며 '난 역시 대단해'라고 생각할 때, 셀프는 이렇게 대답한다. "그래, 그게 정말 네가 원하는 성공이니?" 네가 원하는 게 정말로 이런 거였어?" 셀프의 질문은 때론 너무 날카로워 가슴이 뜨끔해진다.

심리학을 공부하면서 내게 일어난 가장 큰 변화는 '셀프의 목소리를 듣는 법'을 알게 되었다는 점이다. '요새 트렌드는 그렇다더라', '요샌 무엇이 대세라더라' 이런 말에 흔들리지 않게 되었다. 유행이나 소문을 따라가려는 에고의 옷자락을 꽉 붙들고, 그러지 말자고 다짐을 받아낸다. 내 마음 깊은 곳의 목소리를 듣는 일에는 유행도 소문도 필요 없다. 내 안의 셀프와 대화하는 일에는 좀처럼 싫증이 나지 않는다. 유행과 대세는 언젠가는 사그라든다. 언젠가는 권태가 온다. 하지만 셀프와의 대화는 그렇지 않다. 셀프의 목소리는 항상 따스하고, 가끔 눈물겹기도 하고, 결국은 나 자신을 가장 위하는 길을 알려준다. 키가 훌쩍 커 보이고 싶은 에고의 목소리에 이끌려 하이힐을 만지작거리면, 나의 셀프는 이렇게 말해준다. "너의 장점은 키가 아니잖아. 운동화를 신었을 때 네 마음이 가장 자유롭잖아." 에고가 화려한 베스트셀러 목록에 이끌려 책을 고르려 할 때는 셀프가 이렇게 말해준다. "너에겐 지금 깊고 따사로운 고전문학의 위로가 필요해. 10년 동안 책꽂이에 꽂혀만 있던 그 낡은 책 있잖아. 그 책을 읽기 시작해봐. 네가 원하는 답이 있을 거야." 에고가 더 많이 인정받고 싶은 욕심에 더 많은 일을 맡으려고 하면 셀프는 이렇게 대답한다. "넌 지금 너무 지친 상태야. 너에게 지금 필요한 건 타인의 인정이 아니라 깊은 휴식이야. 푸른 하늘을 좀 더 자주 바라보면 어때? 향기로운 홍차를 마시며 일기를 써봐. 너에겐 그런 달콤한 휴식의 시간이 너무 부족해."

에고가 '타인의 시선'이라는 편에서 나를 경쟁력 있는 존재로 만들려고 할 때, 셀프는 '나의 마음이 진정으로 원하는 것'의 손을 들어준다. 그리하여 내가 더 깊은 행복의 주체로, 더 아름다운 삶의 주인공으로 살 수 있게 도와주는 '진짜 나의 편'이 바로 셀프의 목소리다.

310 TUE 독서의 깨달음 자존감의 사슬로부터 자유로워지기

문태준 시인의 〈나는 내가 좋다〉를 읽고 있으면, 나의 단점을 바라보는 가혹한 시선이 누그러든다. 읽는 것만으로도 마음의 생채기가 한결 나아지는 느낌이다. 시인은 어린 시절에 눈을 다쳐 안구에 볍씨 자국 같은 상처가 남아 있다고 고백한다. 어머니는 아들을 볼 때마다 그 상처를 안쓰럽게 여기지만, 시인은 담담하게 털어놓는다. 나는 그런 내가 좋다고. 볍씨 자국이 선명하게 나 있는 자신의 눈이 있는 그대로 좋다고. 그 볍씨 자국은 슬픔을 싹 틔울 수 있는 눈이기 때문이라고. 촉촉하게 모를 심은 자리처럼, 시인의 눈에 난 볍씨 모양의 상처는 눈물의 싹을 틔울 수 있는 아름다운 마음의 자리가 아닐까.

시인의 속삭임은 자존감을 무기처럼 키워서 생존경쟁에 살아남고자 하는 현대인의 지친 마음에 안식을 준다. 문태준 시인은 자신이 멋지거나 대단한 장점을 가져서 스스로를 좋아하는 것이 아니다. 그는 어렸을 때 안구에 새겨진 흉터를 있는 그대로 사랑하고 있다. 시인의 어머니는 아직도 자식의 흉터를 안쓰러운 눈으로 바라보시지만, 정작 시적 화자는 남들보다 더 빨리, 더 많은 눈물이 고일 것만 같은 그 안구 속의 흉터조차 사랑한다.

시인의 속삭임에 나도 용기를 얻는다. '넌 도대체 왜 그러니, 뭐가 문제니.' 너무 자주 이렇게 다그치는 스스로에게 이제는 이렇게 대답하고 싶다. '그래도 나는 내가 좋아요. 더 멋진 다른 사람이 되고 싶지 않아요. 저는 그저 제가 저라서 좋아요. 제 흉터도, 제 아픔도, 그게 가장 나다운 모습이라 좋습니다.'

311

WED

일상의 토닥임

걸 다르고 속 다른 삶

유전자변형식품은 물론 신선한 과일조차 안심하고 먹을 수 없는 우리 식탁이 불안해진다. 껍질째 먹는 사과라고 포장되어 있는 사과를 먹으면서도 한입 깨물 때 의심과 불안을 떨치지 못하는 세상이니 말이다. 어디 사과만 그런가. 사람의 말이야말로 가장 무서운 독을 묻힌 화살이 되곤 한다. 명랑한 사람을 보면 '저 사람은 겉으로만 그런 걸까, 정말로 명랑한 걸까'라는 의심이 생기고, '나는 솔직하다'고 고백하는 사람 앞에서는 '그럼 나는 솔직하지 못하다는 건가'라는 부정적인 질문이 떠오른다. 타인을 의심하는 병 또한 에고의 지나친 예민함에서 우러나온다. 이제 타인의 솔직하고 명랑한 말투조차 믿지 못하게 된 우리의 의심이 농약보다 무서워진다. 우리는 언제부턴가 '진심'은 따로 있고 '표현'은 예의상 하는 것이라는 이분법적 세계관을 지니게 되었고, 아무리 좋은 말도 곧이곧대로 듣지 않게 되었다. 칭찬을 해줘도 '무슨 꿍꿍이가 있나' 싶고, 사과를 해도 '진심은 아니겠지'라고 생각한다.

'겉 다르고 속 다르다'는 말은 인간의 마음을 절반만 이해한 문장 같다. 그저 껍질만 벗겨버리고 속살만 야금야금 먹는다고 해서 불안이 치유될까. 껍질과 속살은 본래 하나였으니, 우리는 '겉 다르고 속 다른' 존재들이 아니라 '안과 겉'을 자연스럽게 일치시키는 삶의 방식을 잃어버린 것이다. 자기를 잃는다는 것은 바로 그 겉모습에만 신경쓰느라 점점 비틀어지고, 문드러지고, 짓밟혀가는 자신의 '안쪽'을 돌보지 못하는 비극이 아닐까.

철학자 키르케고르는 이렇게 말한다. 세상의 모든 일 중에서 가장 위험한 일, 즉 자아를 상실하는 일은 아주 은밀하게 벌어진다고. 물건을 잃어버리거나, 기억을 잃어버리는 것은 '알 수 있는 상실'이다. 하지만 자기 자신을 잃어버리는 것은 아주 미세하고 점진적이며 거의 무의식적인 일이기에 우리는 자칫하면 '겉모습'에 정신이 팔려 우리 자신이 진정으로 원하고 꿈꾸던 것을 몽땅 잊어버릴 수 있다. 의심과 불안에 지칠수록, 우리는 좀 더 자신을 믿고, 타인을 믿고, 선의와 정의의 소중함을 되새기는 연습을 해야 하지 않을까. '껍질째 먹는 사과'라고 분명히 쓰여 있는 사과조차 기어이 껍질을 벗겨 먹는 우리는, 이 불안 때문에, 이 의심 때문에 더 불행해지는 것은 아닌지. 가끔은 마음을 놓아버리고 싶다. 타인의 진심조차 몇 번이고 의심함으로써 더욱 불안해지는 이 마음의 운전대를 놓아버리는 '무장해제'가 그리운 요즘이다.

312 THU  사람의 반짝임 휴식을 즐기지 못하는 당신에게

업무도 직업도 물론 중요하지만, '나'라는 존재를 이루고 있는 다양한 요소 중에는 '일'이라는 카테고리에 포함시킬 수 없는 수많은 것들이 존재한다. 동료애와 우정과 사랑을 비롯한 인간관계, 취미와 취향을 비롯한 문화적 요소들, 영화를 보고 음악을 듣는 시간들, 책을 읽고 글을 쓰며 보내는 시간들 그리고 여러 가지 고민과 생각할 거리를 끌어안고 잠 못 이루는 밤들. 이 모든 것들이 '나'를 이루는 소중한 요소들이다. '나'라는 존재 자체가 사회적 자아인 에고와 내면의 자기인 셀프를 모두 포함하는 것이기 때문이다. 그런데 현대인들은 내면의 셀프를 보살피는 시간보다는 타인에게 보여주는 사회적 에고에 마음을 쓰는 시간이 훨씬 많아졌다. 그러다 보니 조용히 혼자서 자신만의 시간을 슬기롭게 보내는 길을 자꾸만 소홀히 하기 마련.

'일'은 '사회적 자아'의 가장 중요한 요소이지만, 그렇다고 해서 일에만 몰두하면 심각한 번아웃 증상이나 스트레스가 올 수 있다. 주변 사람들이 '일만 생각하는 나' 때문에 피곤해한다면, 나에게 문제가 있는 것이다. 내가 느끼는 부담에 내 주변 사람들에게 전해진다면, 내 생각을 먼저 바꿀 필요가 있다. 일에 대해 생각하더라도 다른 사람에게 영향을 주지 않도록 그것을 표현하지 않는 연습을 해야 한다. 업무시간이 끝나면 '일'에 관련된 그 어떤 사람과도 연락하지 않는 연습부터 해보면 어떨까. '업무 시간'과 '휴식 시간'을 구분하는 것은 매우 어렵지만, 진정한 마음의 휴식을 위해서는 반드시 넘어야 할 산이기도 하다.

업무시간이 끝나는 순간, '일'에 관련된 연락 자체를 끊는 것이 중요하다. 그러면서 어떤 '상징적인 행동'을 하는 것도 도움이 된다. 예를 들면 업무시간이 끝나는 순간, 바로 이어폰을 꽂고 '내가 가장 좋아하는 음악들'을 한두 곡씩 듣는 것도 가능하다. 나는 바쁜 일이 끝나면 고전문학 작품을 오디오북으로 듣는 취미가 있는데 매우 큰 도움이 된다. '이 일만 끝나면, 내가 좋아하는 오디오북을 들을 수 있다'는 것이 커다란 위안이자 동기부여가 된다.

업무시간이 끝나는 시간, 일단 짐부터 싸서 업무공간을 완전히 벗어나는 것이 좋다. '공간을 바꾸는 것'이 기분 전환에는 가장 결정적 역할을 하기 때문이다. 업무시간이 끝나면 '뭔가 내가 가장 좋아하는 즐거운 엔터테인먼트가 기다리고 있다'는 정보를 매일 반복적으로 같은 시간에 주면, 뇌는 어느 순간 적응하면서 일에 집착하는 마음의 습관을 자연스럽게 벗어난다.

313 FRI

영화의 속삭임

죽음을 향한 혹독한 연습

영화 〈크로닉〉의 주인공 데이비드는 죽어가는 환자의 삶을 끝까지 함께해주는 호스피스 간호사다. 이런 힘든 일을 감당하는 데이비드는 감정을 최대한 배제한 채 자신의 일에 묵묵히 열중한다. 그러던 중 한 말기암 환자가 데이비드에게 이 고통스러운 삶을 아무도 모르게 끝내달라는 엄청난 요구를 하게 된다. 그는 완강하게 거부하지만, '제발 내 고통을 끝내달라'는 환자의 고통스런 절규를 무시할 수가 없었다. 마침내 단 둘이서만 삭막한 '죽음의 의례'를 치르는 두 사람을 보며 나는 '데이비드가 틀렸다'고 판단할 수가 없었다. 하지만 스크린 안으로 손을 집어넣어 주사기를 든 그의 손을 붙들고 싶었다. '제발 무슨 말이라도 좀 해주세요'라고 소리치고 싶었다. 그러나 두 사람 모두, 아무 말도 하지 않았다. 그는 컨베이어 벨트에 놓인 기계 장치를 조이듯 그렇게 차례차례 무감한 얼굴로 주사기에 '약'을 투입한다. 죽음으로 가는 길목 위에서 그는 망자를 무사히 죽음까지 인도해주는 다정한 안내자가 아니다. 그는 차라리 저승의 입구를 지키는 머리 셋 달린 개, 케르베로스처럼 냉정하게 죽음의 길을 지킨다.

아무도 죽음의 방법을, 죽음의 순간을, 죽는 순간 자기의 표정을 '선택'할 수 없다는 냉엄한 진실을 쓰라리게 증언하는 이 영화는 그리하여 '당신은 어떻게 죽을 것인가'라는 질문을 넘어 '당신은 진정 인생의 마지막 모습을 선택할 수 있는가' 하는 좀 더 섬세한 질문으로 우리를 데려다준다. 나는 막연히 '내 죽음은 지극히 평온하고 침착하리라' 오랫동안 다짐하곤 했지만, 이 영화를 보고 생각이 바뀌었다. 그 다짐조차 나의 선택은 아니라고. 어떤 모습으로, 어떻게 죽을 것인가를 세심하게 마치 'DIY 가구'를 디자인하듯 자발적으로 선택할 수 없는 우리는 '어떻게 죽을 것인가'를 고민하기보다는 '어떤 모습으로 죽더라도, 살아 있는 동안만은 자존감을 잃지 않을 방법'을 고민해야 하는 것이 아닐까.

내 죽음은 매우 평화롭고 우아하길 바라던 마음 또한 일종의 자만심이었음을 나는 이 영화를 통해 깨달았다. 우리는 죽음의 미장센을 선택할 수 없다. 죽음을 둘러싼 그 모든 미장센은 살아 있는 인간의 판타지일 뿐이다. 크로닉(chronic)은 '만성적인', '고칠 수 없는' 병을 가리킨다. 진정 고칠 수 없는 우리의 병. 그것은 내 삶과 내 죽음을 내가 직접 선택할 수 있다고 믿는 장밋빛 환상이 아닐까. 그럼에도 불구하고, 나는 투쟁하고 싶다. 죽음의 순간, 그 마지막 들숨과 날숨의 향기마저도 평생 지켜온 사랑과 우정과 열정이 깃든, 그런 뜨거운 삶이기를.

314 SAT 그림의 손길 고단한 발을 감싸는 신발의 위로

얼마나 많은 길을 걸어온 구두일까. 얼마나 많은 노동을 감내한 구두일까. 이 구두를 볼 때마다 울컥해지는 것은 이런 구두가 어느 집에나 한 켤레는 있었던 시간, 힘겨운 육체노동을 감내하는 사람들의 아픔이 아직 떠나지 않은 시간을 생각하게 만들기 때문이다. 이 구두에는 한 사람의 인생 전체가 담겨 있는 듯하다. 밤낮없이 자연의 변화와 싸우는 한 농부의 땀과 눈물이, 이 구두에 서려 있다. 구두는 화려하거나 세련된 것과는 거리가 멀지만, 이 구두에 얽힌 농부의 사연과 마음이 더해져 고요하고 경건한 분위기마저 감도는 듯하다.

빈센트 반 고흐의 〈구두〉(1886)는 언뜻 구두라는 사물을 최대한 사실적으로 묘사한 것처럼 보이지만, 이 구두를 자세히 관찰하면 할수록 우리는 '이 구두를 신은 사람'의 삶에 관심을 가지게 된다. 마치 '오늘 하루도 정말 고생했다'고 속삭이는 듯한 이 구두를 신은 사람은 하루하루 얼마나 오랫동안 자신의 노동을 감내해야 하는 것일까. 평범한 구두에서 한 사람의 지난한 일생의 여독(旅毒)을 포착해낸 화가의 감수성은 얼마나 따스한 것인가.

한 사람의 인생에 완전히 밀착되어 이렇게 그 사람의 인생을 지문처럼 아로새기고 있는 이 구두는 더 이상 상품이나 물건이 아니라 누군가의 일생을 함께해온 오랜 친구이자, 우리의 신체 중 가장 고된 일을 담당하는 '발'이라는 존재가 머물 수 있는 '장소'가 된다. 삶의 흔적이자 인간의 감정과 욕망을 담아내는 장소로서의 사물은 이렇게 겉모습을 뛰어넘어 그 안에 담겨 있는 시간과 이야기를 향해 우리를 이끌어준다. 사물을 넘어 상징으로 거듭나는 이 구두라는 존재는 고흐의 눈과 손과 마음을 통해 하나의 풍요로운 '메시지'로 거듭난다.

고흐의 구두에는 우리가 차마 지나칠 수 없는 하나의 얼굴이 달려 있는 듯하다. 이 '말하는 듯한' 구두는 손을 내밀어 우리를 붙잡고, 눈물을 흘려 걸음을 멈추게 하는 듯하다. 이 구두의 주인은 물론 농부일 수도 있고 아닐 수도 있다. 고흐 자신의 구두일 수도 있을 것이다. 하지만 분명한 것은 이 구두가 우리로 하여금 '구두를 신은 사람의 인생'을 상상하게 만든다는 것이다. 사물이 아름다운 이유는 우리가 그것을 단지 '사용'하는 것이 아니라 그것과 '함께' 존재하는 순간의 소중함을 되새기게 만들기 때문일 것이다. 사물을 통해 우리는 상상한다. 우리가 한 번도 가보지 못한 장소를. 우리가 한 번도 살아보지 못한 인생을. 우리가 언젠가는 함께할지도 모를 기적 같은 시간을.

315 SUN

대화의 향기

나이에 대한 편견 내려놓기

나이에 대한 질문이야말로 우리의 에고를 강하게 자극한다. "선생님, 혹시 몇 년생이세요? 제 또래인 줄 알았는데." 나이를 묻는 사람들이 아직도 많다. 나이를 말하는 것이 왠지 꺼려지는 순간, 우리는 나이 듦이 두려워지는 그런 순간에 도달해버린다. 이제 나는 나이를 묻지 않는다. 나이에 대한 편견을 내려놓는 일이야말로 우리가 인간관계에서 실수를 하지 않는 첫걸음이다.

연말이 올 때마다 '또 한 살 더' 먹는다는 것이 두렵다. 아무리 거듭해도 잘 익숙해지지 않는 불안이다. 스스로를 '성과 주체'로 바라보는 현대인들에게는 '올해는 과연 내가 무엇을 해냈나' 하는 반성 때문에 연말이 더욱 괴로워진다. 스스로를 평가할 때조차 업적을 계산하는 현대인의 뒷모습은 어쩐지 더욱 쓸쓸하다. 계산을 잘하는 것은 좋은 일일까. 어린 시절 설레는 마음으로 소풍 날짜를 손꼽아 기다릴 때는 신났지만, 어른이 되고 나니 계산한다는 것은 대부분 머리 아픈 일이 되어버렸다. 통장잔고나 연말정산을 떠올릴 때도, 하나둘 늘어가는 흰머리를 셀 때도, 무언가를 센다는 것은 다가올 소멸의 시간을 헤아리는 것 같아 슬퍼진다.

'나는 40대이지만 30대처럼 보이고 싶다'는 에고의 욕심을 내려놓고, '나이에 상관없이 행복한 삶을 살고 싶다'는 셀프의 목소리를 들어본다. 계산 자체가 나쁜 것이 아니라 '무엇을 계산하느냐'에 따라 인생의 빛깔이 달라짐을 느낀다. 늘어나는 주름살을 세어보는 것은 슬프지만, 아기가 태어나기를 손꼽아 기다리는 엄마가 예정일을 세어보는 것, 사랑을 시작하는 연인들이 기념일을 세어보는 것은 기쁜 일이 아닌가. 올해 내가 뭘 잘못했는지 셈해보는 것은 슬프지만, 행복했던 순간들을 하나둘 가만히 헤아려보는 시간은 얼마나 소중한지.

'무언가를 세는 것'을 생각해보니 우리 문학사에서 가장 아름다운 '계산하기'의 장면 중 하나인 윤동주의 〈별 헤는 밤〉이 떠오른다. "별 하나에 추억과/ 별 하나에 사랑과/ 별 하나에 쓸쓸함과/ 별 하나에 동경과/ 별 하나에 시와/ 별 하나에 어머니, 어머니" 별을 하나하나 헤아려보며 추억과 사랑과 쓸쓸함을 떠올리다가, 문득 어머니가 떠오르자 별 헤는 몸짓이 저절로 멈춰진다. 그토록 그리운 것, 그토록 아린 것을 생각해내는 것은 모든 계산을 잊게 하지 않는가. 별을 세는 것도 좋지만, 무엇보다도 세는 것을 나도 모르게 불현듯 잊어버리는 이런 순간이 참으로 좋다. 계산하는 것을 잊어버리는 순간. 세상의 셈법을 잊어버리는 순간. 그런 순간 덕분에 우리의 삶은 아직 꿋꿋이, 견딜 만하기에.

316 MON  심리학의 조언 방어기제와 작별하는 연습

마음의 빗장을 무너지게 하는 사람들이 있다. 내가 무슨 이야기를 해도, 아무리 꺼내기 힘든 이야기를 해도 있는 그대로 받아들일 준비가 되어 있는 사람들. 때로는 처음 만나는 사람에게 마음을 활짝 열고 이런저런 비밀을 털어놓을 때도 있다. 얼마 전에는 처음 알게 된 출판사의 한 편집장님과 대화를 나누다가 그동안 책을 만들면서 힘들었던 점들, 마음을 열어주지 않는 사람들 때문에 얼마나 스트레스를 받았는지를 나도 모르게 미주알고주알 너무 많이 이야기해버렸다. 차를 마시고 일어서려고 하는데, 그제야 그때 우리가 처음 만났다는 것을 깨달았다. 이렇듯 마음의 방어기제를 나도 모르게 무너지게 만드는 사람, 그런 사람들에게 마음을 주게 된다. 마음을 준다는 것은 그런 것이다. 내가 굳이 활짝 마음을 열려고 하지 않았는데, 나도 모르게 내 깊은 속마음을 털어놓게 되는 것. 마음을 준다는 것은 바로 그런 것이다. 나도 모르게 방어기제가 와르르 무너지게 되는 것.

이렇게 '마음을 주다'라는 표현에 한껏 골몰해 있을 때, 문득 선배로부터 이런 말을 들었다. "회전문은 항상 닫혀 있는 거 아니니?" "회전문은 항상 열려 있는 거 아닌가요?" "생각해봐. 회전문은 열린 것처럼 보이지만 항상 닫혀 있어. 활짝 열릴 때가 없잖아. 한쪽이 열릴 때도 한쪽은 늘 닫혀 있지." 과연 그랬다. 회전문은 마음을 반만 주는 나 자신을 닮은 존재였다. 회전문을 밀고 들어가는 기분은 썩 좋지 않다. 그 짧은 시간이 영원처럼 갑갑하게 느껴진다. 잠깐이지만 유난히 길게 느껴지는, 유리 감옥 같은 회전문.

나는 항상 열린 듯 보이지만 본질적으로 닫혀 있는 회전문에 반대되는 것을 찾아냈다. 그것은 바로 항상 닫힌 듯 보이지만 본질적으로 열려 있는 '복주머니'다. 할머니의 복주머니는 늘 애타는 설렘과 기대감을 품게 만들었다. 알록달록한 사탕도 나오고 손주들 용돈도 나오고 달콤한 풍선껌도 나왔다. 할머니는 복주머니에 인생의 해답을 품고 있는 듯 보였다. 복주머니는 항상 닫힌 듯 보이지만 알고 보면 항상 열려 있는 할머니의 푸근한 마음이었던 것이다. 복주머니는 느슨한 매듭으로 닫혀 있기에 아무리 꽉 묶어도 언제든 쉽게 풀 수 있다. '복주머니'라는 말에는 중층적인 의미가 담긴 것 아닐까. 복을 주는 주머니, 복이 되는 주머니, '이 주머니를 품는 모든 이에게 복을 주리라'는 열린 마음가짐까지.

우리도 타인에게 복주머니 같은 마음을 줄 수 없을까. '사랑한다'고 말하면서 사랑에 필요한 온갖 책임은 회피하는 '무늬만 사랑'이 아니라 '사랑한다'는 말은 차마 수줍어서 못하더라도 나의 행동 하나하나가 깊은 사랑에서 우러나오는, 그런 복주머니 같은 마음을 아낌없이 주고 싶다.

317 TUE  독서의 깨달음 닫힌 마음의 빗장을 여는 언어의 힘

토론에서 상대방을 제압하려면 뛰어난 논리와 화술을 지녀야 한다고 생각하는 사람들도 많다. 하지만 승패를 가리기 어려운 난상토론, 인신공격이 난무해 우열을 가리기 힘든 상황의 토론에서 실제로 가장 큰 힘을 발휘하는 것은 '듣는 능력'이다. 때로는 진정한 토론을 위한 질문이라고 보기도 힘든 공격적 발언이 쏟아질지라도, 상대의 말을 주의 깊게 듣고 진의를 해석하며 흔들리지 않는 사람, 자신에게 쏟아지는 온갖 질문과 비판에 열린 마음으로 임할 줄 아는 사람이 결국 최후의 승자가 될 것이다.

우리 마음은 창문을 닮았다. 마음을 열어두면 세상 모든 것을 향해 활짝 개방되지만, 마음을 닫으면 단단한 벽이 되어버린다. 창문은 열려 있을 때 가장 아름답다. 비바람을 막기 위해서는 잠시 닫아둘 수 있지만, 본질적으로 열기 위한 것이 창문이다. 정호승 시인은 〈창문〉이라는 시에서 이렇게 속삭인다. 창문을 닫아버리면 창은 창이 아니라 벽이 되어버린다. 창문을 닫으면 창문도 문이 아니라 벽이 되어버린다고. 창문이 진정한 창이자 문이 되기 위해서는 활짝 열어놓아야 한다고. 창문은 닫힘보다는 열림을 위해 만들어진 것이다. 창문을 너무 오래 닫아두면 갑갑한 것은 우리 인간 심리의 자연스러운 현상이다. 활짝 열어두기 위해 만든 창문처럼 우리 마음 또한 타인을 향해, 세상을 향해, 우리가 알지 못하는 그 모든 세계를 향해 열려 있어야 하지 않을까. 세상의 모든 창문이 닫힘을 위해서가 아니라 열림을 위해 존재한다는 것을 깨닫는 것. 그것이야말로 타인과 나의 다름을 존중하는 내면의 힘이다.

그런데 막상 타인을 향해 마음의 창문을 활짝 연다는 것은 쉬운 일이 아니다. 하루종일 끊임 없이 말을 한다 해도, 돌아보면 그 말들은 마음을 표현하기 위한 말이 아니라 오히려 마음을 숨기기 위한 말일 때가 많다. 창문으로는 온갖 사람들의 천태만상이 다 보인다. 사람들은 자신의 모습을 드러내지 않기 위해 창문을 꼭꼭 닫아 놓지만, 열린 마음으로 타인의 삶을 상상하는 사람에게는 닫힌 창문마저도 어떤 간절한 메시지를 전해주는 것처럼 보인다. 단열과 방음을 위해 이중삼중으로 덧댄 현대사회의 창문들처럼, 우리 마음은 이렇게 여러 겹의 창문들로 겹겹이 숨겨져 있다. 이쪽에서는 한사코 창문을 닫아 놓고 있어도, 닫힌 창문 뒤로 꽁꽁 숨은 사람의 마음을 읽을 줄 아는 관찰력과 통찰력이야말로 우리 시대가 필요로 하는 진정한 리더십일 것이다.

318 WED 일상의 토닥임 가끔은 충동의 목소리를 따르자

충동의 빛을 따라가는 여행만큼 매혹적인 여행이 있을까. 준비도 필요 없다. 계획은 더더욱 필요 없다. 그저 무작정 떠나고 싶은 마음, 그것이면 충분하다. 어느 날 밤 11시가 다 되어가는 시각, 텔레비전 채널을 돌리다가 눈이 번쩍 뜨였다. 식민지 시대의 건축이 그대로 보존되어 있는 아름다운 집이었다. 폭풍 검색 끝에 알아낸 것은 그곳이 군산의 적산가옥이라는 것이었다. 히로쓰가옥이라고도 불리는 이 고즈넉한 옛집은 단번에 내 마음을 사로잡았다. 세면도구와 갈아입을 옷만 챙겨 10분 만에 출발 준비를 완료했다. 굼뜨기 이를 데 없는 내가 뭔가를 이렇게 빨리 해낸 적은 처음이었다. 정신을 차려보니 이미 군산이었다.

도착해보니 새벽 2시 반. 숙소도 아무렇게나 눈에 보이는 대로 정해버렸다. 원하는 게 그저 '군산에서의 1박 2일'이었으니 까탈 부리며 숙소를 고를 이유도 없었다. 때 아닌 단잠을 잔 후 설레는 군산 여행을 시작했다. 충동의 빛을 향해 따라가니 아무것도 거칠 것이 없었다. 히로쓰가옥으로 걸어가는 길에서부터 군산은 내게 천천히 말을 걸기 시작했다. 일단 고층 건물이 없어서 탁 트인 시야가 마음을 편안하게 가라앉혔다. 예스러운 골목길은 정갈하면서도 고즈넉했다. 스타벅스도 파리바게트도 맥도널드도 없는 그 거리는 내 마음 깊은 곳에 둥지를 틀고 있는 유년 시절 우리 동네 골목길의 추억을 상기시켰다. 낯선 사람에게 좀처럼 말을 걸지 않는 내가 교복 입은 소녀들에게 길을 물으며 오지랖 넓은 질문도 했다. "평일인데 학교에서 왜 이렇게 일찍 나왔어요? 땡땡이 친 거 아니죠?" 군산 소녀들은 까르르 웃으면서 억울해한다. "수업이 일찍 끝난 거예요. 진짜예요."

시간의 발자취가 고스란히 간직된 장소들의 특징은 '장소란 사람을 품어 안는 것'이라는 본래의 원칙에 충실하다는 것이다. 히로쓰가옥은 많은 사람이 방문하고, 온갖 우여곡절을 겪었음에도 불구하고, 여전히 따뜻하게 사람들을 맞이하고 있었다. 관리자의 친절한 안내에 따라, 나는 미리 준비된 실내화를 신고 히로쓰가옥의 방과 마루 하나하나를 천천히 돌아보았다. 햇살이 찬란하게 쏟아지는 정원에는 온갖 풀꽃들이 소담스럽게 자라고 있었다. 빛의 밝기와 각도에 따라 시시각각 변화하는 반투명 유리창과 담담한 곡선을 품은 처마, 삐걱거리지만 깨끗하게 보존된 마룻바닥, 다다미를 반듯하게 깔아놓은 방들은 들뜬 마음을 담담히 가라앉혀주었다. 특히 2층에서 바라본 정원의 모습은 아무리 오래 바라봐도 지겹지 않을 것만 같았다. 아무런 준비가 없어도, 여행은 충분히 아름다웠다. 바로 그 즉흥적인 여행이야말로 내 마음의 온갖 장애물을 한번에 뛰어넘은 최고의 모험이었다.

319 THU

사람의 반짝임

'비밀'이라는 방어기제를 깨닫다

하루는 조카와 대화를 나누다가 너무 복잡한 내 생각을 아이의 언어로 잘 설명할 수 없으리라 지레짐작하고 장난스럽게 "그건 비밀이야"라고 말했다. 그랬더니 놀랍게도 아이는 이렇게 대답하는 것이었다. "준우는 비밀 싫어하는데." 벌써 뾰로통해진 얼굴로 마음이 상했다는 것을 확실히 표현하는 것이었다. "이모가 비밀 없었으면 좋겠어?" 그랬더니 금방 얼굴이 환해지면서 "응, 비밀은 나빠" 한다. 아이는 벌써 누군가의 비밀로부터 상처받았을지도 모른다. '자기만 알고, 나에게는 이야기해주지 않는 것'이 비밀이라는 것을 일찍이 알아버린 것이다. '비밀'이라는 단어를 말할 때 어른들의 마음이 닫혀버린다는 것을 아이의 순수한 마음이 본능적으로 포착한 것일까.

비밀 없는 관계란 어떤 것일까 생각해본다. 비밀이 없으려면 아낌없이 마음을 줘야 한다. 그 사람이 내 비밀을 다 알아도, 괜찮다는 느낌. 그 사람에게 내 어두운 마음속 비밀을 다 털어놓아도 그는 내게 전혀 해를 끼치지 않으리라는 믿음이 비밀을 사라지게 한다. 그러고 보니 언제부턴가 사람으로 인한 상처를 예전보다 훨씬 덜 받게 됐다. 이렇게 철이 드는구나 싶었다. 걸핏하면 사람으로부터 상처 입고 마음으로 피를 뚝뚝 흘리는 나 자신을 되돌아보고 지나치게 예민했던 과거를 반성했다. 그런데 마음이 예전보다 덜 아픈 것은 더 철들거나 단단해져서가 아니라, 이제 타인에게 마음을 덜 주기 때문이라는 것을 퍼뜩 깨달았다. '마음을 준다'는 것은 엄청난 표현이다. 그 사람이 내 마음으로 무엇을 해도 괜찮다는, 무한대로 활짝 열린 마음의 표현인 셈이다.

예전에는 거리낌 없이 마음을 줬다. 마음을 줘야겠다고 비장하게 마음먹어서가 아니라 그냥 마음이 제멋대로 움직여 그에게로 갔다. 그래서 걸핏하면 상처 입었다. 이제는 마음을 절반만 준다. 항상 빠져나갈 자리를 만들어둔다. 상처받았을 때를 대비해 마음의 범퍼를 마련해두는 것이다. '괜찮은 사람이기는 하지만 나와 특별히 친한 것은 아니야' '나에게 섭섭하게 해도 어쩔 수 없지, 우리가 대단히 각별한 사이는 아니니까.' 이렇듯 소심한 방어기제를 쌓아 올리는 것이다. 어린 조카로 인해 깨달았다. 내 안의 방어기제를 내려놓는 것, 비밀을 솔직히 털어놓을 수 있는 용기. 그것이야말로 따스한 소통의 비결이라는 것을.

320 FRI 영화의 속삭임 차마 그 말만은 털어놓을 수 없다면

가장 가까운 사람에게 내 비밀을 털어놓는 것은 왜 이토록 어려운 것일까. 영화 〈제니의 웨딩〉을 보면서 이 이야기는 어쩌면 우리 모두의 이야기일 수도 있다는 생각이 들었다. 주인공 제니는 자신이 레즈비언이라는 사실을 가족들에게 털어놓지 못하고 오랫동안 방황한다. 심지어 5년 동안이나 사랑하는 연인 키티와 동거를 했지만 식구들은 그저 두 사람이 '친한 친구'라고만 생각한다. 제니는 어렸을 때부터 부모님의 기대를 한껏 받는 모범생이었기에, 그 누구도 그녀가 그런 커다란 비밀을 숨기고 있을 거라는 생각은 하지 않는다. '타인의 기대'라는 투사된 감정과 '진짜 나를 보여주면 그들이 과연 나를 사랑할까'라는 두려움이 빚어낸 오랜 거짓말. 제니의 엄마는 제니가 자신과 너무도 닮았기 때문에, 모든 취향이 자신과 일치하는 사랑스러운 딸이 설마 레즈비언일 거라고는 예측하지 못한다. 제니는 그런 엄마의 기대를 한 몸에 받아오며 살아왔기에 자꾸만 자신도 모르게 너무도 얌전한 모범생의 페르소나를 보여준다.

하지만 제니는 더 이상 키티를 그저 '숨겨진 연인'으로만 대할 수 없다는 것을 안다. 키티는 제니가 언젠가는 자신을 가족 앞에서 소개해주기를, 둘의 관계를 더 이상 룸메이트로만 숨기지 않기를 바라지만 그녀를 압박하지 않는다. 이런 키티의 오랜 기다림, 그리고 어머니의 투병생활이 겹쳐 '고백할 기회'를 만들어낸다. 어머니가 돌아가시기 전에 반드시 나의 진실을 이야기해야지. 제니는 용기를 내어 가족들에게 고백하지만 반응이 영 좋지 않다. 지금까지 자신의 성정체성을 숨겼던 제니에 대한 배신감, 레즈비언의 삶에 대한 갖가지 몰이해, 모든 사람에게 '우리 제니는 완벽한 아이예요'라고 자랑했던 세월에 대한 부끄러움, 사랑하는 딸이 평생 오직 여자만을 사랑해왔다는 것을 몰랐다는 사실에 대한 미안함. 그 모든 복합적인 감정이 모두 방어기제였다. 진실을 깨우치는 것이 두려워 진실로부터 회피하고자 하는 그 모든 마음이 바로 방어기제인 것이다. 제니는 마침내 키티에게 청혼을 한다. 키티가 없다면 자신의 인생은 너무도 삭막할 것이라는 것을, 키티와 함께해야만 자신의 인생이 완전해질 수 있다는 것을. 그 단순하고도 명쾌한 진실을 깨닫는 것이 바로 '우리 안의 셀프'다. 내면의 자기와 완전히 일치될 수 있는 용기, 그것이 바로 방어기제를 허물어버릴 수 있는 용기다.

321 SAT 그림의 손길 메멘토 모리, 죽음을 기억하는 용기

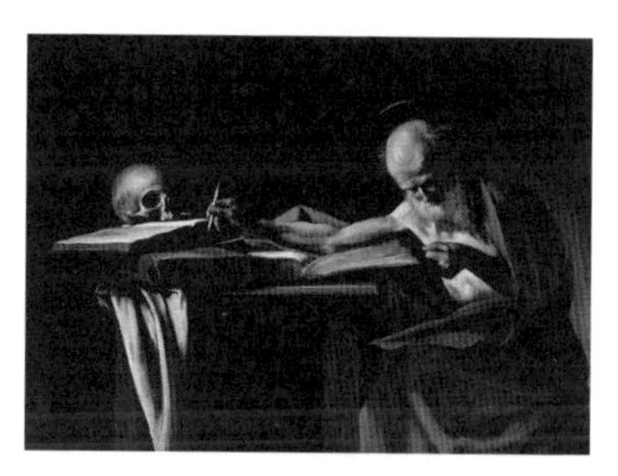

사생결단을 하듯 맹렬한 열정으로 글을 쓰고 있는 이 사람은 성 제롬이다. 그의 앞에 놓인 해골은 '시간이 얼마 남지 않았어. 너는 반드시 임무를 끝마쳐야 해. 죽음이 네 심장을 조여오기 직전까지'라고 외치고 있는 듯하다. 모든 열정에는 이렇듯 뼈아픈 대가가 따른다. 열정을 바칠수록 우리 삶의 에너지는 소진된다. 열정의 눈부신 열매가 열릴 때마다 우리 삶이라는 나무의 나이테는 늘어나고, 열정의 그릇인 육체는 노쇠해진다.

하지만 카라바조의 〈글을 쓰고 있는 성 제롬〉(1605~1606) 속의 제롬은 '늙고 병들었다'는 느낌이 아니라 백발이 성성한 나이에도 오히려 젊은이보다 더욱 뜨거운 열정으로 자신의 일에 몰입하는 자의 아름다운 영혼을 보여주는 듯하다. 그는 조금이라도 더 오래 살기 위해 몸부림치는 강퍅한 노인이 아니다. 주어진 시간 동안 어떻게든 자신의 사명을 다 끝내고 가기 위해 해골이라는 무서운 죽음의 상징을 매일 눈앞에 두고, 얼마 남지 않은 시간을 한순간이라도 헛되지 않게 보내려 노력하는 사람처럼 보인다.

그에게는 일분일초가 죽음을 향해 달려가는 문이지만, 바로 그 일분일초가 지상 위에 살아 있음을, 아직 꿈을 추구할 수 있는 권리가 남아 있음을 증언하는 절실한 시간이 아니었을까. 메멘토 모리를 증언하는 바니타스 정물들은 시간의 흐름, 필멸의 인간, 존재의 필연적인 생성과 소멸을 사유하게 한다. 성 제롬에게 이 사물들은 결코 단순한 도구가 아니라 일종의 눈부신 계시인 것이다. '너는 매우 특별한 임무를 하늘로부터 부여받았으니 한순간도 허투루 낭비하지 말고, 오로지 너의 꿈을 향해 용맹정진하라.' 해골을 바로 옆에 두고, '내가 머지않아 죽게 되리라'는 것을 매 순간 느끼며 글을 쓰고 공부해도 모자란 인생.

나는 이 그림을 볼 때마다 '죽음의 공포'보다 '삶의 소중함'을 더욱 뜨겁게 느낀다. 어쩌면 죽음의 공포 때문에 더욱 절실해지는 삶의 소중함일지라도, 카라바조의 성 제롬처럼 백발이 성성할 때까지 탐구해도 모자랄 생의 진실을 아직 파고들 시간이 남아 있다는 것에 무한히 감사하게 된다.

322 SUN 대화의 향기 죽은 시인과 대화를 나누기

인간들끼리 서로 끝까지 증오하고, 자존심을 물어뜯고, 존엄을 할퀴는 모습이 연일 뉴스에 보도되는 요즘이다. 하지만 공격성과 폭력성만이 인간의 본성이라면, 우리 인류는 벌써 오래전에 멸종했을 것이다. 어려운 상황에서도 서로 돕고, 때로는 사랑하는 이들을 위해 자신을 희생하기까지 하는 인간의 이타성은 우리를 진정으로 '인간답게' 만드는 원동력이었다.

나는 최근에 윤동주의 시를 읽을 때마다 '우리가 가장 힘든 순간에도 포기하지 말아야 할 인간성'이 무엇인가를 생각하게 된다. 그의 모든 시에서 나타나는 감수성은 바로 부끄러움이다. "죽는 날까지 하늘을 우러러 한 점 부끄럼이 없기를" 바라는 마음이 "잎새에 이는 바람에도/ 나는 괴로워했다"는 문장을 낳았다. 어떻게 하면 잎새에 이는 바람에도 참을 수 없이 부끄러워질 수 있을까. 그런데 〈서시〉뿐 아니라 다른 시들을 살펴보아도 윤동주가 정확히 무엇을 특별히 잘못했다는 고백은 찾을 수 없다. 나쁜 짓을 해서 부끄러운 것이 아니라, '나의 존재 자체가 부끄러운 것은 아닐까' 하고 근원적인 질문을 던지는 것이 바로 윤동주 시가 보여주는 부끄러움의 순수성이다. 내가 혹시 나도 모르는 사이 무언가 잘못한 것은 아닐까, 끊임없이 질문하는 감수성이야말로 윤동주 시의 아름다움을 지탱하는 마음의 뿌리다.

윤동주의 〈참회록〉에는 더욱 놀라운 부끄러움의 감수성이 꿈틀거리고 있다. "나는 나의 참회(懺悔)의 글을 한 줄에 줄이자./ - 만(滿) 이십사 년 일 개월을/ 무슨 기쁨을 바라 살아왔던가." 그는 겨우 만 24년의 시간이 '평생'이었던 시절에, 자신의 인생을 참회하는 시를 썼다. 그런데 그 참회의 글을 단 한 줄에 줄일 수도 있다고 한다. 만 24년 1개월을, 무슨 기쁨을 바라 살아왔던가. 이 대목을 읽을 때마다 가슴이 무너져내리는 아픔을 느낀다. 내가 느낀 모든 기쁨, 내가 소중히 여긴 모든 기쁨이 부끄러워지는 순간이기에. 기쁨을 추구하는 것은 인간의 본성이지만, 기쁨을 추구할 때 혹시 내 기쁨이 타인의 기쁨을 해치지 않았는지 '뒤돌아보는 것'이야말로 우리를 진정으로 인간답게 만드는 힘이 아닐까.

그렇게 뉘우치고, 또 뉘우친 끝에 〈서시〉를 다시 읽으니, 비로소 별을 노래하는 시인의 마음이 어떤 것인지 알 것 같다. "별을 노래하는 마음으로/ 모든 죽어가는 것을 사랑해야지./ 그리고 나한테 주어진 길을/ 걸어가야겠다." 시인은 모든 죽어가는 것을 사랑하는 마음이야말로 이 참을 수 없는 부끄러움을 이겨낼 수 있는 힘임을 알았던 것이다. 견딜 수 없는 미움이 사무칠 때, 〈서시〉의 주문을 걸어보자. 모든 죽어가는 것을 사랑하자고. 그리고 우리 자신에게 주어진 길을 묵묵히 걸어가자고.

323 MON  심리학의 조언

환히 비치지만 알 수 없는 인간의 마음

창문은 안이 훤히 비치지만 결코 상대방에게 닿을 수 없는 거리감을 자아내는 미디어다. 모든 것이 보이지만 아무것도 만질 수 없는 세계. 창문 저편의 사람이 무엇을 가졌는지, 누구와 함께 있는지, 무엇을 먹는지, 모든 것을 생생하게 바라볼 수 있지만, 창문 밖에서는 아무것도 직접 경험할 수 없다는 것을 더욱 강렬하게 일깨워주는 세계. 창문은 때로는 차라리 벽으로 가로막혔다면 이토록 답답하지는 않았을 것만 같은, 소통을 가장한 불통의 미디어가 된다. 피터팬은 창문을 통해 웬디의 일상을 엿보고 처음으로 원더랜드가 아닌 지상의 친구를 갖고 싶은 강렬한 충동을 느낀다. 프랑켄슈타인의 괴물은 창문 밖에서 창문 안쪽으로 보이는 정상인들의 세계를 훔쳐보며 '나도 저들처럼 서로 쓰다듬고, 키스하고, 사랑할 수 있는 존재가 되고 싶다'고 생각한다. 창문은 '남들이 보여주는 것'을 통해 '내가 가지지 못한 것들'을 상상하게 만드는 부러움의 매개체인 것이다.

누군가에게는 사방이 뻥 뚫린 듯 환히 빛나는 사방의 창문이 스스로를 가두는 거대한 감옥이 되기도 한다.《위대한 개츠비》의 대저택이 바로 그런 유리 궁전의 절정을 보여준다. 개츠비는 수백 개의 거대한 유리창으로 뒤덮인 호화로운 대저택을 소유했다. 하지만 그는 자신의 소유물에서 스스로 소외감을 느끼는 듯, 파티의 주최자이면서도 파티를 제대로 즐기지 못한다. 속이 훤히 비치도록 번쩍번쩍 빛나는 유리창들은 오히려 개츠비가 '세상을 바라보는 시선'을 차단하고, '세상이 그를 바라보는 시선'만을 도드라지게 한다. 모두들 개츠비에 대해 이러쿵저러쿵 가십을 일삼지만 정작 개츠비는 누구에게도 자신의 속내를 이야기할 수 없는 것이다. 모든 것이 다 보이지만, 결국 아무것도 말해주지 않는 거대한 유리방에 갇힌 개츠비. 유리창에 비친 개츠비를 사람들은 부러워하기도 하고, 신비스럽게 여기기도 하지만, 개츠비 본인은 그 아름다운 대저택에서 어떤 행복도 느끼지 못한다.

《나르치스와 골드문트》에서 골드문트 또한 유리창을 통해 행복한 가정을 훔쳐보면서 자신이 결코 가질 수 없는 행복과 안정의 세계를 깨닫는다. 열정과 방랑과 광기와 영감에 온몸을 쏟아야 하는 예술가가 되기 위해 그는 안정과 평화와 규칙과 질서의 세계를 떠나야만 했던 것이다. 이렇듯 창문은 내가 가진 것이 아니라 내가 가지지 못한 것을 일깨우는 미디어다. 언제나 창문 바깥에서 창문 안쪽을 엿보는 사람의 입장에서는, 창문은 '가질 수 없는 세계'를 상영하는 영혼의 스크린이 된다. 유리창은 내가 영원히 잃어버린 것, 내가 결코 되찾을 수 없는 것, 어쩌면 한 번도 가져보지 못한 어떤 세계를 광고하는 영혼의 스크린인 것이다.

324 TUE  독서의 깨달음 창문, 소통의 매개체이자 단절의 벽

지구상의 생물체 중에서 다른 존재에게 '속임수'를 써서 자신의 원하는 바를 쟁취하는 데 가장 커다란 재능을 보이는 것은 바로 인간이다. 철학자 마크 롤랜즈는 늑대와 인간의 가장 큰 차이는 바로 '사기 치는 능력'에 있다고 보았다.《철학자와 늑대》에서 그는 사기를 치고, 교묘하게 남을 속여 넘기고, 거짓말로 남의 환심을 사는 것은 '영장류'의 특별한 재능(?)이라며 인간의 교활함을 풍자한다.

유리를 통한 인간의 속임수를 알지 못하는 동물들은 곧잘 유리에 부딪혀 중상을 입거나 죽기도 한다. 유리창 없이 우리는 자동차도 운전할 수 없고 바깥도 볼 수 없게 되어버렸다. 그러나 유리창은 수많은 동물에게는 '조심해야 한다'는 것을 미리 배울 기회도 없이, 그 즉시 부딪히자마자 사망해버리는 위험한 살인무기이기도 하다. 유리창은 '창문 안쪽에 사는 사람'에게는 과시와 선전의 도구이기도 하고, 때로는 거대한 유리창 자체가 버젓한 자산이 되기도 한다. 널따란 통창은 바깥 세계의 '조망'을 향한 인간의 탐욕을 보여주기도 한다. '조망권'이라는 개념이 대중화되면서, 이제 유리창으로 바라볼 수 있는 바깥 풍경은 또 하나의 사유재산으로 탈바꿈하게 된 것이다.

《프랑켄슈타인》의 괴물에게 창문은 교양의 기회이자 교육의 산실이었다. 괴물은 창문을 통해 인간들의 대화를 엿들으며 인간의 언어를 배우고, 창문 틈으로 보이는 다정한 웃음소리와 따스한 포옹의 장면을 바라보며 사랑과 우정의 소중함을 배운다. 아울러 그 모든 행복이 결코 자신의 것이 될 수 없음을 아프게 깨닫는다.《폭풍의 언덕》의 히스클리프에게는 유리창이야말로 죽은 연인을 만날 수 있는 유일한 미디어다. 캐서린의 유령을 향해, 창문을 통해 제발 안으로 들어오라고 절규하는 히스클리프의 모습은 결코 만날 수 없는 영혼을 세상 안쪽으로 불러들이는 애절함으로 독자의 가슴을 울린다.

《폭풍의 언덕》에서 히스클리프는 두려움에 떨며 구천을 헤매는 캐서린의 유령을 열린 창문을 통해 만난다. 제발 자신을 안으로 들여보내달라고 절규하는 캐서린. 제발, 유령이라도 좋으니, 자신의 집으로 들어와달라고 외치는 히스클리프. 두 사람 사이에는 죽음과 삶의 경계가 삼엄하게 드리워져 있지만, 히스클리프는 끝내 그 경계를 넘어 캐서린을 다시 만나려 한다. 이 순간 눈보라가 휘몰아치는 히스클리프의 창문은 산 자와 죽은 자의 끊어진 인연을 다시 이어주는 안타까운 매개가 되어주는 것이다.

325

WED

일상의 토닥임

불가능했기에 포기했던 내 안의 열망

왜 많은 철학자와 작가들이 입을 모아 '정원을 가꾸라'고 조언할까. 오랜 시간이 지나서야 아주 늦게 찾아오는 깨달음이 있다. '정원을 가꾸어야 한다'는 메시지가 바로 그렇다. 위대한 철학자들이나 작가들은 마치 서로 약속이라도 한 듯 입을 모아 '정원을 가꾸라'는 조언을 많이 했는데, 20대까지 나는 그 말을 진심으로 이해하지 못했다. 정원은 돈 많고 시간 많은 사람의 전유물이 아닌가 하며, 편리하게 밀쳐낸 것이었다. 정원을 만들 공간도 없고 정원을 가꿀 여력도 없던 나는 '그냥 마음속의 정원을 가꾸면 되지, 뭐' 하는 식으로 자기변명을 하며, 봄이 되면 어김없이 피어오르는 꽃들의 향연을 배고픈 아이처럼 슬픈 눈빛으로 바라보곤 했다. 아름답게 핀 꽃들을 보면 왠지 나도 모르게 허기가 졌다. 그런 영혼의 허기는 어떤 것으로도 채워지지 않는 결핍 같은 것이었다. 정원이 없는 나에게 '모두를 위한 정원'을 안겨주었던 곳이 바로 학교였다. 학교에 가면 계절마다 흐드러지게 온갖 꽃이 피어났고, 여름에는 아름드리나무들이 사람의 키를 비웃으며 모두에게 평등한 그늘을 드리웠다. 어디 멀리 꽃놀이를 가지 않아도, 학교에만 바지런히 나가면 매일매일 공짜로 펼쳐지는 꽃들의 페스티벌을 원 없이 바라볼 수 있었다.

그리고 시간이 지나면서 뒤늦게 깨닫게 되었다. 나는 어쩌면 누구보다 정원을 가꾸고 싶어 하는 사람이라는 것을. 그리고 내가 '정원을 가꾸는 기쁨'의 묘미를 알지 못했던 이유를 뒤늦게 알게 되었다. 어느 한국 유학생의 자취방을 빌려 베를린에서 한 달 조금 넘게 머무른 적이 있었다. 행정구역상으로는 베를린이었지만, '말로(Malhlow)'라는 그곳은 택시기사들도 잠깐 머리를 갸웃할 정도로 도심과는 동떨어진 곳이었다. 거기서 나는 매일 아침 정원을 가꾸는 사람들을 비로소 만날 수 있었다. 나는 그들의 정성 어린 몸짓, 세심한 손길, 따뜻한 표정을 통해 '정원을 가꾸는 자'의 아름다움을 처음으로 가까이서 볼 수 있었다. 나는 '보기 좋게 가꿔진 정원'만을 보았을 뿐, '정원을 가꾸는 사람'의 수고로움을 알지 못했던 것이다. 매일매일 점점 빛과 향기를 달리해가는 꽃들을 무럭무럭 커가는 자식을 바라보는 눈길로 뿌듯하게 바라보는 그분들의 표정을 통해 나는 정원을 가꾸는 사람, 자연 속에서 저절로 철학의 향기를 뿜어올리는 사람의 보람찬 삶을 비로소 이해할 수 있었다.

나는 이제 다시 정원을 꿈꾸기 시작했다. 언젠가는 가꿀 수 있을지도 모를, 힘들어하는 당신을 언제든 초대할 수 있는, 향기로운 정원의 꿈을 꾸기 시작했다. 꿈을 포기하는 것보다 더 나쁜 것은 꿈 자체를 잊어버리는 것이다. 꿈을 잊지 않을 때, 우리에게는 다시 새로운 삶을 시작할 희망이 있다.

326

친구와의 이별을 아파하는 나

사랑하는 사람과의 이별만이 지울 수 없는 상처를 남기는 것은 아니다. 친구와의 우정도, 더없이 친하게 지내던 선후배 관계도, 직장 상사와 부하 직원 사이에도, 가족만큼이나, 때로는 가족보다 더 끈끈한 감정이 생길 수 있다. 그런데 '이별' 하면 가장 먼저 떠오르는 '실연'의 이미지에 비해, 친구나 지인과의 헤어짐으로 인한 아픔은 자주 조명되지 않는 것 같다. 사실 우리가 사랑하는 사람과 헤어지는 경우보다는 친구나 지인, 선배나 후배와 헤어지는 경우가 훨씬 많은데도 말이다. 김광석의 〈서른 즈음에〉에서 매일 이별하며 살고 있다는 뼈아픈 독백은 연인만이 아니라 모든 사람과 매일 조금씩 멀어져 가고 있는 짧은 인생에 대한 애도라는 생각이 든다. 우리는 나이 들어가며 점차 더 많은 사람과 인연을 맺기도 하지만, 그만큼 더 많은 사람과 조금씩 멀어지기도 한다.

나는 그렇게 수많은 이별을 경험하며 어떤 사람의 진가가 드러나는 순간은 그 사람과 헤어지는 순간이라는 것을 알게 되었다. 계속 알고 지낼 수는 있지만, 공식적인 업무가 끝나 이제 더 이상 '일 때문에' 보는 일은 없게 되는 경우가 가장 빈번히 일어나는 이별이다. '일 때문에' 만났지만 그 일이 끝난 후에도 계속 만나게 되는 사람이 있고, 일이 끝나면 만날 일조차 없어지는 사람도 있다. '일'로 시작된 인연이지만, 그것을 넘어 더 깊은 우정으로 이어지는 인연은 극히 드물다. 하지만 그 모든 '지인과의 이별들' 중에서도 가장 가슴 아픈 것은 오랜 친구와 헤어지는 것이다.

친구를 잃는다는 것은 내가 꿈꾸어온 세상 하나를 잃어버리는 것만큼이나 고통스럽다. 그런데 연인과의 이별이 칼에 찔린 자상(刺傷)처럼 날카롭고 아픈 것이라면, 친구와의 이별은 자신도 모르게 몸속에 깊이 난 내상(內傷)처럼 아픔이 즉각적이지 않다. 오히려 친구와의 이별은 시간이 지날수록 더 천천히 번져가는 아픔이 된다. 오래전에 서서히 멀어졌던 친구에게서 가끔 이메일이나 문자메시지가 올 때가 있다. 그럴 때 가장 많이 느끼는 감정은 '반가움'이다. 예전에 나를 괴롭혔던 그 감정들, 서운함, 억울함, 괘씸함, 미움, 분노. 이 모든 것들은 어느새 사라지고 없었다. 그 부정적인 감정들은 세월이 지나면서 어느새 흐릿해지고 친구에 대한 멈출 수 없는 그리움과 숨길 수 없는 반가움만이 남아 있다.

우리 마음속에 미움보다 사랑이 더 크다는 것, 저절로 내버려두어도 언젠가는 미움이 사라질 수도 있다는 것, 미움보다 더 커다란 것은 사랑이라는 것이 문득 다행스럽다. 헤어졌던 모든 인연 중 '우정'으로 다시 만날 수 있는 사람의 이름을 또박또박 적어보자. 어느새 옅어진 미움, 어느새 사라져버린 서운함을 만나는 순간. 우리는 그렇게 자신도 모르게 치유된 것이다.

327 FRI  영화의 속삭임 배트맨, 마침내 그림자를 포용하다

"어떻게 하면 내 그림자와 화해할 수 있을까요." "작가님은 트라우마와 어떻게 화해하셨나요." 심리학 강연을 하다 보면 가장 자주 받는 질문들 중 하나이면서, 짧게 대답하기가 참 어려운 질문이기도 하다. 트라우마의 기나긴 극복의 과정이 지금까지의 내 삶이기도 하기 때문이다. 상세히 설명하자면 밤을 새워도 모자라지만, 키워드는 알려드릴 수 있다. 그것은 '그림자와의 하나 되기', 즉 그림자조차 완전히 내 것으로 끌어안는 대면과 포용의 과정이다. 자신의 가장 쓰라린 상처와 두려움을 마침내 자신의 소중한 일부로 끌어안는 주인공의 모습이 바로 〈다크 나이트 라이즈〉의 배트맨에게서 나타난다. 부모님이 눈앞에서 살해되는 끔찍한 비극을 겪은 소년이 마침내 모두를 구하는 영웅이 되기까지의 눈부신 성장의 과정. 그것이 바로 그림자와 하나 되는 과정이었다.

주인공 웨인은 그 누구도 쉽게 극복할 수 없는 어두운 그림자를 내면화한다. 엄마아빠가 눈앞에서 잔혹하게 살해당하는 과정을 똑똑히 두 눈으로 본 아이가 어떻게 제대로 성장할 수 있었을까. 그는 심각한 방황의 시간을 겪었고, 누구라도 견디기 힘들었을 수많은 아픔의 시간을 견뎌낸다. 어두운 동굴에서 파드득거리며 날아오르는 박쥐들의 모습은 마치 웨인의 가슴 속에 뿌리 깊이 박혀있는 공포처럼 그의 뇌리를 떠나지 않는 그림자였다. 하지만 그가 진정한 배트맨, 즉 영웅으로서 새로 태어나는 곳 또한 바로 그 박쥐들의 동굴이다. 웨인은 동굴에서 박쥐들의 습격을 받았을 때 곧 죽을 것만 같은 극한의 공포를 느꼈지만, 바로 그 공포를 이겨낼 힘도 자신에게 있음을 깨닫는다. 그가 평범한 어른에서 위대한 영웅으로 다시 태어나는 장소는 바로 그가 가장 두려워하던 장소, 박쥐들이 가득한 어두운 동굴이었다.

융은 진정한 영웅이 탄생하기 위해서는 '그림자와 하나 되는 과정'이 반드시 필요하다고 이야기한다. 나를 불편하게 하는 존재, 나를 괴롭히는 존재, 나의 진짜 성장을 가로막는 존재와 싸움을 벌이다가, 마침내 그들을 '내 편'으로 만드는 더 커다란 포용력을 통해 우리는 '자기 안의 신화', '자기 안의 영웅'을 만날 수 있다. 배트맨은 자신을 가장 괴롭히는 사람들, 그리고 자신을 끊임없이 따라다니는 트라우마와 투쟁하다가 결국 그 모든 그림자를 응축한 상징적인 존재, 박쥐들을 자신의 트레이드 마크로 만들어버린다. 배트맨(batman)의 배트(bat)는 바로 박쥐이니까. 그의 가슴에 박힌 박쥐의 이미지는 바로 자신의 그림자, 공포, 두려움조차 완전히 자기 것으로 만들어버린 영웅의 용감성의 상징인 것이다.

328 SAT

그림의 손길

삼시 세끼, 가장 위대한 치유의 노동

보이지 않는 곳에서 우리 삶을 지탱하는 노동. 바로 그것이 우리 삶의 가장 중요한 에너지다. 그 노동의 가치를 존중해줄 때 우리는 수많은 고통에서 해방될 수 있다. 나의 노동을 소중히 여겨주는 사람의 미소, 내가 누군가의 노동을 소중히 여길 때의 미소, 그런 미소가 모여 우리의 진정한 자존감을 만들어간다. 누구도 주목하지 않는, 매일 지겹도록 반복되지만 그 누구도 칭찬해주지 않는 노동이 '요리'다. 하루 세끼 요리를 모두 주부에게 맡기던 엄혹한 시대는 점점 저물고 있지만, 아직도 가사노동은 많은 여성에게 벗어날 수 없는 굴레다. 빈센트 반 고흐의 〈불가에서 요리를 하고 있는 농가의 여인〉(1885) 속 여인도 누군가를 위해 요리를 하고 있다.

헬렌 니어링은《소박한 밥상》에서 이렇게 말한다. 식사를 간단히, 더 간단히, 이루 말할 수 없이 간단히, 빨리, 더 빨리, 이루 말할 수 없이 더 빨리 준비하자고. 그리고 거기서 아낀 시간과 에너지는 시를 쓰고, 음악을 즐기고, 자연과 대화하고, 테니스를 치고, 친구를 만나는 데 더 많은 시간을 쓰자고. '더할 나위 없이 간소한 식탁'은 얼마나 행복한 유토피아적 상상인가. 하지만 도시인들은 예전보다 더 맛있는 음식, 더 정교한 풍미를 자랑하는 '맛집'을 찾게 되었고, 요리를 잘하는 사람들은 '스타'가 되어 맛집 프로그램의 단골손님이 되어가고 있다. 그런데 이런 화려한 맛집 프로그램들이 은폐하는 점은, 요리가 본질적으로 '힘겨운 노동'이라는 사실이다.

수많은 직업 요리사는 물론, 어떤 보상도 없이 그저 가족을 위해 매일 밥을 해야 하는 주부들에게 요리는 아주 고될 뿐 아니라 엄청난 창의력까지 요구하는 노동이다. 365일 '오늘은 무얼 해 먹을까'를 고민하는 것이야말로 요리하는 사람의 창의력을 필요로 하는 것이 아닌가. 헬렌 니어링이 말하는 '이루 말할 수 없이 간단한 요리'는 '맛있는 음식'에 대한 탐욕을 없애야만 가능하다. 아주 간단한 음식만으로도 '우리는 충분하다'고 생각하는 감사의 마음이 필요하다. 고흐는 누구도 주목하지 않는 노동, 매일 지겹도록 반복되지만 그 누구도 칭찬해주지 않는 '요리'라는 노동의 소중함을 화폭에 고스란히 담아냈다.

329 SUN

대화의 향기

헤어진 사람과 친구로 지낼 수 있을까요

이별 이후에도 친구로 지내자는 옛 연인의 부탁이 더욱 자신을 힘들게 한다는 독자 편지를 받았다. "헤어진 그 사람은 헤어진 이후에도 친구로 지내자고 합니다. 저는 그 제안을 받아들일 수가 없습니다. 그와 친구로 지낼 수 있을 만큼 그에 대한 미련을 완전히 떨쳐내지는 못했으니까요. 하지만 그와 친구로라도 지낼 수 없다면 다시 만날 수도 없다는 생각이 저를 괴롭힙니다. 나와 '친구'로 지낼 수 있다는 그 사람은 나에 대한 작은 미련조차 없어 보이니 그 또한 저를 아프게 합니다."

나는 이런 답장을 보냈다. "저도 한때는 열렬히 사랑했던 사람이 어느 순간 격의 없는 친구로도 변할 수 있다고, 그것이 '쿨하고 멋진 것'이라고 생각한 적이 있었지만, 지금은 전혀 그렇지 않습니다. 어디까지나 우정은 우정을 넘어설 수 없고, 사랑은 사랑 이외에 그 무엇도 될 수 없는데, 양쪽의 감정이 늘 같을 수가 없기에 사랑과 우정 사이에 아슬아슬 줄을 타는 경우가 많다는 것을 경험으로 알게 되었지요. 그러니까 우정이 사랑으로 발전해갈 수는 있지만, 사랑이 우정으로 퇴보할 수는 없습니다. 더구나 한쪽의 감정이 아직 식지 않았을 때는 더욱 그렇지요. 저는 우정이 사랑으로 변하는 경우도, 사실 처음부터 사랑이었는데 두 사람 모두 깨닫지 못했을 경우가 아닐까 싶습니다. 너무나 격의 없이 친구처럼 지냈기 때문에 설렘이나 떨림을 느끼는 것조차 죄스러운, 그런 우정도 있으니까요.

예외적으로 헤어진 두 남녀 사이에 전혀 다른 사랑이 각자 싹터서, 각자의 길을 잘 걸어간 후 오랜 시간이 흘러 우정으로 관계를 지속하는 경우도 있습니다. 양쪽 다 새로운 인연을 만나 행복하게 살아가고 있다면, 자녀 때문에 전남편이나 전처를 만나는 일은 우정으로 지속될 수 있습니다. 하지만 여기서도 또 다른 변수가 있지요. 새롭게 만난 파트너가 전처나 전남편을 만나는 것을 싫어한다면, 그 만남은 우정으로도 지속되기 어렵습니다. 현재의 인연을 진정으로 소중하게 생각한다면, 그 사람이 싫어하는 일을 지속할 수는 없는 것이지요.

정말 티끌만 한 미련이나 연민조차 없이 서로를 만날 수 있는 과거의 커플들이 과연 얼마나 될까요. 때로는 현재의 열정에 달린 날개를 과거의 추억이라는 장애물이 꺾어버릴 수도 있습니다. 아직 '나'에게 아주 작은 미련이나마 남아 있다면, '우리 헤어져도 좋은 친구로 남아 있자'는 상대방의 제안을 거절하는 용기도 필요합니다. 그는 '친구'라는 이름의 덫으로 당신을 영원히 구속할지도 모르니까요. 우리는 '친구'라는 일말의 가능성에 매달려 '아직도 그를 생각하는 나'의 관성에서 영원히 벗어나지 못할지도 모르니까요."

330 MON 심리학의 조언 알 수 없는 불안과 싸우는 현대인

원인 모를 불안에 시달리는 사람들이 많아지고 있다. 현대인의 불안은 워낙 복합적인 요인으로부터 비롯되기에 그 불안의 뿌리를 단정하기는 어렵다. 하지만 더욱더 기계화되고 자본주의화, 파편화되어가는 현대사회에서 개개인이 '편하게 마음 둘 곳'이 점점 줄어든다는 사실만은 분명해 보인다. 이런 현대인의 원인 모를 불안을 가장 아프게 그려낸 인물이 바로 《이방인》의 뫼르소다. 그는 근대인의 근원적인 불안을 환기시키는 존재다. 아니, 좀 더 정확히 말하면 그는 타인을 불안하게 만드는 존재다. 사회생활에 필요한 어떤 의례적 제스처도 취하지 않기에, 보는 사람을 불안하게 만든다. 이 소설의 첫 대목은 언제 읽어도 충격적이다. "오늘 엄마가 죽었다. 아니 어쩌면 어제. 양로원으로부터 전보를 한 통 받았다. '모친 사망. 명일 장례식. 근조.' 그것만으로써는 아무런 뜻이 없다. 아마 어제였는지도 모르겠다." 엄마의 장례식 내내 어떤 슬픔의 제스처도 취하지 않는 그에게 독자들은 알 수 없는 분노를 느끼면서도 기묘한 해방감을 느낀다. 아, 그래. 꼭 남들이 원하는 대로, 슬픔의 제스처를 규범적으로 취할 필요는 없지 않은가.

《이방인》의 뫼르소는 기이하리만치 모든 것에서 자유로운 것처럼 보인다. 적어도 겉보기에는 자유로워 보였다. 심지어 어머니의 죽음이라는 커다란 사건 앞에서도 지나치게 자유로워 보인다. 그는 눈물 한 방울 흘리지 않을 뿐 아니라, 어머니의 나이조차 모르는가 하면, 마지막으로 돌아가신 어머니의 얼굴을 보지 않겠냐는 요구도 거절한다. 시신 앞에서 무심히 담배를 피우고, 맛있는 카페오레를 마시며, 쏟아지는 졸음을 참을 수 없어 한다. 오히려 양로원의 친구들이 어머니의 죽음을 더 슬퍼하는 것처럼 보인다. 양로원 원장은 힐난하듯이 말한다. "뫼르소 부인은 지금으로부터 3년 전에 이곳에 들어오셨습니다. 의지할 사람이라곤 당신밖에 없는 처지였더군요." 뫼르소는 남들 앞에서 효자로 보이고 싶어 하지는 않지만, 남들이 자신을 냉혹한 인간으로 생각하는 것은 싫다. 자신의 월급으로는 어머니를 부양하기 힘들었다는 말을 하고 싶지만, 원장은 제멋대로 말을 이어나간다. "변명할 건 없어요. 나도 당신 어머니의 서류를 읽어보았는데, 어머님을 부양할 수가 없는 처지였더군요. 따지고 보면, 어머니는 여기 계신 게 더 행복하셨습니다." 뫼르소는 부정하지 않는다.

뫼르소는 죽은 자를 향한 의례적 슬픔의 형식으로부터 자유로워 보였다. 하지만 어머니의 죽음 앞에서 '너의 슬픔을 증명하라'는 사람들의 시선 앞에서는 결코 자유롭지 않았다. 그 어디에서도 완전한 평화를 느낄 수 없었기에 뫼르소는 이 세상 모든 곳에서 이방인이었던 것이다. 그는 우리 현대인의 알 수 없는 불안을 온몸으로 증언하는 존재다.

331 TUE 독서의 깨달음

그 누구의 이해도 바라지 않는 이의 고독

뫼르소는 친구 레몽의 사적인 원한 관계 속에 잘못 끼어들었다가 마침내 헤어날 수 없는 수렁에 빠지게 된다. 레몽은 우여곡절 끝에 아랍인들에게 원한을 사게 되는데, 그들과의 패싸움에 뫼르소는 우연히 가담하게 된 것이다. 마침 레이몽이 준 총을 가지고 있던 뫼르소는 운 나쁘게도 이전의 패싸움에서 만난 적이 있는 아랍인을 독대하게 된다. 문맥을 잘 살펴보면, 아랍인이 뫼르소를 향해서 칼을 먼저 뽑았음을, 그러니까 아랍인을 향해 총을 쏴버린 뫼르소의 행동 자체가 정당방위의 가능성이 다분함을 알 수 있다. 그는 '태양 때문'이라고 진술하지만, 그리하여 많은 사람의 비웃음을 사지만, 그 태양은 그에게 단순한 태양이 아니라 '엄마의 장례식을 치르던 그날과 똑같은 태양'으로 느껴진다. 그날의 끔찍한 태양은, 누구에게도 슬픔을 표현할 수 없었던 뫼르소에게는 세상이 끝난 것만 같은데 이제는 아무에게도 기댈 곳이 없다는 절망감을 닮은 태양이 아니었을까. 그러나 어디까지가 '심리 상태'고 어디까지가 '팩트'인지를 우리는 쉽게 판단할 수 없다. 문제는 이 살인이 어떤 대의명분도 없다는 것이다. 뫼르소 스스로도 살인에 대한 어떤 해명도 할 수 없다는 것. 그것이야말로 이 우발적 살인의 치명적인 딜레마였다.

뫼르소는 이 살인사건으로 인해, 그는 사랑하는 마리, 그를 믿어주었던 모든 주변 사람과 완전히 이별하게 된다. 주변 사람들 중에는 뫼르소를 변호하려는 사람들도 있지만, 그들의 능력으로는 역부족이다. 뫼르소 스스로가 구원을 원치 않기 때문에 문제는 더욱 심각해진다. 뫼르소의 연인 마리를 향한 검사의 질문은 매우 혹독하다. 마리와 뫼르소가 처음 관계를 맺던 날의 자세한 정황을 꼬치꼬치 캐묻던 검사는, 마침내 어머니의 장례식 바로 다음 날 두 사람의 관계가 시작되었음을 알아내고 그것을 '단죄의 근거'로 삼는다. 어머니의 장례식 바로 다음 날부터, 시시껄렁한 희극영화를 보고, '난잡한 관계'를 맺었으며, 아무런 '애도의 정황'도 연출하지 않은 것이야말로 뫼르소가 '위험한 인물', '이상한 인물'인 증거가 된다는 것이다.

뫼르소는 자신의 살인이 아니라 어머니의 장례식이 재판의 이슈가 된다는 것을 이해하지 못한다. 어머니의 장례식에 보인 뫼르소의 태도는 '뫼르소란 사람은 어떤 사람인가'를 판단하는 데 결정적인 근거로 작용하고 있는 것이었다. 마리는 울음을 터뜨리면서 뫼르소는 아무 나쁜 짓도 하지 않았다고 항변하지만, 아무도 그녀의 진심을 들어주지 않는다. 그렇게 누군가의 이해를 바라지 않았던 뫼르소의 뼈아픈 고독이야말로 우리가 뫼르소로부터 여전히 눈을 뗄 수 없는 이유가 아닐까.

332 WED 일상의 토닥임 마음의 창을 여는 것이 고통스럽더라도

인간의 마음을 가장 많이 닮은 사물 중 하나는 유리창이다. 다 보이는 것 같은데, 사실은 모른다. 저 유리창 너머에서 무슨 일이 일어나는지, 알 수 있을 것 같지만, 그 깊은 속내까지는 알 수 없다. 보고 있지만 볼 수 없는 것, 다 보이는 것 같지만 해석할 수 없는 것, 그것이 인간의 마음이다. 유리창처럼 투명하게 보이지만, 사실 우리가 보고 있는 것은 그 사람의 페르소나일 뿐이다. 페르소나 뒤에 가려진 수많은 그림자, 상처와 콤플렉스와 트라우마, 끝내 말하지 못한 모든 말들은 우리가 간절한 목마름으로 해석해내야만 간신히 이해할 수 있다.

이 세상 모든 창문은 저마다의 목소리로 속삭인다. 당신의 작은 세상에만 갇혀 있지 말라고. 또 다른 세상을 향한 궁금증을 포기하지 말라고. 어떤 창문은 분명히 굳게 닫혀 있으면서도 바깥세상을 향해 은밀한 유혹의 목소리로 속삭인다. 당신은 유리창을 깨고 이곳으로 들어올 수는 없겠지만, 유리창 안쪽의 삶을 살짝 엿봐도 좋다고. 당신과 다른 삶을 살고 있는 이들의 삶을 가만히 들여다보는 것도 때로는 즐거운 일이라고. 문학 속의 모든 창문은 서로 다른 목소리로 아우성친다. 당신의 창문 안쪽으로 나를 들여보내 달라고.

성냥팔이 소녀는 크리스마스이브마다 유리창을 통해 자신이 가지지 못한 삶을 상상한다. 당신들의 행복한 크리스마스이브로 이토록 춥고 배고픈 나를 초대해달라고. 피터팬은 속삭인다. 동심을 잃어버린 어른들의 가르침에 질식당하기 전에 한 번쯤은 이 세상 어디에도 없는 네버랜드로 떠나 보자고. 히스클리프의 유리창은 외친다. 삶과 죽음의 경계를 뛰어넘어, 끝내 제 자리를 찾아가는 끈질긴 사랑도 있다고.

마음에 새겨진 깊은 상처를 누구에게도 꺼내 보이기 힘들어하는 당신에게 말해주고 싶다. 인간의 마음이란 원래 그렇게 생겼다고. 원래 꺼내 보이기 힘들고, 본래 해석하기 힘들고, 눈앞에서 빤히 바라보면서도 모르는 것이 우리 마음이라고. 그러니 좌절하지 말고 끊임없이 마음 깊은 곳의 이야기를 표현하기 위해 노력하자고. 마음이란 본래 결코 쉽게 알 수 있는 것이 아니니 아주 천천히, 아주 오랫동안, 포기하지 말고 자신의 마음을 표현하자고. 그리고 자신이 만든 아픔의 동굴 속에 숨어서 커다란 콘크리트 건물 너머의 유리창으로만 가끔씩 자신의 마음을 보여주는 타인의 마음을 이해하려 노력해 보자고. 수많은 침묵과 암호로 이루어진 타인의 마음, 잘 꾸며진 페르소나 없이는 단 한 순간도 타인과 만날 수 없는 우리 인간의 겹겹이 이루어진 방어기제를 뚫고 우리 자신의 마음을 반드시 표현하고, 해석하고, 소통하자고.

333 THU  사람의 반짝임 그레고르, 의무감에 빠진 현대인

카프카의《변신》은 어느 날 갑자기 벌레가 되어버린 착실한 직장인, 그레고르의 이야기다. 그레고르는 정시출근이라는 지상명령에 마비되어 스스로를 돌보는 감각을 잃어버렸다. 그는 벌레가 된 채로 여전히 노동의 의무, 가장의 의무를 짊어지려 한다. 심지어 그의 안위보다 출근을 더 걱정하는 가족들의 모습을 보면서도 슬퍼하지 않는다. 그에게는 오직 출근, 정시출근만이 중요한 것이다. 그는 수많은 다리를 버둥거리며 침대 속을 빠져나오려 하지만, 쉽게 제어할 수 없는 거대한 몸집에 압도당하여 망연자실한다. 벌레의 외모로는 출근을 할 수 없다는 사실이 슬픈 것이 아니라, 아무리 안간힘을 써도 정시에 출근을 할 수 없게 된 것이 슬픈 것일까.

'오늘은 비록 출근을 못했지만, 내일은 출근할 수 있을 거야. 난 결코 해고되지 않을 거야. 그러려면 이런 모습을 지배인에게 들켜서는 안 돼.' 벌레가 되어버려서 무섭고 걱정스럽기보다는 해고될까 봐, 가족을 부양하지 못하게 될까 봐 걱정하는 그레고르 잠자. 그만큼 그는 심각한 일중독이다. 뿐만 아니라 가족에 대한 그의 부담 또한 일종의 중독이다. '저 사람은 내가 없으면 안 될 거야'라는 생각 때문에, 자신의 모든 것을 그 사람에게 희생하는 사람들은 결국 처참하게 버려지곤 한다.

그레고르 잠자는 '내가 돈을 벌지 않으면 가족들은 결코 버텨내지 못할 거야'라는 생각 때문에 자신의 삶 자체를 잃어버렸다. 여동생을 음악학교에 보낼 생각은 하면서도, 자신은 '아버지의 빚'을 갚은 후 정작 무엇을 할지 알지 못한다. 그는 '내가 보호하고 당신들은 내 보호를 받아야 한다'는 무거운 책임감에 중독된 것이다.

중독이 너무 심각할 때는 중독 자체가 뿌리 깊은 정체성이 되어버리기도 한다. 중독에서 해방된 그의 모습을 도저히 상상할 수 없는 것이다. 가족관계의 희생양이 된 자신의 역할에 중독된 그레고르 잠자. 출근하지 않는 그레고르, 일을 하지 않는 그레고르, 가족을 부양하지 않는 그레고르는 상상도 할 수 없는 것이다. 내가 없으면 가족들은 결코 버텨내지 못할 거라는 믿음이 그를 간신히 지탱하고 있었던 셈이다. 중독은 이미 그의 정체성이 되어버렸던 것이다. 이미 그레고르의 자아는 없고 그레고르의 노동, 그레고르의 임금, 그레고르의 생존만이 있었다. 그레고르는 그레고르 자신이기보다 '잠자' 가족의 가장이었던 것이다.

- 인간은 적응의 동물이기도 하다. 잠자는 가족을 부양해야 한다는 의무감에 묶여 있지만, 막상 그가 더 이상 가장의 역할을 하지 못하게 되자 가족들은 점점 그 상황에 익숙해진다. 이가 없으면 잇몸으로 산다는 식의 논리는 행복한 긍정은 아니지만 잔인한 적응의 논리인 것이다.

334 FRI 영화의 속삭임 최악의 순간이 최고의 순간으로

인생에서 단 한순간, 그 순간을 바꿀 수만 있다면. 그런 후회 때문에 잠을 못 이룰 때가 있다. 나의 실수 때문에 〈비포 위 고〉는 바로 그런 뼈아픈 후회의 순간과 동시에 찾아온 소중한 깨달음의 인연을 보여준다.

닉은 트럼펫 오디션을 보기 위해 뉴욕으로 왔지만 사실 6년 전에 헤어진 옛 여자 친구를 만날 수 있다는 희망으로 가슴이 부풀었다. 뉴욕의 그랜드 센트럴 기차역에서 트럼펫을 연주하던 그는 막차를 놓쳐 망연자실한 브룩이 떨어뜨린 휴대전화를 주워 건네준다. 브룩의 휴대전화는 망가지고, 그녀는 가방과 지갑을 몽땅 잃어버렸으며, 보스턴으로 가는 마지막 기차마저 놓쳐버렸다. 청운의 꿈을 안고 뉴욕으로 왔지만, 여전히 사랑을 포기하지 못한 옛 여자 친구가 다른 남자와 함께 있다는 사실을 알고 닉은 오디션마저 포기하려 한다. 그렇게 절망에 빠진 두 사람이 만났다. 브룩은 자신 몰래 바람을 피운 남편에게 '이제 그만 헤어지자'는 내용을 담은 편지를 남긴 채 뉴욕으로 왔지만, 자신이 그럼에도 불구하고 남편을 사랑한다는 사실을 깨닫는다. 하지만 가방을 통째로 도둑맞아 제시간에 집으로 돌아가 편지를 없앨 수가 없다. 남편은 아침 일찍 출장에서 돌아올 것이고 그녀가 도착하기 전에 남편은 편지를 읽을 것이다. 낯선 남자 닉은 어떻게든 브룩을 도와 그녀가 다시 남편과의 사랑을 시작할 수 있도록 해주고 싶다.

브룩은 처음엔 닉을 믿지 못해 '캐리'라고 이름을 속이지만, 점점 더 자신을 아무 조건 없이 도와주려는 닉의 진심을 이해하게 된다. 둘 다 '그림자와의 대면' 앞에서 쓰라린 고통을 느낀다. 닉은 이미 배 속에 다른 남자의 아기까지 생긴 옛 연인을 여전히 잊지 못해 괴로워하고, 브룩은 바람을 피운 남편을 그럼에도 불구하고 여전히 사랑하는 자신이 너무 원망스럽다. 하지만 끝내 깨닫는다. 그 최악의 상황에도 불구하고 둘의 가슴에 각자 남아 있는 '사랑의 진실'은 변하지 않는다는 것을.

다른 여자를 사랑했던 남편을 그럼에도 포기하지 못하는 브룩. 다른 남자의 품 안에서 행복해하고 있는 옛 연인을 여전히 사랑하는 닉. 두 사람 모두 자신의 쓰라린 트라우마를 이해해주는 '낯선 사람'이 있다는 사실만으로도 행복하다. 밤새 뉴욕을 걸으며 추위에 떨면서도, 자신의 가방을 찾아 주기 위해 쓰레기통을 뒤지는 수고를 무릅쓰는 닉에게 브룩은 깊은 우정을 느낀다. 자신의 인생을 통째로 부정하며 분노를 표출하던 브룩은 비로소 이렇게 말한다. "어쩌다 인생 최악의 밤이 최고의 밤이 되었을까요." 누군가 내 깊은 상처를 이해해주기만 한다면, 그리고 내가 나의 그림자를 똑바로 응시할 용기만 있다면, 우리 인생 최악의 순간은 최고의 순간이 될 수도 있다.

335 SAT 그림의 손길 근심 걱정을 잊게 만드는 노동의 힘

불안을 잊게 만드는 아주 단순한 노동의 힘이 있다. 우리의 자존감을 떠받치고 있는 기둥 중의 하나는 '내가 하는 일'에 대한 자부심이다. 내가 하는 일을 있는 그대로 사랑하는 것. 누가 뭐라든지 그저 내 일이 좋은 마음. '타인의 시선에 비친 나의 노동'이 비록 힘들고 고될지라도, '나의 눈에 비친 나의 노동'은 더할 나위 없이 떳떳하고 신나는 것. 그것이 바로 셀프가 기뻐하는 일, 나 스스로를 사랑하는 사람의 희열이다. 그런 감성을 자극하는 그림이 바로 귀스타브 카유보트의 〈대패질하는 사람들〉(1875)이다. 이 그림 속의 사람들은 단지 그 단순한 노동만으로도 눈부시고 아름답다. 바라보고 있으면 왠지 힘이 난다.

의식주를 위한 노동 중에서도 가장 힘든 일이 집짓기 아닐까. 마루는 대패질에 따라 점점 부드러워지고 평평해지며 광택이 돌기 시작한다. 정직한 노동과 성실한 일상이 만들어낸 노동자들 특유의 건장한 근육질이 느껴진다. 의식주를 위한 노동은 인간에게 가장 중요한 것이지만 눈에 잘 띄지 않는다. 의식주 중에서도 '주거'를 위한 노동이야말로 가장 눈에 띄지 않는 노동이다. '식(食)'을 위한 요리나 '의(衣)'를 위한 빨래는 집에서도 매일 볼 수 있는 노동의 장면이지만, 집을 짓는 노동자의 모습을 매일 볼 수는 없기에. 의식주를 위한 노동이 모두 어렵지만, 그중에서도 가장 힘든 것이 집 짓는 일일 것이다.

이 그림은 마루를 대패질하는 인부들의 모습을 생생하게 그려냄으로써, 우리가 미처 잘 포착하지 못한 노동의 소중함을 일깨워준다. 무엇보다 생생한 묘사력 그 자체로 관객들에게 감동을 준다. 대패질로 점점 더 부드러워지고, 매끄러워지며, 평평해지는 마루는 일꾼들의 작업속도에 따라 점점 광택이 돌기 시작한다. 저 커다란 공간을 완벽하게 매끄럽고 눈부신 주거의 공간으로 만들기 위해 얼마나 오랜 노동이 필요했을까. 힘든 노동으로 인해 흐르는 땀 때문인지, 겉옷을 벗어던진 인부들의 몸은 노동으로 다져진 탄탄한 근육으로 빛난다. 정직한 노동과 성실한 일상이 만들어낸 근육질의 모습은 육체노동자들 특유의 건장함을 보여준다.

- 이 그림은 1875년 프랑스에서 가장 권위 있던 살롱 전시회에서 거부당했다. 상의를 벗은 노동자 계급의 몸을 묘사하는 것이 '저속하고 비천하다'는 이유였다. 카유보트는 자신의 모든 노력을 쏟은 작품이 거부당한 것에 크게 상처받았지만, 이듬해 열린 인상파 전시회에 출품하여 에밀 졸라 등의 문필가들로부터 극찬을 받았다.

336 SUN 대화의 향기 불안을 잊게 해준 친구에게

오랜 우정이야말로 불안의 해독제다. 열정에 근거한 사랑은 언제든 변할 수 있지만, 믿음에 근거한 우정은 사랑보다 훨씬 오랫동안 우리의 불안을 위로해준다. 그래서 친구를 잃고 난 뒤의 슬픔은 좀처럼 치유하기 힘든 감정이다. 한 독자가 이런 편지를 보내왔다. "가장 친한 친구와 사소한 오해 때문에 멀어지게 된 지 벌써 오랜 시간이 지났습니다. 사랑하는 사람과의 이별도 아프지만, 가장 친했던 친구와 만나지 못하는 아픔도 시간이 지날수록 더 커지는 것 같습니다. 사소한 다툼 때문에 아주 오랫동안 멀어져버린 친구에게, 다시 연락한다면 너무 자존심 상하는 일일까요. 저는 때로는 그 어떤 사람들보다도 헤어진 그 친구가 보고 싶을 때가 많습니다. 하지만 친구가 제 마음을 받아주지 않는다면, 그때 받게 될 상처를 감당하지 못할 것 같습니다." 나는 이 메일을 읽고, 바로 이런 우정을 되찾는 것이야말로 불안을 치유하는 일상의 테라피라는 생각이 들었다.

나는 이런 답장을 보냈다. "'친구가 내 뒤늦은 사과를 받아주지 않으면 어쩌나' 하는 마음 뒤에는 아직 '오래전 친구와 헤어질 때 내가 받았던 상처'가 남아 있을 것입니다. 그 친구에게 또 한 번 그렇게 상처를 받으면 어쩌나 하는 마음, 내가 다시 우정을 시작하려고 해도 그 친구가 원하지 않는다면 애써 연락을 한 내 용기는 무용지물이 되는 것이 아닌가 하는 두려움. 그 공포 뒤에는 '아직 그때의 상처를 극복하지 못한 나 자신'의 무의식이 있습니다. 하지만 과거의 내 아픔만 계속 생각한다면, 내가 또다시 받을지도 모르는 미래의 상처만을 두려워한다면, 헤어진 친구와는 영원히 다시 만날 수가 없겠지요. 연락이 끊어진 친구에게 선뜻 먼저 연락하지 못하는 우리의 마음 밑바닥에는 '저쪽에서 먼저 전화를 하기를 바라는' 이기심이 깔려 있을 수도 있습니다. '왜 언제나 내가 먼저 사과하고, 내가 먼저 연락을 해야 하지?' 하는 억울한 마음이 깔려 있을 수도 있지요. 그런데 이런 피해의식은 곱씹으면 곱씹을수록 관계를 악화시킬 뿐입니다. 먼저 연락하고, 먼저 미안하다고 말하는 사람이 없다면, 어떤 관계도 회복될 수가 없으니까요.

관계를 회복하려고 노력할 때 가장 중요한 것은 내 상처가 아닙니다. 내 상처만 생각하느라 미처 돌보지 못한 상대방의 상처지요. "정말 미안해, 그때 나 때문에 많이 힘들었지?" 이렇게 대화를 시작할 수 있다면 우정은 이미 다시 시작된 거나 마찬가지가 아닐까요. 설령 그가 다시 우정을 되찾고픈 내 마음을 거절하더라도, 상대방의 상처 입었을 마음을 상상해보는 일만으로도, 우리의 영혼은 한 뼘 자라 있을 것입니다. 연인과 가슴 아프게 헤어지면 다시 만나기가 너무도 어렵지만, 헤어졌다가 다시 만나는 친구는 예전보다 오히려 더 크고 깊은 우정으로 다시 시작될 수 있습니다."

337 MON  심리학의 조언 완벽하지 않아도, 나다움을 사랑하기

아무리 달달 외워도 매번 까먹는 영어 단어가 있는가 하면 단 한 번에 가슴에 콕 박혀 불도장처럼 가슴에 새겨지는 영어 단어가 있다. 예를 들어 'eccentric'이라는 단어가 그렇다. '중심(center)에서 벗어난(ex-)'이라는 어원을 지닌 이 단어는 '괴짜, 기인(奇人), 별난 사람'이라는 뜻의 명사와 '이상한, 별난, 괴벽스러운'이라는 의미의 형용사로 쓰인다. 고교 시절 시험공부를 위해 달달 외운 영어 단어 중에서 유독 이 단어는 왠지 마음이 아픈 단어였다. 중심에서 벗어나면 다 이상하다는 건가? 그럼 중심은 항상 옳고 표준적인 것인가? 중심에서 벗어난 사람들은 다 별난 것인가? 그럼 나도 좀 이상한 아인가? 난 중심을 벗어난 삶이 멋져 보이는데. 난 중심을 이탈할 용기가 있을까? 이런 망상을 하며 오랫동안 이 단어를 들여다보곤 했다.

그런데 내 안에는 이중적인 욕망이 함께 자라나고 있었다. 중심으로부터 이탈하여 멋진 괴짜가 되고 싶은 마음과 중심을 벗어나 견뎌야 할 삶의 위험에 대한 공포가 동시에 공존하고 있었던 것이다. 예를 들어 사춘기 시절 내가 가장 싫어하는 단어 중의 하나는 '비행청소년'이었다. 탈선, 불량아, 문제아가 되는 것이 가장 무서웠고 내 동생이나 내 친구들이 그렇게 될까 봐 무서웠다. 하지만 왠지 어른들이 '문제아'라고 부르는 애들이 멋있어 보이기도 했다. 물론 그 시절에는 '문제아'라고 해봤자 자율학습 좀 빠지고 남자친구 좀 사귀고 공부 좀 안 하는 정도의 가벼운 탈선(?)으로 만족했지만 그 세 가지를 동시에 말끔히 충족시키는 것은 사실 보통 능력이 아니었다. 괴짜를 동경하면서도 스스로 괴짜가 되기를 두려워하는 심리, 이 소심한 이중인격의 기원에는 아마《미운 오리 새끼》와《피노키오》의 독서 체험이 톡톡히 한몫하지 않았을까.

사실 집단이 개인을 고립시키는 '왕따'의 대명사인 미운 오리 새끼와 피노키오가 주어진 상황에 대처하는 방식은 매우 달랐다. 미운 오리 새끼는 자신을 학대하는 오리 떼들과 자신을 조롱하는 다른 동물들에게 저항하지 않고 다만 참고 또 참는다. 그리고 제발 자신과 같이 놀아달라며 끈질기게 집단의 아성에 구애한다. 그리하여 마침내 자신과 똑같이 생긴 백조들의 무리를 만났을 때 자신이 평생 고민했던 '다른 오리들과의 차이'야말로 자신의 우아한 정체성이었음을 깨닫는다. 나다움을 지키면서도 타인과 잘 지내는 것, 사회화와 개성화라는 두 가지 과제를 모두 잘해내는 것. 그것이 우리 현대인의 결정적인 과제가 아닐까.

338 TUE  독서의 깨달음 우리 안의 차별과 편견을 사유하기

《미운 오리 새끼》와 《피노키오》는 아주 나쁜 동화일 수도 있다. 아이들에게 계급과 계급, 인종과 인종, 인간과 비인간 사이의 '구별 짓기'를 무의식 중에 가르치는 텍스트로 기능할 수 있기 때문이다. 21세기의 어른들은 아이들에게 미운 오리의 인내심이나 피노키오의 고분고분함이 아니라 미운 오리를 왕따시키는 오리 떼들, 피노키오를 '인간이 아니라는 이유'로 괴롭히고 약 올리는 존재들이 얼마나 나쁜 짓을 하고 있는 것인지부터 가르쳐야 하는 것 아닐까.

《미운 오리 새끼》는 그런 면에서 더욱 문제적이다. 평생을 계급적 열등감과 우월감 사이에서 고민했던 안데르센의 자전적 스토리와 떼어놓고 생각하기 어려운 텍스트이기 때문이다. 이 동화 자체가 안데르센이 사랑하는 여인에게 보낸 기나긴 연애 편지라고 보는 시각도 있을 정도다. 어쩌면 《미운 오리 새끼》는 평생 자신의 재능을 인정받기 위해 온갖 치욕스러운 일들을 감내해야 했던 안데르센 자신의 아름다운 자기기만일지도 모른다. 난 평범한 오리가 아니라 우아한 백조였노라고. 그러니까 어리석은 오리 떼들에게 이해받지 못하는 것은 전혀 고민할 필요도 없는 일이라고. 너희들이 아무리 나를 비난해도 '나는 백조이고 너희들은 오리일 뿐이라는 사실'은 변하지 않는다고.

우리는 안데르센의 자전적 스토리를 접할 때마다 '개천의 용'이 처한 근원적인 딜레마를 확인한다. 최고의 '자리'에 올라갈 수는 있지만 최고의 '사랑'(혹은 인정)을 받을 수는 없을 것만 같은 불안. 선천적인 용이 아니라 지독하게 노력해야만 간신히 용이 될 수 있는 자의 비애를. 평생 혹독한 타인의 시선을 통해 자신을 바라봐야 하는 자의 슬픔을. 안데르센의 마음속에는 태어난 신분은 낮지만 자신의 노력으로 상류사회에 들어갔다는 만족감이 있었다고 한다. '나는 못생긴 아기 오리였지만 지금은 성공해서 백조가 된 남자랍니다'라는 만족감은 그의 뼈아픈 콤플렉스와 연관이 되어 있었다.

그가 백조가 아니고 칠면조이거나 까마귀였다면, 혹은 공작새이면 어떻게 되는 것인가. 칠면조나 까마귀라면 '백조보다 못한' 존재이고, 공작새나 독수리라면 '백조보다 나은' 존재인 것인가. 그러한 종의 위계질서는 누가 정하는가. 그저 평범한 오리가 아니라 우아하고 고상한 백조가 됨으로써 오리들의 횡포에 복수하는 것이 미운 오리 새끼의 가장 윤리적인 선택일까.

339

WED

일상의 토닥임

나다움을 일깨우는 사물들

사람들이 사물들을 구입하고, 소비하고, 무심결에 지나치고, 별 뜻 없이 괴롭히는 동안, 시인들은 사물들에 깊이 침잠한 영혼의 속삭임을 들으려 안간힘을 쓴다. 현대인은 셀 수 없이 많은 사물을 소유하지만 사물과 교감하는 일에는 점점 무력해져간다. 하지만 시인들은 그 무력함에 반기를 든다.

때로는 사물이 그 사람의 캐릭터를 더욱 명징하게 드러내줄 때가 있다. 우리는 그 사람의 이름을 부르는 대신 그 사람이 애용하는 물건을 통해 그 사람의 별명을 만들기도 한다. 만날 때마다 항상 스카프를 두르고 나오는 친구를 향해 사람들은 '목도리'라는 별명을 지어 부르기도 했고, 항상 머리부터 발끝까지 푸른색 계열로 입고 다니는 독특한 패션의 소유자를 향해 사람들은 '파란 바지'라는 별명을 지어 부르기도 했다. 초등학교 시절 내 별명은 '수도꼭지'였다. 조금이라도 상처가 되는 말을 들으면 곧바로 수도꼭지에서 수돗물이 콸콸 흘러나오듯 자동적으로 펑펑 울어버리는 성격 탓이었다.

우리는 사물을 소유한다. 하지만 때로는 사물들이 우리를 소유한다. 휴대전화가 바로 그렇다. 휴대전화를 들고 나오지 않거나 배터리가 떨어지거나 잘 터지지 않으면 우리는 별안간 심각한 불안감에 휩싸인다. 휴대전화는 목줄이 되어 우리의 자유를 감시하고, 노동의 채찍질이 되어 쉬는 날도 쉴 새 없이 업무를 보게 만든다. 인간은 사물을 소유하지만, 사물들이 인간을 소유하는 것에 비하면 우리의 소유는 참으로 나약한 것인지도 모른다. 하우스푸어가 되어 '집'이라 불리는 거대한 등짐을 진 채 빚을 갚아가며 살아가는 현대인들은 '집'이라는 사물에 포획되어버린다.

사물에 집착하고 의존하는 순간, 사물을 통해 우리의 정체성을 확인받으려 하는 순간, 우리는 사물 자체가 아니라 사물이 표현하는 환상적 가치의 그물에 포획당한다. 하지만 어떤 사물은 매우 행복하게, 매우 조화롭게 그 사물의 주인과 따스한 네트워크를 맺는다.

나는 갑자기 수직낙하하고 갑자기 수직으로 날아오르는 롤러코스터를 바라보며 '나의 들쭉날쭉한 감정'을 생각한다. 바람에 따라 미친 듯이 춤추지만 사실은 별로 즐거워 보이지 않는, 풍선으로 만든 거대한 광고 인형을 보면 행복하지 않으면서도 행복한 척하는 우리 현대인들의 모습을 닮은 것 같다. 사물을 통해 우리 자신을 바라보는 것. 그것은 '나다움은 무엇인가'를 생각해보는 일상 속의 감각 훈련이다.

340 THU  사람의 반짝임 마음껏 나다움을 찾아 나설 권리

예절과 규율의 시대였던 빅토리아 왕조시대에 '헤맬 수 있는 자유'란 어린 소녀에게 보장되지 않았다. 《이상한 나라의 앨리스》 속 앨리스는 허클베리 핀이나 톰 소여처럼 멀리 모험을 떠나지는 못하지만 '정원'에서도 얼마든지 거대한 소우주의 체험을 할 수 있음을 보여준다. 빅토리아시대의 '양갓집' 소녀들은 낯선 사람을 따라가서도 안 되었고 모르는 사람과 이야기를 해서도 안 되었다. 물론 혼자서 외출한다는 것도 상상할 수도 없었다. 그러나 앨리스는 이 모든 예절과 규율의 법칙을 벗어나 마음껏 방황하고 서성인다. 앨리스는 부도덕한 것이 아니라 무도덕하며, 무책임한 것이 아니라 책임이라는 개념에 무지하다. 앨리스는 모험이 계속될수록 '비정상적인 일'이 하도 많이 일어난 나머지 '불가능한 일은 없다'고 생각하기에 이른다. 그녀는 행위의 결과에 두려움을 느끼지 않고 행위의 의도를 굳이 묻지 않으며 다가오는 모든 우연에 몸을 맡김으로써 자신의 운명을 움켜쥐는 힘을 배우게 된다.

앨리스는 평범한 정원 밑에 감춰진 지하세계에서 수많은 타자와 만나며 가족과 친척들 이외의 존재들과 아무런 목적의식 없이 이야기를 나눈다. 앨리스는 끊임없이 길을 잃고, 키가 커졌다 작았다를 반복하며, 숲을 지나가면서 자신의 이름조차 잊어버리고, 각종 동물과 거리낌 없이 우정을 맺고, 여기저기 샅샅이 뒤지면서 자신의 정체성을 만든 모든 순간을 망각한다. 정해진 서사구조도 탐험의 절실한 이유도 없는 앨리스의 모험이 지닌 '무의미'의 까닭 모를 매혹은 어디서 발원하는 것일까. 앨리스의 모험은 불가해한 이미지와 비논리적 스토리가 뒤죽박죽 섞인, '나'와 '나 아닌 것'의 구분이 무의미한, 시간과 공간의 구별조차 사라지는, '꿈'의 세계를 닮았기 때문이 아닐까. 꿈의 세계에서만은, 이미 어른이 되어버린 우리도, 무엇이든 '의미를 부여해야 한다'는 강박, '의미 없는=쓸모없는 행동을 해서는 안 된다'는 강박으로부터 해방되지 않는가. 로빈슨 크루소가 광활한 대양을 모험한 것과 달리, 앨리스는 오직 정원을 탐험하는 것에 만족해야만 했던 것이 아닐까.

앨리스는 볼기짝을 때려줘야 할 작은 괴물도 아니었고, 주변의 물건들을 모조리 치워놓고서야 안심할 수 있는 장난꾸러기도 아니었다. 앨리스의 그 이해할 수 없는 수수께끼 같은 모험, 정돈되지 않는 무의미의 놀이, 진지함에 대한 통쾌한 비꼬기는 따분한 교훈과 작위적인 모험을 벗어난 유쾌한 일탈이었다. 앨리스의 매력은 그 어떤 정돈된 해석과 우아한 이론의 분석에도 갇히지 않는 '창조적인 무의미'가 아닐까.

341 FRI 영화의 속삭임 어른들을 위한 영화, <피노키오>

어린 시절 나는 이런 고민을 많이 했다. '나는 실수도 많이 하고, 거짓말도 많이 했는데, 내가 정말 정상적인 어른이 될 수 있을까' 하는 고민 말이다. 피노키오가 거짓말을 할 때마다 코가 쭉쭉 늘어나는 모습은 어린 마음에 엄청나게 충격적인 시각적 이미지로 각인 되었다. 피노키오처럼 코가 늘어나진 않았지만 마음속에 보이지 않는 푸른 멍이 점점 커지는 것만 같았다. 그런 면에서 피노키오는 내게 용기를 주는 존재이기도 했다. 미운 오리 새끼처럼 무작정 참기만 하지 않고 실수도 하고 일탈도 하고 돌이킬 수 없는 실패도 하면서 실수의 규모보다 훨씬 큰 아름다운 영혼의 성장에 성공하기 때문이다.

나는 '극기의 달인' 미운 오리 새끼보다 '유혹에 약한' 피노키오가 훨씬 좋다. 피노키오가 요정과의 약속을 어기고 로메오의 유혹에 꼴딱 넘어가는 장면은 언제 보아도 귀엽고 흥미진진하다. 이것이야말로 '어린이의 유토피아'이기 때문이다. 피노키오가 그토록 원하는 '인간'이 되는 것은 그의 '착한 행동' 덕분이었다. 아버지 제페토와 고래 배 속에서 탈출하여 '사람다운 행동'을 하게 되고 그 '보답'으로 꼭두각시 인형이 아닌 사람이 된 것이다. 하지만 피노키오의 매력은 그가 매일 오류만 저지르다 마지막에 옳은 짓 한 번 하는 전형적인 문제아가 아니라, 실패와 상처와 오류조차도 피노키오다움을 만들어가는 소중한 구성요소라는 점이다. 실패와 상처의 퍼즐조각만 빼면 보다 완벽한 피노키오의 모자이크가 완성되는 것이 아니다. 실패와 상처와 오류의 반복이 없다면 그것은 이미 피노키오가 아닌 것이다.

〈인생은 아름다워〉의 감독 로베르토 베니니는 자신이 직접 주연까지 도맡아 《피노키오》를 영화로 만들었다. 그는 피노키오를 길들이거나 훈육하는 것보다 아버지의 진정한 사랑이 아이를 변화시켰다는 관점을 택하고 있다. 피노키오를 '사람처럼 만드는' 노력이 아니라 피노키오가 꼭두각시 인형일지라도 그를 아무런 사심 없이 아들로 사랑하는 제페토의 사랑이 피노키오를 해방시킨 것이 아닐까.

영화 〈피노키오〉의 마지막 장면에서 피에로 복장을 벗어버린 피노키오가 학교로 가는 모습은 드디어 '인간으로' 길들여진 피노키오의 미래를 암시한다. 그러나 피노키오는 자신의 '그림자'만은 교실 안으로 들어오지 못하게 한다. 피노키오는 자신의 '그림자'만큼은 길들이지 않은 것이다. 이것이야말로 피노키오가 세상과 화해하면서 동시에 자신만의 소중한 내면의 그림자를 남겨두는 방식이었다. 우리가 '올바른 교육'의 패러다임으로 담아내지 못한 인간 개개인의 환원되지 않는 개별성이야말로 〈피노키오〉의 마르지 않는 매혹의 원천이 아닐까.

342 SAT 그림의 손길 사춘기 소녀의 두려움을 통해 배우다

이 그림을 처음 봤을 때의 충격을 잊을 수가 없다. '사춘기'에 내가 느꼈던 공포를 이 그림은 이미지로부터 마치 영혼의 거울처럼 생생하게 그려내고 있었다. 몸은 급격하게 어른으로 변해가는데, 내 마음은 몸을 따라갈 수가 없었다. '어른스러움'도 싫고, '여성스러움'은 더더욱 싫었다. 하지만 내 주변의 세계는 어른스러움과 여성스러움을 동시에 요구했고, 그것은 마치 벗어날 수 없는 굴레처럼 무겁게 다가왔다. 에드바르트 뭉크의 〈사춘기〉(1894~1895) 속 그녀는 바로 그런 사춘기 소녀의 본능적인 공포를 생생하게 포착해냈다.

나의 마음과 나의 몸이 완전히 분리되는 듯한 아픔, 내 마음이 내 몸의 변화를 따라가지 못하는 현실에 대한 두려움, 주변 사람들이 '나'로 바라보는 내 모습과 내가 '나답다'고 느끼는 이미지가 서로 완전히 어긋나버렸을 때의 절망감. 내가 나를 둘러싼 세계로부터 철저히 소외되어 있다는 느낌을 최초로 강하게 느끼는 시절이 바로 사춘기가 아닐까.

뭉크의 〈사춘기〉에 드리운 어두운 그림자는 융 심리학에서 말하는 그림자와 무척 닮았다. 사춘기는 대체로 해맑았던 소년소녀의 영혼에 어느새 불현듯 트라우마와 콤플렉스라는 그림자가 드리우기 시작하는 시기다. 하지만 그림자가 짙어질수록, '나'는 오히려 진정한 성장의 기회를 맞을 수 있다. 이제 저 그림자에 짓눌릴 것인가, 아니면 그 그림자와 함께 공생하며, 때로는 그림자를 달래고, 때로는 그림자를 촉매로 삼아 내면의 성장을 이룰 것인가는 전적으로 '나'의 몫이 되는 순간이다.

예술작품을 통해 우리가 느끼는 감정이 바로 '있는 그대로의 나'를 천천히 바라보도록 도와주는 것이 아닐까. 예술은 본질적으로 문명 안에 있지만, 훌륭한 예술작품은 반드시 문명의 안쪽에서 문명의 바깥을 추구하는 이중성을 지닌다. 위대한 예술 작품은 단지 문명이 약속하는 장밋빛 환상에 갇히지 않고, 문명의 어둠을 날카롭게 응시하는 자기 안의 투시경을 지닌다. '나'를 비추는 마음의 거울 같은 작품들은 특히 '혼자인 순간, 인간이 진정으로 자기 자신이 되는 순간'을 그려낸다. 부모는 우리에게 몸을 물려주지만 영혼까지 물려줄 수는 없다. 이 그림은 바로 우리가 '진짜 나 자신'이 되는 순간의 쓰라린 고독과 눈부신 아름다움을 동시에 보여준다.

343 SUN 대화의 향기 나의 나다움을 가장 잘 아는 사람

한 독자가 이런 편지를 보내왔다. "가까운 사람일수록 더 상처 주기 쉽다는 말이 있잖아요. 부부 사이에 가장 조심해야 할 것은 무엇이 있을까요?" 이 질문이야말로 우리가 항상 함께하는 사람과의 관계 맺기에서 중요한 부분이 아닐까.

나는 이런 답장을 보내드렸다. "우리는 '그들은 결혼해서 오래오래 행복하게 살았습니다'라는 간단한 문장을 해피엔딩의 대명사로 기억하고 있지요. 동화 속에서는 '결혼을 하게 되기까지'의 우여곡절이 파란만장하게 펼쳐지지만, 실제 삶에서는 '결혼 후의 산전수전'이 더욱더 힘겹고 서러울 때가 많습니다. 우리가 결혼 후의 어려움에 대해 그만큼 준비가 되어 있지 않은 것이지요. 어떤 집에 살 것인지, 어디로 신혼여행을 갈 것인지, 어떤 인테리어 디자인을 선택할 것인가에 대해서는 열변을 토하면서 토론을 하지만, '결혼 후에 어떻게 살아야 할 것인가'에 대해서는 제대로 이야기하지 않는 부부들이 많습니다. 그것도 아주 구체적으로 이야기해야 합니다.

부부가 함께 지켜나가야 할 공통의 가치관을 만들어가는 과정은 신혼 때 잠깐 이루어지는 것이 아니라 평생 지속해야 할 삶의 숙제이지요. 연애할 때는 서로에 대한 설렘과 긴장감 때문에 미처 보이지 않았던 상대방의 뿌리 깊은 가치관, 도저히 바꿀 수 없는 세계관에 충격을 받고 뒤늦게 성급한 결혼을 후회하는 커플들도 있습니다. 우리는 내가 옳다고 믿는 것에 대해 상대방이 동의해주길 바라지만, 그렇지 않은 경우가 훨씬 더 많지요. 그러나 사랑이 남아 있는 한 포기해서는 안 됩니다. 상대를 바꿈으로써 내 목적을 얻으려고 하지 말고, 서로에 대한 사랑과 믿음을 포기하지 않음으로써 더 깊은 우정을 쌓아가는 것이 좋지 않을까요.

무엇보다 '극단적인 표현'을 삼가는 것이 부부관계에서는 가장 중요할 것 같습니다. '이제 정말 끝이야', '다신 말도 꺼내지 마', '이제 우리 그만하자'라는 식의 '끝'을 암시하는 말들은 상대방에게 돌이킬 수 없는 상처를 줍니다. 서로의 가족에 대한 비판적인 언급도 조심해야 할 부분이죠. 결혼은 '한 사람'과 하지만 결혼생활은 그 모든 주변 사람들과 함께 할 일들이 생기기 마련입니다. 어떤 순간에도 지나치게 비판적인 언급은 상대에게 상처가 되니 좀 더 세련되고 유머러스한 방법으로 관계의 돌파구를 마련해내는 '깨알같은' 지혜가 필요합니다. 같은 메시지를 전달해도, '어떻게 하면 저 사람이 더 가볍게, 상처받지 않고 받아들일 수 있을까'를 고민할 때 더 아름다운 관계를 만들 수 있겠지요. 때로는 '어떤 메시지를 전할까'보다 '어떻게 메시지를 전달할까'가 훨씬 중요합니다." 나의 나다움을 가장 잘 아는 사람, 그에게 더 따스하고 친절하게 대해주는 마음. 그것이야말로 '나다움'과 '그다움'을 함께 지켜주는 길일 것이다.

344 MON  심리학의 조언 끝내 나 자신이기를 선택할 자유

들을 때마다 왠지 마음 한구석이 찔리는 속담이 있다. 바로 '모난 돌이 정 맞는다'는 속담이다. 타인에게 서운한 말을 들을 때면 '내가 둥글둥글하지 못하고 예민하고 까다로운 성격이라 비난을 받는 것일까'라는 의문에 사로잡혀 서글퍼진다. 하지만 이 속담은 '모난 돌'의 날카로움을 비난하느라 '때리는 정'의 획일화된 폭력을 은폐하고 있는 것이 아닌가. 왜 저마다 다르게 생긴 돌들의 모양을 있는 그대로 존중해주지 않는 걸까. 세상에 둥글고 매끈한 돌만 있는 것이 아니지 않은가. 우리 '모난 돌'의 입장에서는 엄청나게 억울하다. 원래 그렇게 생겨 먹은 것을 어찌하란 말인지. 각지고 움푹 패고 날카롭게 모서리 진 돌 또한 그 자체로 소중하다. 모든 날카로움이 다 위험한 것은 아니다. 때로는 이 세상에 꼭 필요한 날카로움도 있다.

이런 생각을 하고 있던 와중에 선배의 멋진 조언을 들었다. "가시는 빼고 날은 세워라!" 그 말을 듣는 순간, 내 날카로움과 까칠까칠함의 감미로운 은신처를 발견한 기분이었다. '가시'는 공격을 위한 흉기가 되지만 '날'은 임무를 완수하기 위한 도구가 된다. 예컨대 질투나 증오, 원한이나 분노는 가시처럼 자기도 모르는 사이에 남을 공격하는 흉기가 된다. 하지만 '날'은 요리사가 자신의 칼을 분신처럼 소중하게 갈고 닦듯 반드시 더 날카롭게 벼려야 하는 필수 도구다. 농부가 낫과 호미를 더 단단하게 벼려 이듬해의 농사를 준비하듯이. 가시는 적을 향하지만, 날은 재료를 향한다. 가시는 내가 가만히 있을 때조차도 내게 다가오는 모든 타인을 아프게 찌르는 것이지만 날은 꼭 필요할 때만 적재적소에 힘을 발휘해 목표물을 정확하게 자른다.

나의 문제는 있는 그대로의 나 자신을 사랑하지 않는다는 점이었다. 말갛고 꾸밈없는 나라는 존재는 너무 밋밋하고 개성 없는 존재처럼 느껴졌다. 될 대로 되라는 식으로 공부를 등한시하면 성적은 수직으로 낙하하여 부모님의 날벼락이 떨어졌다. 공부를 안 해도 괴롭고 해도 괴로운 진퇴양난 속에서 나의 사춘기는 가엾게 시들어갔다.

우리가 저마다 가슴 속에 키우고 있는 날카로운 가시는 무엇일까. 끊임없이 솟아오르는 콤플렉스, 나보다 뛰어난 타인을 향한 질투심이나 괜한 부러움, '남보다 더 잘 해내야 한다'는 집착과 강박관념. 이 모든 것이 뾰족한 가시가 돼 남들은 물론 자기 자신까지 찌른다. 이런 종류의 가시는 스스로 뽑아내는 것이 상책이다. 그렇다면 우리가 더욱 날카롭게 벼려야 할 '날'은 무엇일까. 그것은 저마다의 재능 · 열정 · 노력 같은 것들이 아닐까. 신념과 철학, 의지와 정의로움 또한 아무리 날카롭게 벼려도 지나치지 않다.

345 TUE  독서의 깨달음

피터팬과 앨리스, 나다움의 시작

피터팬과 앨리스는 조용하고 평화로웠던, 그래서 사실 '권태'로웠던 일상에 야단법석을 일으키는 혼란의 창조자다. 우리가 잃어버린 우리 안의 어린아이는 단지 '순수한 동심'으로 재단되는 것이 아니라 요정의 미소와 후크의 살인이라는 양극단의 이미지를 모두 지니고 있는, 아직 정형화되지 않은 자아의 모든 가능성이다. 날아오를 수 있다고 믿으면 창공을 자유로이 날 수 있는 것이 어린아이인가 하면, 꿈속에서는 어른들에 대한 증오로 살인을 서슴지 않는 것도 어린아이인 것이다.

어린이는 우리의 경험이 '우리다운 정체성'을 규정하기 이전의 그 모든 가능성을 그리워하게 만드는 존재다. 경험이 없었기에 억압도 없었고 정체성이 없었기에 구속도 없었던 어린 시절에 대한 노스탤지어. 그리하여 우리는 어린이들을 적당히 외면하면서도 그들에게서 완전히 눈을 떼지 못하고, 남몰래 키덜트적 취미들을 한두 개쯤은 지니고 있는 것이 아닐까. 내가 나다운 무엇으로 패턴화되기 이전의 나, 나의 환경과 경험이 나의 욕망과 성격을 결정하기 이전의 나에 대한 어렴풋한 향수와 실현되지 못한 가능성을, 우리는 어른들의 동화, 어른들의 만화 속에서 끊임없이 반복하고 있는 것이다.

정원을 거닐다가 우연히 토끼굴에 빠진 앨리스가 만나는 인물들은 끊임없이 앨리스의 정체성을 의심하게 만든다. 앨리스의 키, 나이, 얼굴, 몸집, 가족, 언어, '앨리스가 인간이라는 사실' 등 그 어떤 것도 '나는 앨리스야'라는 것을 증명해주지 못하게 되어버린다. 앨리스는 자신의 정체성을 의심받는 상황에 직면하여 짜증을 내거나 칭얼거리지 않고 점점 그 무한한 우연의 가능성에 자신의 몸을 맡긴다. 앨리스를 통해 우리는 우리가 되지 못했지만 될 수도 있었던 모든 가능성, 살고 싶었지만 살 수는 없었던 그 모든 '가지 않은 길'들을 대리 체험하게 된다.

피터팬과 앨리스의 모험은 우리의 정체성과 우리의 성격, 우리의 개성과 우리의 인생 행로가 결정되기 이전, 이 세상 그 무엇이라도 될 수 있었던 우리의 무한한 가능성으로 되돌아가는 아름다운 내면의 여행이다. 우리가 피터팬의 시건방과 앨리스의 새침함을 기꺼이 눈감아주며 그들을 영원한 마음속의 아이돌로 동경하는 이유는 바로 이것이 아닐까. 유년기의 진정한 의미는 단지 잃어버린 순수, 길들여지기 쉬운 유순함이 아니다. 길들여지지 않을수록 더욱 무한하게 펼쳐지는 잠재된 영혼의 에너지, 이미 돌이킬 수 없이 결정되어버린 어른들의 정체성으로부터의 해방, 그것이야말로 다시 어린이 되기의 영원한 유혹이 아닐까.

346 WED 일상의 토닥임 나다움을 만드는 아름다운 과정

나의 내성적이고 예민한 성격은 대부분 학창 시절에 만들어졌다. 그래서 구김살 없이, 해맑게 자라난 사람들을 보면 여전히 부러운 마음이 든다. 그 눈부신 자유를 만끽할 수도 있었던 내 소중한 학창 시절을 통째로 도둑맞은 듯한 쓰라린 박탈감도 밀려온다. 그토록 눈부신 어린 시절에, 그렇게 숨 막히게 스스로를 가둬놓고 살 필요는 없었는데. 그 꽃다운 나이에 그토록 잔인한 어른들의 세속적인 기준으로 나의 가치를 재단할 필요는 없었는데. 나는 나인 채로 충분히 소중한 존재였는데. 그걸 한 번도 제대로 느껴본 적이 없었다. '나만 특별해지기 위한 끊임없는 인정투쟁'이 아니라 '나뿐만 아니라 모두가 저마다의 방식으로 행복해질 수 있는 길'을 꿈꾸는 것이야말로 교육의 이상이 되어야 하지 않을까.

어떤 상황에서는 '가시'가 되고 또 다른 상황에서는 '날'이 되는 존재도 있다. 바로 말하기다. 말하기는 때로는 가시가 돼 남을 찌르고, 때로는 날선 무기가 돼 목표물을 정확히 맞추기도 한다. 글보다는 말이 가시가 될 확률이 높다. 글은 쓰면서 끊임없이 고칠 수 있고 다 쓰고 나서도 얼마든지 삭제할 수 있어 조절이 가능하지만, 충동적으로 내뱉은 말은 한 번 엎질러지면 주워 담을 수가 없다. 말을 할 때는 그저 활자만 전달되는 것이 아니라 상대방의 표정과 목소리와 몸짓, 그날의 분위기 전체가 똘똘 뭉쳐 함께 작용하기 때문이다.

살아가다 보면 때로 자신의 실력과 재능이라는 '무기'가 필요할 때가 있지만 증오나 질투 같은 공격적인 감정이 가시처럼 자라나 상대를 찌르는 '흉기'가 돼서는 안 된다. "가시는 빼고 날은 벼려라"는 조언은 때로는 나비처럼 날아 벌처럼 쏘는 재능을 발휘하되, 자신의 주체할 수 없는 감정을 타인을 향한 흉기로 쓰지 말라는 조언처럼 들렸다. '날'은 주체할 수 있지만 '가시'는 주체할 수 없으므로.

'모난 돌이 정 맞는다'는 속담을 가만히 음미해본다. 저마다 울퉁불퉁하게 생긴 모난 돌이 '개성화'를 가리킨다면, 그 울퉁불퉁한 돌들을 어떻게든 제작자의 의도에 맞게 '때리는 정'은 '사회화'를 가리키는 것이 아닐까. 인간에게는 사회가 요구하는 규범에 동화되는 '사회화'도 필요하지만 내가 누구인가를 스스로 찾아가는 '개성화'도 절실하다. 사회화는 질서나 제도를 향한 적응의 문제지만, 개성화는 무슨 일이 있어도 포기할 수 없는 나만의 길을 찾고 나다움을 가꾸고 마침내 진짜 나 자신이 원하는 인생을 살아내는 것이다. 이 세상 모든 모난 돌들이여. 억지로 우리 자신을 동글동글하게 깎아내지 말자. 당신의 날카로운 모서리를 있는 그대로 사랑하기를. 나의 가파름과 울퉁불퉁함이야말로 '나를 끝내 나답게 만드는 그 무엇'이므로.

347 THU  사람의 반짝임 | 나다움을 위협하는 모든 것과 싸운 여인

프리다 칼로의 자화상 중에서 〈상처 입은 사슴〉(1946)은 화가들의 자화상 중 내가 가장 좋아하는 작품이다. 볼 때마다 가슴이 아프지만 왠지 바로 나 자신을 그린 그림 같아 깊은 애착을 느낀다. 어떻게 자화상을 이렇게 그릴 수 있을까? 그녀의 자화상을 볼 때마다 서늘한 충격을 받곤 하지만 이 작품이야말로 그녀의 영혼을 가장 깊고 그윽한 자기 응시의 시선으로 담아낸 듯하다. 사슴의 몸과 인간의 얼굴을 한 이 '여인'은 프리다 칼로 자신이다. 사슴은 여기저기 화살을 맞아 저렇게 서 있는 것이 신기할 정도다. 하지만 이 사슴여인은 꼿꼿하다. 고통에 지지 않았다.

프리다 칼로는 어린 시절 교통사고로 버스 안의 철기둥이 온몸을 관통하는 끔찍한 부상을 입었다. '살아난 것이 기적'이었지만 그 생존의 기적을 더 큰 예술의 기적으로 승화시킨다. 그녀는 온몸에 깁스를 한 채 누워 있으면서 걸음마 하는 아이처럼 천천히 그림을 그리기 시작했고 그것이 그녀의 인생을 바꾸어놓았다. 멕시코의 국민 화가 디에고 리베라와의 결혼은 그녀를 일약 유명인사로 만들었지만, 정작 그녀의 예술작품이 제대로 인정받기 시작한 것은 그녀의 사후였다.

늘 '디에고 리베라의 불행한 아내'로 더 많이 알려져 있었던 프리다 칼로는 화가로서의 삶도 사랑했지만 여성으로서의 삶도 포기하지 않으려 했다. 그녀는 자신의 친동생과도 불륜에 빠진 남편 디에고 리베라를 포기하지 않고 사랑했다. 의사는 물론 주변 사람 모두가 말렸지만 그녀는 아이를 갖는 것을 포기하지 않았고 그때마다 아기는 너무 고통스러워하는 엄마의 육체를 채 벗어나기도 전에 떠나고 말았다.

교통사고로 인한 후유증은 끊일 날이 없어 그녀는 만성적인 통증에 시달렸고 무려 35번의 대수술을 받아야 했다. 세 번의 유산이 남긴 고통스러운 상처는 몸보다 마음에 더 큰 상처를 남겼다. 그토록 갈망했던 엄마가 될 수 없다는 것은 그녀에게 가장 깊은 좌절이었다. 하지만 이 '상처 입은 사슴 여인'은 결코 포기하지 않았다. 마치 불에 그을린 듯 온통 주변이 까맣게 타버린 숲이지만, 그 황폐한 환경 속에서도 그녀의 눈빛은 해맑게 빛난다.

'당신들은 이런 나를 비정상이라고 생각하나요? 하지만 나는 당신들이 생각하는 것만큼 그렇게 아프거나 슬프거나 괴롭지 않답니다. 난 아직 괜찮아요. 난 아직 혼자 살아낼 수 있어요.' 이렇게 속삭이는 듯하다.

348 FRI 영화의 속삭임 프리다 칼로, 용기의 화신

영화 〈프리다〉는 파란만장한 러브스토리와 온갖 우여곡절로 가득한 예술가 프리다 칼로의 모험을 그린다. 이 영화 자체가 〈상처 입은 사슴〉이라는 아름다운 자화상에 대한 프리다 칼로 스스로의 해설처럼 느껴진다. 사슴의 가느다란 다리는 고통으로 무너져야 정상일 것 같지만, 그녀는 꼿꼿이 대지를 딛고 일어서서 자신을 바라보는 온 세상을 곧게 쏘아보며 그 어디로도 도망치지 않는다. 지상의 삶이 아닌 곳으로는 그 어디로도 도망치지 않겠다는 결연한 의지가 느껴진다. 교통사고로 인해 척추, 갈비뼈, 골반, 오른쪽 다리, 복강에 이르기까지, 거의 온몸이 만신창이가 된 채 평생을 살아야 했지만, 그녀는 좌절하지 않았다. 그녀는 자신의 몸 곳곳에 난 끔찍한 상처들조차 아름다운 그림의 재료로 삼았던 것이다.

이 영화를 통해 또 한 번 더 감동적으로 다가오는 작품은 바로 강철 코르셋을 입은 프리다 칼로의 자화상이다. 이 그림을 그린 후 그녀는 척추손상으로 인한 대수술 끝에 이후 거의 누워서 지내다시피 해야 했다. 그녀는 포기하지 않고 또 한 번의 커다란 모험을 했는데, 그것은 '강철 코르셋'이었다. 그녀는 강철 코르셋을 입고 오른쪽 다리를 절단하는 고통 속에서도 그림을 그렸고, 그 시절의 자화상들은 그녀가 최고 전성기를 구가하게 만든다. 사슴의 다리에서는 여전히 피가 흘러나오지만, 그녀는 고개를 숙여 상처를 핥지 않고 오히려 자신을 바라보고 있는 세상을 쏘아본다. 그것은 원망이나 증오가 아니라 '나는 괜찮다'는 결연한 선언처럼 느껴진다. 슬픔이나 연민을 자아내는 눈빛이 아니라 초연함과 고결함이 서려 있는 눈빛이다.

'카르마(karma)'라는 단어가 이 그림의 왼쪽 구석에 새겨져 있는 걸 보면, 이제 그녀는 이 모든 참혹한 고통을 완전히 '피할 수 없는 운명'으로 받아들였음을 알 수 있다. 피하고, 도망치고, 부정해야 할 고통이 아니라, 받아들이고, 견뎌내고, 온전히 '내 것'으로 인정해야 할 운명. 그 초연한 받아들임 속에서 그녀의 예술 세계는 더욱 단단하게 무르익어갔다.

멕시코의 전통에서 부러진 나뭇가지를 묘지에 올려두는 것은 망자에 대한 애도의 표현이라고 한다. 사슴여인의 주변에 놓인 부러진 나뭇가지는 어쩌면 다가올 죽음에 대한 스스로의 예감인지도 모른다. 그녀는 다가올 죽음조차도, 죽음의 직전까지 끝나지 않을 고통조차도, 이제는 늠름히 받아들일 태세다. 아무것도 그녀의 영혼을 무너뜨릴 수 없었다. 남편의 끊임없는 외도도, 세상의 차가운 시선도, 엄마가 될 수 없는 자신의 육체에 대한 끝없는 절망도. 그녀는 끝내 무너지지 않았다.

349 SAT

바라보고 있어도 외로워진다면

모딜리아니의 그림을 보고 있으면 외로워진다. 익숙한 외로움도 더 깊어지는 것만 같다. 인간의 본능적인 외로움을 꿰뚫어보는 화가의 눈빛을 마음속 깊이 느낄 수가 있다. 이 그림 속에는 왜 눈동자가 없을까. 그것은 어쩌면 '바라보는 시선'의 본질적인 숙명일지도 모른다. 화가는 대상을 바라보지만, 대상은 화가를 바라보고 있지 않은 것이다. 아니, 바라보고 있어도 화가가 느끼지 못하는 것이다. 어쩌면 화가는 자신을 빤히 바라보고 있는 모델의 시선에 부담을 느꼈는지도 모른다. 자신이 모델을 바라보는 시선에 집중하고 싶었던 화가는 어느 날 선뜻 '눈동자'를 지움으로써 모델의 시선을 피했는지도 모른다.

모딜리아니의 〈모자를 쓴 여인〉(1917) 그림을 통해 나는 '시선의 비대칭성'을 생각한다. '나'는 분명히 그를 바라보았다고 생각했는데, 사실 '내가 보고 싶은 이미지'를 그에게 덧씌운 것은 아닌가. 나는 그를 열심히 바라보고 있지만, 그는 나를 바라보지 못하도록 가로막고 있는 것은 아닌가. 화가로서, 기자로서, 작가로서, 어떤 대상을 관찰하고 분석하고 묘사할 때, 그 시선은 비대칭적일 수밖에 없다. '바라보는 자'가 '보이는 자'를 제멋대로 재단하고 분석하고 이용하는 것이다. 하지만 모딜리아니의 그림은 그 슬픈 확인에서 끝나는 것이 아니다. '사랑'의 관점에서 보면 이 그림은 '사랑의 본질'을 표현하는 것처럼 느껴지기도 한다.

우리는 아무리 사랑해도 그 사람을 '나의 눈'으로만 바라볼 수밖에 없지 않은가. 우리는 사랑할 때 그 사람을 속속들이 알려고 하고, 실제로 상대방에 대해 아주 많은 것을 알게 된다. 하지만 예측 불가능한 상황에 마주했을 때, 상대는 내가 상상했던 그 방향으로 움직여주지 않는다. 사랑했지만, 그를 도저히 이해할 수 없는 순간. 모딜리아니의 그림은 바로 그 '사랑하지만, 이해할 수 없는 순간'을 그린 것이 아닐까. 당신의 눈을 보고 있어도 당신의 눈동자는 볼 수 없는 시간. 당신의 겉모습을 뚫어지게 바라보고 있지만 당신의 내면을 꿰뚫어볼 수는 없는 시간. 그것이 우리가 '혼자'임을 깨닫는 순간이 아닌지. 고독과 소외를 넘어, 내면의 성숙으로 가는 길. 그 길 위에서 우리는 필연적으로, 아무리 사랑해도 결코 극복할 수 없는 외로움을 견뎌내야 한다.

350 SUN 대화의 향기 불편한 것을 불편하다고 말하는 용기

나다움을 지키기 위해서는 나를 공격하는 타인의 말들로부터 나를 지켜야 한다. 독자들은 타인에게 상처받는 말들 때문에 힘들다는 편지를 많이 보내온다. 그중에 이런 편지가 있었다. "톡톡 쏘듯이 자기 생각을 모두 얘기하는 사람과 대화를 하다 보면 상처를 받을 때가 많아요. 그럴 때는 어떻게 대처를 하는 게 좋을까요? 다른 사람의 말에 상처받지 않는 방법은 없을까요?"

나는 독자에게 이런 답장을 보내주었다. "말에 독침을 담아 쏘는 사람들이 있습니다. 그런 사람들의 말에는 마치 화살이나 칼이 박힌 것처럼 한 마디 한 마디가 심장을 찌릅니다. 그런 사람들의 말을 듣고 있으면 차라리 그 순간에는 귀를 막고 싶을 정도지요. 가족 간에도 그런 상처를 주는 일이 많습니다. 자식에게 지나치게 공부를 강요하는 부모들, 돈이나 성공에 대한 세속적인 가치를 마치 위대한 진리라도 되는 양 떠들어대는 사람들, '나는 할 수 있는데 왜 너는 못 하느냐'는 식의 어법으로 나와 자신을 비교하는 사람들. 그런 사람들의 공격적인 발언 때문에 사람들은 시도 때도 없이 상처를 받습니다. 이럴 땐 최대한 자기방어를 하는 것이 좋습니다. '그런 말은 듣기가 좀 거북하네요' 정도의 불쾌감을 표시하는 것이 좋습니다. 화제를 딴 곳으로 돌리는 법도 있지만, 화제만 돌리면 상대방은 자신이 뭘 잘못했는지 인지하지 못하는 경우가 많습니다. 그 순간 조금 힘들더라도, '당신의 부주의한 말 때문에 내가 상처 입었다'는 사실을 상대방이 느낄 수 있게 암시를 주는 것은 중요합니다. 저는 견딜 수 없는 말을 들을 때마다 점점 한 사람씩 소극적으로 멀리하다가 결국에는 그 당시에 교류하던 대부분의 사람들을 한꺼번에 잃어버린 경험이 있습니다. 아무도 제가 왜 힘들어하는지를 알지 못했던 거지요. 내가 왜 상처를 받았는지 제대로 표현하지 못한 결과였지요.

도망가는 것, 화제를 바꾸는 것, 그런 일이 없었던 것처럼 태연하게 포커페이스를 만드는 것은 전혀 도움이 되지 않습니다. 당신이 알고 있는 가장 예의 바르고 정중한 표현으로, 그러나 당당하고 분명하게 말씀하셔야 합니다. 나는 당신에게 그런 부당한 이야기를 들을 이유가 없다는 것을요. 친하다고 해서 눈감아주고, 이해하는 척 져주고, 떨떠름한 마음으로 감싸주다 보면, 나중에 갈등은 더욱 걷잡을 수 없는 파괴력이 되어 바로 나 자신에게 부메랑처럼 되돌아오게 됩니다. 여러분이 느끼는 불쾌감과 고통을 어떤 방식으로든 표현하셔야 합니다. 비록 상황이 빠르게 개선되지는 않더라도, 나 자신의 정신건강을 위해서는 상처받은 마음을 간접적으로라도 표현하는 것이 훨씬 낫지요." 나다움을 지킬 용기, 그것은 너무 아픈 말들로부터 나를 당당하게 지킬 용기이기도 하다.

351 MON  심리학의 조언 자존감에 구속되지 않기

요새 '자존감'이라는 단어가 책 제목에서 자주 눈에 띈다. 《자존감 수업》, 《심리학, 자존감을 부탁해》, 《자존감이라는 독》 이런 식으로 '자존감'의 뿌리를 파고드는 책들이 눈길을 끈다. 언젠가부터 우리는 '자기를 사랑해야 하는데 그렇지 못하다'는 감정에 빠져들기 시작한 것일까. 자존감에 상처를 입는 일이 많아질수록 자존감은 '꼭 있어야 하는데, 아무나 가지기는 힘든' 그런 진귀한 감정으로 이상화된다. 하지만 자존감이 높은 사람이라고 꼭 행복한 것은 아니다. 높은 자존감을 유지하기 위해 타인에게 상처를 주기도 하고, 자기애에 푹 빠진 나머지 타인에 대한 배려는 눈곱만치도 찾아볼 수 없는 사람도 많다.

자존감은 확실히 과대평가된 가치다. 게다가 자존감이라는 감정의 뉘앙스는 '있는 그대로의 자신'을 투명하게 받아들이기보다는 '자기를 실제보다 더 크고, 멋지게 생각하는 감정'에 가깝지 않은가. 자신을 크고, 대단하고, 빛나는 존재로 바라봐야만 행복할 수 있다면, 그것이 과연 건강한 감정일까. 우리가 '자존감'이나 '자기애'라는 감정의 커튼을 걷어내고 진정 '자기를 인식하는 순간'은 어떤 때일까. '나는 더 강해야 한다, 나는 더 빛나야 한다, 나는 더 사랑받아야 한다'는 욕망에 휘둘리지 않고 자기를 똑바로 바라볼 수 있는 길은 없을까.

앤서니 스토의 《고독의 위로》라는 책을 보니, 자급자족할 수 있는(self-sufficient), 자기인식(self-knowledge), 자수성가한(self-made), 이기주의자(self-seeker), 자기성찰(self-examination), 자기중심(selfhood), 이기주의(self-interest), 자각적인(selfknowing), 자기기만(self-deception) 등 '자기(self)'와 관련된 단어들은 모두 17세기 말 이후에 만들어진 것이라고 한다. '자기'라는 단어를 통해 파생된 단어들을 다 모아놓고 보면, 인간의 피할 수 없는 자기 중심성이 느껴진다.

'자아'에 관련된 단어들을 계속 보고 있으면, 내 안의 외로움이 더욱 짙어진다. 어쩌면 인간이 타인뿐 아니라 자기 자신조차 대상화하고 상품화하는 것이 현대사회의 본질이 아닐까. 군자나 대인 같은 이상적인 인간형을 추구했던 동양철학과는 달리, 서양철학은 '개인'이나 '자아실현' 같은 지극히 자기중심적인 인간형을 양성하는 데 진력해왔다. 물론 이렇게 동서양의 철학을 단순화하기는 어렵지만, 만물과의 조화를 꿈꾸는 물아일체의 세계관이 '개인'을 최우선에 놓는 자아중심적 세계관보다 훨씬 인간을 자유롭게 하는 것은 분명하지 않을까.

352 TUE 독서의 깨달음 증오와 증오가 만나 빚어낸 비극

셰익스피어의 희곡《베니스의 상인》에서 한치의 양보도 없는 두 베니스의 상인들, 안토니오와 샤일록 사이의 증오의 교착 상태에 파열구를 낸 것은 기상천외하게도 '남장한 여자 판사'였다. 자신 때문에 곤경에 빠진 안토니오를 진심으로 걱정하는 바사니오를 바라보면서, 연인 포샤는 인생 최대의 모험을 결심한다. 자신이 직접 남장을 하고 판사로 위장해 이 심각한 상황을 해결하려 한 것이다. 포샤는 엄숙한 법정에서 차용증서에 대한 신출귀몰한 해석을 내놓는다. 안토니오의 가슴살을 떼어낼 생각에 기세등등한 샤일록에게 가슴살을 1파운드에서 한 치의 오차도 없이 떼어내되 결코 '피를 흘려서는 안 된다'고 판결한 것이다. 판관의 '해석'은 곧 새로운 현실을 '창조'하는 윤리적 실천의 문제이기도 하다는 것을, 지혜로운 포샤는 온몸으로 보여준 것이다.

사람들이 대체 안토니오의 살점은 떼어내서 뭣 할 것이냐고 묻자, 샤일록은 이렇게 말한다. 아무 쓸데가 없더라도, 내 복수심은 만족된다고. "당신은 내가 손해를 보면 조소하고, 이익을 보면 조롱했지. 우리 민족을 멸시하고, 내 거래를 방해했다. 대체 무슨 까닭에? 내가 유대인이기 때문이지." 그는 유대인이기 때문에 받아왔던 모든 설움과 한을 풀어낸다. "유대인은 눈이 없나? 유대인은 오장이, 육체가, 감각이, 감정이, 정열이 없단 말인가?" 냉혈한으로 비춰졌던 샤일록은 이 대목에서 관객의 마음을 아프게 찌른다. 채무자의 돈 대신 살점 1파운드를 요구하는 샤일록은 물론 잔인하다. 하지만 그 잔인함 이전에, 유대인을 향한 차별과 억압이 존재했다. 샤일록은 단지 한 개인이 아니라 억압과 차별을 견뎌왔던 유대인의 역사를 대변하는 존재였던 것이다.

판결은 전적으로 샤일록의 패배로 끝난다. 샤일록은 전재산을 빼앗길 뿐 아니라 강제 개종까지 당한다. 샤일록의 딸 제시카와 안토니오의 친구 로렌조가 결혼을 한 것은 이 질긴 증오의 사슬이 언젠가는 끊어지기를 바라는 작가의 염원이었을지도 모른다. 그러나 극이 끝나는 순간, 가장 외롭고 불행한 인간이 샤일록인 것만은 분명하다. 딸도 재산도 잃고, 유대인이라는 정체성조차 잃은 채 기독교로 개종당한 샤일록에게 작가는 어떤 자비도 베풀어주지 않았다. 안토니오와 샤일록이 서로를 향한 증오의 전쟁이 아니라, 공동체의 평화를 위협하는 인종차별 그 자체와 전투를 벌였다면,《베니스의 상인》은 더욱 멋진 작품이 되지 않았을까.

- 《베니스의 상인》은 오랫동안 서로를 미워하던 안토니오와 샤일록의 이야기가 한 축을 이룬다. 안토니오는 친구 바사니오를 위해 평소 증오하던 유대인 고리대금업자 샤일록에게 돈을 빌리기로 한다. 샤일록은 기회가 왔다는 듯 차용증을 쓴다. 빚을 갚지 못하면 당신의 살점 1파운드를 도려내겠다고. 안토니오의 상선이 침몰하면서 그는 목숨을 잃을 위기에 처한다

353 WED 일상의 토닥임 인사, 몸과 몸의 교감

친밀감이란 어떻게 만들어지는 걸까. 사람들은 저마다 더 깊고 따뜻한 관계를 맺기를 원하지만, 실제로 그런 관계를 만든다는 것은 점점 어려워진다. 미디어가 최첨단으로 발전해갈수록 오히려 사람들의 외로움은 더 깊어지는 것 같다. 블로그나 페이스북에서는 쉽게 '좋아요', '멋져요', '대단하세요'라는 칭찬을 하지만, 실제로 만나는 사람들에게 우리는 그렇게 우호적인 표현을 자연스럽게 하지 않는다. 인터넷 세상에서는 자기 이름을 밝히지 않거나 직접 모습을 드러내지 않고도 마음껏 이야기를 하지만, 실제로 사람들을 만나는 것에서는 두려움을 느끼는 일도 잦아진다. 왜 그럴까.

인간은 '몸'으로 움직이고 소통하는 존재이기 때문이다. '몸'과 '몸'이 만나 직접 서로의 목소리를 듣고, 표정을 보고, 몸짓을 바라보고, 눈빛을 교환하며 소통하는 법은 경험을 통해서만 나아질 수 있는 것이기에. 그런 의미에서 인터넷에서 쉽게 키보드를 두드리며 만들어가는 소통은 훨씬 쉬운 것이다. 뭔가를 '대체'하려고 하는 것은 항상 '편안함'을 주는 대신에 본래의 목적에서 점점 멀어지는 결과를 낳는다. 많은 공적인 만남을 전화나 이메일로 대신하다 보니, 직접 사람을 만나면 괜히 어색해지고 할 말이 없어지는 경우가 많다. 우리는 '미디어'에 익숙해지는 대신 '몸과 몸'이 만나 직접 교감하는 생생한 소통에 둔감해지게 된 것이다. 하지만 기계나 미디어를 통해 이루어지는 만남은 결코 사람과 사람이 직접 만나 소통하는 진정한 친밀감을 대체할 수가 없다.

그런 의미에서 반갑게 인사하는 것이야말로 가장 중요한 '몸과 몸의 대화'의 시작이 아닐까. 인사만으로도 우리는 훌쩍 가까워질 수 있다. 날씨 이야기 같은 쉬운 화제로 시작해서, 그 사람의 안부를 묻는 일부터 시작할 수 있다. 학교에서 수업을 할 때도 인사의 중요성을 많이 느낀다. 반갑게, 그리고 환하고 밝게 인사를 잘 하는 아이들이 많은 수업일수록 더 '시작하는 마음'이 가볍다. 아이들의 인사가 심드렁할 때는 내가 먼저 아이들에게 인사를 한다. "주말 잘 지냈어요? 주말엔 뭘 하고 지냈어요?" 이런 아주 간단한 인사부터 시작하면 화제를 이어나갈 수 있다. 아직 친하지도 않은데, 인사까지 대충하는 관계가 좋아질 수는 없다. 정성껏 반갑게 인사하는 아주 사소한 몸짓을 통해서 따뜻한 관계 맺기는 시작된다.

354 THU

사람의 반짝임

사람과 사람 사이의 친밀감

친밀감을 일깨우는 최고의 방법 중 하나는 타인의 이야기를 조건 없이 들어주는 것이다. 다른 사람의 고민에 관심을 가지고 그의 고민을 들어주고 공감하는 일 또한 빼놓을 수 없을 터. 그 사람을 좋아하면 당연히 그렇게 되지만, 또 거꾸로 누군가의 고민을 우연히 알게 되었을 때 그 사람에게 더욱 관심이 생기기도 한다. 그럴 때 '내가 어떻게 남의 고민을 해결해줄 수 있겠어'라고 부담을 갖기보다는, 어떤 고민인지 살짝 물어보기도 하고, 힘들어하는 그 사람 곁에 다만 함께 있음으로써 친구가 될 수 있다. 어릴 때는 이 모든 것들이 자연스러웠는데, 성인이 되니 관계에 대한 두려움과 비관적인 생각이 점점 커져서 이 모든 솔직한 감정표현들이 어려워지곤 한다.

피카소는 이런 말을 한 적이 있다. "나는 열다섯 살에 이미 벨라스케스처럼 그릴 수 있었다. 그런데 아이들처럼 그릴 수 있게 되기까지는 80년이 걸렸다." 천재 화가 피카소는 그림을 잘 그릴 수 있는 기술보다도 '아이들처럼 그리는 것', 즉 아이의 마음이 되어 누구의 눈치도 보지 않고 오직 자기 자신 안의 영감을 따라가는 그림을 그리는 것이 훨씬 어려웠다고 토로하는 것이다. 인간관계도 마찬가지다. '관계 맺기의 기술' 같은 말은 믿지 말자. 그런 비결은 누구에게나 통하는 것이 아니다. 그런 비결이나 지름길은 원래 존재하지 않는다. 관계는 스킬의 문제가 아니다. 어린애처럼 솔직해지는 것, 꼬마들처럼 자연스러워지는 것, 말도 아직 제대로 하지 못하는 아기들처럼 천진난만해지는 것이 가장 어렵다. 그런데 그 사람을 정말 진심으로 좋아하면, 어느 순간 자존심조차 놓아버리게 된다.

연인관계뿐만이 아니라 친구 관계도 그렇다. 나이 차이가 나더라도, 살아온 배경이 많이 다르더라도, 결코 친해질 수 없는 환경에 처해 있을지라도, 누군가에게 매혹을 느낀다는 것은 그렇게 마음 한구석의 방어벽이 허물어지는 일이다. 관계에 대한 부담과 공포 때문에 꼭꼭 닫혀 있던 마음의 문이 열리는 순간, 그때 더 솔직하게 자신을 보여주자. 혹은 밤새도록 타인의 고민을 들어주는 시간도 좋다. 마음을 여는 것이 어느 때보다도 어려워진 지금, 우리는 어디서나 마음을 열고 자신의 마음을 꾸밈없이 보여줄 따뜻한 친구를 필요로 한다.

355 FRI 영화의 속삭임 나의 말 못할 아픔을 알아주는 사람

영화 〈헬프〉를 보는 동안, 나는 유색인 가정부라는 이유만으로 그런 부당한 차별을 견뎌야 하는 그녀들의 아름다운 정신에 감탄했다. '나는 멋지다. 나는 사랑스럽다. 나는 착하다.' 그녀들은 금방이라도 무너져 내릴 것만 같은 스스로에게, 나아가 자신처럼 고통받는 타인들에게 매번 절규하고 있었다. 너무도 당연한 진실이지만, 아무도 그녀들에게 인정해주지 않는 그것. '나는 멋지다. 나는 사랑스럽다. 나는 착하다. 그러므로 내가 오늘 받은 학대는 부당한 것이다.'

아이빌린은 베이비시터 역할에 도가 튼 가정부다. 하지만 백인 아이들을 키우느라 정작 자기 아이를 키우지 못했다. 게다가 그녀의 아이는 스무 살을 갓 넘기고 죽었다. 사고사였지만, 백인 의사들이 유색인을 치료하면 안 된다는 규정만 없었어도, 살아남았을 것이다.

아이빌린의 절친 미니는 요리의 달인이다. 그녀의 요리를 맛본 사람들은 결코 그 맛을 잊지 못한다. 하지만 미니에게는 치명적인 약점(?)이 있다. 속에 품은 말을 참고 참다가 기어이 뱉어내고 마는 것이다. 미니는 어머니에게 이런 교육을 받았다. "백인들은 네 친구가 아니야. 백인 여자가 자기 남편과 이웃집 여자가 같이 있는 걸 붙잡아도 넌 모른 척해야 한다." 하지만 가슴속 정의의 투사를 잠재우지 못한 미니는 당최 그 '모른 척'이 되질 않는다. 난 맞설 수 있는데, 난 싸울 수 있는데, 왜 안 된다는 거지?

스키터는 작가를 꿈꾸는 백인 여성이다. 그녀에게 가정부 콘스탄틴은 어머니 같은 존재였다. 어머니가 스키터의 선머슴같은 외모와 '여자답지 못한' 행동에 불만을 터트릴 때도, 콘스탄틴은 스키터의 손을 꼭 잡으며 말해주었다. "당신의 가치를 결정하는 건 당신 자신이에요. 아무도 당신의 가치를 함부로 재단할 수 없어요."

'너는 무가치하다'는 무언의 사이렌이 도처에 울려퍼지는 백인들의 마을에서, '나는 멋지다. 나는 좋은 사람이다. 나는 사랑받을 자격이 있다'는 자기 최면의 멜로디는 그녀들의 유일한 안식처였다. 아이빌린은 백인으로 태어났음에도 불구하고 '예쁘지 않다'는 이유로 사랑받지 못하는 아기 메이 모블린을 향해 아름다운 자기최면의 멜로디를 들려준다. '난 소중해요. 난 착해요. 난 사랑스러워요.'

이 이야기는 위대한 백인이 힘없는 흑인들을 구하는 이야기가 아니다. 유색인 가정부 콘스탄틴이 백인 소녀 스키터를 구하고, 그 백인 소녀가 자라나 콘스탄틴의 친구인 아이빌린과 미니를 구하고, 마침내 스스로를 구한 그들이 역사상 인종차별이 가장 극심했던 미시시피 주의 분위기 전체를 바꾸는 이야기다. 이 이야기는 백인이 흑인을 구하는 이야기가 아니라 서로가 서로의 결핍과 절망을 소통하고 구원하는 이야기다.

356 SAT 그림의 손길 거울에 비친 '나'라는 환상

"자신을 모른 채 지낸다면, 오래오래 살 수 있을 것이다." 이는 어쩌면 나르시스만이 아니라 현대인 모두에게 적용되는 저주인지도 모른다. 나르시스를 그린 그림은 수없이 많지만, 특히 카라바조의 〈나르시스〉(1597~1599년경)를 볼 때마다 그림 속에 쑥 빨려 들어갈 것만 같은 착각을 느낀다.

나르시스의 비극은 물론 타인이 아닌 자기 자신을 사랑하는 마음 때문에 시작되었지만, 더 큰 비극은 그 사랑이 '자신'을 향한 것임을 본인은 끝내 깨닫지 못한 것이 아닐까. 자신이 스스로를 사랑한 것이 아니라 '물속에 사는 또 하나의 사람'을 사랑하고 있다고 생각했던 나르시스는 끝내 호수가 자신을 비추는 거울임을 알아채지 못했다. 나르시스에 대한 그리스신화의 예언은 자못 섬뜩한 데가 있다. "자신을 모른 채 지낸다면, 오래오래 살 수 있을 것이다." 과연 그랬다. 나르시스는 자신의 모습을 모른 채 살아갔을 때는 불행하지 않았다. 멈출 수 없는 사랑에 온몸이 타오를 것 같은 고통 따위는 느껴본 적이 없었다.

하지만 나르시스가 호수에 자신의 모습을 비춰보는 순간, 그는 비로소 '자신'의 모습을 목격하고야 만다. 자신을 안다고 할 수는 없지만, 자신을 목격해버린 것이다. 자신을 모른 채 지냈다면 결코 자신과 사랑에 빠지지는 않았을 텐데. 이것은 어쩌면 신화 속의 나르시스만이 아니라 현대인 모두에게 적용되는 저주가 아닐까. 현대인은 전통 사회의 사람들과 달리, 지나치게 미디어라는 거대한 호수에 자신을 많이 비추어보곤 한다. 화려한 미디어의 이미지에 비추면 우리 자신의 얼굴은 얼마나 작고 평범하게 느껴지는가. 나르시스가 자신의 이미지를 너무 과대평가하여 고통을 받았다면, 미디어의 현란한 이미지에 짓눌려 살아가는 현대인들은 자신의 이미지를 너무 과소평가하여 고통받고 있는지도 모른다.

나르시스가 호수에 비춰 자신의 모습을 비춰보며 감탄하는 동안, 우리는 미디어라는 거대한 거울을 깨고, 미디어라는 거대한 호수를 박차고 나와, '세상' 속으로 들어가는 것이 어떨까. '나'라는 이미지가 너무 견고하게 고정되어버리기 전에. '나'라는 환상에 빠져 '우리'나 '그들'과 연결되는 고리를 영원히 잃어버리기 전에.

357 SUN  대화의 향기 사랑이라는 감옥에 갇히지 않기

Q1: 사랑하는 사람 때문에 긴 머리를 자르지 못했습니다. 그가 내 긴 생머리를 좋아하기 때문이지요. 이런 나를 보고 사람들이 '독립심이 없다'고, '그 사람에게 의존적이다'라고 비난합니다. 저는 정말 사랑 때문에 자아를 잃어버린 걸까요.

A1: 우선 한 가지 물어보고 싶습니다. 그 사람도 당신이 싫어하는 일이라면 한 번 더 생각해보고, 하지 않으려고 노력하지 않나요? 그럴 거라 믿습니다. 두 사람이 사랑한다면, 자연스럽게 그렇게 됩니다. 아무리 내가 좋아하는 일이라고 해도 그 사람이 싫어하는 일이라면 다시 한번 생각해보고 결국 하지 않게 되고, 그 사람 또한 나에게 그렇게 대해줍니다. 사랑은 누군가에게 의존하거나 복종하는 순간적인 결정에 달린 것이 아니라, 사랑하기 때문에 때로는 나의 익숙한 욕망이나 의지를 꺾어버릴 수 있는 '나의 태도'에 달려 있습니다. 더 정확히 말하면, '당신 때문에 익숙한 나를 버릴 수도 있는 나'와 '나 때문에 가장 원하는 것을 버릴 수도 있는 당신' 사이에 사랑이 가로놓여 있는 것입니다. 사랑하는 사람 때문에 긴 생머리를 고수하는 당신 덕분에 오늘도 행복해하고 있을 그 사람의 미소가 두 사람의 사랑을 증언하는 것이지요.

사랑과 가장 잘 어울리지 않는 단어가 독립이나 의존 같은 일방적인 권력관계를 나타내는 단어입니다. 물론 사랑은 권력의 일종입니다. 하지만 진짜 사랑은 상대방을 찍어 누르는 권력이 아니라 서로의 힘겨운 어깨를 따뜻하게 감싸주는 상호 배려의 권력입니다. A가 B에게 행사하는 일방적인 지배의 권력이 아니라, A와 B 커플이 만들어내는 신비로운 에너지의 자장이 주변 사람들까지도 행복하게 만드는 소통의 권력입니다. 진짜 멋진 커플들은 지나친 애정행각으로 주변 사람들을 당황시키지 않습니다. 진정 아름다운 커플들은 두 사람이 함께 있다는 것만으로도, 아니 두 사람이 따로 있을 때조차도, 두 사람이 만들어내는 사랑의 역사가 타인의 삶에도 창조적인 영감을 줍니다. 서로에게만 지겹도록 배타적으로 잘해주는 것이 아니라, 두 사람이 함께함으로써 다른 사람들도 함께하고 싶은 연대의 장을 만들줄 아는 커플이 진정으로 멋진 커플들이지요. 처음에 사랑은 '이제 너만 바라볼게!'라는 식의 배타적 공감으로 시작되지만 '너로 인해 다른 사람들을 볼 수 있는 눈을 가지게 되었어!'라는 식의 더 커다란 공존의 에너지로 퍼져나갑니다.

358

MON

심리학의 조언

왜 당신은 당신의 편이 아닌가요

나는 서른 살 때까지 한 번도 '행복하다'라는 생각을 해본 적이 없다. 부모가 생각하는 착한 딸, 선생님이 생각하는 훌륭한 학생, 사회가 생각하는 괜찮은 구성원이 되느라 정작 내가 생각하는 진짜 나 자신이 되지 못했던 것이다. 심리학을 공부하면서 사회화와 개성화의 차이를 알게 되고, 나는 내가 '개성화하지 못한 인간'임을 알게 됐다. '다른 사람이 원하는 인간'이 되느라 '내가 원하는 존재'가 되지 못한 사람, 그것이 나였다는 깨달음이 너무도 아팠지만, 그 아픔이 내게 가르쳐준 것이 더 많다. 아무리 열심히 공부해도, 아무리 진지하게 무언가를 추구해도, 내 삶의 중심이 '나 자신' 안에 있지 않으면 누군가의 엑스트라, 누군가의 사회화의 결과물, 부모나 사회의 열망이 투사된 환영에 불과함을 알게 됐다.

서른이 넘어서도 이런 질문을 하는 사람이 많다. "이럴 땐 어떻게 해야 하지요?" "이런 상황엔 어떻게 대처해야 할까요?" 그럴 때마다 나는 조언을 해주긴 하지만 마음 한 구석이 아려온다. 진짜 하고 싶은 말은 그 순간에 맞춤 서비스 되는 구체적인 조언이 아니라 '이런 중요한 사안은 남에게 물어볼 것이 아니라 우선 자기 자신에게 물어봐야 한다는 것'이기 때문이다. 나를 지키는 무기를 내 안에서 찾아내는 것, 그것이 심리학이 내게 가르쳐준 최고의 무기였다. 가족이 나를 지켜주지 못할 때도, 내가 가진 모든 것이 아무런 힘을 발휘하지 못할 때도, 나는 나를 지키기 위해 내 안의 모든 지혜와 용기를 끌어모아야 했고, 그렇게 온몸으로 부딪칠 때마다 조금씩 성장했다. 내가 나를 지켜내지 못하면 아무도 나를 지킬 수 없는 상황이 정말 많은데도, 사람들은 인생이라는 검투장에서 나를 지킬 무기를 갖추지 못한 채 '금수저'나 '무적의 멘토'를 기대한다. 자기공감은 곧 내가 나의 편이 된다는 것이며, 그것은 지금까지 왜 내가 나의 편이 아니었는가를 깨닫는 것이기도 하다. 내가 나를 지키는 최고의 전사가 될 수 있음을 믿기 시작하는 것, 그것이 '내가 나의 편'이 되는 첫걸음이다.

'나에게 아직 이런 상처가 숨어 있었구나'라는 깨달음에 울기도 하고, '나에게 이 상처를 이겨낼 용기와 지혜가 이미 있었구나. 나는 오래전에 이미 그 상처를 이겨낸 것이로구나' 하고 안도감을 느끼기도 한다. '트라우마가 나를 구속하고 있었다'는 사실을 알게 된 이후, 더 이상 트라우마가 나를 휘두르지 못하도록, 매일 트라우마와 대면하는 훈련을 했다. 이제는 트라우마가 나를 굴복시키지 못했음을, 내가 그 트라우마보다 더 강인한 사람임을 알게 됐다. 그 깨달음은 어떤 재산보다도 값진 내적 자산이었다. 어떤 상황에서도 내가 나인 채로 그 누구의 힘도 빌리지 않고 다시 일어설 수 있는 용기를 발견했기 때문이다.

359  당신이 타인보다 민감하다면

TUE

독서의 깨달음

"넌 툭하면 우냐?" "너무 예민하게 굴지 마." 어린 시절 어른들에게 자주 들었던 핀잔이다. 어른이 되어서도 '넌 너무 예민하다'는 지적을 들을 때마다 마음의 문을 차곡차곡 닫은 결과 인간관계가 매우 좁아졌다. 하지만 이제는 안다. 나의 예민함이 나의 창조성의 원천이기도 하다는 것을. 이제는 사람들이 내게 말한다. "넌 어떻게 이런 생각을 했어?" "전 똑같은 걸 읽었는데, 이런 생각 전혀 못 했어요." 이젠 조금 알 것 같다. 누군가는 '너무 예민하다'고 지적하고, 누군가는 '너무 기발하고 재미있다'고 지적하는 부분이 사실 알고 보면 '같은 뿌리'에서 나온다는 것을. 그 같은 뿌리는 바로 지극한, 때로는 지독한 예민함과 섬세함이었다.

《타인보다 더 민감한 사람》은 예민한 사람들의 필독서가 될 것 같다. 나는 이 책을 읽으며 정말 많이 위로받았다. 스스로도 너무 예민하여 모든 자극을 피해 다니기에 바빴던 저자는 훗날 심리학자가 되어 이런 책을 썼다. "매우 민감한 사람들은 자신이 어떤 놀라운 능력을 가지고 있는지 잘 모르고 있다. 하지만 사회적으로 가장 높은 평가를 받는, 위대한 창의력과 통찰력 그리고 열정과 동정심을 보여준 많은 사람은 사실 매우 민감한 사람이었다." 저자는 타인보다 지나치게 민감하기 때문에 세상을 두려워하거나 수많은 기회를 놓쳐버리는 사람들을 위해, 결코 어떤 기회도 놓치지 말고, 더욱 적극적으로 자신을 지키고 창조성을 발현할 틈새 공간을 찾아내라고 권유한다.

저자는 육체적으로나 정신적으로 너무 예민한 탓에 인간관계를 맺는 데 커다란 어려움을 겪는 사람들에게 용기를 준다. 자신의 고유성을 실현하는 개성화 과정은 무엇보다, 아무리 주변이 시끄러워도 자신의 내면의 목소리에 귀 기울이는 능력을 필요로 한다고. 만일 본연의 자신을 발견하는 '해방'을 향한 진전이 느리다고 해도 걱정할 필요는 없다고. 민감함은 특별한 능력이 될 수 있으며, 직관이 발달하고 육감이 뛰어난 이들이 지닌 잠재력은 인류의 역사에서 수많은 역할을 해왔다고 말이다. 혹시 '너무 내성적이다', '숫기가 없다'는 말 때문에 상처받은 적이 있는가. 그렇다면 자신의 예민함이 때로는 좋은 역할을 할 수도 있다는 것을 잊지 말자. 사회가 지속되기 위해서는 위험을 미리 감지하고 섬세한 판단을 내릴 수 있는 민감한 이들이 반드시 필요하기 때문이다. 타인보다 민감한 사람은 하천의 1급수에서 살아갈 수 있는 열목어나 쉬리처럼 그 사회의 청정도를 가늠할 수 있는 섬세한 척도가 될 수 있다. 마음껏 예민할 권리, 마음껏 민감할 권리를 지킬 수 있는 사회가 바로 더 많은 사람이 안전과 행복을 느낄 수 있는 사회이니까. 예민함은 결코 질병이 아니다. 예민함은 더 많은 것을 보고 느낄 수 있는 잠재력이자 창조성의 다른 이름이다.

360 WED 일상의 토닥임 읽고 쓰기를 통해 치유되는 고통

독서야말로 최고의 피난처다. 책을 읽고 있는 동안만은 이 세상 모든 고통으로부터 보호받는 느낌이 든다. 책 속의 세계 속으로 완전히 몰입했을 때, 누구도 '책과 나' 사이에 만들어진 그 아름다운 연결고리를 깨뜨릴 수 없었다. 책 속의 또 다른 세상에 완전히 몰입해 있으면, 세상 모든 아픔이 그 시간 동안 만큼은 우리를 괴롭히지 못한다. 내가 책 속의 세계에 빠져들어 있을 때, 나와 책 사이에는 그 어떤 불순물도 침입할 수 없다. 이렇듯 독서는 시끄러운 세상을 향한 방패막이 되어준다. 독서는 누구도 쉽게 뚫고 들어올 수 없는 든든한 마음의 요새가 되어준다. 내가 읽고, 내가 이해한 것은 누구도 빼앗아갈 수 없는 마음의 자산이다. 그리하여 독서를 하는 사람은 침묵 속에서 오히려 강인해진다.

좋은 책을 읽고 나면 마음속이 엄청나게 수다스러워진다. 하고 싶은 말이 용솟음친다. 내면에는 수많은 할 말이 요동치고 있지만, 하고픈 말을 묵혀 둔 채, 독서의 감동을 숙성시키는 것이 좋다. 감동은 곧바로 표출하기보다 숙성과 발효의 과정을 거쳐 천천히 표현하는 것이 좋다. 무언가를 표현해야 할 책임이 있는 사람들은 더욱 사려 깊게, 더욱 심사숙고하여 자신의 감동을 무르익게 만들어야 한다.

휴대전화 하나만으로도 우리는 '매일 읽고 쓰는 삶'을 이미 실천하고 있다. 문제는 어떤 글을 읽고, 쓸 것인가이다. '어떤 글을 읽고 쓰는가'가 '어떤 삶을 살 것인가'를 결정한다. 글쓰기란 누군가의 고독이 타인의 고독을 향해 말을 거는 몸짓이다. 우리가 혼자 있을 때, 우리가 외로울 때, 글쓴이의 마음이 더 잘 들리는 것은 독서가 필연적으로 '몰입'을 요구하기 때문이다.

나는 마음이 산란해질 때마다 눈앞에 보이는 아무 책이나 집어 아무 페이지나 펼쳐 소리 내어 읽기 시작한다. 낭독은 나의 고독이 나 자신을 향해 말을 거는 몸짓이다. 사람들 앞에서 소리 내어 글을 낭독할 때마다, 우리는 다른 사람들뿐 아니라 자기 자신에게도 그 글을 읽어주고 있는 셈이다. 나 자신을 향한 목소리가 낭독을 통해 울려 퍼지는 순간, '목소리'는 '눈'보다 훨씬 많은 의미와 여운을 실어 나른다. 읽기와 쓰기를 통해 삶의 의미를 한 올 한 올 직조해나갈 수 있다는 희망. 그 희망이 우리로 하여금 끊임없이 무언가를 읽고 쓰고 다듬고 고치게 만든다. 내가 쓰는 글 속에는 좀 더 희망차고, 좀 더 용감해진 내가 들어차 있기를. 내가 읽는 글 속에, 내가 쓰는 글 속에 '어제보다 나아진 나'를 담을 수 있기를.

361 THU

사람의 반짝임

버지니아 울프, 글쓰기의 치유적 힘

내게 글쓰기의 치유적 힘을 알려준 작가가 바로 버지니아 울프다. 버지니아 울프는 《존재의 순간들》에서 이렇게 말했다. "무엇이든 언어로 바꾸어놓았을 때 그것은 비로소 온전한 것이 되었다. 그 온전함이란 그것이 나를 다치게 할 힘을 잃었음을 말한다." 어떤 힘겨운 사건이라도 그것을 '언어화'할 수 있다면, 우리는 그것으로부터 마음의 거리를 둘 수 있게 된다. 아무리 아픈 상처라도 그것을 '글'로 쓸 수 있다면, 그 상처는 나를 예전처럼 아프게 찌르지 않을 것이다. 글로 표현할 수 있는 상처라면, 글로 치유도 할 수 있다. 그리하여 훌륭한 문학작품은 상처 입은 사람들을 구원할 수 있는 힘을 지닌다. 글로 표현된 상처는 총칼이나 실제 사건과 달리, 우리로 하여금 '사유'하게 만들기 때문이다.

총칼 앞에서 인간은 쓰러지고, 너무도 충격적인 현실의 사건 앞에서 인간의 영혼은 무너지지만, '글'로 표현된 상처는 우리로 하여금 그 이야기의 '의미'와 '파장'을 생각하도록 만든다. 바로 그 집단적인 거리, 심리적인 거리가 치유를 시작하게 만들 수 있다. 더 이상 이런 일이 일어나서는 안 된다는 판단. 더 이상 이런 일이 일어나지 않도록 하기 위해 나 또한 작은 발걸음이나마 내디뎌야 한다는 결단. 내가 바뀌면 세상도 조금씩 바뀔 수 있다는 믿음만이 세상을 바꿀 수 있다.

'자기만의 방'을 얻기 위해 분투했던 버지니아 울프는 이 세상 수많은 여성에게 '자기만의 방'을 향한 투지를 일깨워주었을 뿐 아니라 '자기만의 방에서 과연 무엇을 할 것인가'를 생각하게 만들어주었다. 자기만의 방을 얻기까지의 과정이 '경제적 독립'이라면, 자기만의 방을 얻은 후 무엇을 할 것인가를 고민하는 것은 '영혼의 독립'을 실천하는 일이다. 힘들게 얻은 자기만의 방 안에서 우리는 과연 무엇을 할 것인가. 버지니아 울프는 읽고, 쓰고, 또 읽고 쓰는 길을 택했다.

그 길 또한 이 세상 어느 길 못지않은 가시밭길이었지만, 직장 상사에게도, 대중 독자에게도, 출판사에게도 눈치를 보고 싶지 않았던 그녀는 영혼의 완전한 독립을 평생의 과제로 선택했다. 그 길을 선택함으로써 그녀는 이 세상 누구와도, 그 무엇과도 타협하지 않는 자유의 길을 걸어갈 수 있었다. 내게 '읽고 쓰는 것'은 이 세상이라는 거대한 미로에서 '나 자신의 길'을 찾는 방법이다. 그런데 그 광대한 미로 속에서 나만의 길을 찾을 수 있는 '아리아드네의 실'은 하나의 길로만 통해 있는 것이 아니다. 나 자신으로 가는 길, 그 가장 어렵고 복잡한 길은 내가 어떻게 항로를 수정하는지에 따라, 내가 어떻게 세상을 향한 주파수를 맞추는지에 따라, 매번 변화할 수 있다.

362 FRI 영화의 속삭임 사랑의 끝까지 걸어가 본 사람의 용기

누구에게도 사랑받은 적 없는 카지모도는 갑작스레 다가온 불가해한 감정을 어떻게 '처리'해야 할지 모른다. 그는 살아간다기보다 단지 생존했다. 노트르담의 종을 울리는 순간의 짧은 희열 말고는 어떤 기쁨도 없었다. 파리 사람들에게 집단구타를 당해 빈사 상태에 이르렀을 때 그는 간절히 구한다. 물, 단 한 모금만, 아니 단 한 방울만이라도. 흐릿해지는 시야 저편에서 아름다운 한 여인이 나타난다. 자신이 납치하려고 했던 그녀, 에스메랄다가 다가와 물을 먹여준 것이다. 카지모도의 눈에서 자신도 모르게 뜨거운 눈물이 흘러나온다. 작가 빅토르 위고는 친절하게 설명해준다. 아마 이것은 이 불행한 사나이가 난생처음 흘린 눈물이었을 거라고. 꼽추에 절름발이에 귀머거리에 애꾸눈이었던 카지모도에게 그녀는 세상을 향해 열린, 단 하나의 창문이었던 것이다.

그가 흘린 첫 번째 눈물, 그것은 엄마도 친구도 연인도 없었던 그가 세상으로부터 처음 선물 받은, 순수한 호의 때문이었다. 카지모도는 그제야 사람들이 사랑 때문에 울고 웃고 인생조차 바치는 이유를 깨닫지 않았을까. 카지모도는 시인 그랭구아르처럼 아름다운 미사여구를 구사할 줄도 몰랐고, 프롤로처럼 부와 명예와 권력을 한꺼번에 가지지도 못했으며, 페뷔스처럼 완벽한 외모와 카리스마로 여성을 홀릴 수도 없었다. 그러나 카지모도는 그들 모두에게 턱없이 부족한 것, 사랑하는 사람을 위해 자신의 모든 것을 바치는, 진정한 용기를 지니고 있었다.

노트르담 성당 앞에 구름처럼 모여든 구경꾼들 앞에서 죽어가는 그녀를 신출귀몰한 솜씨로 구해내는 순간, 카지모도는 다시없는 영웅이 된다. 그녀를 구하는 순간, 군중들은 웃고 울고 열광하며 발을 동동 구른다. 그들이 그토록 멸시하고 짓밟고 혐오하던 카지모도는 그 순간 진정 소름 끼치게 아름다워 보였으니까. 그는 처음으로 자신이 '강하다'는 것을 깨닫게 된다. 그는 처음으로 사랑하는 사람의 목숨을 구했을 뿐 아니라, 그녀를 잔인한 운명의 굴레에서 해방시킨다. 그리고 단지 한 사람을 구하는 것을 넘어, '그들만의 세계'로 보였던 파리의 저잣거리 속으로 드디어 개입한다. 그는 더 이상 얼굴이 보이지 않는, 종소리만 울리고 사라지는 엑스트라가 아니라, 그들만의 세상, 어긋난 세상을 바로잡는 데 결정적 단서를 제공하는 존재로 비약한다. 허섭스레기처럼 무시당하며 자란 고아, 카지모도는 자신이 존엄하고 굳센 존재임을 깨닫는다. 그는 추방당한 자였다. 그러나 이 순간, 그는 자신을 추방시킨 그 사회를 장악하고 굽어보며 그들만의 법과 제도를 조롱한다. 그녀를 죽이기 위해 '출근'한 경관들, 법관들, 망나니들은 모두 국왕의 전령들이었다. 카지모도는 이 순간 한 여자를 구하는 일을 넘어 국왕과 맞서고 있는 것이었다. 그는 한 여자를 구하기 위해 온 세상과 대적하고 있었다.

363 SAT 그림의 손길 작가로부터 직접 듣는 낭독의 기쁨

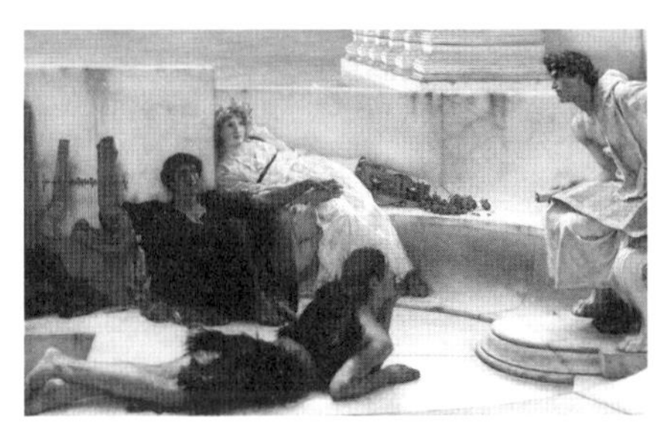

저 유명한《일리아스》를 호메로스의 목소리로 직접 들을 수 있다면 얼마나 가슴 뛰는 일일까. 로렌스 알마 타데마는《호메로스의 낭독》(1885)을 통해 바로 그런 장면을 구현해냈다. 화가로서는 '상상'이지만, 인류의 입장에서는 '회고'에 가까운 이 그림은 '저자로부터 직접 듣는 낭독의 목소리'만이 지닌 생생한 감동을 그려내고 있다. 우리 인류에게는 한때 이런 시간이 있었다. 호메로스로 추정되는 젊은 남자는 그의 무릎 위에 두루마리로 된 책을 펼친 채 청중들에게 낭독을 해주고 있다. 월계수 잎으로 만든 관을 쓴 호메로스는 젊고, 당당하며, 활기 넘친다. 그 이야기가 얼마나 재미있는지는 청중의 표정과 몸짓이 말해준다. 한 남자는 몸을 아예 바닥에 엎드린 채 넋이 나가서 이야기를 듣고 있다. 턱을 괸 채 호메로스의 얼굴을 맹렬하게 바라보고 있는 남자의 눈빛은 이야기를 향한 사랑으로 가득하다.

연인으로 보이는 두 젊은 남녀는 다정하게 손을 잡고 호메로스의 이야기에 완전히 도취된다. 탬버린을 들고 있는 여인과 류트를 곁에 두고 있는 남자는 아마도 연주를 멈추고 호메로스의 이야기에 빠져든 듯하다. 대리석 벽감 너머로 펼쳐진 푸르른 바다는 그리스의 영광, 그리스의 위대한 정신을 상징하는 것처럼 보인다. 호메로스를 낳은 그리스, 그리고《일리아스》를 낳은 호메로스는 이 그림 속에서 영원히 솟아오르는 창조성의 원천으로 형상화되고 있다.

읽고 씀으로써 우리는 매일 깊고 풍요로운 자신의 내적 자원을 만들어간다. 매일 읽고 쓸 수만 있다면, 우리는 더 크고 너른 치유의 공동체에 속할 수 있게 된다. 책 읽기를 좋아하는 사람은 자신에게 필요한 모든 것을 이미 가지고 있는 것이다. 독서를 좋아하는 사람은, 자신에게 필요한 모든 것을 이미 가진 사람이다. 당신이 매일 읽고, 쓰고, 그 배움을 타인과 나눌 수 있는 아름다운 '이야기의 공동체' 속에 있다면. 당신은 이미 당신에게 필요한 모든 자원을 다 가지고 있는 것이다. 따스한 공감의 공동체에 항상 속해 있다는 것. 그것이야말로 최고의 내적 자원이자 회복탄력성이다.

364 SUN 대화의 향기 집착이 아닌 자유를 주는 사랑

사랑에 빠진 독자가 이런 편지를 보내왔다. "한 사람을 좋아하게 되면 온갖 상상에 기뻐하고 행복하게 되면서 뭔가를 점점 더 기대하게 되는 것 같아요. 그러다가 점점 빠지게 되고 집착하게 되는 저 자신을 발견하게 됩니다. 이런 마음을 스스로 다스리기 위한 방법은 정말 없는 건가요. 저는 성격이 우유부단해서 맺고 끊는 걸 잘 못합니다. 그래서 누군가를 좋아하게 되면 살짝 겁부터 집어먹게 됩니다. 한 번 사람을 좋아하면 모든 것을 알아야 하는 집착 증세를 보이기 때문입니다. 결국에는 그러한 것들이 점점 문제가 되고 그로 인하여 헤어지게 되면 자책을 하게 되는데요. 어떤 식으로 마인드 컨트롤을 해야 하는지 알고 싶습니다."

나는 이런 답장을 보내주었다. "마인드 컨트롤이라는 것 자체가 허구나 환상이 아닐까 싶을 때가 있어요. 감정이란 게 통제한다고 해서 완전히 사라지지는 않거든요. 감정과 조금씩 협상하는 과정이 필요합니다. 감정의 뿌리를 잘라내는 억지스러운 과정을 거치면 그 억압된 감정이 어떤 방식으로든 다른 분노의 출구를 찾게 되거든요. 욕망의 근절이 아니라 욕망의 전환을 꿈꾸는 것이 무조건적인 절제보다는 훨씬 나은 방법입니다. 집착의 가장 비극적인 결과는 결국 상대방이 '집착하는 사람'에 대한 애정을 철회한다는 점이지요. 집착은 본래 그를 잃지 않기 위한 몸부림이지만, 집착을 할수록 그 사람은 우리에게서 멀어지게 되어 있습니다. '사랑을 위한 집착'이라고 스스로를 변호하게 되지만, 사실 사랑의 가장 무서운 적이 집착이지요.

버지니아 울프의《댈러웨이 부인》에서 댈러웨이 부인은 젊은 시절 두 남자 사이에서 갈등을 합니다. 사랑의 열정이라는 관점에서 보면 피터가 훨씬 강력한 상대였지만, 그녀는 결국 자신에게 '숨 쉴 공간'을 주는 차분하고 너그러운 남자 리처드에게 가지요. 자신의 일거수일투족에 의미를 부여하고 뭔가 '낌새'를 눈치채는 피터의 곁에서는 '숨 쉴 자유'가 없음을 알게 된 것이지요. 자유로운 생각을 할 권리, 가끔은 엉뚱한 상상에도 빠져볼 수 있는 권리, 가정이나 여자라는 울타리를 넘어 전혀 다른 꿈을 꿀 수도 있는 권리를, 그녀는 원했습니다. 결국 자신에게 집착하는 남자보다는 자신에게 '다른 생각을 할 자유'를 주는 남자를 택하지요.

상대방에게 '다른 삶을 상상할 수 있는 자유'를 주는 것이야말로 진정한 사랑이 아닐까요. 나에게 진짜 자유를 주는 사람, 그 사람을 사랑하세요. 그리고 내가 진정으로 자유로운 주체가 될 때, 나는 더 크고 깊은 사랑의 주인공이 될 수 있습니다. 그 사람뿐 아니라 온 세상을 사랑할 수 있을 테니까요."

365 MON  심리학의 조언 당신이 잘 있다면, 저는 괜찮습니다

SNS에 가끔 나의 안부를 올릴 때가 있다. 나의 지인들에게 주로 내가 읽고 쓰는 이야기를 들려드리는 소박한 자리인데, 가끔 나도 모르게 감정이 강하게 표출될 때가 있다. 하늘이 너무 아름다운 날. 그 하늘만 봐도 모든 걸 다 용서할 수 있을 것만 같은 날. 그 푸른 하늘의 감동을 함께 나누고 싶어서 사진 한 장과 이런 짧은 글을 올렸다. "하늘만 봐도 괜찮아질 것 같은 이런 날. 이 하늘만 있어도 다 괜찮을 것 같은 그런 하늘이었어요. 오늘은 몸과 마음이 모두 힘든 날이었는데 이 하늘을 바라보니 다 괜찮을 것만 같았습니다. 당신도 나와 같은 하늘을 보며 그냥 다 괜찮아지기를." 정말 그 새파란 하늘을 함께 나누고 싶은 마음이 핵심이었고, 이제 나는 많이 괜찮아졌다는 메시지가 핵심이었는데, 여기저기서 안부 문자가 날아들었다. 얼마나 힘든 건지, 이제는 정말 괜찮은 건지. 꼬치꼬치 사유를 캐묻는 사람은 아무도 없고, '정말로 괜찮은 거니'와 '따스한 위로'만이 가득했다.

그 순간, 내가 얼마나 커다란 사랑 속에 잠겨 살아가는지를 깨달았다. 많이 힘든 거니, 내가 있잖아. 그 모든 메시지를 다 모아 보면 그런 뜻이었다. 나는 이제 함부로 아플 수도 없겠구나. 이 사람들 때문에, 나를 사랑하는 사람들 때문에 함부로 힘들 수도 없구나. 정 힘들 때는 조용히 혼자 몰래 앓고 가뿐히 일어나야겠구나. 사람들에게 걱정을 끼친 것이 너무도 죄송했다. 그리고 그 죄송한 마음조차 내 안의 커다란 사랑임을 깨달았다. 사랑이란 이렇다. 누군가가 혹시나 아플까 봐, 누군가가 혹시나 슬플까 봐 항상 곤두서 있는 마음. 그 마음이 결코 아깝지 않은 마음. 내가 사랑하는 누군가를 하염없이 기다려도 힘든지조차 모르는 마음. 내가 사랑하는 누군가가 조금이라도 아픈 것 같으면 도무지 일이 손에 잡히지 않는 마음. 그런 따스한 마음의 온도와 가녀린 배려의 손길이 모여 우리의 오늘을 만들어가고 있는 것이었다.

심리학을 공부하며 나는 매일 조금씩 더 가까이, 내가 사랑하는 사람들을 향해 걸어가고 있는 느낌이다. 그 길이 아무리 험난할지라도, 그 길이 아무리 끝없이 기나긴 여정일지라도. 나는 포기하지 않을 작정이다. 우리를 끝내 치유하는 감정, 그것은 오늘 우리가 살고 있는 이 순간이 얼마나 소중한지를 알고 있는 우리 자신의 삶에 대한 사랑이다. 감사와 우정과 배려와 공감이 만들어낸 그 아름다운 이야기의 공동체, 공감의 공동체 속에서 나는 한없이 평화롭다. 오늘의 모든 고통을 잠시 잊을 수 있다. 나와 함께 해주는 당신만 있다면. 오늘 이 세상의 아름다움을 함께 숨 쉴 수 있는 당신만 있다면. 나와 같은 하늘을 바라볼 수 있는 당신만 있다면.

1일 1페이지,
세상에서 가장 짧은 심리 수업 365

초판 1쇄 발행 2021년 2월 5일 **초판 8쇄 발행** 2023년 11월 7일

지은이 정여울
펴낸이 이승현

편집1 본부장 한수미
와이즈 팀장 장보라
디자인 김준영

펴낸곳 ㈜위즈덤하우스 **출판등록** 2000년 5월 23일 제13-1071호
주소 서울특별시 마포구 양화로 19 합정오피스빌딩 17층
전화 02) 2179-5600 **홈페이지** www.wisdomhouse.co.kr

ISBN 979-11-91308-44-0
979-11-90908-07-8 (세트)